CUENTOS

HANS
CHRISTIAN
ANDERSEN

Edimat Libros, S.A.

Copyright © EDIMAT LIBROS, S. A.
C/ Primavera, 35
Polígono Industrial El Malvar
28500 Arganda del Rey
MADRID-ESPAÑA
www.edimat.es

ISBN: 978-84-9794-473-1
Depósito Legal: M-4050-2019

Título: Cuentos Hans Christian Andersen
Autor: Hans Christian Andersen
Traducción: Cesión editorial Ramón Sopena
Introducción: Paula Arenas Martín-Abril
Diseño de cubierta: Karakachoff estudio
Impreso en: Artes gráficas Cofás

IMPRESO EN ESPAÑA – PRINTED IN SPAIN

Introducción

Por Paula Arenas Martín-Abril

I. Vida y obra

Hans Christian Andersen nacía en la ciudad de Odense (Dinamarca), en la isla de Fionia, en el año 1805 un día de abril, que se convertiría en el Día Internacional del Libro Infantil y Juvenil. Desde la infancia Andersen quiso ser famoso, pero no imaginó que llegaría a tanto y que el 2 de abril, día en que nació, se convertiría en la fecha de celebración de aquello que finalmente fue su vida y lo que precisamente le dio la fama: los libros para niños. Sus narraciones infantiles le situaron en un lugar de honor. Aunque, y justo es señalarlo, no solo escribió Andersen cuentos para niños. Dramas, novelas, poemas y libros de viajes completan la obra de un hombre que bien pudo haber sido un personaje de cuento, dadas las características de su biografía. De hecho, acudió en algunos de sus relatos a su propia experiencia vital. Tampoco imaginaba Andersen, cuando no era más que un niño cuyo futuro parecía tendría que seguir la misma línea que la de sus padres, que el premio más prestigioso de la literatura infantil llevaría su nombre. El patito feo que se convertiría en cisne.

Su infancia fue la de un niño extremadamente pobre. Tanto, que sus padres, Ane Marie Andersdatten y Hans Andersen, cuando se casaron tuvieron que construir ellos mismos los muebles necesarios para la diminuta casa en la que nacería Andersen. Se cuenta que la cama de Marie y Hans fue hecha con los restos de un ataúd. El padre del que se convertiría en célebre escritor tuvo mucho que ver con el destino final de su hijo, quien en sus primeros años de vida trabajó en su taller de zapatero libre —pues nunca fue admitido en el gremio—. A pesar de los problemas de salud del padre, los mismos que terminarían demasiado pronto con su vida, supo inculcar a su hijo la pasión por las historias, el goce de dar rienda suelta a la imaginación. No pensó aquel zapatero pobre, que construía a su hijo teatrillos de madera, que todas esas historias que le contaba iban a ser el germen de una literatura infantil que sobreviviría durante tanto tiempo.

La madre de Andersen, una mujer muy supersticiosa y mayor que el padre, trabajaba lavando ropa. También aportó su «granito de arena», pues gracias a todo lo que le enseñó a su hijo acerca del folclore, él podría después usar todos esos conocimientos para abrir un nuevo camino literario. Incorporaría así a su literatura la tradición y lo legendario.

Las condiciones de vida en que Andersen pasó sus primeros años de vida no eran desde luego prometedoras para un niño que pronto soñó con cambiar su destino y llegar tan lejos como pudiera, aunque posiblemente ni sus sueños alcanzaron a llegar todo lo lejos que él mismo llegó.

Fue mínima la educación que Hans Christian recibió en aquellos tiempos, si bien su padre, un hombre soñador e inquieto, trató de compensarlo contándole a menudo historias repletas de fantasía. Historias que le ayudaron a desarrollar una gran imaginación, que acabarían por convertirlo en uno de los más grandes escritores de literatura infantil.

Si bien es cierto que Andersen no asistía mucho a la escuela en esa época, hay que señalar que durante el tiempo que lo hizo padeció las burlas y el rechazo de sus compañeros, motivadas por su aspecto diferente, y por ello, llamativo. Desafortunadamente llamativo. Demasiado alto, demasiado grande su nariz, demasiado torpe... Arrastraría siempre los complejos de una infancia difícil. Mientras sus compañeros de escuela jugaban en la calle y se divertían, él optaba por quedarse en casa jugando con el teatrillo de títeres que su padre le había construido. Todo esto recuerda a su cuento: *El patito feo,* un animal que hasta que se convierte en cisne es rechazado por los otros patos. Andersen, de niño, pobre y solo, rechazado por los otros niños. De adulto, escritor célebre, con amigos muy influyentes en la sociedad de la época. De patito feo a cisne.

Tras la temprana muerte de su padre, la madre vuelve a casarse en el año 1818, pero esta boda no viene en absoluto a mejorar las míseras condiciones de vida de los Andersen. Hans Christian apenas va a la escuela, sin embargo tiene una gran capacidad para memorizar, y aprende textos de memoria que escucha a otras personas, para recitarlos delante de cualquiera que quiera prestarle un poco de tiempo y atención. Algo que posteriormente hará, pero desde una posición bien distinta. A sus cincuenta y tres años, ya consagrado como escritor, inicia Andersen la costumbre de leer sus cuentos en voz alta. Así es como a partir de entonces lee en muchas ocasiones ante auditorios de cientos de personas, llegando en alguna de sus lecturas a congregar a casi mil personas.

Desde niño le atrae de manera muy especial la danza y todo lo relativo al teatro, pese a que solamente ha ido una vez al teatro de Odense, cuando su padre le llevó a la edad de siete años. Pasado un tiempo tras la muerte de su padre, su madre decide que su hijo ha de aprender un oficio para poder susistir en el futuro, y así es como Hans Christian pasa alguna temporada de aprendiz con un tejedor, después con un tabaquero y finalmente con un sastre. Antes de comenzar estos aprendizajes, que en nada satisfacían sus pretensiones personales de ser algo más que lo que parecía aguardarle, Andersen había aprendido a usar su voz para llegar hasta las casas de la burguesía local, en las cuales cantaba y recitaba. Cuando empezó a trabajar como aprendiz de tejedor, siendo aún un niño, le pedían que cantara para los otros trabajadores. Pero esto no suponía en modo alguno una satisfacción para el jovencísimo Andersen ante el posible reconocimiento de su voz, sino todo lo contrario. Parece ser, que si le pedían que cantara era para ridiculizarlo y burlarse de él, ante una voz que, según decían, parecía la de una chica. Su paso posterior por la tabacalera, también como aprendiz, le hizo sufrir nuevas burlas.

Andersen no va a conformarse con tal suerte, él no quiere ser tejedor, ni tabaquero, ni sastre ni, mucho menos, hazmerreír de nadie. Y sabe que si puede evitarlo no lo será. Está dispuesto a cambiar su destino. A él lo que le gusta, por encima de cualquier otra cosa, es el teatro y las historias. Así es como cuando apenas tiene catorce años, Hans Christian decide que tal vez en Copenhague tenga suerte con su voz. Parte pues decidido a triunfar lejos de Odense y rumbo al Teatro Real. Sale de su aldea natal apenas sin recursos, con el fin de hallar nuevas oportunidades en otra tierra, sabedor de que en la suya no podrá nunca cambiar su suerte y de que con lo único que cuenta seguro es con las burlas de los demás. La intención de Andersen a su marcha era conseguir el éxito gracias a la interpretación, el baile o la canción. Lo que no imaginó entonces aquel niño acomplejado es que sería la literatura, y más concretamente sus cuentos para niños, lo que le situarían en el deseado lugar que le daría el éxito.

Si bien es cierto que los primeros momentos fueron muy difíciles, tres años de miserias e infortunios ganando apenas lo justo para sobrevivir, cantando en un coro hasta que su voz cambió, la suerte de Hans Christian terminó por variar —como en algunos de sus cuentos—. Aun así, la mala suerte no cesó de momento, y aunque intentó por todos los medios conseguir un trabajo en el teatro como bailarín, cantante o actor, no lo logró. Son puestos muy difíciles de conseguir y, además, Hans no tiene formación alguna, lo que dificulta su acceso de manera irremediable y le sitúa en una posición de clara desventaja frente a los demás. A pesar de todo, Andersen no desiste, no va a rendirse para volver a Odense con las manos vacías. Sabe el futuro que le aguarda en su tierra natal, ya ha sufrido un adelanto de lo que puede ser su vida si se queda allí, así que hará cualquier cosa antes de tener que conformarse con una derrota de esas características. Andersen, acostumbrado a la miseria y a la penuria desde su nacimiento, aguanta con fuerza lo que parece ser el fracaso de sus sueños y continúa luchando por hacerse un hueco en algún lugar. Pero el destino parece haberse ensañado con él, aunque no muy tarde cambiaría totalmente.

Además de lo difícil que resultaba acceder al mundo que Andersen pretendía, el del teatro, eran tiempos difíciles los que se vivían debido a la crisis resultante de las condiciones del tratado de paz de Kiel. No obstante, la suerte de Hans Cristian termina por cambiar, y empieza a estar de su parte cuando en el año 1822, ayudado por uno de los directores del Teatro Real, Jonas Collin —amigo de Andersen de por vida a partir de entonces—, obtiene una beca que le permite seguir sus estudios de forma regular, y superar así el bachiller en Slagelsen (cerca de Copenhague). Obtiene el título en 1828, pero tampoco fueron tiempos fáciles. Parece que fueron cinco años difíciles para Hans Christian los pasados en Slagelsen. No obstante, ya le queda muy poco tiempo de penurias y desgracias. Aunque justo es señalar que la penuria siempre lo acompañará en algún sentido, como es el caso de su vida sentimental: las mujeres siempre le rechazaron, no logró ser correspondido nunca, y no pudo por ello formar una familia que mitigara su soledad.

Un año antes de terminar sus estudios en Slagelsen, en 1827, se había dado ya a conocer el futuro escritor con un poema titulado «El niño moribundo», impreso en esa primera ocasión de manera anónima. Un poema fiel heredero del romanticismo imperante en la época; tendencia que seguirá Andersen en sus demás poemas.

El rumbo de Andersen parece que, poco a poco, está cambiando. Abandonada la idea inicial de dedicarse al teatro, terminados sus estudios, se centra en la literatura. Encuentra así el camino que le conducirá al lugar con el que sueña. En ese mismo año, 1827, se publican algunos de sus poemas en el diario literario más importante de la época, y el primer poema que de él se conoció, aunque de manera anónima, «El niño moribundo», no solo se publica, sino que aparece en dos versiones: en danés y en alemán.

Un año más tarde, en 1828, a la edad de veintitrés años Andersen aprueba los exámenes de acceso a la Universidad de Copenhague, inscribiéndose en ella para estudiar Filología y Filosofía. Dan así comienzo sus estudios literarios.

Pronto llega su primer reconocimiento, en los años 1828 y 1829.

Hans Christian Andersen había comenzado a ganarse la vida publicando poesía y obras de teatro, pero su primer éxito —cuando contaba con veinticuatro años— llegará a causa de otro género. Fue su cuento *Un paseo desde el canal de Holmen a la punta este de la isla de Amager* el que le proporciona el primer reconocimiento. Una narración en la que las huellas de uno de los escritores que más le influyeron, Hoffman, están muy presentes. Aunque también sus lecturas de los autores germánicos Goethe y Schiller influyeron en su literatura, así como los escritores ingleses William Shakespeare y Walter Scott, siendo estos dos últimos por los que Andersen sentía especial predilección. Tanto es así que, al parecer, llegó a firmar una de sus obras con el seudónimo William Christian Walter (William por Shakespeare, Christian por él y Walter por Scott).

Su primera obra de teatro, «Amor en la torre de san Nicolás», se debe también a esta misma época. La situación del joven Andersen está cambiando, sus esfuerzos y su tesón están obteniendo sus frutos, aunque el reconocimiento del mundo literario danés le llegará mucho más tarde que el del resto.

Sus éxitos irán en aumento; no obstante, no lograría con ello este joven danés lo que más ansiaba, pues no conseguiría jamás que sus novelas y dramas obtuvieran el mismo reconocimiento que, sin embargo, sus cuentos pronto lograron. Andersen nunca prestó excesiva atención a sus narraciones para niños, dado que su verdadero empeño estaba puesto en sus otros escritos. Aunque también algunos de ellos lograrían el aplauso. Pero aquel aplauso nunca sería tan entusiasmado como el que recibirían sus cuentos, ni pasarían a la Historia de la Literatura de la misma manera que lo han hecho sus narraciones infantiles.

En los siguientes años es la poesía de Andersen la que ve la luz, siendo publicadas las recopilaciones *Digte* en 1830 y *Fantasías y esbozos* en 1831. Está Andersen empezando a vivir uno de sus mejores momentos. No solo sus obras se publican, sino que va a poder realizar uno de sus sueños: viajar. Lo hará en esta primera ocasión gracias a la concesión de una beca real por parte del rey Federico VI —influido por el éxito de las primeras obras del joven Andersen.

En el verano de 1831 viaja Hans Christian a Alemania, donde conoce a los poetas Ludwig Tieck (en Dresden) y Adalbert von Chamisso (en Berlín). A su vuelta publica el primero de sus diarios de viaje: *Cuadros de viaje por el Harz,* conocido también como *Skyggebilleder.* A partir de este momento aprovechará Andersen sus viajes para tomar notas de todo lo que ve, descubre y siente mientras lo hace, dando así a luz varias crónicas de sus viajes por el mundo.

Un año después de su viaje por tierras alemanas, en 1832, escribe Andersen los libretos de una obra musical y una ópera, el ciclo poético *Los doce meses del año*.

Gracias una vez más a su amistad con el director Jonas Collin y también a su incipiente fama, Andersen conseguía otra beca de viaje que, entre los años 1833 y 1834, le llevaba a visitar tierras alemanas, francesas e italianas. Viajar se convertiría en una de las grandes pasiones de Hans Christian, que siempre que tuviera ocasión se desplazaría a otros lugares. Durante su estancia en París conoce a Heinrich Heine y a Victor Hugo, y allí es donde escribe *Inés y el Tritón*. En Roma nace su primera novela, *El improvisador*, y es allí también donde conoce a quien se convertirá en un buen amigo, el escultor Bertel Thorvaldsen. Fue en Italia el lugar donde Andersen recibió la noticia del fallecimiento de su madre.

De vuelta ya a su país, en el año 1835, Andersen publica su primera novela, escrita —como se ha señalado— en Roma, *El improvisador* —rápidamente traducida al alemán y al inglés—. Fue esta novela la que definitivamente marca el inicio de su fama. Una fama que ya le acompañaría siempre. También en 1835 publica Andersen las cuatro primeras historias de «Cuentos de hadas contados para los niños». Eran, al parecer, cuatro relatos breves que Andersen escribió para una niña. Había empezado Andersen a prestar atención a los cuentos de hadas, sin saber que aquello le daría para siempre un lugar de honor en la Literatura. Recuerda ahora Hans Christian el folclore que había oído en su infancia, en especial a su madre, y lo utiliza para sus narraciones. Aquel primer volumen de cuentos de hadas incluía relatos hoy tan célebres como *La princesa y el guisante, El yesquero* y *Nicolasón y Nicolasillo*. Eran historias que partían de cuentos populares, pero Andersen sabía que lo que él estaba haciendo con la tradición era nuevo. Logró unir la fantasía y la realidad en unas narraciones que, aun siendo para niños, no usaban el lenguaje «ñoño» o «facilón» con que a veces nos dirigimos a ellos. Andersen sabía que, aunque no fueran adultos, podían hacer frente a historias que dieran algo más que pequeñas historietas simples. Y no se equivocaba. Lo que hasta entonces había sido considerado imposible de entender para un niño iba a dejar de serlo. La colección recién iniciada, *Cuentos de hadas contados a los niños*, enseguida da como resultado el favor de los lectores y hace que sea continuada casi cada año durante los siguientes cuarenta (con cuentos hoy tan conocidos y celebrados como *La sirenita, Pulgarcita, El patito feo, La reina de las nieves...*). Llegaría esta colección a contar con 172 narraciones, si se incluyen en ella las «Leyendas populares danesas». Cuentos que se traducirían de inmediato, tras la publicación del tercer volumen, al inglés, francés, alemán, español e italiano, entre otros idiomas.

Fue en el año 1837 cuando su carrera llegó a la cumbre con la publicación del tercer volumen de cuentos, que incluía las narraciones de *La sirenita* (tanto sería el alcance que llegaría a la gran pantalla) y *El traje nuevo del emperador.*

A la publicación de su primera novela, *El improvisador,* le siguieron en los años siguientes —además de los reseñados volúmenes de cuentos— varias obras de teatro (como *El mulato)* y dos novelas: *O.T.* (1836) y *Tan solo un violinista* (1837). Las novelas pronto aparecieron publicadas en alemán y, más adelante, en sueco, holandés, inglés y otros idiomas.

Andersen vuelve a viajar en el año 1837 a Suecia, donde conoce a la autora Fredrika Bremer. Al año siguiente, en 1838, Hans Christian va a comprobar que su éxito y su esfuerzo están dando unos resultados poco usuales. Tanto es así que obtiene una estabilidad económica inusual en los escritores de todos los tiempos, dado que recibe del rey una beca literaria oficial. En este mismo año, 1838, su cuento *El soldadito de plomo* causaría una honda impresión en un escritor, que también se haría un hueco en la Historia de la Literatura, Thomas Mann. Se trataba del primer cuento verdaderamente original de Andersen, es decir, que en esta ocasión no había partido de la tradición.

En el año 1840 la obra de teatro *El mulato* obtiene el aplauso en el Teatro Real de Copenhague, y pasa pronto a representarse en Estocolmo y en su ciudad natal, Odense. Ese mismo año inicia Andersen un nuevo viaje, en este caso más largo de lo habitual, por el sureste de Europa a través de Italia, Grecia, y Turquía, regresando por los Balcanes, Dresden y Leipzig, donde conoce a Félix Mendelssohn-Bartholdy y Franz Liszt. Como siempre, Andersen va tomando notas de lo que ve a su alrededor, y el resultado se publica en 1842 con el título «Bazar de un poeta».

Una nueva serie de narraciones de los cuentos de hadas vuelve a publicarse en el año 1843, fecha que coincide con el enamoramiento de Andersen de una mujer que nunca le aceptaría. La cantante sueca Jenny Llind dio a Hans Christian un no rotundo —y para él terrible— a su petición de matrimonio. Según parece, este fue el gran amor del escritor, aunque no es la primera vez que se enamora y le rechazan, ya que también había pedido matrimonio a la hija de quien le ayudó en sus primeros tiempos en Copenhague, Jonas Collin, Luisa. Pese al rechazo que obtuvo de ella, siempre mantuvo Andersen una buena relación con la familia de un hombre que fue su amigo desde el principio, que confió en él cuando nadie lo hacía. A él debía su primera oportunidad.

Un año después de ser rechazado sentimentalmente por la cantante sueca, en 1844, publicó Andersen *El ruiseñor, La reina de las nieves* y *El abeto.*

Seguirá Andersen viajando de manera incansable en los siguientes años, aprovechando así para visitar a influyentes personas de la época. Son muchas las personalidades relevantes del momento que conoce el escritor, algo que se debe en parte a su éxito y en parte también a los numerosos viajes que va realizando y que le permiten ir conociendo de manera directa a tales personas. Así, en el año 1844, se hará muy amigo del Gran Duque Heredero Carl Alexander von Sachsen-Weimar y ese mismo año es invitado a visitar al rey Christian VIII en la isla de Föhr. Un año después, 1845, ve Andersen publicada la primera traducción inglesa de sus novelas. Pero no cesan aquí los honores, pues dos años después, el 6 de enero de 1846, el rey Federico Guillermo IV de Prusia le impondrá la Orden del Águila Roja. Ese mismo año emprende otro viaje, esta vez su rumbo es Alemania, Austria y, por tercera vez, Italia, la tierra que le sirvió a Andersen de inspiración para su primera novela, «El improvisador». Solo un año después, en 1847, podrá ver Andersen las primeras versiones alemanas de su obra.

Emprende en estas fechas un nuevo viaje para conocer Inglaterra y Escocia, y precisamente en este viaje conoce a otro escritor que pasaría a la Historia de la Literatura, Charles Dickens, y de quien parece se dejó influir en ciertos aspectos que beneficiaron sus escritos.

La carrera de Andersen es ya imparable. En 1848 escribe *Las dos baronesas,* y los primeros cuentos de hadas se publican en francés. Un año más tarde, 1849, se estrena la primera obra para el nuevo teatro popular: *El casino,* donde vivirá algunos éxitos reseñables en los siguientes años.

En 1851 publica su libro de viaje *En Suecia,* tierras que visitó dos años antes, en 1849, en respuesta a la invitación del rey Oscar I. Ese mismo año, Andersen consigue además su plaza de profesor titular. Qué lejos queda aquel primer destino de Hans Christian, cuando asistía al taller del tejedor de Odense o de la tabacalera. Qué lejos las burlas y el sufrimiento, aunque dentro de él siempre vivirá un poso de amargura por todo lo sufrido. Ya en aquel pasado que ahora parece tan remoto, Andersen sabía que su vida no pasaba por aquellos oficios. Y lo consiguió.

En el año 1853 empieza a editarse la edición danesa de sus *Obras completas.*

En los siguientes años, de 1855 a 1857, Hans Christian vuelve a viajar, en esta ocasión por Alemania y Suiza. Conoce a Richard Wagner en Zurich. Realiza en estas fechas su segundo viaje a Inglaterra, donde se queda un mes con Charles Dickens. Es entonces cuando escribe «Ser o no ser». En 1855 escribe su autobiografía *El cuento de mi vida*.

En el año 1859, Andersen recibe la Orden Maximiliana de las Artes y las Ciencias de manos del rey Maximiliano II de Bavaria. Dos años más tarde, en 1861, mientras viajaba por Italia, conoce a Robert y Elizabeth Barrett Browning. Durante los dos siguientes años, 1862 y 1863, parte a España. De este viaje publicará, como acostumbra, una obra: *En España*.

Sigue viajando el escritor danés y en el año 1865 vuelve a hacerlo por Suecia, invitado esta vez por el rey Carlos XV. Allí es donde conoce al compositor Edvard Grieg. Al año siguiente, 1866, Andersen se desplaza hasta tierras portuguesas, inspiración para su libro, publicado en 1868, *Visita a Portugal*. Tras el viaje a Portugal, Andersen realiza en 1867 dos viajes a París —motivados por la Exposición Mundial—. De estos desplazamientos también habrá publicación: su cuento «La dríade», publicado en 1868.

Los reconocimientos no cesan, y el prestigio de Andersen, lejos de decaer, va en aumento. En 1868 es nombrado Hijo Predilecto y Ciudadano Honorario de su ciudad natal, Odense. También en el año 1868 conoce Hans Christian al compositor Johannes Brahms en Copenhague.

Vuelve a emprender un viaje que le llevará a Holanda, Francia, Suiza, Alemania, Viena y la Riviera durante los años 1869 y 1870. Es en este último año, 1870, cuando se publica su sexta y última novela, titulada *Pedro el afortunado*. En ella se aprecian, como en las anteriores, huellas de su propia vida. Ese mismo año conoce a Henrik Ibsen.

Un año después, 1871, viaja a Noruega, y al año siguiente publica la última parte de aquello que más fama y reconocimiento le proporcionó, sus cuentos de hadas.

Vuelve a viajar en el año 1872 a Alemania, Austria y una vez más a Italia. Su último viaje le lleva a Suiza en el año 1873. Al cumplir Andersen setenta años se celebra tal evento como una fiesta nacional. Pocos meses después, a causa de un cáncer de hígado, Hans Christian Andersen muere el 4 de agosto de 1875 en Rolighed, (nombre de la quinta de los Melchior, familia de comerciantes judíos que cuidaron del escritor durante sus últimos días).

Cuando Hans Christian Andersen se hallaba en su mejor momento profesional, quienes habían sido sus verdaderos amigos ya no vivían, y como Andersen no tuvo familia —pues siempre fue rechazado por las mujeres de quienes se enamoró— la soledad le devoraba. Fue entonces cuando trabó amistad con unos ricos comerciantes, dos familias judías de Copenhague: los Henriks y los Melchior. Al enfermar Andersen de cáncer de hígado, Dorotea Melchior decidió acogerlo en su propia casa y ayudarle cuanto fuera posible. Impidió de esta manera que el escritor danés muriera solo y en un hospital.

Al entierro del que fuera un niño pobre, asistieron miembros de la realeza. Su heredero universal, Edvard Collin —hijo de quien le ayudó siempre, Jonas Collin— y su esposa habían decidido cumplir el último deseo del escritor. Sería enterrado a su lado, algo que se cumplió cuando estos murieron, tiempo después. No obstante, la soledad de Andersen no iba a verse mitigada ni tan siquiera tras su muerte, ya que al parecer familiares del matrimonio exhumaron más tarde los restos de los Collin y los trasladaron a la tumba familiar, en otro cementerio.

El 11 de agosto se celebró el funeral en la catedral de Copenhague con la asistencia del rey de Dinamarca.

Pero no solamente fue Andersen un buen contador de historias que logró seducir a los niños de su época —y a todos los niños de generaciones venideras hasta hoy—, sino que su obra en buena medida abría nuevos caminos a la literatura infantil. Andersen empleaba el lenguaje de una forma muy novedosa, ya que el habla cotidiana estaba presente en sus narraciones, así como una forma de contar las cosas que no se empleaba dado que no se consideraba apta para la comprensión de los pequeños. Pero Andersen demostró que sí estaban a la altura del entendimiento infantil, y que posiblemente una de las claves para captar la atención de los pequeños residía, además de en contar atractivas e interesantes historias, en la forma en que se contaban. Así Andersen ha pasado a la Historia de la Literatura con cuentos que todos han leído en su infancia, es el caso de historias como *El patito feo, El traje nuevo del emperador, La reina de las nieves, Las zapatillas rojas, El soldadito de plomo* y *La sirenita*. Sus narraciones han sido traducidas a más de ochenta idiomas y han sido además llevadas al teatro, al cine, al *ballet,* al arte (la escultura de La Sirenita es buena prueba de ello), incluso a juegos informáticos.

Actualmente y coincidiendo con su nacimiento, el 2 de abril de cada año se celebra el Día del Libro Infantil y Juvenil. Una iniciativa de IBBY (International Board on Books for Young People), organismo creado en 1953 por Jella Lampam. Este organismo, además de incentivar la literatura infantil y juvenil, otorga el Premio de Literatura Infantil más importante, cuyo nombre es el del escritor danés. Cada dos años, se entrega el Premio Andersen, por el que un escritor y un ilustrador reciben una medalla y un diploma en reconocimiento a un libro o a una trayectoria destacable dentro de la literatura para niños y jóvenes.

En la actualidad, tantos años después de que naciera Andersen, se puede decir que el lugar o por lo menos uno de los lugares más visitados de Dinamarca es la estatua de «La Sirenita» en Copenhague. La ciudad natal de Andersen, Odense, se ha convertido en un lugar repleto de museos dedicados al escritor y con un parque que lleva su nombre, en el que se talló una estatua de Andersen. En el barrio en el que nació, se conserva la casa donde pasó su difícil infancia. En otra casa-museo se encuentran documentos del escritor, ediciones de sus obras y todos sus cuentos. Se exponen además —y para completar— informes escolares, manuscritos, el título de la Universidad de Copenhague, recuerdos que iba adquiriendo en sus numerosos viajes.

II. Los cuentos de Andersen

Fueron los cuentos los que le dieron a Andersen la fama y el reconocimiento del mundo entero, aunque no solo cultivara el relato y aunque ni siquiera fuera este el género al que el autor prestara mayor atención. Siempre valoró más sus novelas y sus obras de teatro. Pero tal valoración no coincidió con la que la Historia terminó por darle.

Muchos de los cuentos de Andersen están inspirados en tradiciones populares y narraciones mitológicas alemanas y griegas, de las que toma ciertos personajes o determinados argumentos que juzga interesantes para desarrollar a partir de ellos nuevas historias. Por eso en muchos de sus cuentos el lector se encuentra con ninfas, duendes, hadas, brujas, elfos, dríades... Fue el Romanticismo el que concedió valor a la tradición, a lo legendario, y recuperó así muchas leyendas y personajes mitológicos. En Andersen la influencia es clara en este punto. De la tradición le gusta al escritor danés de manera especial una característica esencial de las fábulas, que es dar vida humana a objetos y animales.

Lo maravilloso está muy presente en los relatos de Andersen, especialmente en lo referente al folclore danés. Hans Christian Andersen partió en muchos de sus cuentos del folclore de los países nórdicos, de sus creencias y leyendas. Aunque, y justo es señalarlo, no escribe solamente Andersen historias cuyo motor de arranque pase por la tradición, también supo encontrar inspiración en la propia vida, incluso en la suya. Así, en determinados relatos dota a algunos de sus personajes de características muy similares a las suyas, situándoles ante conflictos que, si bien pasados por el filtro de la ficción, recuerdan a su propia experiencia vital. Es el caso de uno de sus cuentos más conocidos, *El patito feo,* que analizaremos más adelante por la semejanza que guarda, en clave simbólica, con la historia de su creador. La vida es usada como fuente de inspiración y también como motivo en su literatura, pues descubrimos en sus relatos una predilección por describir vidas de algunos personajes. Así asistimos a historias de personajes que van desde el nacimiento hasta la muerte, aunque también hay retratados períodos concretos de la vida de sus personajes y no su biografía completa. En algunas ocasiones encontramos incluso más de una vida descrita con la intención de establecer comparaciones, plasmar distintos destinos.

Durante su estancia en el Reino Unido, Andersen entabló amistad con otro gran escritor de la época, Charles Dickens, cuyo realismo, al parecer, influyó decisivamente en Hans Christian y en sus relatos tan llenos siempre de fantasía.

En la época en que vivió Andersen, los cuentos destinados a los niños tenían una intención moralizante y didáctica, sin embargo él obtendría el reconocimiento y el prestigio por otros cauces. En sus cuentos encontramos notas tan sorprendentes para la literatura infantil de aquel momento como el humor o la tristeza. Andersen sabía que aunque los lectores fueran niños podrían comprender perfectamente lo que les estaba relatando. Escribir para niños no significa tener que sacrificar la buena literatura. Imprimió a sus relatos toda la belleza de que fue capaz y supo hallar el tono idóneo para dirigirse a los pequeños, y que estos no solamente le entendieran sino que apreciaran sus narraciones. Así supo Andersen crear clásicos de la literatura infantil.

En las historias de Hans Christian, la condición humana queda diseccionada a la perfección. Baste con leer cualquiera de sus relatos. No escribió historias simples que entretuvieran a los niños. Fue más allá. Y lo logró. Tanto es así que sus cuentos no son solo leídos por los pequeños, sino por adultos que encuentran en ellos el valor de la gran literatura. No en vano, sigue vigente todo lo que en sus historias quiso contar el niño pobre que cambió su destino, pero que siempre arrastró ciertos lastres. No solo de contenido es la diferencia, sino de estilo. Prescindió Andersen de toda la parafernalia de adorno del lenguaje tan propia de la época, introduciendo a su vez expresiones coloquiales, tan chocantes en aquellos momentos como inusuales. De lo que no prescindió el escritor en sus cuentos, aunque estuvieran destinados a los pequeños, fue de la belleza. Una belleza presente siempre en los paisajes que tan bien supo describir, ayudado sin duda por sus numerosos viajes. El relato incluido en la presente selección, *La dama de los hielos*, comienza con una descripción de Suiza, de la que se muestra a continuación el fragmento inicial:

«Hagamos un viaje a Suiza, contemplemos y admiremos un poco este magnífico país, donde las selvas se extienden hasta las cimas de las montañas más escarpadas, marchemos por los campos de deslumbrante nieve y descendamos, al fin, a las verdes praderas, donde ríos y riachuelos corren rugiendo, como si temiesen no alcanzar con bastante rapidez la mar y desaparecer en ella a tiempo».

Supo Andersen apreciar la belleza, observarla y trasladarla a sus relatos. No en vano fue apuntando en todos los viajes sus impresiones de las tierras que iba admirando. Además, el conocimiento constante de otros lugares le daba la valiosa posibilidad de ir incorporando en su literatura diversos paisajes. Si algo le gustaba a Andersen, aparte de viajar, era la naturaleza, que supo admirar y respetar. Así se aprecia en sus obras.

Dirigidos en principio a un público infantil, aunque admiten sin duda la lectura a otros niveles, los cuentos de Andersen dan fe de una fusión perfecta: realidad y fantasía. Empleando animales u objetos propios de fábula o héroes mitológicos o sencillamente personajes por él inventados, el escritor danés supo cómo mostrar ciertas realidades de la condición humana.

Especial influencia ejerce su propia vida en sus relatos, sometiendo a sus personajes a ciertos destinos que acaban muchas veces por premiar el esfuerzo de los personajes centrales. *El patito feo,* sin ir más lejos, es un claro ejemplo.

III. Cuentos humorísticos y sentimentales

El cuento más autobiográfico que escribió Andersen —incluido en esta selección— es uno de los cuentos infantiles más conocidos: *El patito feo*. Tanto es así que ha llegado incluso a emplearse la expresión («patito feo») para referirse a realidades que guardan alguna similitud con la presentada en el relato. Una historia, la narrada en este cuento, que en mucho se parece a la propia vida de quien fue su autor. También Andersen supo —como el protagonista de su relato— lo que era sufrir el rechazo de todos por ser diferente y también supo —tiempo después— lo que era el éxito y la aceptación (si bien, como se ha señalado anteriormente en este prólogo, hubo en ciertos campos —como el sentimental— en los que siempre fue rechazado). El cuento se cierra con un final aparentemente feliz: el pato se convierte en cisne y es entonces —pero solo entonces— aceptado. Un final de los que dejan tan satisfechos a los niños. Sin embargo, en esta historia y concretamente en este final se esconde algo más, una lectura más propia ya de adulto. El pato no es aceptado hasta que se torna hermoso, hasta que se convierte en cisne, lo cual no deja de ser desesperanzador. Desesperanzador, porque no se trata de que los otros animales acepten al pato porque descubran que, aunque sea feo o distinto, posee otras cualidades, sino que es aceptado y admitido porque cambia y se asemeja así al resto. Solamente al dejar de ser distinto es aceptado. Andersen logró ser aceptado por la sociedad de su tiempo cuando logró el éxito y el reconocimiento. Hasta ese momento sufrió siempre las burlas de quienes le rodeaban. Incluso, en Slagelsen, parece que tuvo algunas experiencias traumáticas.

«Voló hacia el agua y nadó hacia los majestuosos cisnes. Ellos lo vieron y con las plumas erizadas acudieron a su encuentro.

—¡Matadme si queréis! —exclamó el pobre animal e inclinó la cabeza sobre la superficie del agua, esperando la muerte...

Pero ¿qué vio reflejada en su transparencia? Pues su propia imagen. Pero ya no era un torpe, gris y feo pato, sino un magnífico cisne. Poco importa haber nacido en un corral, cuando se sale del huevo de cisne.

[...]

Llegaron al jardín unos niños provistos de trigo y de pedacitos de pan, que arrojaron al agua. El más joven gritó:

—¡Hay un cisne nuevo!

—Sí, hay uno nuevo —exclamaron los demás satisfechos.

Empezaron a palmotear y a dar saltos de alegría. Luego fueron al encuentro de su papá y de su mamá. Arrojaron todo el pan al agua y afirmaron que el nuevo cisne era el más bonito y elegante.

Y los viejos cisnes asintieron con su cabeza.

[...]

Pensó en las persecuciones y en las burlas que había sufrido y ahora oía decir que era el más hermoso de todos los cisnes».

Al trasladar esta lectura del fragmento final del relato «El patito feo» a la vida real, encontramos la crítica a una sociedad que rechaza lo diferente hasta que lo diferente deja de serlo. Únicamente cuando el pato se convierte en «el cisne más hermoso» deja de ser rechazado. Igual que Andersen, que de niño fue rechazado por ser distinto (al parecer feo, poco proporcionado, demasiado alto). Así pues, tras ese aparentemente hermoso final no hallamos otra cosa que desesperanza y tristeza. El propio cisne —en su reflexión— así lo deja ver: «Pensó en las persecuciones y en las burlas que había sufrido y ahora oía decir que era el más bonito y elegante». ¿Qué hubiera ocurrido si el pato no hubiera dejado de ser feo?, ¿qué hubiera ocurrido si Andersen no hubiera salido de Odense?

Retrató Andersen en *El patito feo* —y en otros cuentos de iguales características— uno de los peores defectos de la sociedad de cualquier tiempo, y es que siempre es intolerante con quien se diferencia. No se trata de que la sociedad de su tiempo fuera intolerante, se trata de un defecto que bien podemos juzgar universal. Hoy, en el siglo XXI —tanto tiempo después—, nuestro comportamiento en ese sentido no ha variado. O no lo suficiente como para que *El patito feo* nos pareciera una historia del pasado.

En otros relatos también quiso el escritor danés dejar constancia de la sociedad en que vivió, solo que de manera muy distinta a la que lo hizo en *El patito feo*. Así, nos acerca en algunas historias a un personaje que en apariencia lo tiene todo para ser feliz —al contrario que en *El patito feo*—, integrado en una sociedad que, lejos de rechazarlo, lo «abraza». Sin embargo el personaje en cuestión no logra ser feliz, porque siempre quiere algo que no posee. Luego, tampoco quería Andersen decirnos con y en sus relatos que el secreto de la felicidad estuviera en ser aceptado socialmente y en reunir todos esos requisitos que se suponen indispensables para ser felices. Se necesita algo más, y eso precisamente es lo que Andersen deja dicho en sus cuentos.

Dos maneras pues de infelicidad, las presentadas por Hans Christian: una por una sociedad que rechaza y no tolera; otra, por el propio individuo que, aun siendo aceptado por el grupo al que pertenece, no logra hallar la felicidad.

Si bien es cierto que en el primer caso, *El patito feo,* el personaje acaba por encontrar la felicidad y en el segundo los finales son tristes, puede concluirse que uno y otro esconden cierta desesperanza. Al escritor danés le preocupó la felicidad y el camino para conseguirla. Así queda plasmado en sus historias. Tal vez la razón para tal preocupación —normal, por otra parte en la mayoría de seres humanos— no sea tan difícil y estribe sencillamente en que él no logró serlo.

No obstante, no es todo desesperanza y amargura en la literatura de Andersen y así queda constatado en sus relatos en temas como, por ejemplo, la muerte. Su visión no es negativa ni trágica. Fue precisamente la muerte uno de los grandes temas que reflejó en su literatura infantil. El hecho de que fueran relatos para niños no suponía para el autor danés tener que sacrificar motivos tan importantes como la muerte. Y ese es uno de sus aciertos más relevantes, no subestimó jamás a los niños. Una muerte, la de las historias de Andersen, que no es otra cosa que el paso a la vida eterna. Incluso en algunos casos viene a ser todo un alivio. Así, en dos relatos de esta selección, *Bajo el sauce* y *La muchachita de los fósforos,* el fallecimiento no aparece como algo terrible. Lejos de ser un hecho desafortunado, triste o amargo, Andersen lo presenta como un alivio:

«De las nubes caía un granizo glacial que le azotaba el rostro.

—He gozado de la hora más deliciosa de mi vida —dijo— y era un sueño... ¡Dios mío, déjame soñar más!

Cerró los ojos, se durmió, soñó...».

En este fragmento del cuento *Bajo el sauce* el personaje muere de una manera poco trágica, ya que es él mismo quien le pide a Dios poder seguir gozando, un goce que no es otra cosa que la propia muerte. Es, pues, en esta ocasión la muerte un alivio para el personaje. Y el lector así lo recibe.

En *La muchachita de los fósforos,* la muerte está presente también y de la misma manera que en los demás cuentos de Andersen no es una tragedia, es como en *Bajo el sauce* un alivio para los personajes que fallecen.

«Nunca había sido tan bella la abuelita, tan grande. Cogió a la niña por el brazo y volaron, soberbia y alegremente, alto, muy alto... Allí no hacía frío, ni había hambre, ni inquietud... ¡Estaban en la mansión de Dios!

A la mañana siguiente, en el frío rincón que formaban las dos casas, apareció sentada la pequeña con sus mejillas sonrosadas y la sonrisa en la boca... muerta, congelada por el frío de la última noche del año. La mañana de Año Nuevo se elevó sobre el pequeño cadáver sentado al lado de las cerillas gastadas... Dijeron:

—Ha tratado de calentarse...

Pero nadie supo jamás lo que ella había visto de bello, ¡con qué esplendor ella y su abuelita habían entrado en la alegría del Nuevo Año!».

Así pues la muerte aparece en la narración como una salvación para quien tanto sufría en vida. Por eso la frase final: «¡con qué esplendor ella y su abuelita habían entrado en la alegría del Nuevo Año!».

Tiene esta visión mucho que ver con el sentido religioso que aparece en algunas narraciones de Hans Christian, en las que retrata a personajes de fe ciega, en las que Dios es el máximo poder y cuyas decisiones sobre los hombres son siempre por su bien. Es cierto que también presenta a algunos personajes que pierden la fe debido a las duras pruebas que les hace atravesar Dios. Sin embargo, esta pérdida es momentánea, recuperándola después el personaje con más fuerza aún que antes, al comprender que Dios estaba en lo cierto y que todo lo que había hecho era por su bien. Esto explica —o al menos en parte— ese sentido que Andersen dio a la muerte en sus relatos.

Pero volvamos nuevamente al relato *Bajo el sauce,* porque en él, además de reflejar Andersen el tema de la muerte, deja constancia de otro tema: el rechazo sentimental. Algo que él conoció bien, ya que fue siempre rechazado por las mujeres que amó, recibiendo un «no» rotundo a su petición de matrimonio. No en vano su vida fue motor de muchas de sus historias. En *Bajo el sauce,* un niño y una niña crecen juntos y felices hasta que tienen que separarse. Él, que nunca ha dejado de estar enamorado de ella, tratará de conquistarla cuando vuelvan a encontrarse para casarse con ella y poder ser así felices, pero el tiempo ha pasado y el joven es rechazado por quien fuera su compañera de infancia, y también su gran amor. Terminará así el personaje rechazado muriendo de frío. Desamor y muerte en Andersen, que, aunque nunca se quitó la vida por un rechazo, sufrió en más de una ocasión el desamor de quien él amaba. Puede parecer que estos temas son poco apropiados para los niños, más aún si tenemos en cuenta la época en que se escribieron y publicaron por vez primera. Sin embargo, no ha resultado ser así, y la prueba es tan clara como la propia historia que ha situado a Andersen en un lugar privilegiado de la literatura infantil. Nadie duda hoy acerca de lo adecuado que puede ser que los niños lean los cuentos de Andersen. Hans Christian demostró con sus narraciones que los niños son perfectamente capaces de comprender conflictos del mundo adulto, que, además, serán los mismos a quienes ellos tengan que enfrentarse en el futuro. Esto no supuso que el autor danés renunciara a la fantasía y a lo maravilloso, pues no lo hizo. De hecho, en sus relatos no faltan elementos mágicos e imaginativos, como se ha señalado anteriormente.

No solamente demostró Andersen que se podía hacer un cambio en cuanto al contenido de las narraciones infantiles, sino que también en la forma se podía y posiblemente se debía. Así, Andersen optó por emplear un lenguaje inusual en aquel momento para dirigirse a los pequeños, eliminado todo lo superfluo o excesivo. Un lenguaje que, finalmente, acabó por seducir al público al que se dirigía. Optó además el autor danés por introducir en sus relatos expresiones coloquiales que dotaban sus narraciones de una mayor verosimilitud.

También en sus cuentos se observa una predilección por retratar vidas de personajes, algo que sucede en *Bajo el sauce,* pues nos acerca a la existencia del personaje central hasta su muerte, momento en que se llega al final de la historia. En otros relatos, opta Hans Christian por acercarse a la vida de algunos personajes, si bien prefiere centrarse solamente en un fragmento de su existencia y no en toda su biografía como sucedía en *Bajo el sauce.* Predilección también la que sentía Andersen por establecer comparaciones entre distintas vidas. La suerte y el destino fueron motivos de muchas de sus narraciones, y la comparación entre diferentes existencias que tienen distintos rumbos (suerte y destino) está también en sus historias. Es el caso, por ejemplo, de otro de los relatos aquí incluido, titulado *¿Cuál fue la más dichosa?* En este cuento nos encontramos una preocupación muy especial: saber cuál es la suerte de cada una de las flores de un rosal, estableciéndose de esta manera una suerte de comparación entre sus vidas, para intentar conocer cuál ha sido la más feliz de todas ellas. De ahí el título («¿Cuál fue la más dichosa?»).

«Cada rosa del seto tenía su propia historia. Cada rosa creía e imaginaba que era la más dichosa, y la fe produce la felicidad».

En el fragmento extraído de «¿Cuál fue la más dichosa?» se aprecia además el gusto de Andersen por dar características humanas a realidades que no lo son, como en este caso unas flores. Algo propio de las fábulas en que se concede a los animales características propiamente humanas. Andersen supo encontrar en la tradición motivos más que suficientes para crear algunas historias.

Además de destino, muerte, sociedad, vida, amor y desamor, Andersen refleja en algunas de sus historias a la mujer de una manera que nos hace pensar en una importancia mayor que la de los hombres. Incluso podríamos considerar a la mujer como uno de los temas de su literatura infantil. No en todos sus relatos, pero sí en algunos, las mujeres cobran un protagonismo muy superior al de los hombres, llegando éstos incluso a desaparecer en favor de ellas. Escribió Andersen algunas historias en las que la presencia masculina es nula. Mas no solamente eso, pues sucede en algunos cuentos que son ellas, los personajes femeninos, quienes encarnan roles entonces totalmente masculinos, convirtiéndose por ejemplo en salvadoras.

En su célebre cuento *Pulgarcita* —incluido en esta selección— nos acerca a la mujer. La hija del rey de barro que de día es bella pero de mal carácter y de noche se convierte en un sapo bueno. Una narración que fue más allá de los libros y llegó como se verá en el siguiente apartado a la gran pantalla.

IV. Cuentos fantásticos y de animales

Se recoge en la presente obra una selección de cuentos de Hans Christian Andersen en lo que lo fantástico y el mundo animal tienen un protagonismo importante. A través de algunos de los relatos aquí incluidos se pueden establecer algunas de las líneas fundamentales, así como de los temas, que siguió el escritor danés en sus narraciones infantiles. Si bien, en este punto, quiero señalar la posibilidad de ampliar un poco el abanico. Los cuentos de Andersen, dada su profundidad y la huida de la simplicidad en que a veces han caído y caen los narradores infantiles, resultan tan válidos para niños como para adultos. Es más, se descubrirá una nueva literatura, antes ni siquiera intuida en la lectura infantil que de sus cuentos se hizo.

En el cuento *El encendedor de yesca,* una narración en la que el personaje principal, un soldado sin recursos, acaba por ver cómo cambia su destino. Del infortunio pasará a la fortuna. Algo que Andersen hacía con cierta frecuencia en sus relatos. Presentaba a un personaje desgraciado a quien el destino acababa por sonreír. Así es como en *El encendedor de yesca,* un soldado pobre, gracias a un encendedor mágico, se hará rico y cumplirá lo que anhelaba, llegando a convertirse en rey. Un golpe de suerte, de los que tanto «gancho» tienen para los niños, que cambia todo el panorama inicial tan lleno de desgracia y mala suerte. Un final feliz que agrada siempre a los pequeños:

«Los soldados estaban espantados, y todo el mundo gritaba:

—¡Soldadito, tú serás nuestro rey y te casarás con la gentil princesa!

Y colocaron al soldado en la carroza del rey y los perros bailaron delante de ella, gritando:

—¡Hurra!

Los jóvenes aclamaron y los soldados presentaron armas. La princesa salió del palacio de cobre y se convirtió en reina, cosa que la puso muy contenta. Las bodas duraron ocho días y...».

Cabría añadir: fueron felices y comieron perdices.

Suerte y destino pues como motivos principales de esta narración, presentes en muchos de los relatos de un autor que, como se señalaba al inicio de esta introducción, bien pudo ser un personaje de un cuento cualquiera, más concretamente de uno de los suyos, pues Andersen, un niño que vivió la infancia más pobre, logra convertirse en el escritor infantil por excelencia. No solo de su tiempo, de todos los tiempos. No es de extrañar que Andersen también encontrara inspiración en su propia vida, llevando ciertos rasgos de él mismo y determinados episodios de su biografía a sus relatos.

Pero aún hay más en este relato de la presente edición. Es precisamente el encendedor a que hace referencia el título el objeto que hace posible el cambio de destino del soldado, el que lo convierte en rey. Se trata de un objeto mágico que seduce por completo a los pequeños lectores, dado lo fantasioso del tema. Se trata de un recurso propio de las historias infantiles, el objeto mágico que cambia la vida al personaje central. Ahora bien, también puede suceder y así sucede en otros cuentos de Hans Christian que tal objeto actúe en sentido contrario y en lugar de cambiar la suerte del personaje para bien lo haga para mal. Es el caso de un relato también incluido en esta obra: *Las zapatillas rojas* (1845), de durísimo final. En este cuento, el personaje central es una niña pequeña muy pobre que ha de ir descalza o con unos zuecos de madera hasta que su suerte parece cambiar:

«En el centro del pueblo vivía la vieja comadre Zapatera, que hacía, lo mejor que ella podía, un par de zapatillas con viejos trozos de tela. Su aspecto era muy tosco, pero la intención buena. Ese par de zapatillas era para la niñita».

La niña —Karen— se siente inmensamente feliz ante el regalo. Unas zapatillas rojas en lugar de los pies desnudos o los zuecos de madera. Sin embargo, no serán estas zapatillas las que cambien su suerte, sino otras. Rojas también las zapatillas que adquiere para su confirmación y de charol. Tal objeto será el motivo de su infelicidad, ya que no podrá quitárselas tras ponérselas para asistir a la iglesia, y estará obligada por ellas a caminar, correr y bailar hasta el día en que decide que la única solución es que le corten los pies. Un objeto mágico en esta ocasión también es el motor que desencadena el cambio en la vida del personaje, solo que en lugar de mejorar su suerte la empeora notablemente llegando a un final tan trágico como la mutilación.

En otro cuento de esta selección, *Los chanclos de la felicidad* (1838), también pone Andersen un objeto mágico al servicio de sus intenciones. Así es como cualquiera que se ponga los chanclos —zuecos— mágicos podrá trasladarse al lugar y el tiempo que quiera, provocando situaciones bastante raras para quienes se los ponen.

El relato, *El compañero de viaje,* nos acerca a un tema que trató Andersen en algunas de sus narraciones. La figura de Dios y sus decisiones sobre lo humano. Dios es, por tanto, quien decide en *El compañero de viaje* por los hombres. Un Dios que, siempre en los relatos de Hans Christian, hace el bien con cada una de sus decisiones. No obstante, también retrata Andersen en algunas narraciones a personajes que, en un momento de ira o de gran tristeza, pierden esa fe en Dios. Una pérdida nacida de la incomprensión de los personajes al tener que atravesar ciertas pruebas muy duras. No obstante, no tardan en recuperar su fe, al ser conscientes de que en realidad Dios tenía razón en lo que les hacía pasar, por muy duro e incomprensible que entonces pudiera parecerles. Llegan incluso a aceptar la muerte de seres tan cercanos y queridos como el propio hijo. Un tema, el de *El compañero de viaje,* que en nada debe extrañarnos, si tenemos en cuenta la importancia de la religión en la sociedad danesa de la época, lo que no supone que Andersen fuera un hombre especialmente religioso, o no, al menos, hasta sus últimos días. Encontramos referencias a la religión y por supuesto a Dios, muy presente en sus cuentos. Tanto es así que se ha llegado a considerar esta figura como uno de los temas del autor danés. Un Dios que representa Andersen como el máximo poder, tanto que el ser humano nada puede hacer contra él. Dios es quien guía a los personajes, quien determina sus acciones, y ellos quienes creen en Él pese a que en algunas de las historias de Andersen los personajes lleguen a perder la fe. Ahora bien, tal pérdida es momentánea, se trata de un paso para recuperarla después con más fuerza aún.

En *El compañero de viaje* encontramos además otro de los grandes temas de los cuentos de Andersen: la muerte, presente en casi todas sus narraciones. En esta ocasión la muerte del padre del personaje central no aparece como algo trágico, sino como el paso del padre a una vida mucho mejor. El hijo llora desesperado cuando: «El sol alumbraba deliciosamente los verdes árboles, como si quisiera decir:

—No te aflijas tanto, Juan. Mira lo azul que está el cielo. Allá arriba es donde está tu padre ahora y pide a Dios que no te abandone nunca».

Así es como Juan deja de llorar la pérdida de su padre y dice:

—«Yo quiero ser siempre bueno, porque así subiré también al cielo y estaré al lado de mi padre... ¡Oh, qué alegría y felicidad tendremos!».

Sueña entonces Juan con el cielo cuando le llegue la hora. Por ello termina por aceptar la muerte del padre, sabiendo que no supone el final sino el comienzo de algo mucho mejor:

«Los pájaros, que estaban posados en el castaño piaban alegremente: ¡Qvivit, qvivit! Estaban contentos porque habían asistido al entierro y sabían que el difunto se hallaba ahora en el cielo, donde tenía alas mucho más bellas y más grandes que las del cielo, y era feliz porque había sido muy bueno en la tierra, y por eso estaban contentos».

En el cuento en siete historias *La reina de las nieves,* también dentro de esta edición, Andersen plantea un conflicto, que también planteará en otros cuentos, y es el que podríamos considerar el eterno dilema humano. ¿A qué hacer caso: a la razón o al sentimiento? Así, en *La reina de las nieves,* el personaje central, Gerda, debe optar por seguir a la razón o al corazón, decidiéndose finalmente por lo último. Gracias a tal decisión salvará a su amigo.

No obstante, el hecho de que en *La reina de las nieves* el conflicto se resuelva gracias al dictado del corazón no supone que esa sea la respuesta única y final de Andersen al conflicto. No eligió el escritor de manera definitiva, de sus cuentos no se desprende una elección de la razón tajante o una elección del corazón definitiva. Optó por no dar una respuesta única, y así lo dejó plasmado en sus historias, al resolver de distintas maneras el conflicto a que nos referimos. En algunos cuentos el personaje elegirá hacer caso a los mandatos de la razón y en otros el personaje se decide siguiendo a sus sentimientos.

V. Andersen en el cine

No solamente la vida de este escritor ha interesado a algunos cineastas para llevarla a la gran pantalla. También algunas de sus historias, con mejor o peor acierto, han pasado de los libros del autor danés al cine.

Así fue como el célebre cuento *Las zapatillas rojas* dio al cine británico la oportunidad de llevar a cabo una película en el año 1948. De Michael Powel y Emeric Pressburger, este musical contó con las interpretaciones de Anton Wallbrock, Marius Goring y Moira Shearer. Fue ese mismo año (1948) candidata a los Oscar en las categorías de mejor película, montaje, argumento, música original y decoración en color. Obtuvo el Oscar por la música original Brian Easdale, por la decoración en color Hein Heckroth y Arthur Lowson.

El fabuloso Andersen fue el título con que se bautizó la película que llevó la vida del autor danés a la gran pantalla en el año 1952. Fue el actor Danny Kaye quien dio vida a la propia vida de Hans Christian Andersen. Farley Granger, Jean Marie, Joseph Walsh y Ronald Petit completaron el reparto del film. También esta película fue candidata a los Oscar por la mejor fotografía en color (Harry Stradling), pero la estatuilla fue a parar a *El hombre tranquilo* (Winton Hoch y Archie Stout). También estuvo nominada a la mejor decoración en color *El fabuloso Andersen* (Richard Day, Antoni Clavé y Howard Bristol), pero la estatuilla premió a *Moulin Rouge* (Paul Sheriff y Marcel Vertés). También figuraba entra las candidatas al Oscar al mejor sonido (Gordon Sawyer), pero fue *La barrera del sonido* (John Cox) quien se llevó el ansiado galardón. En la categoría de mejor canción también figuraba *El fabuloso Andersen* (música y letra: Frank Loesser), pero sería *Solo ante el peligro* (música: Dimitri Tiomkin, letra: Ned Wahington) la ganadora. En la sección «adaptación musical» su suerte no fue mejor y *El fabuloso Andersen* (Walter Scharf) se quedaba sin Oscar, siendo *Con una canción en mi corazón* (Alfred Newman) la triunfadora en tal categoría. En vestuario también estuvo nominada, pero *El fabuloso Andersen* (Antoni Clavé, Mary Wills y Karinska) no tuvo suerte y el Oscar se lo llevó *Moulin Rouge* (Marcel Vertés).

El cuento que dio lugar a la famosa obra del escultor danés Edvard Eriksen, *La sirenita* —y que se ha convertido en uno de los símbolos del país—, serviría a la Disney para la película de dibujos animados de mismo título, dirigida por John Musker y Ron Clements, con música de Alan Menken. Esta película, además, puede considerarse precursora de superproducciones como *El Rey León, Pocahontas* o *El Jorobado de Notre Dame. La sirenita* se estrenaba en el año 1989 (aunque no llegaría a España hasta el año 1990). Una película que se reestrenaría en España en 1998. *La sirenita* también se llevó algún Oscar: a la mejor banda sonora original y a la mejor canción («Bajo el mar»).

La tierna historia de la niña nacida de un grano de cebada, diminuta pero llena de fuerza y que se guía siempre por su corazón, *Pulgarcita,* fue llevada al cine en el año 1991 y en 1994 volvería a la gran pantalla bajo la dirección de Don Bluth y Gary Goldman. Contaría esta película de animación con la voz de los actores Jordi Benson, Gino Conforti, Barbara Cook, Will Ryan, June Foray, Kenneth Mars, Gary Imhof, Joe Lynch, Charo, Danny Mann, Loren Michaels, Kendall Cunningham, Tawny Sunshine, Michael Nunes y Gilbert Gottfried. Don Bluth fue quien realizó, además de dirigir el film, la adaptación del guión. La música corrió a cargo de Jack Feldman, Mark Isham, Barry Manilow, William Ross y Bruce Sussman.

Andersen: mi mágica vida fue el título con que se dio a conocer en la gran pantalla la biografía del escritor danés en el año 2001. Una película americana dirigida por Philip Saville, interpretada por Cheyenne Rushing, Jeff Caster, James Fox, Emily Hamilton, Caroline Harker y Alison Steadman; producida por Davina Belling, Paul Lowin y Clive Parsons; con fotografía de John Kenway.

El relato de Andersen *La reina de las nieves,* lleno de magia, suspense y amor, también será llevado al cine en el año 2002 como una película de aventuras destinada a todos los públicos aunque con una intención clara de «enganchar» a toda la familia. Dirigida por David Wu, interpretada por Bridget Fonda, Chelsea Hobbs, Jeremy Guilbaut, Robert Wisden, Jennifer Clemente, Suzy Joachim, Meghan Black, Rachel Hayward, Duncan Fraser, Mark Acheson, Bart Anderson, Long John Baldry, Jessie Borgstrom, Sage Brocklebank, Jim Byrnes, Wanda Cannon, Kira Clavell, John DeSantis, Daniel Gillies, Trever Havixbeck, Adrian Holmes, Alexander Hoy, Robert D. Jones, Rhys Lloyd, Ninon Parent, Kris Pope, Markus Welby y Helena Yea; producida por Matthew O'Connor y Michael O'Connor; con guión de Simon Moore, fotografía de Gergory Middleton y música de Lawrence Shragge.

CUENTOS

HANS CHRISTIAN ANDERSEN

EL ENCENDEDOR DE YESCA

Érase una vez un soldado que marchaba por la carretera a paso rítmico: un, dos, un, dos... Llevaba el saco de reglamento a la espalda y el sable ceñido a la cintura. Volvía de la guerra y regresaba a su casa. Por la carretera se encontró con una vieja bruja. Era horrible. El labio inferior le colgaba hasta el pecho. Le dijo:

—¡Buenas tardes, soldado! Por tu gran saco y tu bello sable se ve que eres un verdadero soldado. ¡Vas a tener todo el dinero que quieras!

—Gracias, vieja bruja —le contestó el soldado.

—¿Ves ese árbol tan corpulento? —dijo la bruja, señalando el árbol que estaba cerca de ellos—. Todo él está hueco en el interior. Subirás hasta lo más alto, verás un agujero por el que podrás deslizarte hasta el fondo del árbol. Yo te ataré una cuerda a la cintura para poder subirte cuando tú digas.

—Y, ¿qué he de hacer en el fondo del árbol? —preguntó el soldado.

—Cogerás dinero —le respondió la bruja—. Has de saber que cuando desciendas te encontrarás en un inmenso corredor muy claro, ya que lucen en él cientos de lámparas. Verás tres puertas. Podrás abrirlas, pues las llaves están en sus cerraduras. Si entras en la primera habitación, encontrarás en medio de ella una gran caja. Un perro está sentado, ¡no te asustes por eso! Yo te daré mi delantal de cuadros azules que extenderás sobre el suelo; después, coge con decisión al perro, lo pones sobre el delantal, abre la caja y toma todas las monedas que quieras. Son de cobre. Pero si las prefieres de plata, ve a la habitación siguiente. Allí encontrarás sentado un perro que tiene los ojos tan grandes como ruedas de molino; pero, ¡no te asustes por eso! Ponlo sobre mi delantal y coge la plata. Y si quieres tener oro, puedes también tenerlo, y tanto como puedas transportar, yendo a la tercera habitación. Solamente que allí el perro que está sentado sobre la caja tiene dos ojos cada uno tan grande como la Torre Redonda. Es un perro imponente, puedes creerme; pero no te asustes por eso. Colócalo sencillamente sobre mi delantal. No te hará nada, y podrás coger de la caja todo el oro que quieras.

—¡Eso no está mal del todo! —replicó el soldado—. Pero, ¿qué he de darte a cambio, vieja bruja? Supongo que tú querrás también algo.

—No. Yo no quiero ni un céntimo —dijo la bruja—. Solo cogerás para mí un viejo encendedor de yesca que mi abuela olvidó allí la última vez que descendió.

—Muy bien. Átame la cuerda alrededor de la cintura —dijo el soldado.

—Ya está —exclamó la bruja—. Aquí tienes mi delantal de cuadros azules.

El soldado subió al árbol, se dejó caer por el agujero y se encontró, como le había dicho la bruja, en un inmenso corredor en donde lucían cientos de lámparas.

Sin pérdida de tiempo abrió la primera puerta. ¡Ay! Allí estaba el perro sentado, mirándole fijamente con sus ojos, grandes como tazas de té.

—Tú eres un buen muchacho —le dijo el soldado.

Lo puso sobre el delantal de la bruja y cogió cuantas piezas de cobre cupieron en su bolsillo. Después cerró la caja, colocó el perro en su sitio y entró en la segunda habitación. ¡Oh! Allí estaba sentado el perro de los ojos grandes como ruedas de molino.

—No deberías mirarme tanto —dijo el soldado—. Podría hacerte daño a los ojos.

Y puso el perro sobre el delantal de la bruja. Cuando vio las infinitas piezas de plata que contenía la caja, arrojó rápidamente todas las monedas de cobre que tenía en el bolsillo y llenó este y el saco de monedas de plata. Y entró en la tercera habitación.

¡Oh, era espantoso! Allí estaba sentado el perro cuyos ojos eran tan enormes como la Torre Redonda, ojos que giraban en sus cuencas como si fueran ruedas.

—Buenas tardes —dijo el soldado, llevándose la mano al quepis, ya que no había visto nunca un perro parecido.

Poco después de observarlo durante unos segundos, se dijo que ya estaba bien y lo bajó al suelo. Abrió la caja. ¡Oh, Dios santo! ¡Qué cantidad de oro! Se podría comprar con él todo Copenhague y los cerdos de azúcar de las confiterías; todos los soldados de plomo, todos los látigos y todos los tiovivos del mundo. Sí; era una verdadera riqueza.

Entonces el soldado arrojó con rapidez todas las monedas de plata que llenaban sus bolsillos y su saco y las reemplazó por las de oro, colmando a la vez el quepis y los zapatos, con lo cual apenas podía dar un paso. ¡Ah, pero se llevaba una fortuna! Volvió el perro a su lugar; cerró la puerta y gritó desde el tronco del árbol:

—¡Ya puedes subirme, vieja bruja!

—¿Tienes el encendedor? —preguntó la bruja.

—Es verdad —contestó el soldado—. Lo había olvidado. Y fue en su busca.

La vieja le subió, y de nuevo se encontró en la carretera con los bolsillos, el saco, los zapatos y el quepis llenos de monedas de oro.

—¿Para qué quieres el encendedor? —preguntó el soldado a la bruja.

—Eso no te importa —le contestó esta—. Tú ya tienes el dinero. Dame el encendedor.

—¡Tatata! —dijo el soldado—. Has de decirme inmediatamente para qué lo quieres; si no, saco el sable y te corto la cabeza.

—No —replicó la bruja.

Y el soldado le cortó la cabeza. La bruja cayó al suelo cuan larga era. Entonces el soldado echó todo el dinero en el delantal, hizo un paquete y se lo puso a la espalda. Metió el encendedor en su bolsillo y se dirigió derecho a la ciudad.

Era una ciudad muy linda. Encaminó sus pasos a la mejor posada, solicitó las mejores habitaciones y los platos que más le gustaban, puesto que ahora era rico.

El muchacho que tenía que limpiarle los zapatos se extrañaba de que un señor tan rico los usase tan viejos, pero el soldado no había tenido tiempo todavía de comprarse unos nuevos. Al día siguiente, los tenía magníficos, así como trajes soberbios. Se había convertido en un hombre elegante, y le hablaban de todo lo bueno y bello que había en la ciudad; del rey, y también de cuán bella y graciosa era la princesa, hija del rey.

—¿Dónde se la puede ver? —preguntó el soldado.

—No se la puede ver —le respondían siempre—. Habita en un gran palacio de cobre, con muros y torres. Solo el rey tiene entrada libre en sus habitaciones, puesto que le han predicho que se casará con un simple soldado y el rey no quiere eso de ninguna manera.

«A mí me gustaría verla», se dijo el soldado.

Pero era de todo punto imposible.

Y empezó a vivir alegremente. Iba al teatro, recorría en coche los Jardines Reales, repartía a los pobres dinero con largueza, puesto que recordaba muy bien cuánto anhelan los menesterosos la posesión de algunas monedas. Era rico, vestía bien y tenía muchos amigos que decían que era un hombre encantador y un verdadero gentilhombre, y todo esto le causaba un gran placer. Pero como derrochaba el dinero a manos llenas y no ganaba ninguno, terminó por no tener más que dos *skillings,* y así tuvo que abandonar las lujosas habitaciones que ocupaba y cobijarse en una pequeñísima buhardilla, limpiarse él mismo los zapatos y remendarse la ropa, ninguno de sus amigos iba a visitarle, porque había demasiados escalones que subir.

Era una noche muy oscura. No tenía dinero para comprar una vela, cuando se acordó de que tenía un cabo de vela con el encendedor que había cogido en el árbol hueco en donde había descendido con ayuda de la bruja. Sacó el encendedor y el cabo de vela; pero tan pronto como golpeó el pedernal e hizo brotar chispa de él, la puerta se abrió bruscamente, y el perro que tenía los ojos tan grandes como tazas de té y que él había visto en el fondo del árbol, apareció ante él y le dijo:

—¿Qué me ordenas, dueño y señor?

—¿Qué es esto? —dijo el soldado—. Vaya encendedor gracioso si con él puedo obtener también lo que quiera. ¡Procúrame dinero! —dijo al perro.

Este partió como una exhalación y como otra exhalación regresó portando en su boca una bolsa repleta de monedas de cobre.

El soldado se dio cuenta inmediatamente de la maravilla de encendedor que poseía. Si lo frotaba una vez, se presentaba el perro que estaba sentado sobre la caja que contenía las monedas de cobre. Si dos, el que guardaba las monedas de plata, si tres, llegaba el de las monedas de oro.

El soldado regresó a sus lujosas habitaciones, volvió a ponerse sus elegantes trajes y sus amigos le reconocieron enseguida y volvieron a sentir un profundo afecto hacia él.

Un día se dijo:

«Es lamentable que no se pueda ver a la princesa. Según dicen todos, es encantadora. Pero es horrible que tenga que permanecer por tiempo indefinido en su gran palacio de cobre, con sus numerosas torres... ¿Es que no puedo verla en absoluto?... ¿Dónde está mi encendedor?».

Frotó el pedernal y apareció inmediatamente el perro de los ojos grandes como tazas de té.

—Es cierto que estamos a medianoche —dijo el soldado—; pero, ¡me gustaría tanto ver a la princesa, aunque solo fuera un instante!

El perro desapareció enseguida, y antes de que el soldado tuviese tiempo de darse cuenta, le vio regresar con la princesa. Estaba acostada sobre el lomo del perro y dormía. Era tan graciosa, tan gentil, que todo el mundo podía ver que era una verdadera princesa. El soldado no pudo contenerse y le dio un beso, puesto que era un verdadero soldado.

El perro se dio prisa en devolver a la princesa a su palacio, y a la mañana siguiente, cuando el rey y la reina le ofrecían el té, la princesa dijo que había tenido aquella noche un sueño muy singular, en el que aparecían un perro y un soldado. Ella había cabalgado sobre el perro y el soldado le había dado un beso.

—¡He aquí una historia muy bella! —dijo la reina.

Una de las viejas damas de la corte debía, por tanto, velar el lecho de la princesa para ver si era en realidad un sueño, o saber de lo que se trataba.

El soldado sentía enorme deseo de volver a ver a la gentil princesa. El perro volvió por la noche, la cogió y corrió con toda la velocidad que le permitían sus patas; pero la vieja dama de la corte se puso sus botas altas y corrió con gran rapidez tras él. Y cuando los vio desaparecer en una gran casa, se dijo:

«Ahora ya sé dónde está».

Y con un trozo de tiza trazó una gran cruz en la puerta. Después regresó y se acostó; y el perro volvió también con la princesa. Pero cuando se dio cuenta de que habían señalado con una cruz la puerta de la casa donde habitaba el soldado, cogió un pedazo de tiza y trazó cruces en las puertas de todas las casas de la ciudad, y esto fue una astucia, porque la dama de la corte no podía encontrar ya la puerta exacta, puesto que todas tenían la cruz.

A la mañana siguiente, muy temprano, el rey y la reina, la vieja dama de la corte y todos los oficiales salieron para ver dónde había estado la princesa.

—¡Aquí es! —dijo el rey cuando vio la primera puerta con una cruz.

—No; es allí, querido —replicó la reina, que había visto una segunda puerta marcada con la cruz.

—Pero aquí hay una, y allí otra, y más allá otra... —dijeron todos, señalando las puertas que mostraban cruces.

Y comprendieron que era inútil continuar buscando.

Pero la reina era una mujer muy ingeniosa que sabía hacer cosas mejores que montar en carroza. Cogió sus grandes tijeras de oro, cortó en pedazos una pieza grande de seda e hizo una linda bolsita. La llenó de harina de trigo negro muy fina, la ató a la espalda de la princesa y, una vez hecho esto, abrió un agujerito en la bolsa, de forma que la harina pudiese verterse a lo largo del camino que siguiera la princesa.

El perro volvió a la noche, puso a la princesa sobre su lomo y corrió a casa del soldado, que ya la amaba tanto que hubiera deseado ser príncipe para poder hacerla su esposa.

El perro no se dio cuenta de que la harina se extendía desde el castillo hasta la ventana del soldado, donde escalaba el muro con la princesa. A la mañana siguiente, el rey y la reina vieron dónde había estado su hija, cogieron al soldado y le encarcelaron.

La prisión era lúgubre y sombría. Le dijeron:

—Mañana te colgaremos.

Esto no tenía nada de divertido, y él había olvidado el encendedor en la posada en que vivía. A la mañana siguiente, por entre los barrotes de hierro de la ventanita de su celda, pudo ver a las gentes que salían de la ciudad para verle colgar. Oyó los tambores y vio a los soldados que marchaban rítmicamente. Todo el mundo corría; había también un aprendiz de zapatero con su delantal de cuero y pantuflas que galopaba a tanta velocidad que una de las pantuflas saltó al aire y fue derecha contra el muro donde el soldado miraba por entre los barrotes de hierro.

—¡Eh, aprendiz de zapatero! No corras tanto —le dijo el soldado—. No ocurrirá nada hasta que yo llegue. Si tú quisieras correr hasta la casa que yo habitaba y traerme mi encendedor, te ganarías cuatro *skillings*. Pero es preciso que corras tanto que des con los talones en las posaderas.

El aprendiz de zapatero claro que quería los cuatro *skillings,* y partió como una flecha a buscar el encendedor, se lo entregó al soldado y..., ahora diremos lo que pasó.

En las afueras de la ciudad se había levantado un enorme patíbulo, alrededor del cual se alineaban los soldados y se agrupaban cientos de miles de personas. El rey y la reina estaban sentados en un soberbio trono delante de los jueces y de todo el consejo.

El soldado se encontraba ya en la escalera; pero cuando le iban a poner la cuerda al cuello, dijo que a un condenado a muerte se le permitía siempre, antes de sufrir la pena, satisfacer un deseo inofensivo. El desearía fumar una pipa. Sería la última que fumase en este mundo.

El rey no quiso negarle esto, y el soldado sacó su encendedor y lo frotó una, dos, tres veces... y todos los perros aparecieron allí: el de los ojos grandes como tazas de té, el de los ojos como ruedas de molino y el que tenía los ojos tan grandes como la Torre Redonda.

—¡Ayudadme a que no sea ahorcado! —les gritó el soldado.

Y los perros se precipitaron sobre los jueces y todos los miembros del consejo, agarraron a unos por las piernas y a otros por la nariz y los lanzaron al aire, a una altrura de varios metros, quedando hechos pedazos al caer al suelo.

—¡No quiero! —gritó el rey.

Pero el perro más grande le agarró, así como a la reina y los lanzó a su vez al aire.

Los soldados estaban espantados, y todo el mundo gritaba:

—¡Soldadito, tú serás nuestro rey y te casarás con la gentil princesa!

Y colocaron al soldado en la carroza del rey y los perros bailaron delante de ella, gritando:

—¡Hurra!

Los jóvenes aclamaron y los soldados presentaron armas. La princesa salió del palacio de cobre y se convirtió en reina, cosa que la puso muy contenta. Las bodas duraron ocho días y los perros se sentaron a la mesa, mirándolo todo con ojos desmesuradamente abiertos.

EL COMPAÑERO DE VIAJE

El pobre Juan estaba muy triste porque su padre se hallaba grave-
mente enfermo y sin esperanzas de vivir. No había nadie más que ellos
dos en la pequeña habitación. La lámpara, colocada sobre la mesa, estaba a punto de apagarse. Era una hora muy avanzada de la noche.

—Eres un buen hijo, Juan —dijo el padre—. Nuestro Señor te ayudará en la vida.

Le miró dulcemente, con gravedad; respiró, dio un profundo suspiro y murió. Podría haberse dicho que estaba dormido. Y Juan lloró, porque no tenía a nadie más en el mundo: ni padre, ni madre, ni hermano,
ni hermana. ¡Pobre Juan! Estaba arrodillado ante el lecho mortuorio y
besaba la mano de su padre muerto, y lloró amargas lágrimas. Pero sus
ojos terminaron por cerrarse, y se durmió, apoyada la cabeza contra la
dura madera de la cama.

Tuvo un sueño maravilloso. Vio cómo el sol y la luna le saludaban,
y también a su padre, sano y salvo. Y le oyó reír, como reía siempre
que estaba contento por algo. Una encantadora doncella, que llevaba
una corona de oro sobre sus hermosos cabellos largos, tendía la mano a
Juan; y su padre le decía:

—¿Ves qué hermosa novia has merecido? Es la más adorable del
mundo.

Entonces se despertó, y todo lo bello había desaparecido. Su padre
yacía muerto y frío en el lecho. Nadie estaba con ellos. ¡Pobre Juan!

Se enterró al muerto a la semana siguiente. Juan marchaba junto al
féretro. Ya no volvería a ver a su buen padre, que tanto había querido.
Oyó que echaban la tierra sobre el ataúd. Ya no se veía más que una esquina de él. A la paletada de tierra siguiente desapareció también esta
esquina. Entonces le pareció que su corazón saltaba en pedazos, de lo
desesperado que estaba. Se cantó un salmo a su alrededor, que sonaba
como algo divino. Las lágrimas acudieron a sus ojos, lo que le propor-

cionó un gran bienestar para su dolor. El sol alumbraba deliciosamente los verdes árboles, como si quisiera decir:

—No te aflijas tanto, Juan. Mira lo azul que está el cielo. Allá arriba es donde está tu padre ahora y pide a Dios que no te abandone nunca.

«Yo quiero ser siempre bueno —se dijo Juan—; porque así subiré también al cielo y estaré al lado de mi padre, ¡y qué alegría cuando nos volvamos a ver! ¡Cuántas cosas tendré que decirle, y él tendrá mucho que enseñarme! Me mostrará los encantos del cielo, de la misma forma que me mostraba los de la tierra. ¡Oh, qué felicidad y qué alegría tendremos!».

Juan se representaba con tanta claridad esto, que se sonreía, mientras las lágrimas corrían por sus mejillas. Los pajarillos que estaban posados en el castaño piaban alegremente: «¡Qvivit, qvivit!». Estaban contentos porque habían asistido al entierro y sabían que el difunto se hallaba ahora en el cielo, donde tenía alas mucho más bellas y más grandes que las de ellos, y era feliz porque había sido muy bueno en la tierra, y por eso estaban contentos. Juan los vio levantar el vuelo y marchar lejos, por el mundo, y sintió vivos deseos de volar como ellos. Pero antes talló una gran cruz de madera para colocarla sobre la tumba de su padre, y cuando fue a llevarla, se encontró con que estaba adornada con arena y flores. Seguramente era obra de algunos desconocidos, ya que todo el mundo quería a su buen padre.

A la mañana siguiente, muy temprano, Juan hizo un paquete con sus efectos y escondió en su cintura toda su herencia, que consistía en cincuenta *rixdales* y dos *skillings* de plata. Con este dinero quería recorrer el mundo. Pero antes que nada se dirigió al cementerio, y acercándose a la tumba de su padre, rezó el Padrenuestro y dijo:

—Adiós, padre querido. Siempre seré bueno, para que puedas pedir a Dios que no me falte su ayuda.

En los campos por donde marchaba Juan, todas las flores crecían frescas y encantadoras a la luz del sol y se inclinaban al viento, como si quisieran decir:

—¡Sé bienvenido a los campos! ¿No son hermosos?

Pero Juan se volvió una vez más para ver la vieja iglesia donde había sido bautizado y donde, cada domingo, había cantado los salmos acompañado de su padre. Entonces se dio cuenta de que en uno de los agujeros de lo alto de la torre estaba en pie el «nixo» o geniecillo de la iglesia, con su gorro rojo y puntiagudo, que con el brazo se protegía los ojos del sol. Juan se despidió de él con la mano, y el geniecillo agitó su gorro rojo, colocó la mano sobre el corazón y besó varias veces sus dedos, para expresarle cuánto deseaba que Juan tuviese un buen viaje.

Juan pensaba en todo lo bello que iba a ver en su recorrido por el vasto y magnífico mundo, y cada vez se alejaba más y más, hacia lugares en donde jamás había estado. No conocía las ciudades que atravesaba, ni las gentes que se encontraba, pues se hallaba entre desconocidos.

La primera noche, para dormir, tuvo que acostarse en un almiar de heno, en pleno campo. No había otro lecho. Pero esto lo encontró muy agradable. El rey no podía estar mejor. El campo, con el arroyuelo, el almiar de heno y el cielo azul por encima, formaba un hermoso dormitorio. La verde hierba, con sus florecillas rojas y blancas, era la alfombra; los matorrales de saúco y los setos de rosales eran los ramos de las flores, y como jarra de agua tenía todo el arroyuelo con su agua clara y fresca sobre la que se inclinaban los juncos, que saludaban diciendo: «Buenos días», «buenas noches». La luna era una enorme lamparilla, colocada en lo alto, sobre el azul del cielo, con la ventaja de que no prendía fuego a las cortinas del lecho. Juan podía dormir con toda tranquilidad, y así lo hizo. No se despertó hasta que el sol hubo salido, cuando todos los pajarillos a su alrededor le cantaban:

—Buenos días, buenos días, ¿no te levantas?

Las campanas llamaban a la iglesia: era domingo. Las gentes acudían a ella para oír al sacerdote, y Juan las siguió, cantó un salmo y escuchó la palabra de Dios, y esto fue para él como si hubiese estado en la iglesia de su pueblo, donde había sido bautizado y había cantado salmos en compañía de su querido padre.

El cementerio estaba lleno de numerosas tumbas, y sobre algunas de ellas la hierba crecía. Juan entonces pensaba en la tumba de su padre, que debía de tener también el aspecto de algunas de aquellas, puesto que no podía quitarle la mala hierba ni adornarla. Se arrodilló y arrancó la hierba, colocó bien las cruces de madera que estaban caídas, puso en su sitio las coronas que el viento había separado de las tumbas y se dijo que tal vez alguien haría otro tanto con la tumba de su padre, ahora que él no podía hacerlo.

A la puerta del cementerio estaba un viejo mendigo apoyado en su bastón. Juan le dió los dos *skillings* de plata que tenía y se alejó feliz y contento para continuar su marcha por el dilatado mundo.

Por la noche, el tiempo estaba revuelto. Juan se dio prisa por refugiarse bajo un tejado. Pero pronto se hizo noche cerrada. Al fin se encontró con una iglesia que estaba aislada en lo alto de un montecillo. Afortunadamente, la puerta estaba entreabierta y entró muy callandito. Deseaba permanecer allí hasta que la tormenta hubiese pasado.

«Me sentaré en un rincón —se dijo—. Estoy muy cansado y reposar un poco me hará mucho bien».

Se sentó, juntó sus manos y recitó su plegaria de la noche, no tardó en dormirse y en soñar, mientras fuera se sucedían los relámpagos y los truenos.

Cuando se despertó era medianoche, pero la tempestad había pasado y la luna penetraba por los ventanales. En medio de la iglesia estaba expuesto un ataúd abierto, con un cadáver dentro. Juan no sintió miedo en absoluto, puesto que su conciencia estaba tranquila y sabía que los muertos no hacen daño a nadie. Son los malvados los que hacen mal en vida. Y dos de tales malvados estaban en pie al lado del muerto, depositado en la iglesia en espera de ser enterrado. Estos dos individuos querían hacerle daño, no dejarle en paz dentro de su ataúd, sino sacarle de él y arrojarle por la puerta de la ermita.

—¿Por qué queréis hacer eso? —preguntó Juan—. Eso es ruin y malvado. ¡En nombre de Jesús, dejadle tranquilo!

—¡Pamplinas! —contestaron los dos sucios individuos—. Nos engañó; nos debe dinero y no ha podido devolvérnoslo. Y ahora está, por añadidura, muerto. No cobraremos ni un *skilling*. Por lo tanto, queremos vengarnos. Permanecerá como un perro a la puerta de la iglesia.

—No tengo más que cincuenta *rixdales* —dijo Juan—. Es toda mi herencia; pero os la daré con la mayor voluntad si me prometéis lealmente que dejaréis al pobre muerto en paz. Yo me las compondré sin este dinero. Soy fuerte y Nuestro Señor acudirá siempre en mi ayuda.

—Bueno —dijeron los villanos—. Si tú quieres pagar su deuda, no le haremos nada. Puedes estar seguro.

Cogieron el dinero que les dio Juan, se rieron a carcajadas de su bondad y se fueron. Juan colocó de nuevo el cadáver en el ataúd, le juntó las manos, le dijo adiós y, muy contento, se internó en el espeso bosque.

Aquí y allá, donde la luna podía atravesar con sus rayos la espesura de los árboles, veía a los lindos y diminutos elfos jugar alegremente. Y no interrumpieron su juego, pues sabían que era hombre bueno e inofensivo. Solo los malvados no pueden ver a los elfos. Algunos de ellos no eran más grandes que un dedo y llevaban los largos cabellos dorados sujetos con un peinecillo de oro. Dos a dos se balanceaban sobre las grandes gotas de rocío que se posaban sobre las hojas y las altas hierbas. Algunas veces, estas gotas rodaban hacia tierra, y arrastraban a los elfos, que caían entre la espesura de la hierba, causando gritos y risas a los otros pequeños seres. Aquello era muy divertido. Cantaban, y Juan reconocía todas las lindas canciones que había cantado en su infancia. Grandes arañas, coronadas de plata, tejían largos puentes, que unían un matorral con otro, y palacios que tenían el aspecto, con el rocío, de cristales luminosos a la luz de la luna. Esto duró así hasta que amaneció. Entonces, los pequeños elfos volvieron a sus capullos de flores y el viento se llevó los puentes y los palacios, que volaron como grandes telas de araña.

Había salido Juan del bosque cuando una fuerte voz de hombre le llamó a su espalda:

—¡Hola, compañero! ¿Adónde te diriges?

—A recorrer el mundo —le contestó Juan—. No tengo padre ni madre. Soy un muchacho muy pobre; pero Dios, Nuestro Señor, acudirá en mi ayuda.

—Yo voy también a recorrer el mundo —dijo el desconocido—. ¿Quieres que hagamos el viaje juntos?

—Claro que sí —contestó Juan.

Y emprendieron el camino uno al lado del otro. Pronto hubo entre ellos una gran amistad, puesto que ambos eran excelentes muchachos. Pero Juan observaba que el desconocido era mucho más listo que él; había recorrido casi el mundo entero y podía contar cosas relacionadas con todo lo existente.

El sol estaba en su cenit cuando se sentaron bajo un gran árbol para comer su almuerzo; en este momento llegó una viejecita. ¡Oh!, era muy vieja y marchaba completamente encorvada, apoyada en una muleta. Llevaba sobre su espalda un haz de leña que había cogido en el bosque. Su delantal estaba recogido, y Juan vio que por él asomaban tres grandes paquetes de ramas de abedul y de helecho. Al llegar cerca de los dos, se le torció un pie y cayó al suelo, dando un fuerte grito. Se le había roto la pierna a la pobre mujer.

Juan quiso transportarla enseguida a su casa ayudado por su compañero, pero el desconocido abrió su mochila, sacó un frasco y dijo que poseía un ungüento que podía curarle la pierna inmediatamente, con lo que podría regresar a su casa curada por completo; es decir, como si no se hubiese roto jamás la pierna. Pero, por eso, quería que ella le regalase los tres paquetes de ramas que llevaba en su delantal.

—Pides demasiado —contestó la vieja, moviendo la cabeza de una manera un poco extraña.

Por lo visto, no estaba dispuesta a desprenderse de sus ramas; pero no era muy agradable permanecer allí con la pierna rota. Así pues, le entregó las ramas, e inmediatamente después de haberle frotado la pierna con el bálsamo, la anciana se puso en pie y comenzó a caminar mucho mejor que antes. ¡Hay que ver de lo que era capaz el ungüento! Mejor no se podía conseguir en la farmacia.

—¿Para qué quieres esas ramas? —preguntó Juan a su compañero.

—Forman tres ramos muy bonitos —contestó—. Me gustan. Yo soy muy raro.

Y reanudaron el viaje, caminando un largo trecho.

—¡Oh, qué amenazador está el tiempo! —dijo Juan, señalando con un dedo hacia delante—. Veo unas nubes muy negras y espesas.

—No —le replicó el compañero de viaje—. No son nubes. Son montañas. Las grandes y maravillosas montañas en donde se respira el aire puro en cuanto se llega a su cima, después de atravesar las nubes. Es magnífico, puedes creerme. Mañana habremos llegado allí.

No estaban tan cerca como parecía. Tuvieron que caminar durante toda la jornada antes de llegar a las montañas en donde crecían árboles que dirigían sus copas en línea recta hacia el cielo y en donde existían piedras tan grandes como ciudades enteras. Seguramente sería muy penoso llegar hasta lo alto, por lo que Juan y su compañero entraron en una posada para descansar y recuperar fuerzas para la escalada del día siguiente.

En el salón de la posada, situado en la parte baja, se hallaban reunidas muchas personas, porque había un individuo que representaba comedias con sus marionetas. Acababa de instalar su teatrillo, y todo el mundo estaba sentado a su alrededor para presenciar el espectáculo. En primera fila, y ocupando la mejor localidad, se hallaba un viejo carnicero, gordo, con un enorme perro dogo. ¡Qué aspecto más feroz tenía! Estaba sentado a su lado y abría unos ojos muy grandes al igual que las personas.

La comedia comenzó. Se trataba de una pieza muy agradable y divertida, con un rey y una reina que se sentaban en un magnífico trono de terciopelo, se cubrían con coronas de oro y vestían trajes de cola, porque podían permitirse ese lujo. Deliciosos muñecos de madera con ojos de cristal y largos bigotes estaban en todas las puertas, que abrían y cerraban para que pudiera entrar aire puro en la sala. Era una comedia muy divertida, nada trágica; pero en el preciso momento en que la reina se levantaba para atravesar la escena..., Dios sabe la idea que le entró al gran dogo, que no estaba sujeto por el grueso carnicero, y se lanzó sobre la escena, cogió a la reina por su esbelto talle y la destrozó a mordiscos. ¡Fue espantoso!

El pobre individuo que hacía la comedia se sintió muy inquieto y dolorido por la reina, ya que era la más linda de todas sus muñecas, y el maldito perro le había arrancado la cabeza con sus dientes. Cuando todas las personas hubieron partido, el desconocido que estaba con Juan le dijo que podría arreglarla. Cogió su frasco de bálsamo y untó la muñeca con el ungüento que había servido para curar a la viejecilla que se había partido la pierna. Tan pronto como untó con el bálsamo la muñeca, se encontró en su estado primitivo; es más, podía mover todos sus miembros sin necesidad de que tiraran de la cuerdecilla. La muñeca había quedado como si fuera un ser vivo, a excepción de que no sabía hablar. El dueño del teatrillo de marionetas estaba encantado. Aquella muñeca podía bailar sola, cosa que ninguna de las otras era capaz de hacer.

Cuando se hizo de noche y todos los huéspedes de la posada se fueron a dormir, alguien empezó a suspirar con tanta tristeza que todo el mundo se levantó para ver qué pasaba. El dueño del teatrillo se dirigió a este, pues de allí era de donde partían los suspiros. Todos los muñecos estaban tendidos, formando un montón, y también el rey y los soldados. Todos suspiraban doloridos y miraban con sus grandes ojos de cristal muy abiertos. Deseaban que los untasen con un poco de bálsamo de la reina, para poder moverse por sí solos. La reina se puso de rodillas, y tendiendo su corona de oro, suplicó:

—¡Tomadla, pero untad a mi marido y a mis cortesanos!

Entonces, el dueño del teatrillo y todas las muñecas se echaron a llorar sin poder evitarlo, puesto que esto era un verdadero dolor para ellos. Prometió al compañero de viaje de Juan que le daría todo el dinero que consiguiera la noche siguiente con la representación de su comedia si untaba con su bálsamo a cuatro o cinco de sus muñecas más bellas. Pero el desconocido le dijo quo solo pedía a cambio el sable que el dueño del teatrillo llevaba a la cintura. Cuando lo hubo recibido untó seis muñecos, que se pusieron a bailar enseguida y con tanta gracia que todas las muchachas, las vivas que contemplaban la escena, se pusieron a bailar también. El cochero y la cocinera bailaban; el camarero y la camarera, los huéspedes, la pala del carbón y las tenazas los imitaron; pero estas últimas cayeron unas sobre otras al primer paso... ¡Oh, fue una noche de lo más alegre!

A la mañana siguiente, Juan, con su compañero de viaje, abandonó esta compañía, y ascendieron a las altas montañas y atravesaron los espesos bosques de pinos. Llegaron tan alto que las torres de la iglesia, muy por debajo de ellos, terminaron por aparecer como pequeñas bayas en mitad de la espesura. A lo lejos pudieron divisar numerosos lugares, en donde no habían estado nunca. Juan, hasta entonces, no había visto nada tan bello y tan hermoso a la vez extendido ante él, y el sol brillaba, cálido, en el puro ambiente. Se oían también las trompas de los cazadores en el fondo de los valles y todo era tan maravilloso que las lágrimas asomaron a sus ojos, y no pudo evitar que de sus labios salieran las siguientes palabras:

—¡Dios mío, querría abrazarte por la bondad que derrochas hacia nosotros, por habernos ofrecido todo este esplendor de la naturaleza!

El compañero de viaje estaba también en pie, las manos juntas, y su mirada se extendía por encima del bosque y de las ciudades bañadas por la luz cálida del sol. En este momento resonó un canto melodioso por encima de sus cabezas. Miraron a lo alto: un hermoso cisne blanco planeaba en el aire. Era maravilloso, y cantaba como jamás habían oído cantar a pájaro alguno. Pero su canto se debilitaba por momentos, agachó la cabeza y descendió lentamente a sus pies, donde quedó muerto.

—Dos alas magníficas —dijo el compañero de viaje—, tan blancas y grandes como las de este pájaro, valen mucho dinero. Voy a cortarlas para mí. Ya ves si es útil poseer un sable.

Y de un solo golpe cercenó las dos alas del cisne muerto, que quería conservar para sí.

A través de las montañas fueron de lugar en lugar, hasta que al fin llegaron a una gran ciudad con más de cien torres que brillaban como plata al sol. En el centro de la ciudad se alzaba un espléndido castillo de mármol, cubierto de oro rojo. Era la mansión donde vivía el rey.

Juan y su compañero de viaje no quisieron entrar inmediatamente en la ciudad y se quedaron en la posada de las afueras, para arreglarse un poco. Querían tener un aspecto agradable cuando atravesaran las calles. El posadero les contó que el rey era un hombre tan bueno que no había hecho jamás mal a nadie; pero que su hija —¡Oh Dios, piedad para nosotros!— era una princesa malvada. Respecto a su belleza, no había mujer que la igualase. Pero, en cambio, era una bruja, despiadada y cruel, que había causado la muerte de numerosos príncipes encantadores. Había concedido a todo el mundo el derecho a solicitar su mano, fuese o no príncipe. A ella le era igual. Solo tendría que responder a tres preguntas que ella le haría. Si las adivinaba, se casaría con él y sería rey de todos los dominios que ella heredaría a la muerte de su padre, pero si no lograba dar con las respuestas exactas, lo colgaría o mandaría cortar la cabeza. Así de malvada era esta encantadora princesa. Su padre, el anciano rey, estaba muy afligido; pero no podía prohibirle que fuera tan malvada, puesto que había dicho un día que él no se ocuparía jamás de sus pretendientes y que ella podría elegir como mejor le pareciera. Cada vez que llegaba un príncipe que quería adivinar las preguntas para casarse con la princesa, ya se sabía que moriría ahorcado o decapitado. Todos eran advertidos de antemano, para que pudieran renunciar a sus propósitos. El viejo rey estaba tan dolorido por todas estas desgracias y desolaciones que se pasaba todos los años un día entero de rodillas con sus soldados, rogando a Dios por que la princesa se volviera buena. Las viejas aficionadas al aguardiente lo teñían de negro antes de beber. Era una forma de llevar luto. No podían hacer nada más.

—La malvada princesa —dijo Juan— debería recibir unos buenos azotes. Eso le sentaría bien. Si yo fuera el viejo rey haría que le diesen latigazos.

En este momento se oyeron exclamaciones y vítores de la gente del exterior. La princesa pasaba, y en verdad era tan encantadora que todo el mundo olvidaba cuán malvada era, y por eso la vitoreaban. Doce lindas doncellas, ataviadas con túnicas de seda blanca y un tulipán de oro en la mano, iban montadas en caballos negros como el carbón dándole escolta. La princesa montaba un caballo blanco, adornado con brillantes y rubíes. Vestía un traje de oro puro, y el látigo que sostenía en la mano tenía el aspecto de un rayo de sol. La corona de oro, que se asentaba en su cabeza, parecía un círculo de estrellitas del cielo, y su manto estaba hecho de millones de brillantes alas de mariposas. Ahora bien: ella era aún más hermosa que todo su atavío.

Cuando la vio, su rostro se volvió tan rojo como la sangre que circulaba por sus venas, y apenas pudo pronunciar una palabra. La princesa era idéntica a la doncella que había visto en sueños la noche en que murió su padre. La encontró encantadora y no pudo evitar amarla apasionadamente.

—Seguramente no es cierto que sea tan malvada como dicen —exclamó—. No es posible que sea una bruja ruin que haga ahorcar o decapitar a los hombres que no puedan adivinar sus preguntas. Como todo el mundo tiene derecho a solicitar su mano, aun el más miserable, iré al castillo. Es un deseo más fuerte que mi voluntad.

Todos le aconsejaron que no lo hiciera, pues terminaría como los otros. El compañero de viaje le aconsejó también; pero Juan estaba convencido de que todo marcharía bien. Lustró sus zapatos y cepilló su traje. Se lavó la cara y las manos, peinó sus hermosos cabellos rubios y se dirigió solo a la ciudad para alcanzar el castillo.

—¡Adelante! —dijo el anciano rey cuando Juan llamó a la puerta. Juan abrió, y el viejo rey, en traje de casa y zapatillas bordadas, salió a su encuentro. Llevaba en la cabeza la corona de oro y el cetro en una mano y la manzana de oro en la otra.

—Espera un poco —le dijo—, y se puso la manzana bajo el brazo para poder alargarle la mano.

Pero en cuanto se enteró de que el visitante era un pretendiente, se echó a llorar y cayeron al suelo la manzana y el cetro. Se tuvo que limpiar las lágrimas con la túnica. ¡Pobre rey!

—Renuncia —le dijo—. Esto te producirá muchos disgustos. Te pasará como a los otros. Mira, no tienes más que ver este panorama.

Y condujo a Juan al jardín de la princesa, que ofrecía un macabro aspecto. De cada árbol pendían tres o cuatro hijos de reyes que habían solicitado la mano de la princesa y no habían podido adivinar la respuesta a las preguntas que ella les había hecho. A cada racha de aire resonaban todos los huesos. Los pajarillos estaban asustados y no se atrevían jamás a aparecer por este jardín. Todas la flores estaban sostenidas con huesos humanos y en todas las macetas sonreían siniestramente las cabezas de los muertos. Era, en verdad, un lindo jardín para tal princesa.

—Ya ves —dijo el viejo rey—. Te pasará lo mismo que a todos estos que ves aquí. Renuncia, pues. Aún es tiempo. Me produces un gran disgusto, porque todo esto me afecta mucho.

Juan besó la mano del anciano rey y le respondió que amaba a la princesa y que todo se resolvería bien.

En este momento, la propia princesa, con todas sus damas, entró en el patio del castillo a caballo, y ellos fueron a saludarla y darle los buenos días. Estaba encantadora. Dio la mano a Juan y este se sintió aún más enamorado que antes. Era seguro que no podía ser tan malvada como decían. Subieron a la sala y los pajecillos les presentaron bombones y piñonates, pero el anciano rey estaba tan afligido que no podía tragar bocado. Además, los piñonates estaban demasiado duros para él.

Se decidió entonces que Juan regresaría al castillo al día siguiente por la mañana, cuando los jueces y el consejo se hallaran reunidos, para juzgar si su primera respuesta era acertada. Si era así, tendría que presentarse dos veces más. Pero no había habido todavía ningún individuo que hubiera acertado la primera pregunta y por eso todos habían perdido la vida.

Juan no se sentía inquieto por lo que sucedería. Estaba contento, no pensaba más que en la encantadora princesa y creía que el buen Dios vendría con toda seguridad en su ayuda, pero no sabía cómo ni quería pensar en ello. Iba bailando por la carretera, de regreso a la posada donde le esperaba su compañero de viaje.

Juan no se cansaba de contar lo amable que había estado la princesa con él y cuán encantadora era. Deseaba ardientemente que llegase el día siguiente para volver al castillo y probar su suerte.

Pero su compañero de viaje movió la cabeza. Se hallaba muy inquieto.

—Te quiero tanto —le dijo— que hubiéramos podido estar juntos mucho tiempo todavía, pero ahora voy a perderte. ¡Mi pobre, mi querido Juan!, si pudiera lloraría; pero no quiero turbar tu alegría la última noche que, tal vez, estemos juntos. Vamos a alegrarnos. Mañana, cuando hayas partido, tendré derecho a llorar cuanto quiera.

Toda la ciudad sabía ya que acababa de presentarse un nuevo pretendiente a la mano de la princesa. Los habitantes estaban desolados; cerró el teatro; las confiterías taparon sus cerditos de azúcar con paños negros; el rey y los sacerdotes se hallaban en la iglesia arrodillados.

El duelo era general, pues no se podía pensar que a Juan le sucedería nada mejor que a sus anteriores rivales.

Aquella noche, su compañero de viaje preparó un jarro de ponche y dijo a Juan que era preciso ponerse alegre y beberlo a la salud de la princesa. Pero cuando Juan se hubo bebido dos vasos, le entró tal sueño que no podía tener los ojos abiertos y se durmió sobre la mesa. Su compañero de viaje le levantó dulcemente del asiento y le depositó en el lecho. Y cuando se hizo de noche cerrada, sacó las dos alas que había cortado al cisne y se las ató fuertemente a la espalda. Cogió una de las varas más largas que había recibido de la vieja que se había roto la pierna al caer, abrió la ventana y voló sobre la ciudad, dirigiose derecho al castillo, donde se posó en un rincón, bajo la ventana de la cámara donde dormía la princesa.

Toda la ciudad estaba silenciosa; el reloj dio los tres cuartos para la medianoche, la ventana se abrió y la princesa salió por ella volando, con un gran manto blanco y largas alas negras, por encima de la ciudad, y se dirigió hacia una alta montaña. Como el compañero de viaje se había hecho invisible para que ella no pudiese verle, voló tras la princesa y la azotó con su rama, tan fuerte que la sangre brotaba donde él golpeaba. ¡Oh, qué carrera por los aires! El viento se introducía en el manto de la princesa y lo hinchaba por los lados como si fuera una vela de barca, y la luna brillaba a través del tejido.

—¡Cómo graniza! ¡Cómo graniza! —murmuraba la princesa a cada azote que recibía, y se lo merecía.

Al fin, alcanzó la montaña y la golpeó. Oyose un estampido parecido a un trueno, y la montaña se abrió. La princesa entró, y con ella el compañero de viaje, ya que nadie podía verlo. ¡Era invisible! Recorrieron un largo corredor, cuyos muros fulgían de un modo extraño a causa de los millares de arañas de luz que corrían por la muralla y brillaban como el fuego. Llegaron a una gran sala construida de oro y plata; flores rojas y azules, grandes como girasoles resplandecían en los muros, pero nadie podía tocarlas, porque sus tallos eran espantosas serpientes venenosas y las flores eran el fuego que les salía por la boca. El techo estaba cubierto de luciérnagas y de murciélagos color azul cielo, que batían sus alitas. Eso producía un efecto muy extraño.

En el centro de la sala había un trono sostenido por cuatro esqueletos de caballos, cuyos arreos estaban formados por rojas arañas luminosas. El trono era de cristal blanco lechoso, y los cojines para sentarse eran ratones negros, cada uno de los cuales se agarraba por el rabo a su compañero. Había un dosel hecho de telas de araña color de rosa, salpicado de deliciosas mosquitas verdes que brillaban como piedras preciosas. En el trono estaba sentado un viejo ogro con la corona sobre su fea cabeza y el cetro en la mano. Besó a la princesa en la frente, la hizo sentarse en el precioso trono, a su lado, y la música comenzó a tocar. Grandes saltamontes negros tocaban la armónica, y el búho golpeábase el vientre, porque no tenía tambor. Era un concierto absurdo. Diminutos elfos negros, con fuego fatuo en los gorros, danzaban dando vueltas por la sala. Nadie podía ver al compañero de viaje, que se había situado detrás del trono y se apoyaba en él, para ver y oír todo. Los cortesanos que entraban ahora eran hermosos y dignos, pero quien los observaba bien se daba cuenta de cómo eran exactamente: eran mangos de escoba, con coles por cabezas, que el ogro había animado por arte de magia y provisto de túnicas bordadas. Pero esto no tenía gran importancia; servían solo para el desfile.

Cuando se hubo bailado un poco, la princesa contó al ogro que había recibido un nuevo pretendiente y le pidió consejo acerca de la primera pregunta que habría de hacer al demandante cuando se presentase en el castillo a la mañana siguiente.

—Escucha —le dijo el ogro—. Voy a decirte una cosa. Escogerás un objeto muy sencillo, ya que así él no podrá pensar en ello. Por ejemplo, piensa en uno de tus zapatos. Verás cómo no lo acierta. Luego le haces decapitar; pero no olvides, cuando vuelvas mañana por la noche, de traerme sus ojos, pues quiero comérmelos.

La princesa se inclinó profundamente y le dijo que no olvidaría los ojos. El ogro abrió la montaña y la princesa echó a volar de nuevo; pero el compañero de viaje la siguió y la azotó tan fuerte con su rama que ella gemía de dolor ante aquella granizada y se dio tanta prisa como pudo para entrar por la ventana de su dormitorio. El compañero de viaje regresó volando a la posada, donde Juan aún dormía; se quitó las alas y se metió en la cama, pues estaba muy fatigado y cansado.

Era muy temprano cuando Juan se despertó. Su compañero de viaje se levantó también y le contó que aquella noche había tenido un sueño muy extraño sobre la princesa y su zapato. Le rogó que preguntase a la princesa si no había pensado en su zapato, puesto que esto era lo que él había oído decir al ogro en la montaña, pero no quería hablar de ello a Juan, y solo le rogó que preguntase a la princesa si había pensado en su zapato.

—Puedo contestar eso u otra cosa cualquiera —dijo Juan—. Sin embargo, es posible que esa sea la contestación exacta, puesto que lo has soñado, y siempre pienso que el Señor acudirá en mi ayuda. De todas formas, adiós para siempre; pues si contesto mal no te volveré a ver.

Y se abrazaron. Juan marchó a la ciudad y subió al castillo. Toda la sala estaba llena de gente. Los jueces estaban sentados en sus sillones y apoyaban sus cabezas en cojines de pluma, pues tenían mucho que reflexionar. El anciano rey se levantó y se secó los ojos con un pañuelo blanco. Entró la princesa. Aún estaba más bella y encantadora que la víspera, y saludó gentilmente a todo el mundo. Pero a Juan le dio la mano y le dijo:

—Buenos días.

Y ahora Juan tenía que adivinar lo que ella había pensado. ¡Dios mío, qué dulcemente le miraba! Pero inmediatamente que ella hubo escuchado la palabra «zapato», se tornó pálida y todo su cuerpo tembló. Mas no podía hacer nada. Había adivinado lo exacto.

¡Qué contento se puso el rey! Dio una voltereta que era digna de verse. Todo el mundo aplaudió ante el gesto del rey y porque Juan había adivinado la primera pregunta.

El compañero de viaje se alegró muchísimo al enterarse del éxito de su amigo y Juan entrelazó las manos y dio gracias a Dios, que le ayudaría con toda seguridad en las dos veces siguientes. Al día siguiente tendría que adivinar la segunda pregunta.

La tarde transcurrió como la anterior. Cuando Juan se fue a dormir, su compañero de viaje voló hacia la montaña detrás de la princesa, a la que azotó todavía más fuerte que la vez precedente, puesto que ahora llevaba dos ramas. Nadie podía verlo, y oyó todo: la princesa tenía que pensar en su guante, y él le dijo a Juan cómo había soñado en esa prenda. Por tanto, Juan adivinó la segunda pregunta, y hubo gran alegría en el castillo. Toda la corte dio volteretas, como se lo habían visto hacer al rey la primera vez; pero la princesa, tumbada en el sofá, no decía ni una palabra. Se trataba ahora de ver si Juan adivinaría por tercera vez. Si acertaba, se casaría con la encantadora princesa y heredaría todo el reino después de la muerte del anciano rey; pero si no adivinaba, debería perder la vida, y el ogro se comería sus hermosos ojos azules.

Juan se acostó muy temprano la víspera del gran día; rezó su oración de la noche y se durmió como un bendito. Pero su compañero de viaje fijó las alas a su espalda, se ajustó el sable, cogió las tres ramas y voló hacia el castillo.

Era una noche oscura como boca de lobo. El huracán arrancaba las tejas de las casas, y los árboles del jardín, donde colgaban los esqueletos, se doblaban como juncos sacudidos por el viento. Los relámpagos fulguraban a cada instante, y el trueno sonaba sin interrupción, como si se tratase de un solo estampido que duraba toda la noche. Y la ventana se abrió, y la princesa emprendió su vuelo. Estaba pálida como una muerta, pero se reía del mal tiempo. Lo encontraba aún poco violento. Su blanco manto flotaba en el aire como una gran vela de navío. El compañero de viaje la azotaba con las tres ramas, de forma que las gotas de sangre caían a tierra y apenas si ella podía volar. Al fin, llegó a la montaña.

—¡Hay una tempestad espantosa! —dijo—. Jamás había salido con un tiempo parecido.

—Lo bueno empalaga cuando se come con exceso —le contestó el ogro.

Y ella le contó que Juan había adivinado exactamente por segunda vez. Si volvía a hacerlo mañana, habría ganado. No podría jamás volver a la montaña ni practicar la magia como hasta ahora, por lo que estaba muy afligida.

—No podrá adivinar esta vez —dijo el ogro—. Yo encontraré un objeto en el que nunca haya pensado, a menos que sea un mago más poderoso que yo. Pero, por el momento, divirtámonos. Y cogiendo las dos manos de la princesa, bailaron con todos los elfos y los fuegos fatuos que estaban en la sala; las rojas arañas corrían también con gran alegría a lo largo de los muros, y las flores de fuego parecían que echaban chispas. El búho tocaba su tambor, los grillos chillaban y los negros saltamontes tocaban la armónica. ¡Era un baile muy alegre!

Después de bailar un buen rato, la princesa necesitó regresar a su casa para que su ausencia no fuera notada en el castillo; el ogro le dijo que la acompañaría y así podrían estar juntos aún mucho tiempo.

Volaron a través de la tormenta, y el compañero de viaje empleó las tres ramas para azotar a los dos; el ogro jamás había salido con un tiempo parecido, con tantos granizos. Cerca del castillo se despidió de la princesa y le murmuró al oído:

—Piensa en mi cabeza.

Pero el compañero de viaje lo oyó, y en el preciso momento en que la princesa penetraba en su dormitorio por la ventana y en que el ogro iba a regresar a su montaña, él lo cogió por la barba negra y le cortó su fea cabeza a ras de los hombros, valiéndose del sable, sin que el ogro llegara a darse cuenta de lo que le sucedía. Arrojó el cuerpo al mar para pasto de los peces, lavó la cabeza en el agua y la envolvió en su pañuelo de seda. Enseguida regresó a la posada y se acostó para dormir.

Al día siguiente por la mañana dio el pañuelo a Juan, pero le dijo que no lo desatara antes que la princesa le preguntara en qué había pensado.

Había tanta gente en la sala del castillo que apenas podían sostenerse en pie unas contra otras, como rábanos atados en manojo. El consejo estaba sentado en los sillones, con las cabezas apoyadas en los cojines, y el anciano rey vestía un traje nuevo; la corona de oro y el cetro habían sido bruñidos y estaba muy elegante. Pero la princesa, muy pálida, se había puesto un traje negro como el carbón, como si fuera a asistir a un entierro.

—¿En qué pienso? —preguntó a Juan.

Inmediatamente desató el pañuelo y él mismo quedó asombrado cuando vio la horrible cabeza del ogro. Todo el mundo se estremeció de pavor, porque era horrible ver tal espectáculo; pero la princesa se quedó como estatua de piedra y no pudo articular palabra. Al fin, se levantó y tendió la mano a Juan, puesto que había acertado. Ella no levantó los ojos del suelo, sino que dijo con un profundo suspiro:

—Ahora eres mi dueño y señor. Esta tarde nos casaremos.

—¡Ah, qué contento estoy! —exclamó el anciano rey—. Así lo haremos.

Las gentes lanzaron hurras, la guardia recorrió las calles tocando la música, las campanas repicaron y las pastelerías quitaron los paños negros de sus pasteles, puesto que, de ahora en adelante, todo sería alegría. Tres bueyes asados enteros rellenos de pollos y de patos se colocaron en el centro de la gran plaza. Todo el que quería podía cortar un trozo y comérselo. Un vino delicioso corría en las fuentes, y si se compraba un panecillo de un *skilling* en la panadería, se recibían seis pasteles rellenos de pasas.

Por la noche hubo iluminaciones por toda la ciudad, los soldados disparaban cañonazos; los muchachos lanzaban fulminantes. Se comía y se bebía, se brindaba y se bailaba en el palacio. Todas las personas de categoría bailaron con las amables doncellas. Desde lejos se podía oír cantar:

Se ve que aquí las muchachitas
solo quieren reír y bailar
al son del tambor.
Vamos, date la vuelta, muchacha.
Golpea con el pie y gira
hasta que se te gasten las suelas.

Pero la princesa aún era una bruja y no amaba a Juan; el compañero de viaje pensaba en ello y dio a su amigo tres plumas de las alas del cisne y una botellita que contenía unas gotas de líquido, y le dijo que pusiera cerca del lecho de la desposada una gran cuba llena de agua, y que cuando la princesa fuera a acostarse, la empujara un poco, de forma que cayera dentro del líquido, donde la sumergería tres veces, después de haber echado en él las tres plumas y las gotas del frasco. Entonces estaría libre del hechizo y le amaría mucho.

Juan hizo todo cuanto su compañero de viaje le había aconsejado; la princesa gritó muy fuerte cuando la sumergió en el agua y se debatió entre sus manos bajo la forma de un gran cisne negro con los ojos chispeantes; cuando salió del agua por segunda vez, el cisne era blanco con un solo círculo alrededor del cuello. Juan rogó piadosamente a Nuestro Señor y por tercera vez hundió el pájaro por completo en el agua, y en el mismo instante el cisne se convirtió en una exquisita princesa. Era aún más bella que antes y dio las gracias a Juan con lágrimas en los ojos por haber roto su encantamiento.

Al día siguiente por la mañana compareció el anciano rey, acompañado de toda la corte, y las felicitaciones se prolongaron durante casi toda la jornada. En último lugar llegó el compañero de viaje, traía el bastón en la mano y la mochila a la espalda. Juan le abrazó muchas veces y le dijo que no debía marcharse, sino quedarse con él, puesto que era a él a quien debía su felicidad. Pero el compañero de viaje movió la cabeza y le contestó con voz amistosa y muy dulce:

—No. Mi tiempo ha terminado. No he hecho más que pagar mi deuda. ¿Te acuerdas de aquel muerto a quien aquellos malvados querían hacer daño? Tú diste cuanto tenías para que yo pudiese descansar en paz, en mi tumba. Ese muerto soy yo.

Y dicho esto, desapareció.

Las fiestas nupciales duraron un mes completo. Juan y la princesa se amaban mucho, y el anciano rey vivió muchos días felices y dejó que todos sus nietecillos saltaran sobre sus rodillas y jugaran con su cetro.

Y Juan fue rey de todo el reino.

OLE CIERRAOJOS

En el mundo entero no hay nadie que sepa tantas historias como Ole Cierraojos. Y, además, las sabe contar muy bien.

Al atardecer, cuando los niños se hallan tranquilamente sentados alrededor de la mesa o en sus taburetes, llega Ole Cierraojos, sube la escalera sin hacer ruido, porque camina sobre sus medias, abre la puerta muy suavemente, y, *¡paf!*, arroja un puñado de leche en dulce a los ojos de los niños, muy poco, casi nada; pero siempre lo suficiente para que ellos no puedan tener los ojos abiertos ni, por consecuencia, verle. Se desliza tras ellos, les sopla ligeramente en el cuello, y entonces sus cabezas se ponen muy pesadas, es verdad; pero esto no hace daño, pues Ole Cierraojos quiere mucho a los niños. Lo único que le preocupa es que estén tranquilos, y eso solo se consigue cuando están metidos en la cama. Es muy conveniente que estén quietecitos para que se les pueda contar historias.

Cuando los niños duermen, Ole Cierraojos se sienta en sus camas. Va bien vestido, pues sus trajes son de seda pero no se puede decir de qué color son. Brillan en rojo, en verde o en azul, según cómo se ponga. Lleva un paraguas bajo cada brazo: uno lleno de dibujos y láminas, que despliega por encima de las cabezas de los niños buenos, que sueñan entonces toda la noche con las historias más bellas, y otro sin nada, y que despliega por encima de los niños maleducados que duermen entonces de un tirón y se despiertan a la mañana siguiente sin haber soñado nada en absoluto.

Vamos a ver cómo Ole Cierraojos llega toda las noches durante una semana, a casa de un muchachito llamado Hjalmar y lo que le cuenta. Este relato consta, pues, de siete historias, porque son siete los días que tiene una semana.

Lunes

—¡Escucha! —dijo Ole Cierraojos por la noche, después de haber acostado a Hjalmar—. Voy a decorar un poco la habitación.

Y todas las plantas de las macetas se transformaron en gigantescos árboles que extendían su largas ramas bajo el techo y a lo largo de las paredes, de forma que todo el cuarto estaba cubierto de flores, y cada flor era más bonita que una rosa. Olían tan bien que todo el ambiente estaba perfumado, y, si se las hubiera comido, estaban más azucaradas que la mermelada. Los frutos tenían el destello del oro y había bollos rellenos de pasas. ¡Era algo soberbio! Pero, de pronto, salieron unos terribles gemidos del cajón de la mesa donde estaban los libros del colegio de Hjalmar.

—¿Qué es eso? —preguntó Ole Cierraojos.

Y fue a abrir el cajón de la mesa. Era la pizarra, que se encontraba mal, porque una cifra inexacta se había introducido en el cálculo y no salía bien. El lápiz saltaba y se peleaba con la cuerda que lo ataba, como si fuera un perrito. Quería corregir el cálculo, pero no podía hacerlo. Además, se hallaba el cuaderno de escritura de Hjalmar, que se lamentaba bajo su cubierta. Era penoso escucharlo. A lo largo de cada página estaban todas las mayúsculas, con las minúsculas al lado. Formaban, de arriba abajo, una línea, que era la que servía de modelo, y a continuación venían letras que se creían parecidas al modelo: eran las que Hjalmar había escrito, y parecían como tumbadas encima del trazo de lápiz sobre las que debían estar colocadas.

—Mirad, tenéis que estar así —decía el modelo—. ¡Fijaos, así de lado, con más garbo!

—¡Oh, quisiéramos estar así! —dijeron las letras de Hjalmar—. Pero no podemos, porque estamos enfermas.

—Entonces tomaréis polvos calmantes —dijo Ole Cierraojos.

—¡Oh, no! —gritaron todas, y se pusieron tan derechas que era un placer verlas.

—Vamos, no contaremos historias esta noche —dijo Ole Cierraojos—. Es preciso que os haga hacer ejercicio. Atención. ¡Un, dos! ¡Un, dos!...

E hizo que las letras hicieran ejercicio, con lo que se pusieron tan derechas y gallardas como los modelos. Mas cuando Ole Cierraojos se marchó, todas volvieron al mismo estado lamentable de antes, y así se las encontró al día siguiente Hjalmar cuando se levantó.

Martes

Tan pronto como Hjalmar se fue a la cama, Ole Cierraojos tocó todos los muebles de la habitación con su varita de madera y se pusieron a hablar. Y todos hablaban de sí mismos, salvo la escupidera, que permaneció muda, y se irritaba de verlos tan vanidosos, solo hablando de ellos mismos y pensando en sí mismos, sin acordarse de quien tan humildemente permanecía olvidada en un rincón y sobre la que escupía todo el mundo.

Encima de la cómoda estaba colgado un gran cuadro con marco dorado. Era un paisaje. Representaba unos antiguos árboles muy grandes, unas flores en la hierba y un lago con un río que corría por la parte de atrás del bosque, que pasaba ante numerosos castillos y desembocaba, a lo lejos, en el mar.

Ole Cierraojos tocó el cuadro con su varita de madera y los pájaros pintados se pusieron a cantar, las ramas de los árboles se agitaron y las nubes bogaron en el cielo. Podían verse sus sombras al desplazarse.

Luego, Ole Cierraojos elevó a Hjalmar hasta la altura del cuadro, y el muchacho, avanzando sus piernas, se encontró en pie en la hierba. El sol filtraba sus rayos por entre las ramas de los árboles y le iluminaba. El niño corrió al lago y entró en una barca pintada de rojo y blanco que allí estaba. Sus velas brillaban como la plata, y seis cisnes, cada uno con una corona de oro alrededor del cuello y una estrella azul brillante sobre la cabeza, tiraban de la barca a lo largo de la verde floresta, donde los árboles hablaban de ladrones y de brujas; y las flores, de gentiles y diminutos elfos y de lo que las mariposas les habían contado.

Lindos peces con escamas de oro y de plata nadaban tras la barca y, a veces, saltaban fuera del agua. Los pajarillos, rojos y azules, grandes y pequeños, volaban detrás en dos largas hileras. Los mosquitos bailaban, y los abejorros zumbaban. Todos querían acompañar a Hjalmar, y cada uno de ellos tenía una historia que contar.

Fue un bello paseo a vela. Tan pronto los bosques estaban espesos y oscuros como se hallaban convertidos en un delicioso parque florido y soleado, en donde se veían magníficos castillos de mármol y cristal. En sus balcones se asomaban princesas, y todas eran niñas a quienes Hjalmar conocía bien, por haber jugado con ellas. Le tendieron las manos, y cada una presentaba los cerditos en azúcar más exquisitos que jamás vendiera un pastelero. Hjalmar cogía los bombones al pasar la barca, y la princesa, sujetándolo bien con la mano, se quedaba con un trozo, siempre el más pequeño, pues Hjalmar se llevaba el grande. En cada castillo, los principitos hacían guardia con un sable de oro apoyado en el hombro y arrojaban pasas y soldados de plomo. ¡Eran verdaderos príncipes!

Hjalmar tan pronto atravesaba el bosque como amplísimas salas, o bien una ciudad. Así llegó a la que habitaba su nodriza, la que le había llevado en brazos cuando era pequeñín, y que tanto le quería. Ella le hizo señas y cantó la linda canción que ella misma había compuesto y enviado a Hjalmar:

¡Oh, cómo me acuerdo de ti,
mi Hjalmar, mi niño querido!
He besado, como sabes, tu boquita,
tu frente y tus rojas mejillas.
Oí tu primera palabra, mi niño.
Y tuve que abandonarte.
Que Dios, Nuestro Señor, te bendiga,
ángel venido de su Reino.

Y todos los pájaros cantaban con ella, las flores bailaban en sus tallos y los añosos árboles se inclinaban como si Ole Cierraojos les hubiese también contado historias.

Miércoles

¡Oh, cómo llovía fuera! Hjalmar podía oír la lluvia en medio de su sueño, y cuando Ole Cierraojos abrió una ventana, el agua llegó hasta el antepecho. El exterior era un verdadero lago, pero un magnífico barco estaba situado ante la casa.

—¿Quieres navegar, pequeño Hjalmar? —preguntó Ole Cierraojos—. Podrás ver esta noche países extranjeros y estar de vuelta mañana al amanecer.

Y Hjalmar se levantó de repente y se encontró, con sus vestidos domingueros, en pie en el centro del navío. Como el tiempo era excelente para navegar, el barco recorrió las calles, dio la vuelta a la iglesia y, de pronto, estuvo en alta mar. Navegó durante tanto tiempo que ya no se veía tierra alguna, y se divisó una bandada de cigüeñas, que, procedentes también del país, se dirigían hacia los países cálidos. Volaban, formando una línea, una tras otra. Habían recorrido ya una distancia considerable. Una de ellas estaba tan enferma que sus alas casi no podían volar. Era la última de la fila y no tardó en encontrarse muy distanciada de las otras. Terminó por descender cada vez más, las alas desplegadas, en un intento de agitarlas un poco; pero en vano. Entonces se posó en un cordelaje del barco, se deslizó a lo largo de una vela y, *¡paf!*, cayó sobre cubierta.

El grumete la cogió y la metió en el gallinero, con las gallinas, los patos y los pavos. La pobre cigüeña estaba toda avergonzada en mitad de ello.

—¡Mirad, un pájaro! —dijeron las gallinas.

El pavo se hinchó tanto como pudo y le preguntó quién era; y los patos retrocedían, empujándose unos a otros y murmurando.

Y la cigüeña habló de la cálida África, y de las pirámides, y del avestruz, que corre por el desierto como un caballo salvaje; pero los patos no comprendían nada de lo que decía y, empujándose, se decían:

—Todos estamos de acuerdo, ¿verdad? ¡Es una bestia!

—Sí, es una bestia —dijo el pavo, y gorgoteó.

Entonces, la cigüeña se calló y soñó con su África.

—Vos tenéis unas lindas patas muy delgadas —dijo la pava—. ¿A qué precio vende el metro?

—*¡Cuac, cuac, cuac!* —dijeron los patos, pero la cigüeña hizo como que no los oía.

—Podéis reiros también —dijo la pava—, porque ha tenido gracia. ¿O es que, tal vez, es demasiado vulgar para vos? ¡Ay, ay! Os falta amplitud de miras. Continuemos interesándonos por nosotros mismos.

Entonces, las gallinas se pusieron a cacarear y los patos a mover la cola. Y no hay duda de que se divertían muchísimo.

Hjalmar fue al gallinero, abrió la puerta, llamó a la cigüeña, que saltó a cubierta cerca de él e hizo al niño un gesto de agradecimiento. Después, como ya había descansado, extendió sus alas y voló hacia los países cálidos, mientras que las gallinas cacareaban, los patos movían sus colas y el pavo tenía la cabeza de un rojo reluciente.

—Mañana, la sopa cocerá con vos —le dijo Hjalmar.

Y entonces se despertó. Estaba en su camita. Sin embargo, había sido un viaje estupendo el que Ole Cierraojos le había hecho hacer aquella noche.

Jueves

—Escucha un momento —dijo Ole Cierraojos—. No tengas miedo. Vas a ver un ratoncito —y alargó la mano hacia donde estaba el lindo animalito—. Ha venido a invitarte a una boda. Hay aquí dos ratones que quieren casarse esta noche. Viven bajo la despensa de tu mamá. Según parece, es un departamento delicioso.

—Pero, ¿cómo voy a poder pasar por el agujero de un ratón hecho en el suelo? —preguntó Hjalmar.

—Eso déjamelo a mí —dijo Ole Cierraojos—. Sé cómo hacerte pequeñito —y tocó a Hjalmar con su varita de madera, y el niño inmediatamente se achicó, se volvió tan pequeño como un dedo—. Ahora puedes pedir sus vestidos al soldado de plomo. Me parece que te sentarán bien, y el uniforme es una prenda muy elegante cuando hay que asistir a una reunión de sociedad.

—¡Claro que sí! —replicó Hjalmar.

E instantáneamente se encontró vestido como el más elegante soldado de plomo.

—¿Queréis hacer el favor de sentaros en el dedal de vuestra madre? —dijo el ratoncito—. Yo tiraré de él.

—¡Dios mío, señorita! ¿Cómo voy a consentir semejante cosa? —dijo Hjalmar.

Sin embargo, en ese coche fue conducido a la boda de los ratones.

Pasaron primero por un largo corredor bajo el suelo. Era exactamente lo bastante alto para un dedal de coser, y todo él estaba iluminado con yesca.

—¡Qué buen olor! —se dijo el ratoncito que conducía a Hjalmar—. Toda la galería ha sido untada con tocino. ¡No se ha podido hacer nada mejor!

Al fin, llegaron al salón de boda. A la derecha estaban todos los ratones hembras, que murmuraban entre sí como si se burlaran las unas de las otras; a la izquierda, todos los machos se atusaban los bigotes con la pata, y en el centro de la sala se veía a la pareja de novios en una corteza de queso. Se daban ante todo el mundo un gran número de besos y abrazos, puesto que eran novios e iban a casarse enseguida.

No cesaban de llegar gentes extrañas. Los ratones estaban tan apretados que casi se ahogaban, y los casados se habían colocado en medio de la puerta, para que nadie pudiese entrar ni salir. Toda la sala, así como el corredor, estaba untada con tocino. No había otro regalo, pero como postre trajeron un guisante, donde los dientes de una ratoncita de la familia habían grabado el nombre de la pareja, al menos la primera letra. ¡Todo era admirable!

Y Hjalmar regresó a su casa en coche. Había estado en una sociedad distinguida, pero para llegar hasta ella había tenido necesidad de achicarse extraordinariamente y vestirse con el uniforme de soldado de plomo.

Viernes

—Es increíble el número de personas de edad que quisieran tenerme cerca de ellos —dijo Ole Cierraojos—, sobre todo los que han cometido algún mal. «Buen Ole —me dicen—; no podemos cerrar los ojos y estamos toda la noche viendo nuestras malas acciones, que acuden, como enanos malvados, a sentarse al borde de nuestra cama y nos salpican con agua caliente. ¿Quieres venir a echarlos, para que podamos dormir?». Y suspiran profundamente y añaden: «Te pagaremos bien. Buenas noches, Ole. El dinero está en la ventana». Pero a mí no me importa el dinero —acabó Ole Cierraojos.

—¿Qué vamos a hacer esta noche? —preguntó Hjalmar.

—No sé si te gustaría ir de boda otra vez. Será diferente a la de anoche. La gran muñeca de tu hermana, la que tiene aspecto varonil y que se llama Herman, va a casarse con la muñeca Bertha. Además, es el aniversario de la muñeca y habrá, por tanto, muchos regalos.

—Sí; ya he oído hablar de eso —dijo Hjalmar—. Cuando las muñecas necesitan ropa nueva, mi hermana les hace siempre celebrar su aniversario o su boda. Esto ha ocurrido más de cien veces.

—Sí; pero esta noche es el casamiento número ciento uno, y una vez haya pasado esta centésima vez, todo habrá concluido. Por tanto, será algo maravilloso. ¡Mira!

Hjalmar miró a la mesa. La casa de cartón estaba encima de ella, con luz en las ventanas, y todos los soldados de plomo, afuera, presentaban armas. La pareja de novios estaba sentada en el suelo y se apoyaba contra la pata de la mesa, soñadora, y tenían razón para estarlo. Y Ole Cierraojos, vestido con el traje negro de la abuelita, los bendecía. Después de la bendición, los muebles de la habitación entonaron la linda canción que el lápiz había escrito sobre la música de la retreta:

Con nuestra bella canción
maravillamos a los novios.
Son pesados como estacas
y hechos de piel de guantes.

Viva, viva la piel de guantes,
viva, viva nuestra estaca
¡Lo cantamos a todos los vientos!

Y entonces empezaron a recibir los regalos; pero habían excluido todos aquellos que se comen, puesto que su amor les era suficiente.

—¿Vamos a quedarnos en el país o a viajar por el extranjero? —preguntó el novio.

Se consultó a la golondrina, que había viajado mucho, y a la vieja gallina de la casa, que había criado cinco o seis polladas. Y la golondrina habló de los deliciosos y cálidos países donde el aire es suave y las montañas tienen colores que no se conocen por aquí.

—Pero no tienen nuestras coles verdes —dijo la gallina—. Yo he pasado un verano en el campo, con mis polluelos, donde había un terreno de grava en el que podíamos picar y teníamos acceso a un jardín donde se cultivaban coles verdes. ¡Oh, qué verdes eran! No puedo imaginar nada más bello.

—Pero una col es semejante a otra —dijo la golondrina—. Y, por lo regular, el tiempo aquí es muy malo.

—¡Bah! A eso se habitúa uno —replicó la gallina.

—Pero hace frío, hiela.

—Eso es bueno para las coles —contestó la gallina—. Además, también hay veces que tenemos demasiado calor. ¿No tuvimos hace cuatro años un verano que duró cinco semanas y hacía tanto calor que no se podía respirar? Por otra parte, aquí no tenemos los animales venenosos que existen en esos países, ni tampoco ladrones. Es preciso ser un miserable para no ver que nuestro país es el más hermoso de todos, y el que así piense no merece estar aquí —y la gallina rompió a llorar—. Yo también he viajado —continuó entre sollozos—. He hecho más de doce leguas en coche, dentro de un cesto. No, viajar no es nada agradable.

—Sí, la gallina es una mujer razonable —dijo la muñeca Bertha—. A mí no me gusta ir a la montaña, no se hace más que escalar y, después, descender. No, no; iremos al terreno de grava y nos pasearemos por el jardín de las coles.

Y así lo hicieron.

Sábado

—¿Me contarás ahora alguna historia? —preguntó Hjalmar a Ole Cierraojos cuando le metió en la cama.

—Esta noche no vamos a tener tiempo —dijo Ole, y abrió su paraguas más bello por encima del niño—. Mira esos chinos.

Y todo el paraguas tenía el aspecto de una gran copa china, rodeada de árboles azules y de puentes arqueados, donde los chinitos inclinaban la cabeza.

—Es preciso que mañana esté todo el mundo limpio, porque es un día santo: es domingo —continuó Ole Cierraojos—. Voy a ir a la torre de la iglesia para ver si los geniecillos de la iglesia han bruñido las campanas para que tengan un sonido agradable. Saldré al campo, para ver si los vientos soplan y quitan el polvo de la hierba y de las hojas, y mi mayor trabajo consistirá en hacer que desciendan todas las estrellas, para pulirlas. Las meteré en mi delantal; pero necesito numerarlas primero y numerar también los agujeros que ellas ocupan en el cielo, para que puedan volver a su lugar exacto, sin lo cual no se encontrarían bien y tendríamos demasiadas estrellas errantes, pues se caerían unas tras otras.

—Oíd, señor Cierraojos —dijo un viejo retrato colgado en la pared contra la que Hjalmar dormía—. Yo soy el bisabuelo de Hjalmar. Os agradezco mucho las historias que contáis a este niño, pero es necesario no turbar sus ideas. No se puede hacer que las estrellas desciendan para pulirlas. Las estrellas son esferas como nuestra Tierra, y eso es precisamente lo que tienen de bueno.

—Gracias, señor bisabuelo —le contestó Ole Cierraojos—. Sí, os doy las gracias. Se ve que vos sois el cabeza de familia, ¡el antiguo cabeza de familia! Pero yo soy más viejo que vos. Yo soy un viejo pagano. Los romanos y los griegos me llamaban el dios de los sueños. Yo he estado en las mansiones más nobles y aún voy a ellas. Me dedico a visitar a los grandes y a los pequeños. Ahora podéis contar lo que tengáis que contar.

Y Ole Cierraojos se fue, cerrando su paraguas.

—Vaya, no puede uno dar ni un consejo —dijo el viejo retrato.

Y Hjalmar se despertó.

Domingo

—Buenas noches —dijo Ole Cierraojos.

Y Hjalmar le hizo señas con la cabeza; pero saltó bruscamente y dio vuelta al retrato del bisabuelo, para que no se pusiera a dar consejos como la víspera.

—Ahora vas a contarme historias sobre «los cinco guisantes verdes que viven en la misma cáscara» y sobre «la pata de gallo que hacía la corte a la pata de gallina» y sobre «la aguja de zurcir que se creía tan importante como la aguja de coser».

—Es necesario no abusar de las mejores cosas —le contestó Ole Cierraojos—. Mejor que eso, voy a enseñarte a alguien..., voy a enseñarte a mi hermano, que se llama también Ole Cierraojos; pero él no se reúne con nadie más que una vez, y cuando viene, los pone sobre su caballo y les cuenta historias. Sabe dos solamente: una es tan maravillosamente bella que nadie se la puede imaginar, y la otra es tan horrible y espantosa... No, esta no se puede decir —y Ole Cierraojos llevó a Hjalmar hasta la ventana y dijo—: vas a ver a mi hermano, el otro Ole Cierraojos, al que también se le llama la Muerte. Como ves, no tiene un aspecto tan feo como se pinta en los libros de láminas, donde se le representa por un esqueleto. No; su traje está bordado en plata. Constituye un bello uniforme de cazador. Un manto de terciopelo negro flota tras él. ¡Observa cómo corre al galope!

Hjalmar vio cómo Ole Cierraojos, en su carrera, cogía a jóvenes y a viejos y los ponía sobre su caballo, colocándolos tan pronto delante como detrás de él; pero siempre preguntaba primero:

—¿Cómo es tu cuaderno de notas?

—Es bueno —decían todos.

—Dámelo, que yo lo vea por mí mismo.

Y ellos se lo enseñaban, y todos aquellos que tenían un «muy bien» o «excelente» montaban en la parte delantera del caballo y escuchaban la historia maravillosa; pero los que tenían un «pasable» o un «mediano» iban detrás y escuchaban la historia horrible. Estremecíanse de miedo y lloraban; querían saltar del caballo, pero no podían, porque todos estaban encadenados.

—Pero la muerte es un encantador Ole Cierraojos —dijo Hjalmar—. ¡Yo no le tengo miedo!

—No es necesario tenerle miedo —dijo Ole Cierraojos—. Procura que tu cuaderno de notas sea bueno.

—Este relato está lleno de enseñanzas —gruñó el retrato del bisabuelo—. Siempre es útil manifestar la opinión de uno.

Y estaba muy contento.

Tal es la historia de Ole Cierraojos. Esta noche es probable que él mismo os pueda contar algo más sobre él.

LA REINA DE LAS NIEVES

(Cuento en siete historias)

Primera historia

Que trata del espejo y de sus fragmentos

Pues bien, comencemos. Cuando lleguemos al final de esta historia sabremos un poco más que ahora acerca de un geniecillo. Un día estaba de muy buen humor, porque había fabricado un espejo que tenía la propiedad de que todo lo bueno y lo bello que se reflejaba en él disminuía hasta casi desaparecer; en cambio, lo que no valía nada y tenía un aspecto feo resaltaba y se volvía aún más feo. Los paisajes más bellos, reflejados en aquel espejo, parecían espinacas hervidas, y las personas más buenas se volvían repugnantes o se reflejaban con la cabeza bajo el vientre, los rostros se desnaturalizaban hasta ser irreconocibles, y si se tenía alguna peca, ya se podía estar seguro de que la nariz y la boca se verían tapados por ella. El «diablo» decía que aquello era muy divertido. Y si alguien era dueño de un pensamiento bueno y piadoso, en el espejo aparecía traducido en una mueca, que hacía reír al propio geniecillo-diablo por su genial invención.

Todos los que asistían a la escuela del geniecillo —pues este tenía una escuela— contaban por todas partes que se había realizado un milagro. Decían que, al fin, se podía ver el verdadero rostro del mundo y de las personas. Corrían a todas partes con el espejo, y al final no quedaba ni un hombre ni un país que no hubiese sido deformado al reflejarse en él. Quisieron entonces volar también al cielo, para burlarse de los ángeles y de Nuestro Señor. Cuanto más alto se elevaban con el espejo, más pesado se hacía este y apenas podían sostenerlo. Volaron cada vez más alto, cada vez más cerca de Dios y de los ángeles.

Entonces, el espejo se movió tan terriblemente con sus gestos, que se les escapó de las manos y se estrelló contra el suelo, en donde se partió en millones o millares de millones de pedazos, y aún más, haciendo de esta forma mucho más daño que antes; porque algunos de estos fragmentos no eran más grandes que granos de arena y volaron por todas las partes del mundo, y cuando se metían en los ojos de las personas, allí se quedaban, y entonces todo se veía desfigurado, o bien, no se veía más que lo malo que existía en cada cosa. Cada fragmento había conservado la propiedad que poseía el espejo entero. Algunas personas también llegaron a tener alojado un pequeño fragmento del espejo en su corazón, y entonces, y esto fue lo más terrible, su corazón se convirtió en un bloque de hielo. Algunos pedazos del espejo eran lo suficiente grandes para servir de cristales a las ventanas pero a través de ellas no era aconsejable mirar a los amigos porque se veía todo lo malo de ellos. Otros fragmentos fueron utilizados como cristales para las gafas, y cuando las personas se las ponían para ver bien, aquello era espantoso. El demonio, mientras tanto, se reía tanto, que tenía que sujetarse la barriga, pues todo aquello le divertía extraordinariamente. Y algunos de aquellos fragmentos quedaron flotando en el aire. Vamos a ver qué sucedió con ellos.

Segunda historia

Un niño y una niña

En una gran ciudad, donde había tantas gentes y tantas casas que el lugar no era suficiente para que todo el mundo pudiese tener un pequeño jardín y donde, por consiguiente, la mayoría de las personas tenía que contentarse con tiestos de flores, dos niños pobres tenían un jardín un poco mayor que una maceta. No eran hermanos, pero se querían como si lo fueran. Las familias vivían una enfrente de la otra. Habitaban dos buhardillas. En el lugar donde el tejado de una de las casas estaba más cerca del tejado de la otra y donde el canalón corría a lo largo del alero, se abría una ventana en cada una de las casas. Era suficiente atravesar el canalón para pasar de una ventana a otra.

Cada una de estas familias tenía ante su ventana correspondiente una caja grande de madera, en donde crecían algunas hortalizas que les servían de alimento y un pequeño rosal. En cada una de las cajas crecía un rosal y era cada cual más encantador. Más tarde, los padres de estos niños tuvieron la idea de colocar las cajas a través del canalón, de forma que casi iban de una ventana a otra, con lo que se les dio el aspecto de dos macizos floridos. Los tallos de los guisantes salían de los bordes de las cajas, y los rosales, con sus largas ramas, encuadraban las ventanas. Era casi un arco de triunfo de verdura y de flores. Como las cajas estaban colocadas muy altas, los niños sabían que no debían trepar a ellas; pero, a veces, les permitían subir hasta ellas y sentarse en unos pequeños taburetes que colocaban bajo las rosas. Allí era delicioso jugar.

Este placer no podían gozarlo durante el invierno. Con frecuencia, las dos ventanas estaban cubiertas de escarcha, y entonces, los niños calentaban monedas de cobre en la estufa para aplicarlas a los helados cristales, y eso proporcionaba un buen mirador circular. Detrás de cada uno de ellos espiaba un ojo cariñoso en cada ventana. El niño y la niña estaban allí. Él se llamaba Kay; ella, Gerda. Durante el verano se reunían con solo dar un sencillo salto; pero en el invierno era preciso bajar muchos pisos y subir otros tantos, y fuera la nieve se amontonaba.

—Son las abejas blancas que se agitan —decía la abuela, viendo caer la nieve.

—¿También tienen reina? —preguntó el niño, porque él sabía que existía una reina en cada colmena.

—Sí —le contestó la abuela—. Vuela en el centro del grupo más compacto. Es la más grande de todas y nunca cae a tierra, sino que continuamente vuela por el espacio nuboso. Con frecuencia, durante las noches invernales, recorre las calles de la ciudad y mira el interior de las habitaciones, aplicando un ojo a las ventanas, y entonces, los cristales se hielan de una forma extraña y se recubren, y forman dibujos parecidos a flores.

—Sí, yo lo he visto —dijeron los dos niños, quienes aseguraban así que aquello era cierto.

—¿La reina de las nieves puede venir aquí? —preguntó la niña.

—Que venga —dijo el niño—. La meteré en la estufa y se disolverá.

La abuela le acarició los cabellos y les contó otros cuentos.

Por la noche, cuando el pequeño Kay estaba ya casi desnudo, se subió a una silla que estaba al lado de la ventana y guiñó un ojo por el redondo mirador. Algunos copos de nieve caían en el exterior, y uno de ellos, el más grande de todos, se posó en el borde de una de las cajas de flores. Este copo de nieve se fue haciendo, poco a poco, más grande y terminó por convertirse en una mujer vestida con un maravilloso velo blanco, que parecía como formada con millones de copos estrellados. Era bella y encantadora, pero de hielo, brillante, deslumbradora. Sin embargo, estaba viva. Sus ojos titilaban como dos estrellas, pero no tenían tranquilidad ni descanso. Hizo un gesto con la cabeza hacia la ventana y levantó su mano. El niño se asustó y saltó de la silla, y entonces pareció como si un pájaro muy grande pasase ante la ventana.

Al día siguiente hacía mucho frío seco..., más tarde llegó el deshielo..., y enseguida la primavera. El sol brillaba, los capullos empezaron a salir, las golondrinas construían sus nidos, las ventanas se abrieron, y los dos niños se encontraron de nuevo sentados en sus pequeños jardines, en lo alto, junto al canalón, por encima de todos los pisos.

Las rosas florecían magníficamente aquel año. La niñita había aprendido una canción que trataba de las rosas y era en las suyas en las que pensaba. Cantó el salmo al niño, y juntos lo recitaron:

En los valles crecen rosas
y el Niño Jesús baja a ellos
y les habla.

Los niños se cogieron de las manos, besaban las rosas, miraban la pura luz del sol de Dios y le hablaban como si el Niño Jesús estuviese allí entre ellas. ¡Qué encantadoras jornadas de verano! ¡Cuán delicioso era estar sentado afuera, al lado de los hermosos rosales, que parecían no querer cesar de dar flores!...

Kay y Gerda estaban sentados y miraban un álbum de animales y pájaros cuando... el reloj de la torre de la iglesia dio exactamente las cinco..., y al mismo tiempo Kay dijo:

—¡Ay, algo me ha tocado en el corazón! ¡Algo me ha entrado en el ojo!

La niña le cogió por el cuello. Él parpadeó. No, no se veía nada.

—Me parece que ya ha salido —dijo Kay.

Pero no era así. Era uno de esos polvillos de cristal del espejo roto, del cual nos acordamos bien, el espejo del geniecillo, el feo espejo que hacía pequeño todo lo bueno y hermoso que en él se reflejaba, mientras que todo lo bajo y vil, cualquier defecto, lo agrandaba enseguida. Al pobre Kay le había entrado un fragmento de aquellos en el corazón, y este iba bien pronto a convertirse en un trozo de hielo. Y aunque no sentía ya ninguna molestia, el vidrio estaba allí.

—¿Por qué lloras? —preguntó el niño—. Te pones muy fea. ¡Bah! —de pronto gritó—: esta rosa está comida por un gusano y aquella otra crece torcida. En realidad, son rosas muy feas. Se parecen a las cajas en que crecen.

Y le pegó una patada a la caja y arrancó las dos rosas.

—¿Qué estás haciendo, Kay? —gritó la niña.

Le miraba espantada. El niño arrancó aún otra rosa y se metió rápidamente por la ventana, y dejó sola a la pequeña y gentil Gerda.

Cuando ella acudió a su lado con el libro de láminas, el niño le dijo que aquello estaba bien para los bebés. Y si la abuelita le contaba cuentos, encontraba siempre algo para reírse. Cuando le era posible se situaba detrás de ella, se ponía las gafas y la imitaba en sus gestos. Lo hacía muy bien. Todos se reían. Bien pronto se acostumbró a imitar y a burlarse de todo el mundo en la calle. Todo lo que era raro y poco agradable a las personas, Kay sabía imitarlo, y se decía de él:

—¡Qué inteligente es este muchacho!

Pero era el cristal que tenía en su corazón el que producía este efecto, y también mortificaba a la pequeña Gerda, que le quería con toda su alma.

Sus juegos ya no eran los mismos que antes, eran más serios. Un día de invierno, que nevaba mucho, sacó una gran lupa, extendió un lado de su chaqueta azul y dejó que cayeran en él algunos copos de nieve.

—Míralos a través de la lupa, Gerda —le dijo.

Y cada copo se volvía mucho más grueso y tenía el aspecto de una flor magnífica o de una estrella de diez puntas. ¡Era algo soberbio!

—Fíjate en lo curioso que es esto. Es más interesante que las flores de verdad. No hay en ellos el más pequeño defecto. Los copos son perfectos mientras no se funden.

Poco después apareció Kay, con las manos enguantadas en gruesos guantes y llevando a la espalda su trineo. Dijo a Gerda, gritándole en los oídos;

—Me han dado permiso para ir a la Gran Plaza, donde juegan los otros niños.

Y se marchó.

Corrientemente, en la plaza, los muchachos más atrevidos ataban sus trineos al carro de un labrador y le seguían así un gran trecho. Era muy divertido. Cuando el juego estaba en su apogeo apareció un gran trineo. Era enteramente blanco, y una persona envuelta por completo en una piel blanca, cubierta la cabeza en un gorro de la misma piel, estaba sentada en él. Dio dos vueltas alrededor de la plaza, y Kay, decidido, ató su trineo al grande. Inmediatamente, este echó a correr y se metieron por la calle vecina. La persona que conducía el trineo grande volvió la cabeza e hizo a Kay un gesto amistoso, como si ellos se conocieran de toda la vida. Cada vez que Kay quería desatar su trineo, esta persona le hacía un gesto con la cabeza, y Kay se quedaba sentado. De esta forma franquearon la puerta de la ciudad. La nieve se puso entonces a caer tan copiosamente que el muchacho no podía verse la mano. Se apresuró a desatar la cuerda que le unía con el trineo grande, pero no le fue posible. Su trineo continuaba unido a él y corrían a una velocidad parecida a la del viento. Gritó muy fuerte, pero nadie le oyó, y la nieve caía y el trineo avanzaba a toda prisa. A veces daban un bote, porque la carretera estaba llena de zanjas y de relieves. Kay estaba asustadísimo. Quería rezar el Padrenuestro, pero no podía acordarse más que de la tabla de multiplicar.

Los copos eran cada vez mayores. Terminaron por ser como grandes gallinas blancas. De repente, el trineo se paró y la persona que lo conducía se levantó del asiento: su manto y su gorro no eran más que de nieve. Era una dama, alta, esbelta, de una blancura deslumbrante. Era la reina de las nieves.

—Hemos hecho el viaje con gran rapidez —dijo—. ¿Tienes frío? Ven a abrigarte bajo mi piel de oso.

Y ella le condujo a su trineo, extendió sobre él la piel y Kay creyó que desaparecía en un montón de nieve.

—¿Tienes frío todavía? —le preguntó la dama, y le besó en la frente.

¡Ay, estaba más fría que el hielo, y este frío le penetró hasta el corazón, que, por otra parte, ya era un bloque de nieve! Le pareció que iba a morir... Pero esto solo duró un instante. Después se sintió perfectamente bien. No volvió a sentir el frío que le rodeaba.

—¡Mi trineo! ¡No olvide mi trineo!

Eso fue lo que primero recordó. Y el trineo fue atado a una de las gallinas blancas que volaban tras ellos. Lo llevaba sobre su espalda. La reina de las nieves besó a Kay otra vez, y entonces olvidó a la pequeña Gerda, a su abuela y todos los de su casa.

—Ya no volveré a besarte más —dijo la reina—. Otro beso te mataría.

Él la miró. Era bellísima. No podía imaginar un rostro más bello e inteligente. No tenía aspecto de hielo, como cuando la vio a través de su ventana y le había hecho una seña. Ella era perfecta a sus ojos y ya no sentía ningún temor. Él le contó que sabía calcular de memoria, aun las fracciones; que conocía la superficie de su país y el número de sus habitantes. Ella sonreía siempre. Le pareció a Kay que todo cuanto sabía no era suficiente, y miró hacia arriba, hacia el extenso espacio, por donde volaban. Habían alcanzado ya la negra nube y pasaron por encima de ella. El huracán crecía y bramaba, como si cantara antiguas canciones. Volaron por encima de los bosques y de los lagos, de los mares y de los países. Por debajo de ellos silbaba el viento frío, los lobos aullaban, la nieve chispeaba, los negros cuervos graznaban; pero en todo lo alto brillaba la luna, grande y clara, y Kay la contempló durante toda aquella noche invernal. Cuando llegó el día, el niño dormía a los pies de la reina de las nieves.

Tercera historia

El jardín florido de la mujer que se dedicó a la magia

Pero, ¿qué fue de la pequeña Gerda, ahora que Kay ya no estaba a su lado? ¿Dónde podría estar este? Nadie sabía nada, nadie supo dar noticias de él. Los niños de la Gran Plaza contaban solamente que habían visto cómo ataba su trineo a otro muy grande y magnífico, que se había aventurado por las calles y salido de la ciudad. Nadie sabía dónde estaba. Vertieron muchas lágrimas, sobre todo la pequeña Gerda le lloró mucho tiempo. Más adelante se dijo que había muerto, que se había ahogado en el río que corre por las afueras de la ciudad. ¡Oh, cuán largos y sombríos fueron desde entonces los días de invierno!

Al fin, llegó la primavera con un sol muy cálido.

—Kay ha muerto y ha desaparecido —dijo la pequeña Gerda.

—No lo creo —le contestó el Sol.

—Ha muerto y ha desaparecido —dijo a las golondrinas.

—No lo creemos —respondieron estas.

Y la pequeña Gerda terminó por no creerlo tampoco.

—Voy a ponerme mis nuevos zapatos rojos —dijo una mañana—, los que Kay no ha conocido, y después iré al río y le interrogaré.

Era muy de mañana. Abrazó a la abuelita, que dormía, se puso los zapatos rojos y salió de la ciudad completamente sola y llegó hasta el río.

—¿Es verdad que te has apoderado de mi pequeño camarada de juego? Te regalaré mis zapatos rojos si me lo devuelves.

Y le pareció que las olas le hacían una seña extraña. Entonces se quitó los zapatos rojos, que eran lo más querido para ella, y los arrojó al río. Pero cayeron muy cerca de la orilla, y las olas los llevaron muy pronto hacia tierra. Era como si el río, por no poseer al pequeño Kay, no quisiera tomar lo que Gerda amaba con todo su corazón. Pero la niña creyó que no había arrojado suficientemente lejos los zapatos, por lo que montó en una lancha que estaba entre los juncos y, situándose en la proa, lanzó de nuevo los zapatos. Pero como la lancha no estaba sujeta sólidamente, al movimiento de Gerda se alejó de la orilla. La muchacha no se dio cuenta al principio, y cuando quiso bajar de ella estaba ya a más de un metro de la orilla y se alejaba cada vez más.

La pequeña Gerda, muy asustada, se puso a llorar; pero nadie la oía. Solo los gorriones, y ellos no podían conducirla a tierra. Volaron solamente a lo largo de la ribera y cantaron, como si quisieran consolarla: «¡Estamos aquí! ¡Estamos aquí!». La barca seguía la corriente. La pequeña Gerda permaneció inmóvil, con sus pies descalzos. Los zapatitos rojos flotaban tras ella; pero no podían alcanzar la barca, que iba más rápida.

Ambas orillas eran muy lindas. Se veían en ellas bellas flores, árboles añosos y colinas con ovejas y vacas; pero ni un ser humano.

«Tal vez el río me conduzca hacia el pequeño Kay», se dijo Gerda, lo que la puso de mejor humor.

Se levantó y miró durante horas las encantadoras y verdes riberas. Así llegó a un vergel lleno de cerezos, donde se elevaba una casita con unas extrañas ventanas rojas y azules y un tejado de paja. Delante de la casa, dos soldados de madera presentaban armas a los que pasaban en barco.

Gerda los llamó. Creía que eran seres vivos; pero, como es natural, ellos no contestaron. Rápidamente llegó a su lado, porque el río conducía la barca hacia tierra.

Gerda gritó entonces más fuerte, y de la casa salió una anciana apoyada en un bastón; se tocaba con un gran sombrero, para protegerse del sol, en donde había pintadas unas flores maravillosas.

—¡Pobre niñita! —exclamó la vieja—. ¿Cómo has venido por este río de corriente tan fuerte? ¿Cómo has recorrido tan largo camino por el vasto mundo?

Y la vieja penetró en el agua, agarró con su cayado la lancha y tiró de ella. En sus brazos condujo a Gerda a tierra.

La niña se sentía feliz de estar de nuevo en la orilla, pero le causaba un poco de miedo la desconocida anciana. Esta le dijo:

—Ven a contarme quién eres y cómo has llegado hasta aquí.

Y Gerda le contó todo. La vieja movió la cabeza, diciendo: «¡Hum! ¡Hum!», y cuando Gerda, una vez contado todo, le preguntó si había visto al pequeño Kay, la mujer dijo que no había pasado por delante de su casa aún, pero que llegaría; que Gerda no debía estar disgustada, sino probar sus cerezas y mirar las flores, que eran más bellas que todos los libros de láminas, y cada una sabía contar una historia. Cogió a Gerda de la mano, entraron las dos en la casita y la anciana cerró la puerta.

Las ventanas eran muy altas y estaban pintadas de rojo, azul y amarillo. La luz del día era muy especial en el interior con esos colores; pero sobre la mesa había deliciosas cerezas, y Gerda pudo comer tantas como quiso, porque le gustaban mucho. Mientras comía, la anciana le peinaba los cabellos con un peine de oro, y los hermosos cabellos rubios, maravillosamente rizados, brillaban alrededor del pequeño y lindo rostro, que era redondo y muy parecido a una rosa.

—Siempre he deseado tener una niña tan encantadora como tú —exclamó la anciana—. Ya verás qué bien vamos a llevarnos las dos.

Y a medida que peinaba los cabellos de la pequeña Gerda, la niña olvidaba más y más a Kay, su camarada de juego. Porque la anciana, aunque se dedicaba a la magia, no era malvada. Solo empleaba la magia para su propio placer, y por el momento deseaba conservar a la pequeña Gerda para sí. Por ese motivo salió al jardín y, extendiendo su cayado hacia los rosales, obligó a que se ocultaran bajo la negra tierra y no se pudiese ver dónde habían crecido. La anciana creía que si Gerda veía las rosas, pensaría en las suyas, se acordaría del pequeño Kay y querría marcharse.

Inmediatamente condujo a Gerda al jardín... ¡Oh, qué perfume y qué esplendor! Todas las flores de todas las estaciones estaban allí en plena floración. Ningún libro de láminas podía ser más bello ni más variado. Gerda saltó de alegría y jugó hasta el momento en que el sol descendió tras los grandes cerezos. Entonces se acostó en una camita magnífica, con cobertores de seda roja adornados de violetas, y durmió y soñó tan deliciosamente como una reina el día de sus bodas.

Al día siguiente pudo de nuevo jugar con las flores al sol... Y así pasaron muchos días. Gerda conocía cada flor, y, a pesar de lo numerosas que eran, le parecía que faltaba una, aunque no podía adivinar cuál. Un día que estaba sentada y miraba el sombrero de flores pintadas que la anciana llevaba para resguardarse del sol, vio que la más bella era precisamente una rosa. La anciana había olvidado quitarla del sombrero cuando hizo desaparecer las otras de la tierra. ¡Nunca se piensa en todo!

«¿Cómo? —se preguntó Gerda—. ¿No hay rosas aquí?».

Y corrió hacia los macizos de flores. Buscó y buscó, pero no encontró ninguna. Se sentó en la tierra y lloró; pero sus cálidas lágrimas cayeron precisamente en el sitio donde un rosal se había ocultado bajo tierra, y del suelo se elevó el arbusto al ser regado por las lágrimas de la niña, tan florido como cuando fue ocultado. Y Gerda lo abrazó, besó las rosas y pensó en las encantadoras rosas de su casa y, al mismo tiempo, en el pequeño Kay.

—¡Oh, cuánto tiempo he perdido! —dijo la niña—. Debía volver a buscar a Kay... ¿Sabéis dónde está? —preguntó a las rosas—. ¿Creéis que ha muerto?

—No ha muerto —le contestaron las rosas—. Nosotras hemos estado bajo tierra, donde están todos los muertos, y Kay no estaba allí.

—Gracias —dijo la pequeña Gerda.

Se dirigió a las otras flores, y mirando sus cálices, preguntó:

—¿No sabéis dónde está Kay?

Pero cada flor, vuelta hacia el sol, solo pensaba en su propio cuento o en sus propias historias. La pequeña Gerda oyó gran número de estas historias, pero ninguna flor sabía nada de Kay.

Y, ¿qué decía el lirio rojo?

—¿Oyes el tambor? ¡Bom! ¡Bom! No hay más que dos notas siempre: ¡Bom! ¡Bom!... ¡El canto de duelo de las mujeres! ¡La llamada de los sacerdotes...! La mujer del indio, vestida con su túnica roja, se halla en la pira, en tanto que las llamas la rodean a ella misma y al cadáver de su marido. Pero la mujer del indio solo piensa en el hombre que está vivo entre la multitud que le rodea, y cuyos ojos brillan como el fuego, más ardiente que las llamas; la mujer ha sido tocada en su corazón por el fuego de los ojos de este hombre más que por las llamas que bien pronto van a reducir a cenizas su cuerpo. ¿Puede morir la llama del corazón en las llamas de la pira?

—No comprendo nada de eso —dijo la pequeña Gerda.

—Es mi cuento —dijo el lirio rojo.

¿Que decía la campanilla?

—En la parte más alta del estrecho sendero que corre por la montaña se eleva un antiguo castillo. La hiedra se extiende a lo largo de sus muros rojos, hoja contra hoja, hasta el balcón donde se asoma una encantadora muchacha. Se apoya en la balaustrada y mira el camino. Ninguna rosa en su tallo es más fresca que ella, ninguna flor del manzano, que arrastra el viento, es más ligera que ella. Al moverse, su magnífico vestido murmura:

—¿No va a venir?

—¿Te refieres a Kay? —preguntó la pequeña Gerda.

—Solo hablo de mi cuento, de mi ensueño —replicó la campanilla.

¿Qué decía la campanilla blanca?

—De los árboles se halla suspendida, entre dos cuerdas, una tabla: es un columpio. Dos niñas muy bonitas, con trajes blancos como la nieve y largas cintas de seda verde, que cuelgan tras sus sombreros, están sentadas en él y se columpian. El hermano, que es mayor que ellas, está de pie en el columpio. Su brazo pasa alrededor de la cuerda para sostenerse, puesto que tiene en una mano una copita, en la otra un tubo, y sopla, formando pompas de jabón. El columpio se balancea, y las pompas de jabón vuelan con sus lindos e irisados colores. La última está aún en el extremo del tubo y se inclina a la acción del viento. El columpio se balancea. El perrillo negro, ligero como las pompas, se levanta sobre sus patas, cae, ladra y se enfada. Se ríen de él, las pompas estallan... Una tabla que vuela, una espuma que se rompe... ¡esa es mi canción!

—No hay duda de que todo cuanto has contado es muy bonito, pero lo has relatado con un tono muy triste y no has hablado para nada de Kay.

¿Qué dicen los jacintos?

—Había una vez tres encantadoras hermanas, menudas y diáfanas; una tenía un vestido rojo; la segunda, azul, y la tercera, blanco. Cogidas de las manos bailaban cerca del tranquilo lago a la luz de la luna. No eran elfos, eran hijas de hombre. El aire estaba embalsamado, y las hermanas desaparecieron en el bosque. El aire era más fragante...; tres ataúdes, donde yacen las encantadoras muchachas, salieron del bosque y se dirigieron hacia el lago. Las luciérnagas volaban a su alrededor como lucecitas flotantes. ¿Las bailarinas duermen o están muertas...? El perfume de las flores dice que están muertas. La campana de la tarde dobla a muerto.

—Me has puesto muy triste —dijo la pequeña Gerda—. Tu perfume es muy fuerte. Me haces pensar en las niñas muertas. ¡Ay! ¿Es cierto que ha muerto el pequeño Kay? Las rosas han estado bajo tierra y dicen que no.

—¡Ding dang! —sonaron las campanitas de los jacintos— No doblamos por el pequeño Kay, no le conocemos. Solo cantamos nuestra canción, la única que sabemos.

Y Gerda se volvió hacia el ranúnculo amarillo, que brillaba en el centro de sus lustrosas hojas verdes.

—Eres un pequeño sol luminoso —dijo Gerda—. Dime: ¿sabes dónde puedo encontrar a mi camarada de juego?

Y el ranúnculo, brillando intensamente, devolvió la mirada a Gerda. ¿Qué canción podía cantar bien el ranúnculo? Con toda seguridad, no sería a propósito de Kay.

—En una casita, el sol de Nuestro Señor lucía cálido el primer día de primavera. Sus rayos tocaban la parte baja de la pared blanca del vecino. Muy cerca resplandecían las primeras flores amarillas, porque el sol las bañaba con su luz. La anciana abuelita estaba sentada en su silla, al exterior; su nieta, pobre y linda criatura, había ido a hacerle una visita. Besó a la abuelita. En aquel beso había oro del corazón. Oro en los labios, oro en el fondo del alma, oro en la aurora. He aquí mi pequeña historia —dijo el ranúnculo.

—Mi pobre abuelita —suspiró Gerda—. Sí, seguramente que está muy disgustada, muy inquieta por mí, lo mismo que lo está por Kay. Pero yo volveré muy pronto, y llevaré a Kay conmigo... Es inútil que interrogue a las flores, pues no saben más que su propia canción. ¡No me han dado ninguna pista!

Se remangó su traje para poder correr más aprisa, pero el narciso le dio un golpe en la pierna cuando ella saltó por encima de él. La niña se detuvo, miró a la alta y amarilla flor y le preguntó:

—¿Sabes tú algo quizá?

Se inclinó hacia el narciso. Y, ¿qué dijo este?

—¡Puedo verme a mí mismo! ¡Puedo verme a mí mismo! —dijo el narciso—. ¡Oh, oh, qué bien huelo!... Allá arriba, en la pequeña buhardilla, a medio vestir, hay una pequeña bailarina. Tan pronto se tiene sobre un pie como sobre los dos. Es pura fantasmagoría. Con el pie manda a paseo a todo el mundo, vierte el agua de la tetera sobre una pieza de tela: es su corsé... La limpieza es una gran cualidad. Su traje blanco cuelga de la percha. Lo ha lavado con té y después lo ha puesto a secar en el tejado. La bailarina se pone el traje, y alrededor de su cuello se coloca una pañoleta amarillo azafrán, que hace resaltar la blancura de su traje. ¡La pierna al aire! ¡Mírala sobre un solo tallo! ¡Puedo verme a mí mismo! ¡Puedo verme a mí mismo!

—Todo eso me es igual —dijo Gerda—. No tiene nada que ver conmigo.

Y corrió hasta el final del jardín.

La puerta estaba cerrada, pero hizo fuerza sobre el pestillo enmohecido, que cedió, y la puerta se abrió. La pequeña Gerda, con sus pies descalzos, se lanzó al vasto mundo. Se volvió por tres veces, pero nadie la seguía. Muy pronto no pudo correr más y se sentó sobre una gruesa piedra. Miró a su alrededor y se dio cuenta de que había pasado el verano. El otoño estaba muy avanzado. Allá, en el bello jardín, donde siempre había sol y las flores pertenecían a todas las estaciones, ella no se había dado cuenta de esto.

«¡Dios mío, cuánto tiempo he perdido! —se dijo la pequeña Gerda—. ¡Estamos en otoño! ¡No puedo entretenerme en descansar!».

Y se levantó para partir.

¡Oh, cómo sufrían sus piececitos, y cuán frío e ingrato era todo a su alrededor! Los sauces estaban amarillentos, la húmeda niebla caía gota a gota, las hojas se desgajaban de los árboles, una tras otra. Solo el ciruelo silvestre tenía frutos, tan ásperos, que daba dentera. ¡Oh, qué gris y rudo era el vasto mundo!

Cuarta historia

Príncipe y princesa

Gerda tuvo que descansar de nuevo; y sobre la nieve, ante ella, saltó un enorme cuervo. El pájaro permaneció allí mucho tiempo, mirándola con la cabeza vuelta. Y dijo:

—¡Cra, cra...! Buenos días, ¿cómo te va?

El cuervo no podía decir nada mejor, pero él estaba muy contento y muy bien dispuesto hacia la niña. Le preguntó adónde iba tan sola por el vasto mundo. Gerda comprendió muy bien sus palabras: *sola,* le había dicho, y enseguida se dio cuenta de lo que ella significaba. La niña le contó toda su vida y le preguntó si no había visto a Kay.

El cuervo inclinó la cabeza y reflexionó. Luego dijo:

—Tal vez. Quizá.

—¿De verdad? —preguntó la niña.

Abrazó tan fuertemente al cuervo que casi lo ahoga.

—¡Despacio! ¡Despacio! —dijo el cuervo—. Creo que tal vez sea el pequeño Kay; pero, seguramente, te ha olvidado por la princesa.

—¿Vive con una princesa? —preguntó Gerda.

—Sí. Escucha —dijo el cuervo—. Me resulta muy difícil hablar tu idioma. Si me comprendes cuando hablo en cuervo, podré contarte todo mucho mejor.

—No lo he aprendido nunca —dijo Gerda—; pero mi abuelita lo sabía, y también el javanés.

—Eso no tiene nada que ver con esto —le contestó el cuervo—. Bueno, lo contaré como mejor sepa, y tanto peor si está mal dicho.

Y contó lo que sabía:

—En el reino en que nos hallamos vive una princesa cuya inteligencia es prodigiosa. Es verdad que ella ha leído todos los periódicos que existen en el mundo y que los ha olvidado, tan inteligente es. Hace algún tiempo, ella estaba sentada en el trono, lo que, dicho de paso, no es nada divertido, cuando se puso a cantar una canción en voz baja:

¡Oh! ¿Por qué no me casaré?

«Vaya, es una idea», se dijo la princesa.

Y decidió casarse; pero quería tener por esposo un hombre que supiese responder cuando se le hablaba, un hombre que no se contentase con tener aspecto distinguido, porque eso era demasiado fastidioso. Por tanto, convocó a todas las damas de la Corte, y cuando oyeron lo que ella quería quedaron encantadas.

—Cuánto nos place eso —dijeron—. Ya habíamos pensado en ello.

—Lo que te estoy contando —dijo el cuervo— es cierto de cabo a rabo. Tengo una novia domesticada que circula libremente por el palacio, y ha sido ella quien me lo ha contado todo.

Su novia, como es natural, era también un cuervo, puesto que cada oveja busca su pareja.

—Los periódicos —continuó el cuervo— aparecieron de repente orlados de corazones y con las iniciales de la princesa. En ellos podía leerse que todo joven de buen parecer podía presentarse en el castillo y hablar a la princesa, y aquel que hablase de forma que diese a entender bien que el palacio era su lugar apropiado y que hablaba mejor que nadie sería elegido como esposo de la princesa... ¡Ah! —exclamó el cuervo—. Puedes creerme tan bien como que estoy aquí. Las gentes corrieron a palacio. Era una multitud. Pero ni el primer día ni el segundo tuvo éxito nadie. Todos los pretendientes sabían hablar muy bien cuando estaban en la calle; pero una vez franqueadas las puertas del castillo y ante la vista de la guardia con sus uniformes plateados, los lacayos dorados en las escaleras y las grandes salas resplandecientes de luces, se quedaban mudos. Y cuando llegaban ante el trono donde la princesa se sentaba, solo sabían pronunciar la última palabra que ella había dicho, y que no le hacía ninguna gracia oír de nuevo. Era como si todos aquellos individuos hubieran ingerido rapé y los hubiera atontado..., hasta el momento que, vueltos a la calle, volvían a hablar. Se había formado una cola desde la puerta de la ciudad hasta la del castillo. Yo mismo fui a verla —dijo el cuervo—. Terminaron todos por tener hambre y sed; pero de palacio no recibían nada, ni un vaso de agua. Algunos más listos habíanse llevado rebanadas de pan con mantequilla o dulce; pero no las repartían con sus vecinos, porque decían: «Si mi vecino tiene aspecto de hambre, la princesa no le aceptará».

—Pero Kay, el pequeño Kay —preguntó Gerda—, ¿cuándo llegó? ¿Estaba entre aquella gente?

—¡Paciencia, paciencia! Ahora llegamos a él. Estábamos en el tercer día. Llegó un pequeño personaje sin caballo ni coche, que se dirigió derecho hacia el castillo. Sus ojos brillaban como los tuyos. Tenía unos hermosos y largos cabellos, pero sus vestidos eran pobres.

—Era Kay —dijo Gerda, muy alegre—. ¡Oh, ya lo he encontrado! Y aplaudió con fuerza.

—¡Llevaba un pequeño morral a sus espaldas! —dijo el cuervo.

—No. Seguramente sería su trineo —replicó Gerda—. Porque se marchó con el trineo.

—Es muy posible —dijo el cuervo—. No lo vi de muy cerca. Pero sé por mi novia domesticada que, cuando entró en el castillo y vio la guardia con sus uniformes plateados y a los lacayos con sus libreas doradas en las escaleras, no se intimidó, sino que saludándolos con la cabeza, les dijo: «Debe de ser muy fastidioso y aburrido estar siempre en la escalera. ¡Prefiero entrar!». Las salas brillaban con muchas luces. Excelencias y consejeros secretos caminaban con los pies descalzos y llevaban bandejas de oro. ¡Había muchas cosas para impresionarse! También sus zapatos crujían muy fuerte, pero no se inmutó siquiera.

—Seguro que era Kay —dijo Gerda—. Sé que tenía zapatos nuevos y los he oído crujir en la habitación de la abuelita.

—Cierto. Crujían mucho —dijo el cuervo—. Osadamente avanzó hacia la princesa, que estaba sentada sobre una enorme perla, tan grande como rueda de rueca. Todas las damas de la Corte, sus servidores y doncellas; todos los caballeros con sus criados y los criados de sus criados, quienes a su vez poseían pequeños lacayos, estaban en fila y en pie alrededor de ella. Cuanto más cerca estaban de la puerta, más fieras eran sus caras. El pequeño lacayo del criado de un servidor, que iba siempre en zapatillas, tenía un aspecto casi imponente, tan orgulloso estaba de hallarse a la puerta.

—¡Debía de ser espantoso! —exclamó Gerda—. Y, sin embargo, Kay ha conquistado la mano de la princesa.

—Si no fuese cuervo, la hubiera obtenido yo mismo, a pesar de que ya estoy prometido. Dicen que habló tan bien como podría haberlo hecho yo cuando hablo en mi lenguaje. Por lo menos, así lo asegura mi novia. El muchacho era muy guapo y cortés, y aparte de eso, no acudió con la idea de hacer la corte a la princesa, sino para admirar la inteligencia de ella. Y el caso fue que ambos se causaron mutua impresión.

—No hay duda de que era Kay —dijo Gerda—. Es tan inteligente que sabe calcular mentalmente, incluso con quebrados. ¿Querrás llevarme a palacio?

—Eso es fácil decirlo —objetó el cuervo—. Pero, ¿cómo lo haremos? Hablaré del asunto con mi novia domesticada, que podrá darnos un buen consejo. Mas debo advertirte que no dejarán entrar a una niña como tú.

—¡Oh, sí! —contestó Gerda—. Cuando Kay se entere de mi llegada, saldrá a buscarme.

—Espérame al lado de ese vallado —dijo el cuervo, y moviendo la cabeza emprendió el vuelo.

No regresó hasta la noche, cuando ya había oscurecido.

—¡Cra, cra! —dijo el cuervo—. Mi novia te manda sus más cariñosos saludos y este panecillo. Lo ha cogido de la cocina, donde hay mucho pan. Seguramente tendrás hambre... No es posible que entres en el castillo descalza. La guardia con su uniforme plateado y los lacayos con sus libreas doradas no te lo permitirán. Pero no llores, porque vas a ir allá inmediatamente. Mi novia conoce una escalerilla secreta, que conduce al dormitorio. Ella sabe dónde está la llave.

Se encaminaron hacia el jardín, hacia la gran avenida donde las hojas caían una tras otra, y cuando las luces del castillo, una a una, se fueron apagando, el cuervo condujo a la pequeña Gerda a una puerta trasera, que estaba entreabierta.

¡Oh, cómo latía de inquietud y de deseo el corazón de la niña! Se hubiera creído que iba a cometer una mala acción, cuando solamente quería saber si estaba bien el pequeño Kay. Sí, ese muchacho debía de ser él. La niña pensaba en sus inteligentes ojos, en sus largos cabellos. Creía verle sonreír, como cuando estaban sentados bajo los rosales. Sería muy feliz cuando la viera, cuando se enterara del largo camino recorrido en su busca, al saber cuán desolado se hallaba todo el mundo desde que él faltaba de su hogar. ¡Oh!, sentía al mismo tiempo temor y alegría.

Pero ya estaban delante de la escalera. Una lamparilla lucía sobre una estantería. En el centro de la habitación se encontraba el cuervo domesticado, que volvía la cabeza a todos lados y no dejaba de observar a Gerda.

La pequeña hizo una reverencia, como su abuelita le había enseñado.

—Mi novio me ha hablado de ti en términos excelentes, mi querida niña —dijo el cuervo domesticado—. Tu *curriculum vitae,* como suele decirse, es, además, muy interesante... ¿Quieres coger la lamparilla? Yo marcharé delante. Iremos en línea recta, para no encontrarnos a nadie.

—Me parece que vienen detrás de nosotros —dijo Gerda.

Y un zumbido pasó cerca de ella. Parecía provenir de sombras que trepaban por la pared, caballos con las crines al aire y patas finas, jóvenes cazadores, damas y caballeros montados en ellos.

—No son más que los sueños —dijo el cuervo de los bosques—. Viven y se llevan de cacería a los pensamientos de los señores.

—Eso está bien porque así los pueden contemplar mejor mientras duermen. Pero a ver si cuando usted llegue a tener una posición distinguida demuestra que tiene un corazón agradecido —dijo el cuervo domesticado.

Y llegaron a la primera sala, tapizada de satén rosa con flores. Los sueños habían ya pasado. Habían corrido tanto que la pequeña Gerda no pudo ver a los augustos personajes. Las salas eran magníficas. Cada una era más espléndida que la precedente. Eran para maravillar a cualquiera. Llegaron al fin al dormitorio. El techo parecía una enorme palmera con hojas de cristal, de cristal precioso, y en el centro de la estancia se elevaban dos lechos, como dos lirios, cuyos tallos estuviesen atados con hilos de oro. Uno de ellos era blanco: la princesa dormía en él, el otro era rojo, y en este era donde la pequeña Gerda tenía que buscar al pequeño Kay. Levantó uno de los rojos pétalos y vio un cuello moreno... ¡Oh, es Kay! Le llamó en voz alta por su nombre, alargando la lamparilla hacia él... Los sueños irrumpieron de nuevo a caballo en la estancia... Él se despertó, volvió la cabeza y... no era el pequeño Kay.

El príncipe solo se parecía al niño en el cuello, pero era joven y hermoso. Desde el lecho en forma de lirio blanco, la princesa echó una ojeada y preguntó qué pasaba. Entonces, la pequeña Gerda rompió a llorar y contó toda su historia, así como cuanto los cuervos habían hecho por ella...

—¡Pobre niña! —exclamaron los príncipes.

Alabaron a los cuervos y les dijeron que no estaban enfadados con ellos. Pero que era preciso no volver a hacer aquello nunca más. De todas formas, tendrían una recompensa.

—¿Queréis volar en libertad? —preguntó la princesa—. ¿O queréis el empleo de cuervos de corte con todos los desperdicios de la cocina?

Los dos cuervos se inclinaron en una reverencia y solicitaron el cargo ofrecido, pues pensaban en su vejez. Les dijeron que era muy agradable tener algo para cuando fueran viejos.

El príncipe se levantó de la cama e hizo que se acostara Gerda en ella. No podía hacer más. La niña cruzó sus manos y pensó:

—¡Qué buenos son los hombres y los animales!

Y cerró los ojos, durmiendo deliciosamente. Todos los sueños volvieron volando. Esta vez tenían aspecto de ángeles del Señor y tiraban de un pequeño trineo, donde Kay estaba sentado y hacía señas con la cabeza, pero aquello solo era un sueño, que desapareció tan pronto como la niña hubo despertado.

A la mañana siguiente la vistieron de seda y terciopelo desde los pies a la cabeza. Le ofrecieron que permaneciera en el castillo, donde gozaría de días felices, pero ella no pidió más que un cochecito con un caballo y un par de zapatos para ir a buscar al pequeño Kay por el vasto mundo. Le dieron los zapatos y unos manguitos. Estaba vestida muy lindamente, y cuando estuvo dispuesta para marchar, una carroza de oro puro la esperaba en la puerta. Las armas del príncipe y de la princesa brillaban allí como una estrella. El cochero, los criados y los postillones, pues también había postillones, vestían doradas libreas con coronas de oro. El príncipe y la princesa la metieron ellos mismos en el coche y le desearon muy buena suerte. El cuervo domesticado, casado ya, la acompañó las tres primeras leguas. Se puso al lado de la carroza, pues no podía soportar ir detrás. El otro cuervo estaba en la puerta y agitaba las alas. Tuvo que quedarse porque le dolía mucho la cabeza desde que tenía un cargo en la Corte y comía demasiado. La carroza estaba llena en su interior de rosquetes azucarados, y en la caja del asiento habían metido frutas y panes de especias.

—¡Adiós, adiós! —gritaron el príncipe y la princesa.

La pequeña Gerda lloró, y el cuervo lloró... Y así recorrieron las tres primeras leguas. Entonces, el cuervo se despidió también, y fue una separación muy penosa. Voló hacia un árbol y agitó sus negras alas hasta que la carroza, que relucía como el sol, se hubo perdido de vista.

Quinta historia

La niña del bandido

Rodaban a través del sombrío bosque, pero la carroza brillaba como una antorcha e hirió los ojos de *los bandidos*. Ellos no podían tolerar eso.

—Es de oro, es de oro —gritaron.

Se precipitaron hacia ella, detuvieron los caballos, mataron a los jinetes y a los criados y sacaron del coche a la pequeña Gerda.

—Está gorda y es muy bonita. Sin duda la han cebado con panes de especies —dijo la anciana mujer del bandido, que tenía una barba tupida y unas cejas que le colgaban por encima de los ojos.

La mujer lanzó un grito. Acababa de ser mordida en la oreja por su propia hijita, que llevaba a la espalda, y que era muy salvaje y estaba tan mal educada que daba gusto.

—¡Malvada! —gritó la madre, que ya no tuvo tiempo de matar a Gerda.

—Jugará conmigo —dijo la niña del bandido—. Me dará su manguito y su lindo vestido, y dormirá en mi cama.

Y mordió otra vez a su madre. Esta dio un salto en el aire y se volvió en redondo, y todos los bandidos se echaron a reír, diciendo:

—Mirad cómo danza con su pequeña.

—Quiero ir en carroza —dijo la hija del bandido.

Y lo que ella quería, había que dárselo, porque era tenaz y muy mimada. Gerda y ella tomaron asiento en la carroza y se internaron muy lejos por el bosque, pero dificultaban la marcha los surcos y la maleza. La hija del bandido era de la misma edad que Gerda, pero más fuerte, más ancha de hombros y morena de piel. Sus ojos eran muy negros y tenían expresión melancólica. Cogió a Gerda por la cintura y le dijo:

—No te matarán mientras yo esté encaprichada contigo. ¿Eres acaso una princesa?

—No —dijo Gerda.

Y le contó todo lo que le había pasado y cuánto quería al pequeño Kay.

La hija del bandido la miraba con expresión grave. Hizo un ligero gesto con la cabeza, y dijo:

—No te matarán aunque me disguste contigo. En ese caso, te mataría yo.

Luego secó las lágrimas de Gerda y metió sus dos manos en el manguito, tan suave y tan cálido.

La carroza se detuvo. Estaban en el centro del patio de un castillo de bandidos, cuyos muros estaban agrietados de arriba abajo. Los cuervos y las cornejas volaban desde todos los agujeros, y unos enormes *bull-dogs,* que tenían aspecto de devorar a una persona, daban grandes saltos, pero no ladraban. Eso les estaba prohibido.

En la vieja y enorme sala, con sus paredes llenas de hollín, ardía un gran fuego en el centro del pavimento. El humo se acumulaba bajo el techo y tenía que buscar por sus propios medios una salida. Una gran marmita, llena de sopa, cocía al fuego, y ensartados en pinchos se asaban liebres y conejos.

—Dormirás conmigo esta noche cerca de mis animalitos —dijo la hija del bandido.

Comieron y bebieron; luego, se dirigieron a un rincón donde se amontonaban la paja y los cobertores.

Por encima de sus cabezas, en las vigas, se posaban casi un centenar de palomos que parecían dormir, pero volvieron ligeramente la cabeza cuando llegaron las niñas.

—Todos son míos —dijo la hija del bandido, y cogió uno de los más próximos, por las patas, y lo sacudió, hasta que el animalito agitó las alas—. ¡Bésale! —gritó, arrojándole a la cara de Gerda—. Esos son los canallas del bosque —continuó, señalando los barrotes que cerraban un agujero practicado en lo alto de la pared—. Son los canallas del bosque. Hay que tenerlos encerrados, porque si no emprenden el vuelo y desaparecen. ¡Aquí tienes a mi viejo y querido Bê!

Y arrastró por los cuernos a un reno que llevaba al cuello un anillo de cobre pulimentado.

—Hay que tenerlo bien atado para que no se nos escape y huya también. Todas las noches le acaricio el cuello con mi cuchillo afilado, al que tiene tanto miedo.

Y de un agujero de la pared sacó la niña un largo cuchillo que pasó por el cuello del reno. El pobre animal mugió y la pequeña ladrona se reía. Después arrastró a Gerda consigo a la cama.

—¿Y tienes a tu alcance el cuchillo mientras duermes? —le preguntó Gerda, que miraba con temor a la afilada hoja.

—Yo duermo siempre con mi cuchillo —le contestó la hija del bandido—. Nunca se sabe lo que puede ocurrir. Pero cuéntame otra vez la historia del pequeño Kay y por qué te has marchado a recorrer el mundo.

Y Gerda repitió su relato, y los palomos del bosque se arrullaban en lo alto, dentro de sus jaulas, mientras los otros dormían. La hija del bandido pasó su brazo alrededor del cuello de Gerda, siempre con el cuchillo en la mano, y se durmió. A los pocos instantes roncaba. Gerda no pudo cerrar los ojos; no sabía si continuaría viviendo o moriría. Los bandidos estaban sentados alrededor del fuego, cantando y bebiendo, y la anciana hacia cabriolas. ¡Oh, aquello era espantoso para la niña!

Entonces, los palomos del bosque dijeron:

—¡Cru, cru! Nosotros hemos visto al pequeño Kay. Una gallina blanca llevaba su trineo. Él iba sentado en el trineo de la reina de las nieves, que volaba por encima del bosque, cuando nosotros estábamos aún en el nido. Ella sopló sobre nuestro nido y solo nos salvamos nosotros. ¡Cru, cru!

—¿Qué hablan ahí arriba? —preguntó Gerda—. ¿Adónde iba la reina de las nieves? ¿Me lo podéis decir?

—Iba seguramente a Laponia, donde hay siempre nieve y hielo. No tienes más que interrogar al reno.

—Hay nieve y hielo —dijo el reno—. ¡Es agradable y bueno! Y se puede saltar libremente en los grandes valles blancos. Allí es donde la reina de las nieves tiene su tienda de verano, pero su castillo está más arriba, hacia el Polo Norte, en una isla que se llama Spitzberg.

—¡Oh, Kay, mi pequeño Kay! —suspiró Gerda.

—¿Vas a estar quieta, eh? —dijo la hija del bandido—. Si no, te clavaré mi cuchillo en la barriga.

A la mañana siguiente, Gerda le contó todo lo que habían dicho los palomos del bosque, y la hija del bandido se quedó seria, pero movió la cabeza y dijo:

—Me es igual, me es igual... ¿Sabes tú dónde está Laponia? —preguntó al reno.

—¿Quién lo va a saber mejor que yo? —contestó el animal, cuyos ojos brillaban—. Allí nací y allí saltaba por los nevados campos.

—Escucha —dijo la hija del bandido a Gerda—. Ya has visto que todos nuestros hombres se han marchado, pero mi madre aún está aquí. Solamente, más tarde, cuando la mañana esté muy avanzada, ella cogerá la botella y se echará buenos tragos de vino. Luego, se tumbará a dormir... Entonces, haré algo por ti.

Saltó del lecho, se precipitó al cuello de su madre, le tiró de los bigotes y dijo:

—Buenos días, mi querida cabra.

Y la madre le dio un papirotazo en la nariz y se la puso roja y azul, pero esto no era más que un signo de cariño.

Cuando la madre se hubo bebido la botella de vino y se fue a dormir, la hija del bandido se acercó al reno y le dijo:

—Tendría el mayor placer del mundo en retenerte y en seguir pasándote el cuchillo por el cuello, porque te pones muy divertido; pero no importa. Voy a desatarte y a dejarte salir a fin de que puedas correr hasta Laponia. Pero es preciso que vayas a gran velocidad y que lleves a esta niñita al castillo de la reina de las nieves, donde se encuentra su camarada de juego. Tú has oído muy bien lo que ella ha contado, porque hablaba bastanto alto y tú lo escuchas todo.

El reno saltó de alegría. La hija del bandido montó a Gerda sobre el animal y puso mucho cuidado en atarla muy bien y aun en poner bajo ella un almohadón.

—Bueno —dijo—. Voy a devolverte tus zapatos forrados, porque hará frío; pero me quedo con el manguito. Es muy lindo. Sin embargo, no pasarás frío. Toma los grandes mitones de mi madre, que llegan hasta el codo. Mete las manos. Así. Por las manos te pareces ahora a mi madre.

Y Gerda vertía lágrimas de alegría.

—No me gusta verte lloriquear —dijo la hija del bandido—. Ahora deberás estar contenta. Aquí tienes dos panes y un jamón. Con esto no pasarás hambre.

Ataron todo al reno. La hija del bandido abrió la puerta, metió a los perros en la gran sala, cortó la cuerda con su cuchillo y dijo al reno:

—¡Vamos, corre! Pero vela bien por la pequeña.

Gerda alargó las manos, metidas en los grandes mitones, hacia la pequeña hija del bandido, y le dijo adiós, y el reno galopó, por encima de las matas y de los brezales, a través del inmenso bosque, franqueó pantanos y llanuras y no paró, a pesar de los aullidos de los lobos y del graznido de los cuervos.

—¡Fut, fut! —dijo, mirando al cielo, que se había vuelto de color rojizo.

—¡Son mis auroras boreales! ¡Mira, mira cómo centellean!

Y corrió a mayor velocidad, durante noche y día. Se comieron los panes, se acabó el jamón y, al fin, llegaron a Laponia.

Sexta historia

La lapona y la finlandesa

Se detuvieron ante una pequeña cabaña. Tenía un aspecto muy miserable, con el tejado que llegaba hasta el suelo, y la puerta tan baja que la familia debía arrastrarse sobre la barriga cuando quería entrar o salir. No había allí más que una anciana lapona que cocía pescado en una lamparilla de aceite de ballena. El reno le contó la historia completa de Gerda, pero primero la suya, ya que le parecía mucho más importante, y Gerda estaba aterida de frío y apenas podía hablar.

—¡Pobres criaturas! —exclamó la lapona—. Aún os falta mucho camino. Habréis de internaros aún más de cien leguas para llegar hasta Finmarck, donde la reina de las nieves tiene su casa de campo y donde las auroras boreales aparecen todas las noches. Te escribiré algunas líneas en un trozo de ballena seca. No tengo papel. Habrás de entregarlo a la mujer finlandesa que vive allí. Ella podrá encaminarte mejor que yo.

En cuanto Gerda se hubo calentado y comido y bebido algo, la mujer lapona escribió unas palabras en un trozo de ballena seca, recomendó a Gerda que tuviese mucho cuidado con él, y, atándola sólidamente al reno, este reanudó su carrera. La más maravillosa aurora boreal, de azulados tonos, brilló toda la noche. Y al fin llegaron a Finmarck, y llamaron a la chimenea de la mujer finlandesa, porque su casa no tenía puerta de ninguna clase.

Dentro hacía tanto calor que la mujer finlandesa iba casi desnuda; era muy pequeñita y muy sucia. Inmediatamente desató a Gerda, le quitó los mitones y las botas, porque de lo contrario allí habría tenido demasiado calor. Hecho esto, puso un pedazo de hielo sobre la cabeza del reno, y luego leyó lo que estaba escrito en el trozo de ballena. Repitió por tres veces la lectura hasta que se hubo aprendido el mensaje de memoria. Echó después la ballena en la olla para comer: no había ninguna razón para lo contrario y ella tenía la costumbre de no desperdiciar nunca nada.

De nuevo el reno contó su propia historia en primer lugar y luego la de Gerda. La mujer finlandesa parpadeó con sus inteligentes ojos, pero no dijo nada.

—Tú eres hábil —le dijo el reno—. Sé que puedes atar todos los vientos del mundo con un solo hilo. Si el capitán de navío desata un nudo, obtiene así un buen viento; si desata dos, la brisa es fuerte, y si deshace tres o cuatro, sufre una tempestad capaz de derribar los más grandes árboles de los bosques. ¿No quieres dar a esta niñita un brebaje que le proporcionara la fuerza de doce hombres y que le permitiera vencer a la reina de las nieves?

—¿La fuerza de doce hombres? —musitó la finlandesa—. Sí, eso sería suficiente.

Se dirigió a una mesita y cogió una gran piel doblada, que desenrolló. En ella estaban escritos unos caracteres muy curiosos. La mujer los leyó y grandes gotas de sudor perlaron su frente.

El reno imploró de nuevo en favor de la pequeña Gerda, y esta la miró con ojos tan suplicantes y llenos de lágrimas que la mujer volvió a parpadear, y llevando al reno a un rincón, le habló en voz baja, después de ponerle otro trozo de hielo sobre la cabeza:

—Es cierto que el pequeño Kay se halla en el palacio de la reina de las nieves y todo lo de allí lo encuentra de su gusto y de su agrado. Cree que se encuentra en la mejor parte del mundo, y eso se debe a que se le introdujo en un ojo un fragmento de cristal del espejo y otro pedacito ha ido a alojarse en su corazón. Y será necesario hacerlos salir de su ojo y de su corazón, pues de lo contrario nunca más volverá a sentir como los seres humanos y la reina de las nieves le tendrá para siempre en su poder.

—Pero, ¿no podrías dar a la pequeña Gerda alguna bebida que le diese poder para vencer todos los obstáculos?

—No puedo darle ya ningún poder mayor del que ella tiene. ¿No ves cuán grande es? ¿No has observado cómo tanto los hombres como los animales se creen obligados a servirla? ¿Cómo, si no, habría podido lograr lo que ha conseguido cuando salió de su casa descalza y desprovista de todo? Mas no debemos decirle cuánto poder tiene. Lo tiene en su corazón, porque es una niña dulce, buena e inocente. Si ella sola no es capaz de llegar ante la reina de las nieves, ni tú ni yo podremos ayudarla a que lo consiga. Los jardines de la reina de las nieves empiezan a dos leguas de aquí. Tú puedes conducirla hasta allí, depositarla al lado de la gran maleza que crece en la nieve cubierta de bayas rojas. No pierdas el tiempo chismorreando, y procura volver cuanto antes a mi lado.

La finlandesa cogió a la pequeña y la colocó a lomos del reno, que echó a correr a toda la velocidad de sus patas.

—¡Oh, no tengo mis mitones, no tengo mis botas! —exclamó la pequeña Gerda.

Acababa de darse cuenta a causa del horrible frío que la invadía, pero el reno no se atrevió a detenerse. Corrió hasta que llegó a la gran maleza de bayas rojas. Depositó allí a la niña, le dio un beso en la boca y gruesas lágrimas corrieron por las mejillas del animal. Después corrió lo más deprisa que pudo para regresar al lado de la finlandesa. La pobre Gerda se quedó allí, sin mitones y sin zapatos, en pleno Finmarck, terrible y glacial.

Corrió hacia delante tanto como pudo y a su encuentro acudió todo un ejército de copos de nieve. No caían del cielo, que estaba despejado e iluminado por la aurora boreal. Los copos corrían a ras de tierra y cuanto más se aproximaban más gruesos se hacían. Gerda se acordó de cuán grandes y bellos aparecían bajo la lupa. Pero el tamaño de aquellos era monstruoso; estaban vivos, eran la vanguardia de la reina de las nieves y tomaban las formas más extrañas. Algunos tenían la forma de grandes y horribles puercoespines, otros, masas de serpientes que avanzaban sus cabezas; otros eran como pequeños osos rollizos, de pelo brillante. Todos tenían una blancura deslumbrante, todos eran copos de nieve vivos.

Entonces Gerda rezó el Padrenuestro. El frío era tan intenso que podía ver su aliento salirle de la boca en forma de humo. Este aliento se hacía cada vez más tupido y denso, llegando a convertirse en brillantes angelitos, que crecían a medida que tocaban tierra. Todos se cubrían la cabeza con cascos y portaban lanzas y escudos en sus manos. El número de ángeles aumentó más aún y cuando Gerda hubo terminado su oración, vio que estaba rodeada por una legión de ellos. Con sus lanzas atravesaban los copos de nieve, convirtiéndolos en millares de fragmentos, y así la pequeña Gerda pudo avanzar sin miedo alguno a través de ellos. Los ángeles tocaron sus pies y sus manos y la niña apenas sentía ya el menor frío. Y se dirigió rápidamente hacia el castillo.

Ahora vamos a ver, primero, dónde estaba Kay. Apenas pensaba en la pequeña Gerda, y menos aún podía sospechar que ella se encontrase ante el castillo.

Séptima historia

Lo que aconteció en el palacio de la reina de las nieves
y lo que sucedió después

Los muros del palacio estaban formados por polvo de nieve y las ventanas y puertas eran de viento glacial. Había más de cien salas, formadas por el remolino de la nieve. La mayor de ellas tenía leguas de larga. Todas se hallaban iluminadas por auroras boreales. Eran grandes y estaban vacías, heladas e iluminadas. Ningún placer reinaba allí, ni un solo baile de osos, en los que la tempestad podía haber actuado de orquesta, en tanto que los osos polares habrían paseado de un lado a otro, sobre sus patas traseras, poniendo de manifiesto sus maneras distinguidas. Jamás hubo allí la menor reunión para jugar y aplaudir alegremente. Tampoco se celebraban reuniones donde podrían chismorrear alrededor de unas tazas de café las señoritas zorras blancas. Los salones de la reina de las nieves estaban vacíos. Eran inmensos y helados. Las auroras boreales aparecían y desaparecían con tanta regularidad que se habrían podido contar los momentos en que su luz era más intensa y menos intensa. En el centro de aquellas interminables salas de hielo había un lago helado. La capa de hielo de su superficie estaba rota en millares de trozos, pero cada uno de ellos era tan exactamente igual a cualquiera de los demás que el conjunto formaba una verdadera maravilla. Cuando estaba en el palacio, la reina de las nieves se sentaba en el centro de aquel lago. Decía que estaba entronizada sobre el espejo de la razón y que era el mejor y el único en el mundo.

El pequeño Kay tenía el cuerpo amoratado de frío, mejor dicho, estaba casi negro; pero no se daba cuenta de ello, porque el beso de la reina de las nieves le había quitado los estremecimientos del frío y su corazón era, como ya hemos dicho, un bloque de nieve. Iba de un lado para otro y cogía trozos de nieve, planos y curvados, que colocaba de todas las maneras, ya que tenía la intención de llegar a un resultado. Era igual que cuando nosotros tenemos pequeños trozos de madera con los que formamos figuras y completamos dibujos. Es decir, una especie de rompecabezas. Kay también formaba figuras, y muy complicadas. Era «el juego de hielo de la razón». A sus ojos, estas figuras eran perfectas y de la mayor importancia. El trozo de vidrio que tenía en el ojo le hacía ser así. Componía figuras que eran como palabras, pero jamás llegaba a trazar la palabra que él quisiera, la palabra *eternidad*. La reina de las nieves le había dicho:

—Si logras formarla, serás tu propio dueño y te daré el mundo entero y un par de patines nuevos.

Pero no podía formarla.

—Voy a emprender el vuelo hacia los países cálidos —dijo la reina de las nieves—. Quiero echar un vistazo por las calderas negras —hablaba de las montañas que arrojan fuego y que se llamaban Etna y Vesubio—. Voy a blanquearlas un poco. Eso forma parte de mi viaje y haré bien a las viñas y a los limoneros.

Y la reina de las nieves emprendió el vuelo. Kay se quedó solo en aquel inmenso salón de nieve, vacío, larguísimo... Miraba sus pedazos de hielo, reflexionaba profundamente, hasta que algo crujía en su interior. Se quedó inmóvil y envarado. Se hubiera creído que había muerto de frío.

En aquel momento entró Gerda en el castillo por la gran puerta, que era la de los vientos huracanados. Pero Gerda rezó su oración de la noche y los vientos se cayeron al suelo como si el sueño los hubiera vencido, y ella penetró en las grandes y vacías estancias... Y en ellas vio a Kay, lo reconoció, le saltó al cuello, le apretó fuertemente entre sus brazos y le gritó:

—¡Kay, mi querido Kay, al fin te he encontrado!

Pero él permaneció inmóvil, envarado y frío... Y Gerda lloró lágrimas cálidas que cayeron sobre el pecho del muchacho, alcanzaron su corazón, fundieron el bloque de hielo que allí se alojaba, extrajeron el fragmento de vidrio y, entonces, Kay la miró y ella cantó el salmo:

En los valles crecen rosas
y el Niño Jesús baja a ellos
y les habla.

Entonces Kay estalló en sollozos, y lloró tanto que el pedacito de cristal se le cayó del ojo. Reconoció a la niña y lleno de alegría, exclamó:

—¡Gerda, pequeña y querida Gerda! ¿Dónde has estado durante este largo tiempo pasado? ¿Y dónde he estado yo mismo? —miró a su alrededor—. ¡Oh, cuánto frío hace aquí! ¡Qué vacío y qué grande es esto!

Y tenía abrazada a la pequeña Gerda, que lloraba y reía de alegría. La dicha de ambos era tan celestial que incluso bajaban de júbilo los pedazos de hielo que tenían a su alrededor. Y cuando se cayeron al suelo, lo hicieron formando la palabra *eternidad* que Kay había de componer. Era, pues, su propio dueño y la reina tendría que darle el mundo entero y unos patines nuevos.

Gerda le besó las mejillas, que adquirieron un color rosado; luego besó sus ojos, que brillaron con los suyos propios; besó sus manos y sus pies y el niño se sintió fuerte y vigoroso. Podía venir, si quería, la reina de las nieves, porque la orden de libertad de Kay estaba escrita por las brillantes letras de hielo.

Cogiéronse de las manos y salieron del enorme palacio. Hablaban de la abuela y de las rosas del tejado. Por donde pasaban se aquietaba el viento y brillaba el sol a través de las nubes. Al llegar a la maleza cubierta de bayas rojas encontraron al reno, que los esperaba en compañía de otro que tenía las ubres llenas. Los niños bebieron la caliente leche y besaron al animal en la boca. Luego, los dos renos llevaron a Kay y a Gerda, primero a la cabaña de la finlandesa, en donde se calentaron y recibieron instrucciones acerca de su viaje de regreso; después, a casa de la lapona, quien les había confeccionado unos trajes y les había preparado su propio trineo.

Los dos renos, saltando a su lado, los acompañaron hasta los límites del país, hasta el lugar donde se veían los primeros brotes verdes. Allí, los niños se despidieron de los renos y de la lapona.

—¡Adiós! —se dijeron todos.

Luego, pudieron oír el canto de los pajarillos; el bosque empezaba a mostrar su verdor. Y Gerda vio salir de él un magnífico caballo que no le era desconocido. Era el que iba atado a la carroza de oro; e iba montado por una joven tocada de un gorro rojo y brillante, y que empuñaba un par de pistolas. Era la pequeña hija del bandido. Ella se había cansado de estar en su casa y quería viajar, primero hacia el norte y después más allá, si el norte no le gustaba. Reconoció enseguida a Gerda y fue una gran alegría para las dos.

—Tú has sido tonto en hacer lo que has hecho —dijo la hija del bandido a Kay—. Me pregunto si mereces que una muchacha como Gerda haya recorrido el mundo por ti.

Gerda la golpeó cariñosamente en la mejilla y le preguntó por el príncipe y la princesa.

—Se han marchado al extranjero —le contestó.

—¿Y el cuervo? —preguntó la pequeña Gerda.

—El cuervo se murió. La novia domesticada es ahora viuda y lleva en la pata una cinta de lana negra. Gime lamentablemente. Todo es una tontería... Pero cuéntame tu historia y cómo lo has encontrado.

Gerda y Kay contaron todas sus aventuras.

—Bueno, al fin la historia ha terminado —dijo la hija del bandido.

Estrechó la mano de los dos niños y les prometió que si alguna vez pasaba por la ciudad en que vivían, iría a hacerles una visita. Y se fue a caballo por el vasto mundo. Kay y Gerda prosiguieron su camino cogidos de la mano y por donde pasaban veíanse rodeados por la deliciosa primavera y por las flores en plena lozanía. Las campanas de las iglesias repicaban y reconocieron las altas torres, la gran ciudad. Era la que ellos habitaban. Entraron en ella, llegaron hasta la puerta de la casa de la abuelita, subieron las escaleras, abrieron la puerta del piso, donde todo se encontraba de la misma forma que antes, y el reloj decía: *¡Tic, tac!* Y las agujas giraban. Pero en el momento de franquear la puerta, se dieron cuenta de que se habían hecho mayores. Los rosales, plantados sobre el canalón, florecían en la abierta ventana donde se encontraban dos sillas de niños. Kay y Gerda se sentaron en ellas cogidos de la mano. Habían olvidado, como se olvida un penoso sueño, el frío y vacío esplendor del castillo de la reina de las nieves. La abuela estaba sentada a la luz del sol de Dios y leía en voz alta la Biblia:

—Si no os conserváis como los niños, no entraréis en el reino de los cielos.

Kay y Gerda se miraron a los ojos y comprendieron inmediatamente el viejo salmo.

En los valles crecen rosas
y el Niño Jesús baja a ellos
y les habla.

Y allí estaban sentados, los dos, ya crecidos y, sin embargo, aún niños, porque llevaban la inocencia en el corazón. Era verano, un verano cálido y bendito.

EL HADA DEL ƒAÚCO

Érase una vez un muchachito que se había resfriado porque se había mojado los pies, sin que nadie llegase a comprender cómo había sucedido aquello, ya que el tiempo era seco. Su madre lo desnudó, lo metió en la cama y se dispuso a prepararle una buena taza de infusión de saúco para que entrase en calor. En este instante se abrió la puerta y dejó paso al viejecillo que vivía en el piso más alto de la casa completamente solo, puesto que no tenía ni mujer ni hijos, pero que quería mucho a los niños y sabía contarles cuentos e historietas que era una delicia oír.

—Vamos, cuando bebas la tisana —dijo la madre—, tal vez oigas contar un cuento.

—Sí; ¡si supiese alguno nuevo! —dijo el anciano con un gracioso gesto de cabeza—. Pero, ¿en dónde se ha mojado el pequeño los pies? —preguntó.

—¿En dónde? —respondió la madre—. Eso es algo que no alcanzo a comprender.

—¿Me contarás un cuento? —preguntó el niño.

—Sí, si puedes decirme exactamente, ya que es de todo punto necesario que yo lo sepa primero, cuál es la profundidad del arroyuelo que pasa por la callecita por donde tú vas al colegio.

—Llega exactamente a la mitad de la caña de mi bota. Pero hay un bache donde la profundidad es mayor.

—Ahí tiene usted en dónde se ha mojado los pies —dijo el viejo—. Y ahora es preciso que le cuente un cuento, pero ¡es que no lo sé!

—Usted puede inventar uno en un momento —dijo el niño—. Mi madre asegura que todo lo que usted mira puede transformarse en cuento, y que usted puede sacar una historieta de todo lo que toca.

—Sí, pero esos cuentos y esas historietas no valen nada. No; los buenos relatos surgen solos, me golpean la frente y dicen: «¡Aquí estoy!».

—¿No le va a golpear pronto alguno? —preguntó el niño, y la madre se echó a reír, puso las raíces de saúco en la tetera y vertió en ella el agua hirviendo.

—¡Cuente! ¡Cuente!

—Sí; ¡si los cuentos quisieran surgir por sí solos!... Pero surgen solamente cuando les place... ¡Espera! —dijo de pronto—. ¡Ya está aquí!... ¡Mira uno sobre la tetera!

Y el niño se volvió hacia la tetera. La tapadera subía y bajaba a causa del agua hirviendo y las flores del saúco salían, frescas y blancas, de las largas y gruesas ramas, que se extendían por todos los lados a través del tubo de la tetera y se alargaban cada vez más. Era un verdadero saúco en miniatura, que cubría la cama y apartaba las cortinas de ellas. ¡Ah, qué flores y qué perfume! En el centro del árbol estaba una anciana muy amable que llevaba un vestido muy extraño, completamente verde, como las hojas del saúco, y cubierto de grandes flores blancas de saúcos. No se podía distinguir al momento si eran de la tela o si efectivamente eran flores naturales.

—¿Cómo se llama esta mujer? —preguntó el niño.

—¡Oh! —respondió el anciano—. Los griegos y los romanos la llamaban dríada; pero eso no dice nada. En Nyboder se le da un nombre mucho mejor: las gentes la llaman el hada del saúco, y obsérvala bien ahora. Escucha y mira al encantador saúco.

Existe en Nyboder un árbol con flores muy parecido a este. Ha crecido en un rincón de una pequeña granja. Bajo él estaban sentados una tarde al sol un par de viejecitos: él era un viejo marino; ella, su esposa. Tenían biznietos y debían celebrar muy pronto sus bodas de oro, pero no se acordaban exactamente de la fecha. El hada del saúco estaba en el árbol y tenía el aspecto de estarse divirtiendo mucho.

—Yo sé exactamente cuándo son las bodas de oro —dijo el hada. Pero los ancianos no la oyeron. Hablaban de otros tiempos.

—Acuérdate —decía el anciano marino— de cuando éramos pequeños y corríamos y jugábamos. Esto sucedía en la misma granja en que nos encontramos ahora y habíamos hecho un jardín plantando palitos en la tierra.

—Sí —contestó la anciana—, me acuerdo de eso, y regábamos las varitas. Una de ellas era una ramita de saúco; echó raíces, le nacieron ramas y es hoy el gran árbol bajo el cual estamos sentados.

—Efectivamente —dijo él—. Allá, en aquel ángulo del jardín, existía una cuba en la que navegaba un barquito. Lo había construido yo mismo. ¡Qué bien flotaba! Pero no tardé en navegar de muy distinta manera.

—Sí; primero fuimos a la escuela para instruirnos un poco. Después vino la Confirmación; lloramos mucho los dos, pero por la tarde, cogidos de la mano, subimos a la Torre Redonda y desde allí miramos el mundo: Copenhague y el mar. Más tarde, estuvimos en Frederiksberg, en donde el rey y la reina recorrían los canales en sus magníficos barcos.

—Sí, pero yo no tardé en navegar de otra forma y durante muchos años, haciendo largos viajes.

—Recuerdo haber llorado con mucha frecuencia por tu causa —dijo la anciana—. Creía que estabas muerto o que habías desaparecido, y que tus piernas se movían en el fondo del agua. Muchas noches me he levantado para ver si la veleta giraba; sí, la veleta giraba, pero tú no llegabas. Me acuerdo también de un día que llovía a torrentes; el basurero llegó ante la casa donde yo prestaba servicio, bajé con el cubo de la basura y me quedé en la puerta... ¡Ah, qué maldito tiempo! Cuando yo estaba allí, el cartero se acercó y me entregó una carta. Era tuya. ¡Lloraba y reía! ¡Estaba tan contenta!... Me decías que te encontrabas en un país muy cálido, en donde crecen los granos del café. ¡Aquel debía de ser un país de bendición! Contabas multitud de cosas, y yo lo veía todo, mientras permanecía afuera, en plena lluvia, con la lata de la basura. De repente, alguien me cogió por la cintura...

—¡Oh!, pero tú le diste una sonora bofetada.

—Es que no sabía que eras tú. Habías llegado al mismo tiempo que tu carta. Y estabas tan guapo... Aún lo eres. Llevabas en el bolsillo un gran pañuelo de seda amarilla y te cubrías con un sombrero de tela impermeable. Estabas elegantísimo. ¡Dios mío, qué tiempo hacía y qué horrible estaba la calle!

—Y entonces nos casamos, ¿te acuerdas? Y tuvimos nuestro primer hijo, y después a María, a Niels, a Peter y a Hans Christian.

—Sí, y cómo crecieron y se hicieron hombres que todo el mundo quería...

—Y sus hijos, a su vez, han tenido hijos —dijo el viejo marino—. Sí, son niños que tienen buena sangre en sus venas... Fue en esta época del año cuando nosotros nos casamos, me parece.

—Sí, es hoy la fecha de vuestras bodas de oro —dijo el hada del Saúco, que alargó la cabeza por entre los dos ancianos y ellos creyeron que era la vecina que les hacía señas.

Se miraron y se cogieron de las manos. Poco después llegaron los hijos y los nietos. Ellos sabían que era el día de las bodas de oro. Los habían felicitado ya por la mañana; pero los viejecitos lo habían olvidado, mientras que, por el contrario, se acordaban de lo que les había sucedido muchos años antes. El saúco se esforzó por perfumar más el ambiente, y el sol, que ya declinaba, iluminaba los rostros de los dos ancianos. Tenían ambos el rostro enrojecido, y el más pequeño de los nietos danzaba alrededor de ellos, gritando lleno de alegría que aquella tarde sería una verdadera fiesta, porque habría patatas cocidas. El hada del saúco movía complacida la cabeza y, desde el árbol, gritaba: «¡Viva!», haciendo eco a los demás...

—Pero eso no es un cuento —dijo el niño, que había escuchado con gran atención el relato.

—Sí, y era necesario que lo conocieras —le contestó el anciano—; sin embargo, pediremos al hada del saúco su opinión.

—No es un cuento —dijo el hada del saúco—. Pero enseguida surgirá uno. Es justamente de la realidad de donde se obtienen los mejores cuentos. Si no, mi encantadora rama de saúco no hubiese salido de la tetera.

Y, sacando de la cama al niño, le estrechó contra su pecho. Las ramas floridas del saúco los rodearon. Era como si se encontrasen en un espeso cenador que, con ellos, echase a volar por los aires. Era delicioso. El hada del saúco se había transformado de repente en una encantadora muchachita; pero su vestido era siempre de la misma tela verde con flores blancas. Llevaba sobre el pecho una verdadera flor de saúco, y en sus cabellos rubios y ondulados en bucles, una corona de las mismas flores. Sus ojos eran grandes y azules. Era un placer, una delicia mirarla. El niño y ella se besaron. Eran de la misma edad y tenían los mismos gustos.

Cogidos de la mano salieron del cenador y se internaron en el bello y florecido jardín. Sobre el verde césped, el bastón del padre estaba arrimado a una estaca. Para los pequeños, el bastón estaba vivo. Tan pronto como ellos lo montaron, el pulimentado puño se transformó en una soberbia cabeza que relinchaba, con las negras crines revueltas, y cuatro patas esbeltas que crecían vigorosas. ¡El animal era fuerte y fogoso! Galoparon los dos alrededor del césped. ¡Hop, hop!...

—Ahora vamos a recorrer muchas leguas —decía el niño—. Vamos a ir al castillo en donde estuvimos el año pasado.

Y corrían sin parar alrededor del césped; y la muchachita, que como sabemos era el hada del saúco, gritaba:

—Ahora estamos en pleno campo. ¿Ves la casa del labrador con el gran horno, que tiene aspecto de un enorme huevo adosado al muro junto a la carretera? El saúco extiende sus ramas por encima de ella y el gallo picotea la tierra para las gallinas... ¡Mira cómo se engalla!... Ahora pasamos por delante de la iglesia, que está en lo alto de la colina, en medio de los robles, uno de los cuales está casi seco... Mira la forja, donde arde el fuego, y los hombres, medio desnudos, golpean con el martillo y hacen volar las chispas... ¡Corramos, corramos al magnífico castillo!

Y todo lo que decía la muchacha, sentada sobre el bastón, se desarrollaba ante ellos; el muchacho lo veía, y sin embargo, no hacían más que correr alrededor del césped. Después jugaron en el camino que lo bordeaba y trazaron en el suelo un pequeño jardín, y la niña arrancó de sus cabellos una flor de saúco, la plantó y creció, al igual que había sucedido a los viejecitos de Nyboder cuando eran pequeños, relato que habían contado al niño hacía solo unos instantes. Iban de un lado para otro cogidos de la mano, como lo habían hecho los ancianos aquellos en su niñez, pero no fueron a la Torre Redonda ni al jardín de Frederiksberg, no. La niña cogió al niño por la cintura y volaron por toda Dinamarca. Pasó la primavera, y el verano, y el otoño, y el invierno. Miles de imágenes se reflejaron en los ojos y en el corazón del muchacho, y siempre la niña le cantaba:

—Jamás olvidarás esto.

Y el saúco perfumaba siempre el ambiente. El niño aspiraba el perfume de las rosas y de las hayas, pero el saúco embalsamaba aún más el aire, porque sus flores reposaban en el corazón de la niñita, y el niño, al volar, inclinaba con frecuencia su cabeza sobre él.

—¡Qué hermosa es aquí la primavera! —decía la niña.

Se encontraban en el bosque de hayas, donde los verdes muguetes expandían su perfume bajo ellos y las anémonas rosa pálido tapizaban deliciosamente el follaje. «¡Oh, si la primavera pudiese durar siempre en los bosques de hayas!».

—¡Qué hermoso es el verano aquí! —decía la niña.

Pasaban ante los antiguos castillos del tiempo de la caballería andante, cuyos muros rojizos y los tejados en punta se reflejaban en los fosos, en cuyas aguas nadaban los cisnes y contemplaban las viejas y apacibles avenidas. En los campos el trigo ondulaba como olas del mar; las zanjas estaban llenas de flores rojas y amarillas; los setos, repletos de lúpulos silvestres y de campanillas, y por la noche, la luna, gorda y redonda, surgía por encima de los almiares de heno situados en medio de los prados florecidos.

—Jamás se puede olvidar esto —decía la niña.

—¡Qué hermoso es aquí el otoño! —exclamó la niña.

Y el cielo se elevaba más alto y más azul; los bosques adquirían los colores más exquisitos: rojos, azules y verdes; los perros de caza corrían; bandadas de aves salvajes volaban, gritando, hacia el túmulo funerario, donde las zarzas se aferraban a las viejas piedras; el mar era azul oscuro con veleros blancos, y en el hórreo, ancianas, muchachas y niños desgranaban el lúpulo en una enorme cuba. Las jóvenes cantaban y las ancianas contaban cuentos acerca de duendes y brujas. No podía haber nada mejor.

—¡Qué hermoso es aquí el invierno! —decía la niña.

Y todos los árboles cubiertos de escarcha tenían aspecto de coral blanco. La nieve crujía bajo los pies, como si se llevara siempre suela nueva, y del cielo caían sin cesar blancas estrellas.

En la sala, donde ardía el árbol de Noel, había regalos y buen humor. En el campo, el violín lanzaba sus sones en la granja del labrador. Los buñuelos de manzanas saltaban en el aire. Aun el niño más pobre decía: «¡Es maravilloso el invierno, a pesar de todo!».

Sí, era maravilloso. Y la pequeña enseñaba todo al niño, y el saúco embalsamaba siempre el ambiente, y la roja bandera con la cruz blanca flotaba de continuo... Bajo ella había navegado el anciano marino de Nyboder... Y el niño, convertido en joven, tuvo que marchar por el vasto mundo, muy lejos, hacia los cálidos países en donde crece el café; pero a su partida la muchacha colocó sobre su pecho una flor de saúco, que ella le dio para que la guardara. La flor quedó depositada en un libro de salmos, y siempre, en los países extranjeros, cuando el muchacho abría el libro, lo hacía exactamente en el lugar donde estaba la flor del recuerdo, y cuanto más la miraba, más hermosa se volvía. Sentía desprenderse de ella un aroma como de bosques daneses, y veía claramente por entre sus pétalos a la niña que, furtivamente, mostraba sus claros ojos azules y murmuraba:

—¡Qué hermosa es aquí la primavera, el verano, el otoño y el invierno!

Y el muchacho veía, con su imaginación, cientos de imágenes.

Así pasaron numerosos años y se transformó en un anciano. Estaba sentado con su mujer al pie de un árbol florido, con las manos cogidas, de la misma forma que lo habían hecho los bisabuelos de Nyboder. Hablaban, al igual que ellos, de los tiempos pasados y de sus bodas de oro; la muchachita de ojos azules, de las flores de saúco en los cabellos, estaba encaramada en el árbol. Saludó a los dos con la cabeza y les dijo:

—¡Es hoy la fecha de las bodas de oro!

Y cogió dos flores de su corona, las besó y brillaron, primero, como la plata; después, como el oro, y cuando las hubo colocado sobre la cabeza de los dos ancianos, cada flor se convirtió en una corona de oro. Ellos estaban sentados allí, como un rey y una reina, bajo el oloroso árbol, que tenía todo el aspecto de un saúco, y el anciano contó a su mujer la historia del hada del saúco, tal y como se la habían contado a él cuando era pequeño, y encontraron que tal historia se parecía mucho a la suya propia, y lo que fue más semejante era lo que más les gustaba a los dos.

—Sí, así es —dijo la niñita del árbol—. Unos me llaman el hada del saúco; otros, dríada. Pero mi verdadero nombre es *Recuerdo*. Soy yo quien se sienta en el árbol, quien crece y crece... Sé recordar, sé contar... Enséñame tu flor si la tienes todavía.

Y el anciano abrió su libro de salmos. La flor del saúco aún estaba allí, tan fresca como si hubiera sido colocada la víspera, y el *Recuerdo* asintió con la cabeza, y los dos viejos permanecieron sentados con sus coronas de oro, iluminadas por los rojos rayos del sol. Cerraron los ojos, y..., y... Pero aquí se acaba el cuento.

El niño estaba en su cama; no sabía si había soñado o si había oído contar todo eso; la tetera estaba sobre la mesa, pero de ella no salía ningún saúco, y el anciano que había contado la historia estaba a punto de salir, lo que hizo.

—¡Oh, era delicioso! —dijo el niño—. ¡Madre, he estado en los países cálidos!

—Sí, lo creo —le contestó su madre—. Cuando se tienen en el cuerpo dos tazas de infusión de saúco hirviendo, se debe de llegar con mucha facilidad a los países cálidos —y le remetió bien la ropa para que no se enfriara—. Te has debido de dormir mientras yo discutía con nuestro viejo si se trataba de una historia o de un cuento.

—¿Y dónde está el hada del saúco? —preguntó el niño.

—Está sentada en la tetera —le contestó la madre—, y allí se puede quedar.

LAS ZAPATILLAS ROJAS

Había una vez una niña muy pequeña y gentil que tenía que ir en el verano con los pies descalzos, porque era muy pobre, y en invierno con zuecos de madera que le hacían mucho daño.

En el centro del pueblo vivía la vieja comadre Zapatera, que hacía, lo mejor que ella podía, un par de zapatillas con viejos trozos de tela. Su aspecto era muy tosco, pero la intención buena. Ese par de zapatillas era para la niñita.

La niña se llamaba Karen. Recibió las zapatillas rojas el mismo día en que su madre fue enterrada, y las llevaba entonces por primera vez. No eran verdaderamente muy a propósito para un duelo, pero no tenía otras, y, con los pies desnudos dentro de ellas, la niña siguió al pobre ataúd.

En ese mismo momento llegaba a la ciudad un antiguo y hermoso coche en el que iba una anciana dama muy principal. Miró a la niña, que le causaba pena, y dijo al pastor del pueblo.

—Escuchad: entregadme a esa niñita y yo seré muy buena para ella.

Karen creyó que era debido a las zapatillas rojas, pero la anciana señora dijo que eran espantosas e hizo que las quemaran. Karen fue vestida como es debido. Tuvo que aprender a leer y a coser, y las personas decían que era muy bonita, pero el espejo le aseguraba:

—Eres más que bonita: eres hermosa.

La reina recorría el país acompañada de su hijita, que era la princesa, y las gentes acudieron a la entrada del castillo. Karen también acudió. La princesa, vestida con hermosos vestidos blancos, apareció en la ventana para que la vieran. No tenía ni manto ni corona de oro, sino unos deliciosos zapatitos rojos, muy diferentes a los que la comadre Zapatera había cosido para la pequeña Karen. Pero, en el mundo, no hay nada tan hermoso ni nada puede compararse a unos zapatitos rojos.

Llegó el momento en que Karen alcanzó la edad de ser confirmada. Se le hicieron vestidos nuevos y hubo también que comprarle zapatos nuevos. El rico zapatero de la ciudad tomó la medida de sus piececitos. Esto tuvo lugar en su propio salón, donde había grandes estantes de cristal llenos de zapatos finos y de bolitas acharoladas. Eso era muy bonito, aunque a la anciana señora, como no veía bien, no le divertía. En medio de todos los zapatos había un par rojo, muy parecidos a los de la princesa. ¡Qué bonitos eran! El zapatero dijo que los había hecho para el hijo de un conde, pero que después no le habían estado bien.

—Son de charol —dijo la anciana señora—. ¡Cómo brillan!

—Sí, brillan —dijo Karen, y como le sentaban bien, la señora se los compró.

Pero la anciana señora no tenía la menor idea de que eran rojos, ya que no hubiera permitido jamás que Karen fuese con zapatos rojos a confirmarse. Sin embargo, eso fue lo que hizo Karen.

Todo el mundo miraba sus pies, y cuando marchaba por la nave de la iglesia para alcanzar la puerta del coro, le pareció que aun las esculturas de las tumbas, los cuadros de los sacerdotes muertos y los de ciertas damas con sus largos vestidos negros, fijaban los ojos en sus zapatos rojos, y solo pensaba en ellos cuando el sacerdote le puso la mano sobre la cabeza y le habló del santo bautismo, del pacto con Dios y le dijo que iba a convertirse en una persona cristiana. El órgano tocaba solemnemente, las lindas voces de los niños cantaban y el viejo chantre cantaba también, pero Karen pensaba únicamente en sus zapatos rojos.

Aquella tarde todo el mundo contó a la anciana señora que los zapatos eran rojos. Ella dijo que eso estaba feo, que había sido una gran inconveniencia y que, de ahora en adelante, cuando Karen fuese a la iglesia llevaría zapatos negros, aunque estuvieran viejos.

Al domingo siguiente se daba la sagrada comunión. Karen miró los zapatos negros, miró los zapatos rojos... Volvió a mirar estos últimos, y se los puso.

Hacía un tiempo espléndido, soleado. Karen y la anciana señora siguieron el sendero a través de un campo de trigo, donde había algo de polvo.

A la puerta de la iglesia estaba un viejo soldado con muletas y una extraña barba larga, que era más bien roja que blanca, porque estaba teñida. Se inclinó hasta el suelo y preguntó a la anciana señora si quería que le quitara el polvo de los zapatos. Karen le alargó su piececito.

—¡Oh, qué lindas zapatillas de baile! —exclamó el soldado—. ¡No os las quitéis cuando dancéis! —añadió, dándole golpecitos en las suelas.

La anciana señora dio una moneda al soldado y entró en la iglesia con Karen.

Todo el mundo fijó sus ojos en los zapatitos rojos de Karen, y los cuadros también los miraron. Cuando Karen se arrodilló ante el altar y llevó el cáliz de oro a su boca, no pensó más que en sus zapatitos rojos, que parecían bailar ante sus ojos. Olvidó cantar su salmo, olvidó rezar el Padrenuestro...

Una vez terminada la ceremonia todos abandonaron la iglesia, y la anciana señora subió a su coche. Karen levantó el pie para montar a su vez, y el viejo soldado, que estaba cerca de ella, dijo:

—¡Qué preciosas zapatillas de baile!

Karen no pudo evitar hacer unos cuantos pasos de baile; pero, una vez comenzado, sus piernas continuaron bailando. Hubiera podido decirse que las zapatillas tenían poder sobre la niña. Karen no podía impedir que bailaran, y bailó hasta el rincón más alejado de la iglesia. El cochero tuvo que correr tras ella; cogerla y meterla en el coche; pero los pies continuaban bailando, con lo que dieron muchos puntapiés a la buena señora. Al fin, la niña se quitó los zapatos, y sus piernas se quedaron tranquilas.

En la casa, metieron los zapatos en un armario; pero Karen no podía dejar de mirarlos.

La anciana señora cayó enferma. Decían que no viviría mucho tiempo. Era preciso cuidarla y velarla, y nadie más a propósito que la propia Karen. Pero en la ciudad se celebraba un gran baile, al que había sido invitada Karen... Ella miró a la señora, que no podía ya vivir; miró sus zapatos rojos, y le pareció que no había pecado en hacer eso... Se los puso; con ello no hacía mal a nadie... y después se fue al baile y se puso a bailar.

Pero cuando ella quería dar la vuelta a la derecha, los zapatos giraban hacia la izquierda; cuando la niña quiso avanzar por el salón, los zapatos bailaron para salir, descendieron las escaleras, bajaron hasta la calle y franquearon la puerta de la ciudad. Karen bailaba y bailaba. No podía hacer otra cosa, y se dirigió en línea recta hacia el sombrío bosque.

Un resplandor apareció entre los árboles y ella creyó que se trataba de la luna, porque era como una cara; pero era el viejo soldado de la barba roja. Estaba sentado y le hacía señas con la cabeza. Al fin, dijo:

—¡Oh, las bonitas zapatillas de baile!

Entonces, la niña sintió espanto y quiso quitarse los zapatos rojos; pero estaban muy bien adheridos a sus pies. Se arrancó las medias, pero los zapatos continuaban adheridos a la carne. La niña bailaba; se veía forzada a bailar por los campos y por los prados, bajo la lluvia y bajo el sol, durante el día y durante la noche. Y por la noche era cuando sentía mayor espanto.

Entró bailando en el abierto cementerio, pero los muertos no bailaban. Tenían otras cosas que hacer mejor que bailar. Quiso sentarse sobre la tumba de los pobres, donde crecía la amarga atanasia; pero para la niña no había ni cese ni reposo; y, cuando bailando, se acercó a la puerta abierta de la iglesia, vio allí a un ángel con larga túnica blanca, alas en su espalda, rostro grave y severo y que llevaba en la mano una larga y brillante espada.

—Bailarás —dijo—, bailarás sobre tus zapatillas rojas hasta que estés helada de frío, hasta que tu piel se arrugue y te conviertas en un esqueleto. ¡Bailarás de puerta en puerta; y en los lugares donde habiten niños vanidosos, golpearás en su puerta para que te oigan y les causes miedo! ¡Bailarás, bailarás!...

—¡Perdón! —gritó Karen.

Pero no pudo oír lo que el ángel le contestó, porque los zapatos le hicieron atravesar la puerta y la llevaron por caminos y senderos, siempre bailando.

Una mañana pasó bailando ante una puerta que conocía muy bien. En la casa se oía un canto religioso, y un féretro fue sacado de ella, adornado con flores; Karen comprendió entonces que la anciana señora había muerto, y le pareció que había sido maldecida por el ángel de Dios y abandonada por todo el mundo.

Bailó; se veía forzada a bailar. Bailó en la negra noche. Las zapatillas la llevaron por entre las zarzas y los espinos y su piel se desgarraba hasta brotar la sangre. Bailó por el páramo hasta llegar a una casita solitaria. Sabía que el verdugo vivía allí. Golpeó con los dedos en los cristales y dijo:

— ¡Salid...! ¡Salid...! Yo no puedo entrar, porque estoy bailando.

Y el verdugo le contestó:

—¿Acaso ignoras quién soy? Corto la cabeza a la gente malvada, ¡y siento que mi hacha se agita!

—No me cortéis la cabeza —dijo Karen—, porque entonces no podría arrepentirme de mi pecado. ¡Pero cortadme los pies, con las zapatillas rojas!

Y ella confesó su pecado. El verdugo le cortó los pies calzados con los zapatitos rojos; pero estos partieron con los piececitos y entraron bailando en la profunda floresta.

El verdugo le talló piernas de madera y muletas, le enseñó la oración que rezan todos los pecadores, y ella, después de besarle la mano que había sostenido el hacha, se fue por el páramo.

—Ya he sufrido bastante a causa de mis zapatillas rojas —dijo—. Voy a ir a la iglesia para que me vean.

Con un paso bastante rápido se dirigió hacia la puerta de la iglesia; pero, cuando llegó allí, vio que los zapatitos rojos bailaban delante de ella. La muchacha se asustó y se volvió.

Toda la semana la pasó desolada y vertiendo amargas lágrimas, mas cuando llegó el domingo se dijo:

«Bueno, ya he sufrido y luchado bastante. Me parece que ya valgo tanto como los que están en la iglesia y llevan la cabeza alta».

Y se dirigió hacia allá con gran decisión, pero apenas llegó a la puerta, vio a las zapatillas rojas bailando delante de ella. Huyó espantada, arrepintiéndose de todo corazón de su pecado.

Se fue al presbiterio y solicitó entrar allí como criada. Trabajaría y haría todo cuanto pudiera. No tenía en cuenta el sueldo. Solo quería tener un lugar donde guarecerse y poder estar entre las personas decentes. La esposa del pastor tuvo piedad de ella y la admitió a su servicio. Era trabajadora y atenta. Escuchaba con atención cuando el pastor leía la Biblia por las noches. Todas las niñas la querían mucho; pero cuando hablaban de adornos y de galas y de ser bellas como una reina, movía con pena la cabeza.

Al domingo siguiente, todo el mundo fue a la iglesia, y le preguntaron si quería ir; pero ella miró tristemente sus muletas, a la par que las lágrimas brotaban de sus ojos, y los otros partieron para escuchar la palabra de Dios mientras ella se retiraba sola a su pequeña habitación —aunque era suficiente para albergar una cama y una silla—, y Karen se sentó, con su libro de rezos en la mano. Como leía con gran humildad, el viento llevó hasta ella las canciones tocadas en el órgano, y, elevando hacia el cielo su rostro mojado por las lágrimas, dijo:

—¡Que Dios me proteja!

Entonces, el sol brilló más intensamente, y ante ella apareció el ángel de Dios, vestido de blanco, aquel mismo que viera a la puerta de la iglesia una noche; pero ahora no llevaba en su mano la afilada espada, sino una hermosa rama verde cubierta de rosas, con la que tocó el techo, que se elevó muy alto, apareciendo una estrella de oro en el lugar que había tocado. Después golpeó con la rama las paredes, que se separaron, y la niña vio el órgano, los viejos retratos de los sacerdotes y de las mujeres, los fieles, sentados en las adornadas sillas, leyendo sus libros de oraciones y cantando... Era la misma iglesia, que había venido a reunirse con la pobre muchachita en su pequeña y angosta habitación, o tal vez era ella la que había ido hasta allí. Estaba sentada entre las demás personas que ocupaban el presbiterio, y, cuando acabó el rezo, todos levantaron los ojos de sus libros y los fijaron en ella, al tiempo que la saludaban con la cabeza y le decían:

—Has hecho muy bien en venir, Karen.

—Todo ha sido gracias a Dios —contestó Karen.

El órgano expandió su música por la iglesia, y las voces de los niños resonaron deliciosamente en el coro. El sol lanzaba sus rayos por la ventana y los posaba sobre el banco donde Karen se hallaba sentada. Tenía el corazón tan pleno de sol, de calma y de alegría, que, al fin, estalló. Su alma voló por un rayo de sol hasta Dios, y allí ya no había nadie que pudiese hablarle de las zapatillas rojas.

ÁLBUM SIN LÁMINAS

¡Es extraño! Cuanto más me siento a gusto y confortablemente es como si mis manos y mi lengua permaneciesen atadas, no puedo interpretar, no puedo plasmar lo que siento en mi interior tal y como lo siento. Y sin embargo soy un pintor, me lo dicen mis ojos y así lo han reconocido todos los que han visto mis bocetos y cuadros.

Soy un muchacho pobre, vivo en una de las más pequeñas callejas de la ciudad, pero la luz no me falta porque vivo muy alto, por encima de todos los tejados. Durante los primeros días que estuve en la ciudad ¡me parecía tan estrecha y solitaria mi morada! En lugar del bosque y las verdes colinas tenía como horizonte grises chimeneas. No tenía ni un solo amigo, ni una sola cara conocida me saludaba.

Una noche me hallaba afligido ante mi ventana. La abrí y miré afuera. ¡Oh, qué contento me puse! Vi un rostro conocido, una cara redonda y amiga, la de la mejor amiga de mi infancia: la luna, la vieja y querida luna, siempre la misma, exactamente igual a la que hacía llegar a mí sus rayos a través de los sauces del pantano. Le envié un beso con la punta de los dedos y ella iluminó mi cuarto y me prometió que todas las noches que saliese vendría a hacerme una visita. Y ha cumplido siempre su palabra. ¡Lástima que no pueda quedarse mucho tiempo! Y cada vez que viene me cuenta algo de lo que ha visto aquella noche o la noche anterior. «Pinta lo que te cuento —dijo en su primera visita— y tendrás un magnífico álbum de láminas». Y eso he hecho muchas tardes. Podría, a mi manera, narrar en láminas las mil y una noches, pero serían demasiadas. Las que os muestro ahora no son escogidas, están en el orden en que he oído los relatos. Un gran pintor, un pintor genial, un poeta, un compositor, puede hacer de ellas algo más, si gusta. Lo que yo presento son solamente ligeros esbozos, intercalando en ellos mis propios pensamientos, pues no siempre la luna estaba conmigo, sino que con frecuencia se lo impedía alguna que otra nube.

Primera noche

«Anoche —son palabras de la propia luna— surqué el claro cielo de la India y me miré en el Ganges. Mis rayos intentaron atravesar la tupida maraña que las viejas platanáceas tejían, formando como la concha de una tortuga. Entonces llegó de la espesura una muchacha india, grácil como una gacela, bella como Eva. ¡Tenía algo tan etéreo y sin embargo tan real esta hija de la India! Era como si pudiese adivinar sus pensamientos a través de la fina piel. Las lianas espinosas desgarraban sus sandalias, pero avanzaba decidida. Las fieras que volvían del río donde apagaban su sed rehuían su encuentro, pues llevaba en la mano una lámpara encendida. Podía ver la fresca sangre en los finos dedos que hacían de pantalla sobre la llama. Se acercó al río, puso la lámpara en el agua y se la llevó la corriente. La llama vaciló, como si fuese a apagarse, pero siguió ardiendo y los ojos oscuros y ardientes de la muchacha la siguieron con un destello de dicha tras sus largas y sedosas pestañas. Ella sabía que si la lámpara seguía brillando hasta perderse de vista era señal de que su amado vivía; si se apagaba, en cambio, era que había muerto. Y la lámpara ardía vacilante y su corazón ardía y vacilaba. Se arrodilló y se puso a orar. A su lado yacía en la hierba la húmeda serpiente, ella pensaba en Rama y en su amado. "¡Vive!", estalló jubilosamente. Y las montañas repitieron: "¡Vive!"».

Segunda noche

«Fue ayer—me dijo la luna—, cuando me asomé al pequeño patio interior de una casa. Una gallina protegía a sus once polluelos. Una preciosa niñita corría a su alrededor, la gallina cacareaba y extendía asustada sus alas sobre los polluelos. Entonces llegó el padre de la niña, la reprendió y yo me fui de allí sin pensar más en ella. Pero hoy, hace solamente escasos minutos, me volví a asomar al mismo patio. Todo estaba tranquilo, pero de repente apareció la niñita, se acercó sigilosamente al gallinero, corrió el pestillo y se introdujo hasta donde estaba la gallina y sus polluelos, que chillaron y corrieron asustados. La pequeña corrió tras ellos. Yo lo vi bien porque lo miraba todo a través de un agujero del muro. Me enfadé mucho con la niñita mala y me alegré cuando llegó su padre y la reprendió aún más severamente que ayer. La cogió por un brazo y ella levantó la cabeza. Grandes lágrimas empañaban sus ojos azules. "¿Qué haces aquí?", le preguntó. Ella lloraba. "Quería —dijo— besar a la gallina y pedirle perdón por lo de ayer, pero no me atrevía a decírtelo a ti". Y el padre besó a la inocente niñita en la frente y yo la besé en los ojos y en la boca».

Tercera noche

«En la estrecha calleja vecina —tan estrecha que solo pueden besar mis rayos un minuto las paredes de sus casas, pero en ese minuto veo lo bastante para apreciar el mundo que se mueve en ella— he visto a una mujer. Hace dieciséis años era una niña; en el campo, en el jardín de la vieja casa parroquial, solía jugar entonces. Los rosales apenas daban flores. Crecían con profusión en las avenidas y se entrelazaban con los manzanos; solo aquí y allá una rosa solitaria, no tan bella como debe ser la reina de las flores. Y sin embargo tenía color, tenía aroma. La hijita del pastor me parecía la más bella rosa. Se hallaba sentada en su escabel, bajo el rosal silvestre y besaba su muñeca de cartón de mejillas desconchadas. Diez años después la volví a ver en el soberbio salón; era la novia del rico comerciante. Me alegré de su suerte y la visitaba en las noches tranquilas. ¡Oh, nadie piensa en mis claros ojos, mi firme parpadeo!

»Y mi rosa creció con capullos silvestres, como las rosas del jardín del pastor. Pero la vida tiene su tragedia y hoy he presenciado el último acto. En la estrecha calleja, enferma de muerte, yacía en su lecho, y el malvado patrón, duro y frío, su único apoyo, le arrancaba la manta: "Levántate, arréglate, gana dinero o te arrojaré a la calle, date prisa...". "Llevo la muerte en mi pecho —dijo ella—. ¡Oh!, dejadme descansar". Y él la sacó de la cama, pintó sus mejillas, adornó con rosas sus cabellos y la puso a la ventana, junto a la luz, y se fue. La miré. Estaba inmóvil, su mano cayó sobre su regazo. El viento sacudió la ventana y un cristal se rompió, pero ella permanecía quieta, la cortina flameaba como una llama lamiéndole el rostro: estaba muerta. Desde la abierta ventana predicaba moral a los vivos. ¡Mi rosa del jardín del pastor!».

Cuarta noche

«Esta noche he visto una comedia —dijo la luna— en un pueblecito. Un establo se convirtió en teatro, es decir, los pesebres fueron conservados y adecentados para convertirlos en palcos, y todos los maderos fueron recubiertos de papel de colores. Del bajo techo colgaba una pequeña lámpara de hierro y para que, al igual que en los grandes teatros, pudiese ser izada cuando el reloj de cuco lanzase su cucú, se había colocado sobre ella un puchero al revés. ¡Cucú!, y la pequeña lámpara subió medio metro. La función iba a empezar. Un joven príncipe y su pareja, que pasaron por la ciudad, asistían a la representación, y por ello estaba el local abarrotado. Solo bajo la lámpara había un pequeño espacio en el que no se sentaba nadie, pues la lámpara goteaba. Yo lo vi todo, ya que hacía tanto calor allí dentro que hubo que abrir todos los ventanucos de las paredes, y por todos los huecos fisgaban muchachas y muchachos, a pesar de que la policía vigilaba y amenazaba esgrimiendo sus porras. Cerca de la orquesta se hallaba la pareja de príncipes, en dos viejos sillones que solían ocupar el alcalde y su señora, quienes esta noche tenían que sentarse en los bancos de madera, como los demás espectadores. "Eso quiere decir que siempre hay alguien de más rango que uno", fue el comentario silencioso de las señoras. Y todo se volvió más animado, la lámpara subió, el populacho se regocijaba y yo... bien, la luna asistió a toda la comedia».

Quinta noche

«Ayer —dijo la luna— estuve en el animado París. Mis ojos se fijaron en una estancia del Louvre. Una anciana abuela, pobremente vestida, pues pertenecía a la clase humilde, seguía a un lacayo hasta el grande y vacío salón del trono. Quería verlo, tenía que verlo, ello le había costado muchos sacrificios, muchas preocupaciones antes de llegar hasta allí. Juntó sus manos con unción como si se hallase en una iglesia. "Aquí fue —dijo—, aquí". Y se acercó al trono, del que pendía el rico terciopelo bordado en oro. "Allí —dijo—, allí". Y se arrodilló y besó la púrpura. Creo que lloraba. "No era este terciopelo", dijo el lacayo. Y una sonrisa jugaba en sus labios. "Pero era aquí —dijo la anciana—; era así". "Así no, así", dijo el lacayo. Las ventanas estaban rotas, las puertas derribadas y había sangre en el suelo. Sin embargo, ella puede decir: mi nieto ha muerto en el trono de Francia. "Muerto", repitió la anciana. No creo que hubiesen hablado más. Habían abandonado el salón, las luces del crepúsculo habían muerto y mi luz alumbraba con doble claridad el rico terciopelo del trono de Francia. ¿Quién crees tú que era la anciana? Te contaré una historia. Fue durante la Revolución de julio, en el día más grande de la victoria, cuando cada casa era un fuerte y cada ventana una tronera. El pueblo asaltaba las Tullerías, incluso las mujeres y los niños se encontraban entre los asaltantes. Irrumpieron en la estancia y los salones del palacio. Un pobre muchacho harapiento luchaba heroicamente entre los viejos guerreros. Herido de muerte por varias bayonetas, cayó al suelo en el salón del trono. Le pusieron sobre el trono y envolvieron en rico terciopelo sus heridas. La sangre corría por la púrpura regia. ¡Qué cuadro! La magnífica sala y los grupos de héroes. Un estandarte rojo yacía por tierra, la bandera tricolor ondeaba sobre las bayonetas, y el niño pobre, de rostro claro y pálido, tendía los ojos al cielo mientras sus miembros se inclinaban hacia la tierra en el abrazo de la muerte. Su pecho desnudo, sus pobres vestidos y, cubriéndole a medias, el precioso terciopelo con las plateadas flores de lis. Junto a la cuna le habían profetizado: morirá en el trono de Francia. Un corazón de madre había soñado con un nuevo Napoleón. Mis rayos han besado la aureola funeraria de su tumba. Mis rayos besaron anoche la frente de la anciana que soñaba y veía el cuadro que tú puedes pintar: "El muchacho pobre en el trono de Francia"».

Sexta noche

«He estado en Upsala —dijo la luna—. Me asomé a la inmensa llanura de pobre vegetación, a los campos arrasados. Me bañé en el Fyris, donde el vapor hacía huir asustados a los peces entre los juncos. Bajo mis pies se agolparon las nubes y arrojaron largas sombras sobre las llamadas "tumbas de Odin, Thor y Freyr". En las ligeras hierbas de las colinas se leen unos nombres. Aquí no hay ninguna lápida sobre la que el viajero pueda esculpir su nombre, ningún muro de roca sobre el que hacerlo pintar, por eso los visitantes han hecho cortar la hierba, la tierra desnuda se asoma en grandes letras y los nombres, que forman como una gran red, se extienden sobre las grandes colinas. Una inmortalidad que el nuevo césped cubrirá. Un hombre, un poeta se hallaba sobre la colina. Vertía su cuerno de aguamiel de ancho anillo de plata y murmuraba un nombre de mujer confiándolo al viento, pero yo lo oí y lo conocí. Una corona condal ciñe su frente y por eso no osaba pronunciar alto su nombre. Yo sonreía, y una corona de poeta brilla sobre la frente del cantor. Leonor de la casa de Este está ya siempre unida al nombre de Tasso. Yo sé también dónde crece la rosa de la belleza».

Esto dijo la luna y desapareció tras una nube. ¡Ojalá ninguna nube se interponga entre el poeta y la rosa!

Séptima noche

«A lo largo de la costa se extiende un bosque de encinas y hayas, tan aromático y fresco que cada primavera lo visitan cien ruiseñores. Cerca está un jardín, un jardín siempre en flor, y entre bosque y jardín pasa la ancha carretera. Carroza tras carroza circulan por ella, pero yo no las sigo. Mis ojos se fijan sobre todo en un punto: la tumba de un héroe. Cardos y espinos crecen entre las piedras. Poesía de la naturaleza. ¿Cómo crees tú que la han sentido los hombres? Bien, te contaré lo que he oído ayer noche. Primero llegaron dos ricos terratenientes en coche. "¡Hermosos árboles!", dijo uno. "Harían buena hoguera", respondió el otro. El invierno recrudece; el año pasado nos pagaron catorce *rixdales* por la arroba de leña. Y se alejaron. "¡Qué feo!", dijo otro viajero. "Son los malditos árboles", respondió su vecino. "Aquí no hay más olor que el de la brisa marina". Y continuaron su viaje. Y pasó la diligencia. Todos dormían mientras cruzaban por los parajes más bellos. El postillón hizo sonar el cuerno, pero solo pensaba: "¿Qué impresión causará el sonido de mi trompa que suena aquí tan bien?". Y la diligencia desapareció. Se acercaron dos muchachos a caballo. "He aquí juventud y champaña en las venas", pensé. Contemplaron con una sonrisa a flor de labios la colina cubierta de musgo y el sombrío bosquecillo. "Me gustaría venir aquí con Cristina la del molinero", dijo uno, y se fueron. Las flores exhalaban su poderoso aroma; no soplaba ni la menor brisa; el aire dormía y era como si el jardín fuese un trozo del cielo tendido sobre el profundo valle. Pasó un coche. Seis viajeros iban en él. Cuatro dormían; el quinto pensaba en su nuevo abrigo de verano, que le sentaría muy bien; el sexto se inclinó sobre el postillón y preguntó si aquel montón de piedras tenía algo de particular.

»No —dijo el hombre—, es solo un montón de piedras, pero los árboles son importantes". "Contadme". "Sí, son muy necesarios —dijo— cuando en invierno la nieve lo cubre todo. Esos árboles me sirven de referencia para no ir a parar al mar. Por eso son importantes". Y fustigó a los caballos. Y llegó un pintor. Sus ojos brillaron, no dijo palabra. Silbaba. Los ruiseñores cantaban a cual más alto. "¡Callaos!", exclamó; y preparó enseguida todos sus colores y gamas: azul, lila, marrón fuerte... Sería un magnífico cuadro. Los reflejó como el espejo refleja la imagen, y entretanto silbaba una marcha de Rossini. La última que llegó fue una pobre niña. Se sentó a descansar sobre la tumba del héroe, dejó su carga; su rostro pálido y bello miraba hacia el bosque y sus ojos brillaron cuando juntó sus manos y miró al cielo. Creo que rezaba. Ella misma no comprendía el sentimiento que la invadía; pero yo sé que, al pasar los años, muchas veces este minuto en plena naturaleza será mucho más bello y hasta mucho más sincero en su memoria que el del pintor que describió el suyo con famosos colores. Y mis rayos la siguieron hasta que la aurora besó su frente».

Octava noche

El cielo apareció cubierto de pesadas nubes. La luna no salió. Yo me sentía solo en mi pequeña alcoba y miraba el cielo allí por donde ella debía salir. Mi pensamiento se remontó hasta mi gran amiga que todas las noches me narraba tan bellas historias y me mostraba tan preciosos cuadros. ¡Qué no habrá vivido ella! Rieló en las aguas del diluvio y sonrió al arca como ahora a mí anunciando el nuevo mundo que surgiría de las aguas. Contempló compasiva por entre los sauces de los que colgaba el arpa al pueblo de Israel llorando junto al río de Babilonia. Cuando Romeo escaló el balcón de Julieta y su beso de amor ascendió de la tierra como el pensamiento de un querube, la redonda luna se hallaba semioculta tras los negros cipreses en el claro cielo. Ella vio al héroe que en Santa Elena contemplaba desde los solitarios acantilados la inmensidad del océano mientras grandes pensamientos agitaban su pecho.

Sí, ¡qué no podría contar la luna! La vida del mundo es para ella un cuento. Esta noche no te veré, vieja amiga. No podré pintar ningún cuadro como recuerdo de tu visita.

Y soñando, miré hacia las nubes y vi un rayo de luz, un rayo de luna que se apagó enseguida tras las nubes negras. Era un saludo, el amistoso saludo nocturno que la luna me enviaba.

Novena noche

Nuevamente el cielo estaba despejado. Habían pasado varias noches. Era cuarto creciente. Recibí una idea para un boceto. Oíd lo que me contó la luna:

«Seguía a las bandadas de pájaros polares y a la nadadora ballena hasta la costa oeste de Groenlandia.

»Desnudas montañas con hielos y nubes cerraban un valle en el que crecían en abundancia mimbreras y moras. El oloroso Lythnis esparcía un dulce aroma; mi luz era débil; mi disco, pálido como la hoja de acanto que ha flotado semanas a la deriva arrancada de su tallo.

»Ardía la aurora boreal describiendo anchos círculos. Sus rayos eran columnas de fuego salomónicos jugando sobre el cielo rojo y verde. Los lugareños —que no se asombraban de esta gloria a la que estaban acostumbrados— se reunieron para bailar alegremente.

»"Dejad que las almas de los muertos jueguen a la pelota con las cabezas de las morsas", pensaban, según sus tradiciones, y solo se ocupaban de la danza y el canto. En medio del círculo se hallaba, sin abrigo, el groenlandés, con un tambor de mano, y entonaba una canción sobre la pesca de la foca, mientras el coro repetía al unísono: "Eia, eia, a". Y saltaban todos a una con sus blancas pieles. Parecía un baile de osos. Ojos y cabezas hacían los más disparatados movimientos.

»Luego empezó el juicio. Los litigantes salieron a escena y los demandantes representaban una pantomima sobre el miedo de los demandados, de forma viva y burlona, todo ello al compás del tambor. Los acusados respondían con igual desparpajo, mientras la asamblea reía y deliberaba entre sí.

»De las montañas llegaban las detonaciones de los glaciares; las moles de hielo crujían; las enormes masas se desplomaban y se reducían a polvo finísimo: ¡una deliciosa noche de verano groenlandesa!

»A cien pasos de allí, bajo la abierta tienda de pieles yacía un enfermo. La vida corría aún por su sangre caliente, pero iba a morir; así lo creía él y lo creían todos los que le rodeaban; por eso su mujer cosía a su alrededor una envoltura de pieles para luego ya no tocar al muerto, y le decía: "¿Quieres que te entierren en la montaña, en el duro hielo? Yo adornaré el lugar con tu *kayak* y tus dardos. El *angehokken*[1] bailará sobre tu tumba. ¿O quieres ser sumergido en el mar?". "En el mar", murmuró el moribundo. Y movió la cabeza con sufrida sonrisa. "Es una tibia tienda de verano —dijo la mujer—. Miles de focas saltan, la morsa duerme bajo tus pies y podrás cazar allí alegremente".

»Y los niños quitaron aullando la piel que tapaba el ventanuco para que el moribundo fuese llevado al mar, el mar agitado que le dio su sustento en la vida y su descanso en la muerte. Como sepultura, los flotantes icebergs, que cambian continuamente de forma noche y día, las focas dormitando sobre los hielos y las gaviotas volando sobre él».

Décima noche

«Conocí a una solterona —dijo la luna— que usaba todos los inviernos una pelliza de satén amarilla, siempre nueva, que era su única

---

[1] Pájaro macho de especie polar ártica. *(N. del T.)*

moda. Todos los veranos llevaba el mismo sombrero de paja y creo que el mismo traje gris azulado. Solo salía para ir a ver a una vieja amiga al otro lado de la calle. Pero el último año no salió porque su amiga había muerto.

»Mi solterona iba de acá para allá por la solitaria mansión, o se asomaba a la ventana donde en verano había hermosas flores y en invierno preciosos berros sobre la copa de un sombrero de fieltro. El último mes ni siquiera se asomó a la ventana, pero sé que aún vivía, pues no la había visto hacer el gran viaje del que tantas veces hablaba con su amiga. "Sí —decía ella entonces—, cuando llegue la hora de la muerte, viajaré mucho más que en toda mi vida. A cien millas de aquí se halla la tumba de mi familia. Allí me llevarán y allí dormiré con los míos".

»Anoche he visto un coche a la puerta de su casa con un ataúd. Entonces supe que había muerto. Cubrieron de paja el féretro y el coche partió. Allí dormía la apacible y vieja solterona que hacía un año que no salía de casa. Y el coche salió de la ciudad con alegre galope, como si se tratase de un viaje de placer.

»Ya en el campo, corrían aún más. El cochero miraba varias veces atrás; creo que tenía miedo de verla salir de la caja con su vieja piel; ¡por eso fustigaba furiosamente a los caballos, y sostenía tan fuerte las riendas que las bocas de los corceles echaban espuma. Eran jóvenes y fuertes. Una liebre cruzó el camino a toda velocidad.

»La tranquila solterona que durante años no había dado más que un pequeño paseo iba ahora, muerta, por la larga carretera. La caja, que iba envuelta en esteras, saltó y cayó al suelo mientras caballos, cochero y coche proseguían su vertiginosa carrera.

»La alondra voló cantando sobre los campos, entonó una alborada sobre el féretro, se posó en él y picoteó la estera como si quisiese adivinar su contenido. La alondra volvió a remontarse volando y yo me oculté tras las rojas nubes de la aurora».

Undécima noche

«Era una boda —contó la luna—; hubo cantos, brindis, todo resultó magnífico, espléndido. Los huéspedes se retiraron. Era más de la medianoche. La madre besó al novio y a la novia. Yo solo vi a esta, porque las cortinas estaban casi echadas por completo. La lámpara iluminaba la confortable estancia. "Gracias a Dios se han ido", dijo él. Y la besó en las manos y en los labios. Ella sonreía, lloraba, reclinada sobre su pecho agitado como la flor del loto descansa sobre la corriente. Y se decían palabras tiernas y felices. "Duerme bien", dijo él. Y ella descorrió las cortinas. "¡Cómo brilla la luna! —dijo—. ¡Qué tranquila!, ¡qué clara!", y apagó la lámpara. La dulce estancia quedó en tinieblas, pero mi luz brillaba como brillaban sus ojos.

»Femineidad, besa el arpa del poeta para que cante el misterio de la vida».

Duodécima noche

«Quiero darte un boceto de Pompeya —dijo la luna—. Me hallaba a la entrada de la ciudad, en la calle de las Tumbas, como se la llama, donde se alzan los bellos monumentos y donde antaño alegres muchachos, coronadas de rosas sus frentes, bailaban con sus bellas hermanas.

»Ahora solo reinaba la calma de la muerte. Soldados alemanes, mercenarios del Estado napolitano, hacían la guardia y jugaban a los naipes y a los dados. Un grupo de forasteros del otro lado de las montañas entró en la ciudad precedido de la guardia. Querían ver la resucitada ciudad de los monumentos a mi clara luz, y yo les mostré las huellas de vehículos en las calles de la ciudad pavimentadas con anchos bloques de lava. Les mostré los nombres de las puertas y los rótulos que aún existían. Vieron en los pequeños patios las tazas de los surtidores adornadas de conchas y caracolas, pero ni el agua saltaba ni el canto llegaba de las bellísimas estancias pintadas donde un perro de metal hacía guardia a la puerta.

»Era la ciudad de la muerte. Solo el Vesubio entonaba aún su eterna canción, en la que cada nueva estrofa se llama por los humanos «erupción». Fuimos hasta el templo de Venus, todo de mármol, de deslumbradora blancura, con su altar ante las anchas escaleras y con fresca hiedra entre las columnas. El cielo era azul diáfano, y al fondo se destacaba el negro Vesubio, del que salía fuego como el tronco de una palmera. Las nubes de humo, iluminadas, yacían en la calma de la noche como la copa de un pino de sangrientas raíces.

»En el grupo iba una cantante mundialmente célebre a la que yo había visto aclamada en las grandes capitales del mundo. Cuando se acercaron al teatro trágico se colocaron todos en las gradas y ocuparon sus asientos, como hace miles de años. El escenario sigue siendo el mismo de entonces, con los bastidores de piedra y las dos arcadas al fondo por entre las que se ve la misma decoración de antaño, la naturaleza misma: las montañas entre Sorrento y Amalfi.

»La cantante subió en broma al antiguo escenario y cantó. El lugar la inspiraba. Yo no pude por menos de pensar en los caballos salvajes de Arabia, cuando relinchan, sacuden su melena y emprenden el galope. Era la misma ligereza y la misma belleza. Y no pude por menos de pensar en la Madre dolorida junto a la Cruz del Gólgota con su sentido, profundo de dolor. Y alrededor surgieron, como hace miles de años, las muestras de júbilo y los aplausos: "¡Magnífico! ¡Divino!", gritaban todos.

»Tres minutos después el escenario estaba vacío, todos se habían ido, reinaba el silencio absoluto; pero las ruinas permanecían inmóviles, como estarán aún por cientos de años, y nadie sabrá nada de este momentáneo éxito de la bella cantante, de su canción y sonrisa. Olvidada y desaparecida.

»Para mí misma, aquella hora es ya un recuerdo ido».

Decimotercera noche

«Me asomé a la ventana de un redactor —dijo la luna—. Era en una ciudad alemana. Buenos muebles, muchos libros y un caos de cuartillas. Había varios jóvenes en la habitación. El redactor en persona se hallaba ante su mesa de despacho. Había que juzgar dos libros, ambos de jóvenes autores. "Uno me lo han enviado —dijo—; no lo he leído todavía, pero está bien editado. ¿Qué opináis vos de su contenido?" "Oh! —dijo uno que era poeta—, es muy bueno, un poco difuso, ¡Dios mío!; es un joven. Los versos podían también ser un poco mejores. Sus pensamientos son muy sanos; es verdad que son pensamientos corrientes, pero ¿qué queréis?, siempre se encuentra algo nuevo. Vos podéis alabarlo a vuestro gusto; no creo que nunca llegue a nada grande como poeta. Pero es instruido, un orientalista destacado, sus apreciaciones son muy buenas. Es él quien ha escrito una bella reseña sobre mi libro *Fantasías de la vida casera*. Hay que ser benévolo con los jóvenes". "¡Pero si es un auténtico asno! —dijo otro de los allí presentes—. Nada hay peor en poesía que la mediocridad, y él no se sale de ella". "¡Pobre diablo! —dijo un tercero—. ¡Y su tía está tan orgullosa de él! Es ella, señor redactor, quien ha conseguido tantos suscriptores para su última traducción". "¡La buena mujer! Bien, yo ya he juzgado brevemente el libro: talento fácilmente reconocible, dotes innegables. Una flor en el jardín de la poesía. Buena presentación, etcétera". "Pero el otro libro, ese sí que vale algo. Lo compraré. Sé que será bien acogido. Qué genio, ¿no es verdad?" "Eso dicen todos —dijo el poeta—; pero es un poco osado. La puntuación es especialmente genial". "Puede que le venga bien un poco de dificultad, un poco de lucha, de otra forma, puede hacerse una falsa idea de sí mismo". "¡Pero eso es injusto! —dijo un cuarto—. Pasemos sobre los pequeños defectos y alegrémonos de lo bueno, y aquí hay mucho. Sin embargo, es verdad que lo mezcla todo". "¡Dios nos guarde! Ya que él es un genio indudablemente, bien puede soportar la crítica adversa. Hay algunos que le alaban en privado. No lo volvamos nosotros loco". "Talento innegable —escribió el redactor—. Extraordinaria naturalidad. Que puede escribir versos impropios; podemos verlo también en la página veinticinco, donde se encuentran dos hiatos. Le recomendamos el estudio de los antiguos, etcétera".

»Me fui de allí —dijo la luna—; miré a través de la ventana de la habitación de la tía, y allí estaba el laureado poeta, el "domesticado" elogiado por todos los invitados y era feliz.

»Busqué al otro poeta, al "salvaje". Se hallaba también en una numerosa reunión en casa de un protector, donde se hablaba del libro del otro poeta: "Yo también leeré el suyo —dijo el mecenas—; pero a decir verdad, usted sabe que nunca digo más que lo que siento. No espero gran cosa de él, me parece demasiado salvaje, demasiado fantástico, pero, en cambio, reconozco que como persona sois altamente respetable".

»Una muchacha sentada en un rincón leía en un libro:

La gloria del genio yacerá por los suelos
y la del ignorante se alzará a las nubes.
Es una vieja historia
que siempre se renueva».

Decimocuarta noche

He aquí lo que la luna me contó:

«Dos granjas se alzan junto al camino del bosque. La puerta es baja, las ventanas están colocadas desigualmente y en torno a ellas crecen salsifíes y espinos. El tejado está cubierto de musgo, en el que crecen flores amarillas. Hay solo coles y patatas en la pequeña huerta, pero en la cerca florece un saúco y bajo él está sentada una niñita que contempla con sus ojos oscuros la vieja encina que hay entre las casas.

»Este árbol tiene un alto tronco muerto; ha sido serrado en la parte alta y allí construye la cigüeña su nido. Estaba allí y hacía ruido con su pico.

»Un niño llegó y se sentó junto a la niña. Era su hermano. "¿Qué estás mirando?", preguntó. "Miró a la cigueña —dijo—. La vecina me ha dicho que esta noche nos traerá un hermanito o una hermanita. Y quiero verlo llegar". "La cigüeña no trae a nadie —dijo el niño—. Créeme. La vecina también me lo dijo, pero se reía y le volví a preguntar, y solo contestó: '¡Sabe Dios!' No se atrevió a decir más, y por eso sé que lo de la cigüeña es algo que nos quieren hacer creer a los niños". "Y ¿de dónde iban a venir entonces los niños?", preguntó la niñita. "Los trae Nuestro Señor —dijo el niño—. Dios los trae bajo las ropas, pero como nadie puede ver a Dios, por eso no podemos ver cuándo llegan los niños".

»En esto hubo un ruido en las ramas del saúco. Los niños juntaron sus manitas y se miraron el uno al otro.

Era Dios, que debía de llegar con el bebé. Y se cogieron de las manos.

»La puerta de la casa se abrió. La vecina los llamaba: "Entrad —dijo—; mirad lo que os ha traído la cigüeña. Es un hermanito".

»Y los niños asintieron con la cabeza. Sabían bien que había llegado».

Decimoquinta noche

«Pasé por el cerro de Lyneborg —dijo la luna—, en el que había una choza solitaria junto al camino. Solo algunos desnudos arbustos la rodeaban, en los que cantaba un ruiseñor perdido. Moriría de frío en la noche. Era su canto de cisne lo que yo oía.

»Rayó la aurora, llegó una caravana de granjeros emigrantes que se dirigían a Bremen o a Hamburgo para embarcar para América, donde la suerte, la añorada suerte, había de presentárseles. Las mujeres llevaban a sus hijos más pequeños a la espalda, los mayores corrían a su lado. Un escuálido caballo tiraba de un carro en el que iban algunos pobres enseres. Soplaba un frío glacial, por ello se apretaba la niñita más contra el pecho de su madre, que miraba mi disco redondo y menguante, y pensaba en la cruel miseria que había soportado en su país, pensaba en los duros impuestos que no podían pagar.

»Su pensamiento era el de toda la caravana. La rosada aurora los alumbró, pues, como la nueva buena de un sol de bonanzas que se alzaría de nuevo. Oyeron cantar al ruiseñor moribundo; no era ningún falso profeta, sino un augurio de buena suerte. El viento gemía, pero ellos no comprendieron su canto:

»"Cruza seguro el océano. Has pagado el largo viaje con todo lo que poseías. Pobre y sin ayuda entrarás en tu tierra de Canaán. Tendrás que venderte, vender a tu mujer y a tus hijos. Pero no sufriréis mucho tiempo. Tras las anchas, aromáticas hojas, está sentada la diosa de la muerte. Su beso de bienvenida inocula la fiebre mortal en tu sangre. Marchad, marchad sobre las henchidas aguas".

»Y la caravana escuchó alegre el canto del ruiseñor, por que ello presagiaba suerte. El día salió de detrás de las ligeras nubes. Los campesinos cruzaron el cerro para ir a la iglesia. Las mujeres vestidas de negro, con adornos de lino blanco sobre la cabeza, parecían figuras salidas de las viejas pinturas de la iglesia. A su alrededor solo el ambiente vasto, muerto; los arbustos, secos, marchitos; las llanuras, azotadas, oscuras, entre bancos de arena blanca. Las mujeres llevaban sus libros de oraciones y avanzaban hacia la iglesia.

»¡Oh, orad, orad por aquellos que marchan hacia la tumba sobre las henchidas aguas!».

Decimosexta noche

«Conozco a un polichinela —dijo la luna—. El público se alegra cuando lo ve; cada uno de sus movimientos hace a la gente desternillarse de risa y, sin embargo, ninguno de ellos está calculado, todos son de lo más natural.

»Cuando era niño y se juntaba con los otros, ya entonces era un polichinela. La naturaleza le había hecho así, le había dado una joroba en el pecho y otra en la espalda. Su interior, por el contrario, lo anímico, estaba magníficamente creado. Nadie tenía más profundo sentimiento, mayor elasticidad de espíritu que él.

»El teatro era su mundo ideal. Si hubiese sido esbelto y bien formado, habría sido el mejor trágico de la escena. Lo heroico, lo grande, llenaba su alma y, sin embargo, tenía que ser un polichinela.

»Su propio dolor, su melancolía, ponía una cómica seriedad en su cara contrahecha y provocaba la risa en un público que aplaudía entusiasmado tal maravilla.

»La preciosa Colombina era con él amable y buena, pero prefería casarse con Arlequín. Era cómico, en realidad, cuando "la bella y el monstruo" se hallaban juntos en escena. Cuando Polichinela estaba de mal humor ella era la única que podía hacerle sonreír, es más, reír a carcajadas. Primero se ponía melancólica como él, un poco más serena, pero siempre llena de cierto tono burlón. "Ya sé lo que os pasa

—decía—: es el amor". Y él no podía por menos de reír. "¡Yo y el amor —decía—, sería gracioso!, ¡cómo aplaudiría el público!". "Es el amor", repitió ella. Y añadió, con un *pathos* cómico: "Y es a mí a quien amáis". "Sí; eso se puede decir cuando se sabe que no existe el amor". Y Polichinela dio un brinco en el aire de risa. Su melancolía había desaparecido.

»Y, sin embargo, ella había dicho la verdad. Él la amaba intensamente, como amaba lo sublime y lo grande en el arte. Y en el día de su boda hizo él de figura graciosa; pero por la noche lloró. ¡Si el público hubiese visto su rostro contrahecho por el dolor, hubiera aplaudido!

»Ahora Colombina ha muerto. El día del entierro Arlequin quedó dispensado de tener que actuar. Era un viudo desconsolado. El director tenía que inventar algo agradable para que el público no echase demasiado de menos a Colombina. Polichinela tenía que ser aún más gracioso. Y él bailó y saltó con la duda en el alma y se le aplaudió con delirio. "¡Bravo, bravísimo!". Se hizo subir al escenario a Polichinela. ¡Oh, era un artista inestimable!

»Anoche, después de la representación, salió el pequeño monstruo fuera de la ciudad y se dirigió hacia el solitario cementerio. Una corona de flores marchitas adornaba la tumba de Colombina. Y allí se sentó.

»¡Qué cuadro! Su mano bajo la mejilla, los ojos hacia mí, inmóvil como una estatua. Polichinela en la tumba, digno y cómico a la vez.

»Si el público hubiese visto a su favorito habría aplaudido: "¡Bravo, Polichinela, bravo, bravísimo!"».

Decimoséptima noche

Escucha lo que me contó la luna:

«Yo he visto al cadete convertirse en oficial, y vestir por vez primera su soberbio uniforme. Yo he visto a hermosas jóvenes en la gloria de sus trajes de baile, a la novia de un príncipe feliz con su traje de gala. Pero ninguna felicidad puede compararse a la que he visto esta tarde en una criatura, una niñita de cuatro años.

»Le acababan de regalar un traje nuevo azul y un sombrerito rosa. Estaba preciosa y todos pidieron más luz, porque los rayos de la luna que penetraban por la ventana eran demasiado débiles, había que iluminar la estancia de otra manera.

»Y allí estaba la niñita, tiesa como una muñeca, sus brazos tímidamente separados del traje, los dedos muy estirados. ¡Oh, cómo relucían de felicidad sus ojos y su rostro. "Mañana saldrás a la calle", dijo su madre. Y la niñita miró su sombrero, miro su traje y sonrió feliz. "Mamá —dijo—, ¿qué pensarán los perros cuando me vean tan elegante?"».

Decimoctava noche

«Te he hablado —dijo la luna— de Pompeya, cadáver de ciudad alineada en la fila de las ciudades vivas. Pero conozco otra aún más extraña. No es un cadáver, sino como el espectro de una ciudad.

»Por doquier que los surtidores cantan en el mármol me parece oír un cuento sobre la ciudad flotante. Sí, los chorros de agua lo saben contar. Las olas del océano lo cuentan también. Sobre la superficie de las aguas se alza a menudo una niebla como velo de viuda. La novia del mar ha muerto; su palacio es ahora un mausoleo.

»¿Conoces esa ciudad? Jamás han sonado en sus calles el ruido de las ruedas de un carro o el galope de un caballo. En ellas nadan los peces y las negras góndolas vuelan graciosas sobre las verdes aguas. Quiero —prosiguió la luna— enseñarte el foro, la mayor plaza de la ciudad, y creerás hallarte en una ciudad encantada. La hierba crece entre las anchas piedras y al amanecer revolotean millares de palomas arrastradas sobre las soberbias y elevadas torres. Por tres costados te rodean los pórticos. El turco, con su larga pipa, tranquilamente sentado. El bello muchachito griego está apoyado en una columna y contempla los altos mástiles, recuerdos del antiguo poder. Las banderas cuelgan como un velo funerario. Una niña descansa; ha dejado los pesados cubos de agua, la pértiga con la que los lleva descansa sobre sus hombros y ella se apoya en el mástil de la victoria.

»No es un palacio de hadas, sino una iglesia, lo que se alza ante sus ojos. Las doradas cúpulas y las bolas de oro brillan bajo mi luz. Los soberbios caballos de bronce han hecho viajes como el caballo de bronce del cuento, han ido lejos y han regresado. ¿Ves la soberbia policromía de sus muros y vidrieras? Es como si el genio hubiese obedecido al capricho de un niño produciendo este extraño templo. ¿No ves al león alado esculpido en sus columnas? El oro brilla todavía, pero las alas están atadas. El león ha muerto, porque el rey del mar ha muerto, los grandes salones están vacíos y allí donde estaban los magníficos cuadros brillan ahora los desnudos muros. El mendigo duerme bajo los arcos a los que antaño solo la nobleza osaba acercarse. De las profundas fuentes —¿o es de la cámara de plomo cerca del puente de Los Suspiros?— llega un sollozo, como cuando el tambor sonó en las pintadas góndolas, cuando el anillo de novia voló del sonoro Bucentauro al Adriático, el rey de los mares.

»¡Adriático, envuélvete en la niebla, deja que el velo de viudo oscurezca tu pecho, cuelgue sobre el mausoleo de tu novia, la marmórea y espectral Venecia!».

Decimonovena noche

«Anoche me asomé a un gran teatro —dijo la luna—. Estaba completamente lleno de espectadores porque un nuevo actor hacía su debut. Mis rayos se deslizaron por la pequeña ventana practicada en el muro. Un rostro maquillado apoyaba la frente contra los cristales: era el héroe de la tarde.

»Su barba de caballero se rizaba en su mentón, pero las lágrimas empañaban sus ojos porque había sido silbado, silbado con razón. ¡Pobre diablo!

»Pero los pobres diablos no son admitidos en el reino del arte. Tenía hondos sentimientos y amaba el arte con pasión; pero el arte no lo amaba a él. La campana sonó; firme y decidido —como decía el papel— avanzó el héroe ante un público al que hacía reír.

»Terminada la representación, vi a un hombre embozado en su capa bajar las escaleras. Era él, el abucheado caballero de la tarde. Los tramoyistas cuchicheaban a su paso. Seguí al pecador hasta la habitación que le servía de alcoba. Ahorcarse es una muerte fea y un veneno no siempre se tiene a mano. Yo sé que pensaba en las dos cosas. Vi que se miraba al espejo su pálida cara, cerraba a medias los ojos para ver qué aspecto tendría muerto. Los hombres pueden ser terriblemente desgraciados, y a pesar de ello, terriblemente ridículos. Pensaba en la muerte, en el suicidio. Creo que se compadecía a sí mismo. Lloró mucho, y cuando se han llorado todas las lágrimas ya no se tiene ganas de morir.

»Ha pasado un año entero desde entonces. Hubo una representación en un pequeño teatro. Era una pequeña compañía ambulante. Volví a ver un rostro conocido, unas mejillas pintadas, una barba hirsuta. Volvió a mirarme y sonrió. Y nuevamente había sido silbado, exactamente hacía un minuto, en un teatro de mala muerte por un público de mala muerte.

»Aquella noche un pobre coche funerario salió por las puertas de la ciudad sin ningún acompañamiento. Era el suicida, nuestro héroe maquillado y silbado. El postillón que conducía era único guía, no había ningún séquito, nadie le seguía excepto la luna.

»En un rincón junto al muro del cementerio se enterró al suicida.

»Allí crecerán pronto las ortigas y allí arrojará el sepulturero cardos y malezas arrancadas de las otras sepulturas».

Vigésima noche

«Vengo de Roma —dijo la luna—. Allí en medio de la ciudad, sobre una de las siete colinas, se alzan las ruinas de la urbe imperial.

»Las higueras salvajes crecen entre las grietas de los muros y cubren su desnudez con sus anchas y verdosas hojas. Entre los escombros pisa el asno los verdes laureles y se alegra con los cardos dorados. Aquí, de donde una vez emprendieron el vuelo las águilas romanas, llegaron, vieron y vencieron, se halla ahora la entrada de una pequeña y pobre choza, hecha de adobe entre dos columnas de mármol tronzadas. La vid pende como una guirnalda funeraria sobre la torcida ventana.

»Una ancianita y su nieta viven aquí. Ellas reinan ahora en el foro y enseñan a los forasteros los tesoros enterrados. Del magnífico salón solo quedan las desnudas paredes y un negro ciprés tiende su larga sombra sobre el lugar en que se alzaba el trono. La tierra se eleva un metro sobre el quebrado suelo. La niñita, hija de la Roma imperial, se sienta en su escabel cuando suenan las campanas de la tarde. El ojo de la cerradura de la puerta próxima le sirve de balcón. A través de él se divisa media Roma con la soberbia cúpula de San Pedro. Todo tranquilo, como siempre, aquella noche y bajo mi clara luz llegó la niñita. En su cabeza llevaba una antigua ánfora de barro con agua. Iba descalza, la corta camisa de mangas cortas estaba hecha jirones. Besé los bellos hombros redondos de la niña, sus ojos negros y su oscura y brillante cabellera. Subió las escaleras de la casa. Eran empinadas, hechas de piedras de muralla y un capitel trenzado.

»Los polícromos lagartos se deslizaban junto a sus pies pero no le daban miedo. Ya levantaba su mano para llamar a la puerta. Una pata de liebre pendía de una cuerda. Así es ahora el cordón de una campanilla en la ciudad imperial. Se detuvo un instante. ¿En qué pensaba? Quizá en el precioso Niño Jesús, vestido de oro y plata de la capilla donde brillaban las lámparas de plata y donde sus amiguitas cantaban un cantar que ella también sabía.

»No sé. Hizo de nuevo un movimiento y resbaló. El ánfora cayó y se hizo pedazos sobre las aristas de las losas de mármol. Se echó a llorar. La hija de la Roma imperial lloraba sobre un cántaro roto. Lloró en pie, descalza, y no se atrevía a tirar del cordón de campanilla de la ciudad imperial».

Vigesimoprimera noche

Durante catorce días, la luna no había brillado. Hoy la he vuelto a ver, redonda y clara sobre las nubes, que se escalonaban en la lejanía. Oíd lo que me contó:

«De una de las aldeas de Fez salió una caravana. Yo la acompañé. Junto al desierto de arena, en una de las llanuras de sal que brillaba como una pista de hielo, en la que solo una pequeña franja estaba cubierta de arena movediza, se detuvieron. El más viejo, cantimplora al cinto, y una bolsa con pan ácimo colgada junto a su cabeza, trazó con su bastón un rectángulo y escribió dentro de él algunas palabras del Corán. Sobre el lugar bendecido se esparció la caravana.

»Un joven comerciante —hijo del sol, se veía en sus ojos, en sus bellas formas— cabalgaba pensativo sobre su blanco y fogoso caballo. ¿Pensaba acaso en su bella y joven esposa? Hacía solamente dos días que el camello, cargado de pieles y preciosos chales, había llevado a la hermosa novia hasta las murallas de la ciudad. Los tambores y chirimías sonaban, las mujeres cantaban, y en torno al camello se hacían alegres disparos. El novio era el que mejor disparaba, el que más lejos lanzaba sus tiros.

»Y ahora... Ahora atravesaba el desierto con la caravana. Le seguí muchas noches, los vi descansar junto a las fuentes, bajo las impresionantes palmeras. Degollaron a sus extenuados camellos y asaron su carne al fuego. Mis rayos refrescaron la ardiente arena. Mis rayos les mostraron las negras rocas, islotes muertos en el infinito océano de arena. No encontraron tribus enemigas en el camino sin huellas, no hubo ninguna tempestad, ni los torbellinos de arena danzaron mortíferos sobre la caravana.

»En casa, la bella esposa oraba por su esposo y su padre.

»"¿Han muerto?" —preguntó a mis dorados cuernos—. "¿Están muertos?", preguntó a mi disco brillante.

»El desierto ha quedado atrás; esta tarde se sientan bajo las altas palmeras, y la grulla, con sus enormes alas, revolotea sobre ellos; el pelícano los contempla desde las ramas de las mimosa. La espesa floresta está hollada por las pesadas patas de los elefantes. Una fila de negros llega de un mercado del interior. Las mujeres, con botones de cobre en sus negros cabellos, vistiendo camisas de color índigo, arrastran a los cansinos bueyes, sobre los que duermen niños negros desnudos. Un negro lleva atada una cría de león, que ha comprado. Se acercan a la caravana, el joven comerciante está sentado, inmóvil, callado. Sueña en la tierra de los negros con su blanca flor perfumada del otro lado del desierto».

Una nube se interpuso, y luego otra. No pude oír más aquella noche.

Vigesimosegunda noche

«He visto llorar a una niñita —dijo la luna—. Lloraba por la maldad del mundo. Había recibido como regalo la más preciosa muñeca. ¡Oh, era una muñeca tan delicada y fina! No había sido creada para que se la tratase mal.

»Pero el hermano de la niñita, un muchachito alto, había cogido la muñeca, la había colocado en lo alto de uno de los árboles del jardín y había huido corriendo. La niñita no podía alcanzar la muñeca, no podía ayudarla a bajar, y por eso lloraba. La muñeca lloraba también, seguramente, pues extendía sus bracitos entre las ramas del árbol y tenía el gesto compungido.

»¡Sí, eso eran las tribulaciones del mundo de que mamá hablaba tantas veces, pobrecita muñeca! Empezaba a oscurecer, y no tardaría seguramente en hacerse de noche. ¿Iba a quedarse sola en el árbol toda la noche? No. La niña no podía soportarlo. "Me quedaré contigo", dijo. A pesar de que ella tampoco las tenía todas consigo. Le parecía ver ya perfectamente a los pequeños gnomos, con sus gorros puntiagudos, saliendo de entre los arbustos, y en las oscuras alamedas bailaban largos fantasmas, que se acercaban cada vez más, alargaban los brazos hacia el árbol en que estaba la muñeca, la señalaban con el dedo y se reían. ¡Oh, qué asustada estaba la niñita! "Pero cuando uno no tiene pecados, nadie puede hacerle daño —pensaba—. ¿Habré cometido yo algún pecado?...". "¡Ah, sí! —dijo—; me he reído del pobre patito que lleva una venda roja en una pata. ¡Cojea de una manera tan divertida! Por eso me he reído. Pero es un pecado reírse de los animales —y miró a la muñeca—. ¿Te has reído tú de los animales?", preguntó.

»Me pareció que la muñeca movía la cabeza».

Vigesimotercera noche

«Me asomé al Tirol —dijo la luna—. Hice que los sombríos pinos arrojasen fuertes sombras sobre las rocas. Encontré a san Cristóbal con Jesús Niño sobre sus hombros, tal y como se le ve en las paredes de las casas, colosal, desde el suelo hasta el tejado. San Florián echaba agua sobre las casas que ardían, y Cristo pendía sangriento de la gran cruz del camino. Son viejas escenas para nuevas generaciones; yo las he visto alzarse, surgir una tras otra.

»De lo alto de la cumbre rocosa cuelga, como un nido de golondrinas, un claustro solitario. Dos hermanas se hallaban en la torre, tocando las campanas. Ambas eran jóvenes, y por eso voló su mirada sobre las montañas por el ancho mundo.

»Una diligencia pasaba por la carretera. El postillón hacía sonar el cuerno, y las pobres monjas fijaban, con análogos pensamientos, sus ojos en ella. En los ojos de la más joven temblaba una lágrima.

»Y el cuerno sonaba cada vez más débil. La campana del convento apagaba sus mortecinos sones».

Vigesimocuarta noche

Escuchad lo que me contó la luna:

«Sucedió hace muchos años aquí, en Copenhague. Me asomé a la ventana de una pobre habitación. El padre y la madre dormían, pero el pequeñín estaba despierto. Yo vi cómo las sábanas se movían y el niño asomaba su cabecita.

Creí al principio que miraba el gran reloj de Bornholm, profusamente decorado con colores rojo y verde. Tenía un cuco y grandes pesas de plomo, y el péndulo, con sus brillantes discos de bronce, iba de izquierda a derecha: tic-tac.

»Pero no era eso lo que veía, sino la rueca de su madre, que estaba bajo el reloj. Era la pieza más querida del niño en toda la casa, pero no se atrevía a tocarla por miedo a pillarse los dedos. Horas enteras, mientras su madre hilaba, estaba sentado y miraba fijamente la devanadera y la rueda que giraba, y por eso tenía ahora una sola idea: ¡ah, si se atreviese tan solo a probar la rueca!

»Papá y mamá dormían. Él los miró, miró la rueca, y poco después sacaba un piececito desnudo, sus dos piernas, y, ¡cataplum!, ya estaba en el suelo. Se volvió todavía una vez para ver si su padre y su madre dormían aún. Sí, no había peligro. Y se acercó despacito, despacito, solo con su camisoncito, hacia la rueca y la hizo girar. La correa se soltó y la rueda giró entonces mucho más deprisa. Yo besé sus bucles rubios y sus ojos azul claro. ¡Era un precioso cuadro!

»En esto se despertó la madre. Sus sábanas se movieron, miró y creyó ver a un duendecillo o a cualquier otro espectro diminuto. "¡Jesús mío!", dijo. Y despertó, asustada, a su marido. Y este abrió los ojos, los frotó con sus manos y vio a la pequeña y preciosa criatura. "¡Pero si no es más que Bertel!", dijo.

»Y mis ojos se apartaron entonces de la pobre estancia —¡puedo ver tantas cosas!— y me fijé en el mismo instante en las salas del Vaticano donde se hallan los dioses de mármol. Iluminé el grupo de *Laoconte*. La piedra parecía sollozar. Puse mi tranquilo beso sobre el pecho de las musas. Creo que se movieron. Mis rayos se detuvieron sobre todo en el grupo del *Nilo,* en el colosal dios del Nilo. Apoyándose en la esfinge, yacía tan pensativo y soñador como si pensase en los años ya idos. Pequeños amorcillos jugaban a su lado con los cocodrilos. En el Cuerno de la Abundancia se hallaba, de brazos cruzados y contemplando al serio dios de las aguas, un amorcillo, un verdadero retrato del pequeñín de la rueca. Eran sus mismos rasgos. Vivo y hermoso era el niño de mármol, y, sin embargo, la rueda del año había girado miles de veces desde que él surgió de la piedra. Exactamente, tantas veces como el niño de la pobre alcoba hizo girar la rueca ha girado la gran rueda y girará aún antes de que nuestra época vuelva a crear dioses marmóreos como estos.

»Bien, de todo esto hace ya muchos años. Ayer me fijé en una ensenada de la costa occidental de Seland. Preciosos bosques, altas laderas, un viejo caserón de rojos muros, cisnes en los bosques y un pueblecito con pequeña iglesia, entre huertos de manzanos. Infinidad de barcos, todos con antorchas, se deslizan sobre la tranquila superficie de las aguas. No era para la caza de la anguila para lo que lucían las antorchas. ¡No! Era una gran fiesta. Se oían los sones de la música, se cantaban canciones, y en medio de uno de los botes se hallaba él, el homenajeado: un hombre alto, robusto, que vestía amplia capa. Tenía los ojos azules y largos cabellos blancos. Yo lo reconocí y pensé en el Vaticano, en el grupo del Nilo y en todos los dioses de mármol. Pensé en la pequeña pobre alcoba, creo que era en Gronnegade, donde el pequeño Bertel, con su corto camisón, hacía girar la rueda.

«La rueda del tiempo ha girado. Nuevos dioses han salido de la piedra. De los botes salió un ¡hurra!, ¡un hurra por Bertel Thorvaldsen!».

Vigesimoquinta noche

»Quiero darte un boceto de Fráncfort —dijo la luna—. Me fijé sobre todo en un edificio. No era la casa donde nació Goethe, ni tampoco el viejo ayuntamiento, donde, a través de las ventanas enrejadas, todavía las astadas cabezas de los bueyes son asadas y se dan como premio en la coronación del emperador. Era un edificio no oficial pintado de verde y de aspecto mísero, en la esquina de la estrecha Jodegade; era el edificio Rotchild.

»Miré, a través de las abiertas puertas, la escalera profusamente iluminada. A lo largo de ella y del pasillo se hallaban los servidores sosteniendo macizos candelabros de plata encendidos, y se inclinaban ante la anciana que era descendida por la escalera en su silla de mano. El propietario de la casa, la cabeza descubierta, puso un beso respetuoso en la mano de la anciana. Era su madre. Ella movió la cabeza dulcemente, saludando a su hijo y a los servidores, que la llevaron por la estrecha y sombría calle hasta una pobre casita.

»Allí vivía ella. Allí había criado a sus hijos. Allí había empezado el bienestar de ellos. Si abandonase ahora ella la pobre callejuela, la pequeña casa, tal vez la suerte abandonase a sus hijos. Así lo creía ella».

La luna no dijo más. Poco tiempo duró esta noche su visita, pero yo pensé en la anciana de la estrecha calleja. Solo una palabra suya y tendría una magnífica casa junto al Támesis. Simplemente una palabra y tendría una villa en el golfo de Nápoles. «Si abandono la casa donde empezó la prosperidad de mis hijos, tal vez la suerte los abandone». Era una superstición de esas en que, solo cuando se conoce la historia y se ve el cuadro, se llegan a comprender las dos palabras que le sirven de título: «Una madre».

Vigesimosexta noche

«Fue ayer, al amanecer —dijo la luna—. Ni una chimenea humeaba aún en la gran ciudad, y es que precisamente me fijaba en las chimeneas.

»De una de ellas salió de pronto una cabecita y luego medio cuerpo. Los brazos descansaban en el borde de la chimenea.

»¡Hurra! Era un pequeño aprendiz de limpiachimeneas, que por primera vez en su vida subía por toda una chimenea y asomaba la cabeza por encima de los tejados.

»¡Hurra! ¡Vaya! Esto sí que era algo, y no estar siempre limpiando hogares y estufas.

»El viento soplaba fresco, el muchacho dominaba desde su atalaya toda la ciudad y el verde bosque. Y en esto salió el sol, grande y redondo, iluminó su cara, que relucía de felicidad, a pesar de estar completamente embadurnado de hollín. "Ahora puede verme toda la ciudad. Y la luna puede verme y el sol también; ¡hurra!" Y agitó alegremente su escoba».

Vigesimoséptima noche

«Anoche me asomé a una ciudad china —dijo la luna—. Mis rayos alumbraron los largos y desnudos muros que formaban las calles. Acá y allá se ve alguna que otra puerta; pero están cerradas, porque, ¿qué importa a los chinos el mundo exterior?

»Tupidas celosías cubrían las ventanas detrás del muro de la casa. Solo una débil luz, procedente del templo, se veía, a través de los cristales. Me asomé al interior y vi la lujosa policromía. Del suelo al techo se alzaban imágenes en colores chillones y preciosos dorados que representaban las acciones de los dioses acá, en la tierra. En cada uno de los nichos se hallaban sus estatuas casi ocultas por los tapices decorados y estandartes colgantes, y ante cada divinidad —todas son de estaño— se alzaba un pequeño altar con agua bendita, flores y cirios ardiendo.

»Y en lo más alto del templo se hallaba Fu, la suma divinidad, vestido de una túnica de seda del sagrado color amarillo. Al pie del altar, una figura humana sentada, un joven sacerdote. Parecía orar y sumergirse en profunda meditación en medio de su súplica. Se trataba, sin duda, de un pecador, pues sus mejillas ardían y su cabeza se inclinaba cada vez más.

»¡Pobre Soui-Houng! ¿Soñaba tal vez en verse trabajando al otro lado del largo muro de la calle, en el pequeño trozo del jardín con flores que hay ante cada casa, y le era más grata esa tarea que la de cuidar de los cirios del templo? ¿O deseaba sentarse a rica mesa y limpiarse la boca entre plato y plato con papel de plata? ¿O era tan grande su pecado que, si se atreviese a expresarlo, podría el cielo castigarlo con la muerte? ¿Osaba su pensamiento volar con la nave de los bárbaros hasta su casa, la lejana Inglaterra?

»No. Su pensamiento no iba tan lejos, y, sin embargo, era tan pecador como la ardiente sangre joven puede concebir, pecador aquí, en el templo, ante las imágenes de Fu y de los santos dioses.

»Yo sé cuál era su pensamiento. En las afueras de la ciudad, en el liso, afilado tejado cuyo alero parece hecho de porcelana, donde en los preciosos jardines había grandes campanillas blancas, estaba la pequeña Pe, la de los pequeños ojos rasgados, carnosos labios sensuales y lindos piececitos. El zapato oprimía y dolía, pero más dolía el corazón, y ella levantaba sus finos y ágiles brazos, y el satén crujía. Ante ella, una pecera. Agitaba despacio el agua con una varita tallada, pintada y lacada, muy despacito, pues estaba absorta en sus meditaciones. ¿Pensaba acaso en los ricos vestidos de los dorados peces, en lo bien que vivían en su pecera, recibiendo apetitosos manjares, y en cuánto mejor se hallarían, sin embargo, libres?

»Sí, en eso pensaba la hermosa Pe. Su pensamiento salió de la casa, se acercó al templo; pero no era por Dios por quien ella iba allí.

»¡Pobre Pe! ¡Pobre Soui-Houng! Sus pensamientos terrenales se encontraron, pero mis fríos rayos yacían como una espada de querube entre ellos».

Vigesimoctava noche

«Reinaba la calma en el mar —dijo la luna—. El agua era tan transparente como el puro cielo que yo surcaba. Podía ver bajo la superficie de las aguas las extrañas plantas que, como árboles gigantescos de un bosque, se alzaban en sus enormes tallos hacia mí. Los peces nadaban por encima de ellas.

»Muy alto en el cielo pasó una bandada de cisnes silvestres. Uno de ellos, de alas fatigadas, iba perdiendo altura cada vez más y más. Sus ojos siguieron a la aérea caravana, que se iba alejando, mientras él, con sus alas extendidas, descendía como una pompa de jabón desciende en el aire tranquilo. Tocó la suerficie del agua, echó hacia atrás su cabeza, entre sus alas, y se quedó quieto como el loto blanco sobre el sereno lago.

»Y el viento se alzó y agitó la brillante superficie de las aguas, que relucía como si fuese el éter quien rodase en sus grandes, anchas olas. Y el cisne levantó la cabeza. Y el agua brillante saltó como un fuego azul sobre su pecho y su espalda. El alba rayaba entre las nubes rojas, y el cisne se elevó, fortalecido, y voló hacia el sol naciente, hacia las costas azuladas que la aérea caravana de los cisnes surcaba; pero volaba solo, la añoranza en su pecho, volaba solitario sobre las azules y bullentes aguas».

Vigesimonovena noche

«Voy a darte otro cuadro más de Suecia —dijo la luna—. Entre oscuros bosques de pinos, junto a las melancólicas costas del Roxen, se alza el viejo convento de Wreta. Mis rayos se deslizaron por entre las rejas del muro hasta la espaciosa bóveda donde los reyes dormitan en enormes sarcófagos de piedra. En el muro, sobre ellos, pende como imagen de la grandeza terrena una corona real; pero es de madera pintada y dorada y se halla fija en una estaca introducida en el muro. La carcoma ha roído la madera dorada, la araña ha tendido su tela de la corona a la tumba como un sudario frágil, como lo es la pena para los mortales. ¡Qué tranquilos duermen! ¡Los recuerdo tan bien! ¡Veo todavía su firme sonrisa en los labios que hablaban de alegrías o dolores, tan poderosos, tan dominantes!

»Cuando el vapor, como una *snekke* gigantesca, navega entre las montañas del fiordo llega de cuando en cuando un forastero a la iglesia, visita la bóveda sepulcral, pregunta por los nombres de los reyes y estos resuenan olvidados, muertos. Se fija en las carcomidas coronas y sonríe. Sé que es un alma delicada, pues en su sonrisa se ve una añoranza nostálgica.

»¡Dormid, muertos; la luna os recuerda, la luna os envía en la noche sus rayos fríos hasta vuestro tranquilo reino, sobre el que penden coronas de madera de pino!».

Trigésima noche

«Cerca del camino real —dijo la luna— se halla una posada, y no muy lejos de ella, un cobertizo cuyo tejado todavía está en construcción. Yo vi, entre las vías y a través de los ventanucos, el interior de la desagradable estancia.

»El pavo dormía sobre un palo, y la silla de montar descansaba en un pesebre vacío. En medio de la estancia se hallaba una carroza. Los señores dormían dentro, a sus anchas, mientras los caballos bebían, y el cochero desperezaba sus miembros, aunque yo sé mejor que nadie que había dormido bien durante más de la mitad del camino. La puerta de servicio estaba abierta, las ropas de cama revueltas, una lámpara en el suelo, con la mecha a punto de extinguirse, en el fondo del fanal. El viento helado se introducía en el cobertizo, y era ya más cerca de la aurora que de la medianoche. En el suelo de las caballerizas dormía una familia de músicos ambulantes. Papá y mamá soñaban con las ardientes *lágrimas* de la botella, la pálida niñita soñaba con las ardientes lágrimas de sus ojos. El arpa descansaba junto a su cabeza, el perro, a sus pies».

Trigésima primera noche

«Ocurrió en una pequeña ciudad —dijo la luna—. Lo vi el año pasado; pero eso no importa, porque lo vi muy bien. Esta noche he leído algo parecido en el periódico, pero en él no resultaba tan divertido.

»En la posada descansaba el gitano y tomaba su cena. El oso estaba atado fuera, detrás de la leñera; el pobre oso, que no se metía con nadie, a pesar de su aspecto feroz. Arriba, en la buhardilla, a la luz de mis claros rayos, jugaban tres niños. El mayor tendría unos seis años, el menor no más de dos. ¡Plom!, ¡plom!, se oyó en las escaleras. ¿Qué podría ser?

»La puerta se abrió... ¡Era el oso!, el enorme y peludo oso. Se había aburrido de estar en el patio y había encontrado el camino de la escalera. Todo esto fue lo que yo vi —dijo la luna—. Los niños se asustaron tanto al ver al enorme y peludo animal que se escondieron cada uno en un rincón; pero el oso se acercó a los tres, los tocó con su hocico y no les hizo nada. "Debe de ser un gran perro", pensaron los niños, y le acariciaron.

»El oso se tendió en el suelo, y el más pequeño se encaramó a él, y jugaba a esconder sus dorados bucles en la oscura y negra piel del animal. El mayor cogió su tambor, lo aporreó con todas sus fuerzas, y el oso se alzó sobre sus patas traseras y empezó a bailar. ¡Maravilloso! Los niños cogieron cada uno su fusil. El oso también tenía que tener uno, y lo sostenía correctamente. Era un excelente camarada que habían conquistado. Y se pusieron a desfilar: un, dos; un, dos...

»La puerta volvió a abrirse. Era la madre de los niños. ¡Si la hubieras visto, visto su rostro pálido como la cera, su gesto sin palabras, su boca entreabierta, sus ojos desorbitados! Pero el pequeñín movía la cabeza alegremente, gritando con toda la fuerza de su media lengua: *"¡Eztamoz jugando a loz zoldadoz!"*. Y en esto llegó el gitano».

Trigésima segunda noche

Soplaba un fuerte viento helado, las nubes pasaban veloces. Solo de cuando en cuando podía yo ver la luna.

«A través del espacio sereno veo las nubes que huyen —dijo ella—. Veo las enormes nubes pasar veloces sobre la tierra.

»Hace poco me fijé en una cárcel. Una carroza cerrada esperaba a la puerta. Iban a sacar a un preso. Mis rayos penetraron por el ventanuco enrejado hasta la pared de la celda. Había escrito como despedida unas líneas; pero no eran palabras lo que había escrito, era una melodía, la expresión de un corazón en su última noche en aquel lugar. Y la puerta se abrió, le sacaron, se fijó en mi disco redondo... Las nubes se interpusieron entre nosotros, como si yo no osase ver su rostro, como si él no osase ver el mío. Subió al coche, que se cerró. Restalló el látigo, los caballos partieron veloces por el denso bosque, donde mis rayos no podían seguirlos.

»Me fijé en la celda. Mis rayos se detuvieron en la melodía escrita en el muro, el último adiós. Donde las palabras fallan habla la música. Pero solo podían iluminar mis rayos algunas notas, la composición entera estará siempre en la sombra para mí. ¿Era un himno de muerte lo que escribió? ¿Eran notas de alegría? ¿Iba hacia la muerte, o hacia el abrazo de los suyos? Los rayos de la luna no pueden leer todo lo que los mismos mortales escriben.

»A través del espacio inmenso veo huir las nubes a mis pies, las gigantescas nubes que pasan veloces sobre la tierra».

Trigésima tercera noche

«Me gustan mucho los niños —dijo la luna—. Especialmente los más pequeñines son los más graciosos. Cuando ellos menos piensan en mí me introduzco en su alcoba, entre la ventana y las cortinas. ¡Es tan gracioso verlos ayudarse mutuamente a desnudarse! Primero sale un hombro chico y redondo desnudo, después sacan un brazo de sus ropitas, o se quitan las medias, y yo beso sus piececitos blancos bien formados.

»Esta noche tengo que contarte una cosa. Esta noche me asomé a una ventana que no tenía la persiana echada, porque enfrente no hay vecinos, y vi a un grupo de hermanos y hermanas. Vi a una niñita que tiene solo cuatro años, pero dice su Padrenuestro tan bien como los demás, y su madre se sienta cada noche junto a su camita y la oye rezar, después le da un beso y se queda hasta que la niña se duerme, lo que ocurre tan pronto como cierra los ojos. Esta noche, los dos mayores se sentían un poco traviesos. Uno saltaba sobre una pierna, con su largo camisón blanco; el otro estaba encima de una silla, con todas las ropas de los demás. Era un acertijo, decía, y todos tenían que adivinar de quién era la prenda que él tenía en una mano, escondida a sus espaldas. El tercero y el cuarto colocaban ordenadamente sus juguetes en el cajón, como debe hacerse, mientras la madre se hallaba junto a la camita de la pequeña y decía que todos debían estar callados, porque la chiquitina estaba rezando.

»Me fijé en ella —dijo la luna—. La niñita estaba en su camita, de blancas y delicadas ropas, con sus manitas juntas y su carita muy seria, y recitaba en alto su Padrenuestro. "¿Qué es —dijo la madre, interrumpiéndola en su rezo— lo que añades después de decir 'el pan nuestro

de cada día'? Yo no puedo oírlo bien. ¿Qué es? ¿Quieres decírmelo?"
Y la pequeña callaba y miraba confusa a su madre. "¿Qué es lo que dices después de 'el pan nuestro de cada día'?" "No te enfades, mamaíta —dijo la niña—; pido que nos lo dé también con rica mantequilla"».

EL GORRO DE DORMIR DEL CORREDOR DE PIMIENTA

Hay en Copenhague una calle que lleva el extraño nombre de Hysken. ¿Por qué se llama así? ¿Qué significa eso? Según parece, es un nombre alemán, aunque desfigurado. Se debería decir Häuschen, lo cual significa *casitas*. Estas, en otras épocas, y durante larguísimos años, fueron apenas unas simples barracas de madera, casi iguales a las que, hoy en día, vemos en las ferias; tal vez un poco mayores y con ventanas, aunque estas, en lugar de cristales, poseían planchas de cuerno o de piel de vejigas, porque en aquellos tiempos costaba demasiado caro tener cristales en las ventanas de todas las casas. Es verdad que se trataba de tiempos remotos, de los cuales ya el bisabuelo de mi bisabuelo al hablar decía «en tiempos remotísimos». Y hace de aquello muchos siglos.

Los ricos comerciantes de Bremen y de Lübeck comerciaban con Copenhague. No venían ellos mismos a esta ciudad, sino que enviaban a sus viajantes o corredores de comercio, los cuales habitaban las barracas de madera de la «calle de las casitas», dedicándose a la venta de cerveza y de especias. La cerveza alemana era excelente, y la había de muchas clases: de Bremen y de Prysing, de Ems y también de Brunswick. Otro tanto ocurría con las especias, como el azafrán, el anís, el jengibre y, sobre todo, la pimienta. Por ser la pimienta la más importante de todas las especias, se llamaba a los viajantes de comercio alemanes en Dinamarca «corredores de pimienta». Se obligaban, por medio de contratos firmados en sus casas exportadoras, a no casarse en este país. Muchos de ellos envejecían aquí; debían atender a sus propias necesidades, arreglarse ellos mismos su casa y encender su fuego, si lo tenían. Muchos se convirtieron en solterones solitarios, con ideas y costumbres muy particulares. A causa de esto es por lo que hoy a un hombre soltero, que ha llegado a la edad madura, se le llama «corredor de pimienta». Es necesario explicar todo esto para que se comprenda bien la historia que vamos a relatar.

La gente se burla de los solterones diciendo que usan gorro de dormir, el cual se echan sobre los ojos cuando se acuestan:

¡Cortad, cortad la madera!
¡Olé los solterones...!
¡Se acuestan con gorro de noche
y encienden ellos mismos su candela!

Sí. Esto es lo que se canta sobre ellos. La gente se burla del solterón y de su gorro de dormir..., precisamente porque se conoce muy poco de ambos. Pero es necesario no codiciar nunca tal gorro de dormir. ¿Por qué? ¡Escuchad un poco!

En tiempos remotísimos, la calle de las casitas no estaba empedrada. Las gentes, al transitar por ella, iban de agujero en agujero, como por un mal camino de mucho tráfico. La calle era angosta: las barracas, que se levantaban una enfrente de otra, estaban tan juntas que, corrientemente, durante el verano, se tendía un toldo por encima de la calle, de una tienda a otra, esparciéndose entre ellas el olor de las especias: del azafrán, del jengibre y de la pimienta. Tras el mostrador apenas se veían dependientes jóvenes. No. Casi todos eran hombres maduros, y ninguno de ellos llevaba, como imaginamos, peluca ni gorro de dormir, ni usaban calzones, ni chalecos y chaquetas abotonados hasta el cuello. No. Era el bisabuelo de mi bisabuelo el que vestía así, y así es como pintan su retrato. Los corredores de pimienta no poseían medios económicos para que los pintaran, sin embargo, hubiera sido muy interesante poseer en estos tiempos el retrato de uno de ellos, tal y como estaban detrás del mostrador o como cuando iban a la iglesia los días festivos. El sombrero era de anchas alas y copa alta, y, con frecuencia, los corredores más jóvenes clavaban en ellos una pluma; la camisa de lana se ocultaba bajo un cuello de tela plegado; la chaqueta, estrechamente abotonada, con la capa flotando por encima de ella; el pantalón descendía hasta los amplios zapatos, pues no llevaban medias. De la cintura colgaban el cuchillo y la cuchara para comer y, además, un cuchillo grande para defenderse, arma muy necesaria en aquellos tiempos.

Es así como se vestía, los días de fiesta, el viejo Antón, uno de los corredores de pimienta más antiguos de la calle de las casitas, a excepción del sombrero de copa alta, que no tenía, y que sustituía por un capuchón, con un gorro de lana debajo, verdadero gorro de dormir, al cual se hallaba tan habituado que lo llevaba siempre, pues tenía dos parecidos. Verdaderamente, este individuo era digno de ser pintado, pues era delgado como un palo, con arrugas alrededor de la boca y de los ojos, largos y huesudos dedos y cejas grises en forma de cepillo. Por encima de su ojo izquierdo asomaba un gran copete de pelo, lo que no le hermoseaba, pero le hacía distinguido. Se sabía que era natural de Bremen, aunque, en realidad, no lo era. Quien vivía allí era su jefe. Antón era oriundo de Turingia, de la ciudad de Eisenach, muy cercana a Wartburg, y aunque él no hablaba mucho de ella, pensaba con frecuencia en su villa.

Los viejos dependientes de la calle no se reunían a menudo; cada cual permanecía en su barraca, cerrada en cuanto llegaba la noche. Entonces, todo permanecía a oscuras, a excepción de un ligero resplandor que aparecía en la ventanuca de cuerno situada en el tejado. En el interior de la barraca, corrientemente, el anciano se sentaba en su camastro, cogía entre sus manos el cancionero alemán y cantaba su salmo nocturno; otras veces se paseaba hasta muy tarde y se entretenía con lo que podía, lo que no sería, seguramente, muy divertido. Ser extranjero en una ciudad extranjera es una situación muy ingrata. Nadie se ocupa de uno, o bien, se hace uno inoportuno.

Cuando en el exterior anochecía muy pronto y llovía o hacía niebla, la calle permanecía solitaria y su aspecto era siniestro. No se veía ninguna luz, excepto una muy pequeñita colgada en uno de los extremos de la calle ante una imagen de la Virgen María pintada en la pared. Muy cerca, se oía chapotear y agitarse ligeramente el agua del mar contra el muelle de madera, ante Stotsholm, que estaba frente al otro extremo de la calle. Tales jornadas nocturnas se hacían largas y solitarias si no se encontraba nada en qué ocuparlas. Todos los días no se podían embalar o desembalar cajones ni era necesario hacer cucuruchos de papel o bruñir los platillos de la balanza. Había que atender a otros menesteres. El viejo Antón cosía sus ropas y remendaba sus zapatos, y, cuando al fin se metía en la cama, conservaba, por costumbre, el gorro de dormir. Se lo echaba entonces un poco más sobre los ojos; pero enseguida volvía a subírselo para ver si la luz estaba bien apagada, tocaba y presionaba con sus huesudos dedos la mecha. Después se recostaba sobre el otro lado y volvía a echarse el gorro sobre los ojos. Mas enseguida le acudía a la mente la siguiente idea: «¿Estaba bien apagada la lumbre de la cocinilla situada en el piso de abajo? Podía haber quedado encendida una brasa y originarse un incendio».

Entonces se levantaba, descendía la escala, porque aquello no podía llamarse escalera, y, cuando llegaba a la cocinilla y comprobaba que no quedaba el menor vestigio de lumbre, regresaba al piso superior. Pero, a veces, no subía más que la mitad de los escalones, pues en su camino de vuelta pensaba que no estaba seguro de si la barra de hierro estaba colocada en la puerta o de si estaban bien echadas las aldabillas de las contraventanas, por lo que volvía a descender valiéndose de sus delgadas piernas. Cuando, al fin, se deslizaba en su camastro, sentía frío y le castañeteaban los dientes, porque el frío se hace más intenso cuando se sabe que va a estarse uno quieto. Se tapaba más con la colcha y se metía más el gorro y procuraba apartar de su mente el negocio y las fatigas de la jornada diaria; pero entonces acudían los viejos recuerdos y abrían las cortinas de su pensamiento, que tienen a veces alfileres para sujetarlas. ¡Ay!, y si estos alfileres nos pinchan en la carne y la hacen sangrar, acuden las lágrimas a nuestros ojos. El viejo Antón lloraba con frecuencia cálidas lágrimas, que eran como límpidas perlas que caían sobre la colcha o en el suelo, en donde hacían un ruido parecido al de una cuerda dolorosa que se rompe; tan pleno estaba su corazón. Si se enjugaba los ojos con su gorro de dormir, las lágrimas desaparecían, la imagen se borraba, pero la fuente permanecía, porque estaba en el corazón. Las imágenes no llegaban en el mismo orden seguido en la realidad; lo más corriente era que surgieran primero las más tristes; las más agradablemente melancólicas aparecían después, y precisamente estas eran las que proyectaban las sombras más espesas.

Se dice que en Dinamarca es encantador el bosque de hayas; pero más encantador era para Antón el bosque de hayas que se extendía en los alrededores de Wartburg; más importantes y venerables le parecían los añosos robles que rodeaban al antiguo castillo feudal, donde las plantas trepadoras se asían a los peñascos; más suave que en tierra danesa era el perfume de las flores de los manzanos, cuya visión aún captaba: una lágrima goteó, cayó y brilló, y vio allí, claramente, a dos niños, un muchacho y una muchacha, jugando. El niño tenía las mejillas sonrosadas, los cabellos rubios y rizados, los ojos grandes y azules. Era hijo de un rico mercero: el propio Antón cuando era pequeño. La niña poseía ojos castaños y cabellos negros. Su aspecto era animoso e inteligente. Se trataba de Molly, la hija del burgomaestre. Jugaban los dos con una manzana, sacudiéndola y escuchando el ruido que, en su interior, hacían las pepitas. La partieron en dos trozos, y se quedaron cada uno con la mitad. Repartieron entre ellos las pepitas y se las comieron, todas, excepto una, que plantarían, para satisfacer una idea de la niña.

—Y ya verás lo que saldrá de ella; saldrá lo que no te imaginas. Va a crecer un manzano, pero no enseguida.

La plantaron en una maceta. Los dos niños se dedicaron a esta operación. El niño hizo un agujero en la tierra con un dedo: la niña depositó en él la pepita, y entre los dos lo recubrieron de tierra.

—Es preciso que no la saques mañana para ver si ha echado raíces —aconsejó la niña—. No lo hagas. Esto lo he hecho dos veces con mis flores para ver si crecían, y se secaron. Entonces yo no sabía que eso no se debía hacer.

La maceta quedó en casa de Antón, y todas las mañanas, durante el invierno, el niño la miraba, pero no veía más que la negra tierra. Cuando llegó la primavera brilló el sol y la temperatura se hizo más cálida. En la maceta aparecieron dos hojitas verdes.

—Son Molly y yo —dijo Antón—. ¡Es admirable! ¡Es magnífico! Bien pronto nació una tercera hoja. ¿A quién designaba? Y, enseguida, otra, y otra, y otra más. Cada día, cada semana que transcurría, aquello crecía; la planta se transformaba en árbol. Y todo eso se reflejaba ahora en una sola lágrima, pronto limpiada y desaparecida. Pero podía renacer de su fuente: el corazón del viejo Antón.

Cerca de Eisenach se extiende una hilera de colinas rocosas. Una de ellas es redonda y está virgen de árbol, maleza y hierba. Se la llama la montaña de Venus y es allí donde habita la señora Venus, una diosa de los tiempos paganos. También se la conocía por el nombre de la señora Holle, y todos los niños de Eisenach sabían y saben aún que ella había atraído al noble caballero Tannhäuser, uno de los maestros cantores del grupo de cantores de Wartburg.

La pequeña Molly y Antón iban con frecuencia a la colina. Un día la niña dijo:

—¿Te atreverías a golpear el suelo y gritar: «¡Señora Holle, señora Holle, abrid; soy Tannhäuser!»?

Antón no se atrevía. En cambio, Molly sí. A veces, la niña decía muy claro y solo en voz alta las palabras: «¡Señora Holle!», y pronunciaba el resto lanzándolo al viento, tan indistintamente, que Antón estaba seguro de que ella no había dicho nada en realidad. La muchacha era atrevida, tan atrevida que cuando se encontraba junto con otras niñas en el jardín y aparecía Antón, a quien todas querían besar precisamente porque él no quería besar a ninguna, era Molly la única que osaba hacerlo.

—Yo me atrevo a besarle —decía con orgullo.

Y le saltaba al cuello. Era su vanidad, y Antón se resignaba y no pensaba nunca en ello. Pero, ¡cuán gentil era, cuán intrépida! Según parecía, la señora Holle de la montaña era también muy encantadora; pero se decía que su encanto era la belleza seductora del mal. Por el contrario, el encanto más perfecto se hallaba en santa Isabel, la santa protectora del país, la piadosa princesa turingia, cuyas buenas acciones, según la leyenda y la fábula, ennoblecían tantos lugares de la región. Su imagen, rodeada de candelabros de plata, se veneraba en la capilla...; pero no se parecía en nada a Molly.

El manzano que habían plantado los dos niños crecía de año en año. Se hizo tan grande que fue preciso plantarlo en el jardín, al aire libre, donde caía el rocío, donde brillaba el ardiente sol, y tuvo fuerzas para resistir el invierno, y después del duro tormento del invierno, fue la alegría de la primavera la que lo hizo florecer. En otoño dio dos manzanas: una para Molly, otra para Antón. No hubiera podido tener menos.

El árbol se había dado prisa en crecer. Molly creció como el árbol. Era lozana como una flor de manzano. Pero Antón no iba a contemplar por mucho tiempo esa flor. ¡Todo cambia y todo se modifica!

El padre de Molly abandonó la vieja casa, y la muchacha marchó con él muy lejos. En nuestros días, con el vapor, los viajes son cuestión de horas; en aquella época se necesitaban más de una noche y de un día para ir hacia el oeste, hasta un lugar tan lejano de Eisenach como la ciudad de Weimar, al otro extremo de la Turingia.

Molly y Antón lloraron. Todas sus lágrimas se fundieron y corrieron en una sola y única lágrima, rosa luminosa de la alegría. Molly había dicho a Antón que le amaba más que a todo el esplendor de Weimar.

Pasaron un año, dos, tres..., y durante ese tiempo solo llegaron dos cartas: una, traída por el carretero; otra, por un viajero. El camino era largo, difícil y sinuoso, pasando por muchos lugares y ciudades.

Molly y Antón habían escuchado muchas veces juntos la historia de Tristán e Isolda, y el niño había visto siempre en estos personajes encarnados sus propias vidas, y aunque el nombre de Tristán, según parecía, significaba estar destinado a la desgracia, Antón no se aplicaba esto, pues jamás hubiera podido concebir la idea de que «ella me ha olvidado». Isolda no olvidó jamás al amigo de su corazón, y cuando los dos murieron y sus cuerpos fueron enterrados a un lado y otro de la iglesia, los tilos de las dos tumbas crecieron por encima del tejado y allí se unieron con sus flores. Antón encontraba esto muy bonito, aunque muy triste...; sin embargo, nada triste podía ocurrir entre Molly y él, y silbaba una canción del maestro cantor Walther von der Vogelweide:

Bajo los tilos, cerca de la landa...

en la que, sobre todo, esto sonaba muy bien:

En la linde del bosque, en el tranquilo valle
¡tandaradalle!,
un ruiseñor regalaba su canto.

Esta canción acudía siempre a sus labios. La cantaba y la silbaba por la noche, bajo los rayos de la luna, cuando marchaba a caballo por la profunda quebrada en dirección a Weimar para visitar a Molly: quería llegar a la ciudad sin prevenirla.

Y llegó improvisadamente.

Se le hizo un gran recibimiento: copas rebosantes de vino, sociedad alegre, sociedad distinguida, buena habitación y excelente lecho, ¡sin embargo, no era todo como él había pensado y soñado! No se comprendía a sí mismo; no comprendía a los demás. ¡Pero nosotros sí lo comprendemos! Se puede estar en casa, entre la familia, y, a pesar de todo, no formar parte de ella: se habla como en una diligencia; se conoce a la gente como en una silla de posta, sin molestarse mutuamente, y, sin embargo, se quisiera estar en otra parte, o bien, que fuera el vecino quien estuviera en otra parte. Y un sentimiento de esta clase fue el que experimentó Antón.

—Soy una muchacha sincera —le dijo Molly— y quiero decirte todo yo misma. Ha habido muchos cambios, tanto exterior como interiormente, desde la época de nuestra infancia en la que vivíamos juntos. Ni la costumbre ni la voluntad han de imponerse a nuestro corazón, Antón, y no quiero disgustarme contigo ahora que voy a marchar muy pronto lejos de aquí... Créeme, siento un gran afecto por ti; pero amarte, como yo sé ahora cómo se puede amar a otra persona, no te he amado nunca... Es preciso resignarse... Adiós, Antón...

Antón también le dijo adiós. Ninguna lágrima acudió a sus ojos; pero se dio cuenta de que ya no era el amigo de Molly. La barra de hierro al rojo y la barra de hierro helada producen en nuestros labios la misma sensación de quemadura cuando se posa en ellos. Y él besaba también tan fuerte en el amor como en el odio.

Antón no tardó más de un día en su vuelta a Eisenach, pero el caballo que montaba quedó reventado.

—¡Qué importa! —exclamó—. Estoy destrozado y destrozaré todo cuanto pueda recordármela. ¡Señora Holle, señora Venus, diosa pagana!... Desgarraré el manzano, lo arrancaré con sus raíces. ¡Jamás volverá a dar flores ni frutos!

Pero el árbol no sufrió daño alguno; fue Antón quien cayó en cama con fiebre. ¿Qué podrá curarle? Llegó un remedio que podía lograrlo, el más amargo de todos, el que sacudió el cuerpo enfermo y el alma doliente: el padre de Antón no era ya un comerciante rico. Allí estaban ya los días penosos, los días de prueba. La catástrofe se precipitaba. Invadió, como grandes olas, la casa en otros tiempos próspera. El padre se convirtió en un hombre pobre. El disgusto y el dolor le paralizaron. Entonces Antón se sintió absorbido por otros pensamientos muy diferentes a los de su pena de amor y de cólera contra Molly. De ahora en adelante, tenía que ser el padre y la madre de la casa; tenía que decidir, ayudar, ocuparse de todo, marchar él mismo a recorrer el mundo y ganarse la vida.

Y fue a Bremen, adonde llegó. Sufrió miseria y conoció días difíciles, que endurecieron su carácter, o lo debilitaron, lo debilitaron demasiado. ¡Cuán diferentes eran las personas y el mundo de lo que él había imaginado en su infancia! ¿Qué eran para él las canciones de los maestros cantores? ¡Palabras vacías! ¡Pura verborrea! Sí. Así pensaba a veces; pero, en otros momentos, las canciones resonaban en su alma y se endulzaba su carácter.

—¡La voluntad de Dios es la mejor! —decía entonces—. He de agradecer que Dios Nuestro Señor no haya permitido que el corazón de Molly se uniera al mío. ¿A qué hubiera conducido eso, ahora que la suerte me ha vuelto la espalda? Ella me ha abandonado antes de saber o de pensar en el cambio que iba a producirse en mi vida; me ha dejado en mi época de prosperidad. Es un don que me ha hecho el Señor. ¡Todo ha sido así mejor! ¡Todo lo que sucede es justo! Ella no podía hacer nada. ¡Y pensar que la he detestado tan amargamente!...

Pasaron los años. El padre de Antón había muerto. Gente extraña vivía en la casa paterna. Antón quería volver a verla. Su rico jefe le hizo comisionista y le envió de viaje. Y pasó por Eisenach, su pueblo natal. En la parte más alta, la antigua Wartburg se conservaba siempre igual, con «el Fraile y la Monja» en la roca. Los imponentes robles daban al paisaje el mismo carácter que en la época de su infancia. La montaña de Venus, siempre desnuda y grisácea, brillaba en el valle. Antón hubiera dicho de buena gana: «¡Señora Holle, señora Holle! ¡Abrid! ¡Me quedaré para siempre en mi tierra natal!».

Era un pensamiento culpable, y se persignó. En la maleza, un pajarillo se puso a cantar, y al espíritu de Antón acudió la vieja canción:

En la linde del bosque, en el tranquilo valle,
¡tandaradalle!,
¡Un ruiseñor regalaba su canto!

Una multitud de recuerdos le salió al paso en su recorrido por la ciudad de su infancia, que volvía a contemplar a través de las lágrimas. La casa paterna estaba igual que antes, pero el jardín había sido modificado; un camino rural atravesaba un ángulo del antiguo terreno, y el manzano, que Antón no había derribado en cierta ocasión, se hallaba allí, pero fuera del jardín, al otro lado del camino. El sol le otorgaba sus rayos con el mismo cariño de siempre; recibía el rocío como antes y estaba cubierto de abundantes frutos, que inclinaban las ramas hacia el suelo.

—¡Prospera! —exclamó Antón—. Él puede hacerlo.

Sin embargo, una de sus grandes ramas había sido tronchada por manos aviesas, ya que el árbol estaba al borde del camino.

—Le cortan las flores sin darle las gracias, le roban sus frutos y le rompen las ramas; si de un árbol se pudiera hablar como de un hombre, podría decirse: para ser tratado así, sería preciso que las canciones hubieran faltado en el alumbramiento del árbol. Su historia comenzó alegremente y, ¿en qué ha quedado? Abandonado, olvidado. Arbol de jardín en una zanja, en pleno campo, al borde del camino. Aquí está sin abrigo, zarandeado y desgarrado. No perecerá por esto; pero, de año en año, sus flores serán menos numerosas, sus frutos no brotarán y finalmente... Sí, es el fin.

Esto fue lo que pensó Antón cuando se encontro bajo el árbol, y esto era también lo que pensaba con mucha frecuencia por las noches, en la pequeña y solitaria habitación de la barraca de madera, en tierra extraña, en Copenhague, calle de las casitas, donde su rico patrón, el negociante de Bremen, le había enviado con la condición de no casarse.

—¡Casarse! ¡Jo, Jo...!

Y se reía con risa profunda y extraña.

El invierno se había presentado aquel año muy pronto y las heladas eran espantosas. En el exterior de la barraca se desencadenaba una terrible tempestad de nieve, y todo aquel que podía permanecía encerrado en su casa. Fue a causa de esto, sin duda, que los vecinos de enfrente no dieron importancia al hecho de que la tienda del viejo Antón permaneciese cerrada dos días completos y que a él no se le viese por ninguna parte. ¿Quién iba a salir con un tiempo semejante, si podía evitarlo?

Fueron días grises y sombríos, y en la tienda de Antón, donde las ventanas no eran de cristales, crepúsculo y noche oscura. Durante estos días, el viejo no abandonó su camastro, porque no tenía fuerzas para hacerlo. Hacía mucho tiempo que se resentía de las piernas cuando reinaba mal tiempo en el exterior. El anciano corredor de pimienta estaba acostado, abandonado, impotente, pudiendo apenas alcanzar el cántaro de agua que había colocado al lado de la cama, aunque ya se había bebido hasta la última gota. No tenía fiebre, no estaba enfermo. Era la vejez la que le paralizaba. La noche le rodeaba casi de continuo en el desván donde yacía. Una arañita, que él no podía ver, tejía con celo su telaraña sobre su cabeza, como si quisiera tender un poco de crespón negro recién fabricado en el caso de que el viejo cerrara los ojos para siempre.

El tiempo transcurría lentamente en medio de un gran vacío. Antón dormitaba a medias. No lloraba, ni sufría tampoco. No pensaba en Molly. Tenía la sensación de que el mundo y su bullicio no existían ya para él, que estaba fuera de todo, que nadie pensaba en su persona. De pronto, le pareció que tenía hambre, sed... Sí..., pero nadie acudió a aliviar su necesidad, nadie acudiría en su ayuda. Pensó en las personas que mueren de hambre; recordó cómo santa Isabel, la santa de su país y de su infancia, la noble duquesa de Turingia, de gran estirpe, entraba, cuando vivía en la Tierra, en las más humildes viviendas para llevar a los enfermos esperanza y consuelo. Sus piadosas acciones iluminaban el espíritu de Antón. Recordaba cómo la santa pronunciaba palabras de consuelo para alivio de los afligidos, limpiaba las llagas de los que sufrían y llevaba comida a los hambrientos, a pesar de que estas acciones irritaban a su rudo e irascible marido. A su pensamiento acudió la leyenda: santa Isabel marchaba un día con un cesto lleno de víveres y de vino; de pronto, su marido, que vigilaba sus pasos, le salió al encuentro y le preguntó encolerizado qué llevaba en el cesto; asustada, la santa le respondió que eran rosas acabadas de cortar. Él arrancó la tela que cubría el cesto, y el milagro se había realizado en favor de la piadosa dama: el vino y el pan, así como todo el contenido de la cesta, se habían transformado en rosas.

Tal y como la santa vivía en el pensamiento del viejo Antón, tal apareció ante su vista nublada a los pies del lecho en la pobre barraca en tierra danesa. El viejo se quitó el gorro de dormir, fijó sus dulces ojos y todo fue luz y rosas, que alumbraron y perfumaron la estancia. Percibió un delicioso olor a manzanas y vio que era un manzano en flor cuyas ramas se extendían sobre su camastro: era el árbol que Molly y él habían plantado cuando solo era una pepita.

El árbol esparció sus olorosas flores sobre su frente ardiente y la refrescó; cayeron sobre sus labios sedientos, y fue como vino y pan fortificante; se posaron sobre su pecho, y se sintió aliviado y dispuesto al sueño.

—¡Ahora voy a dormir! —murmuró tranquilo—. ¡El sueño produce mucho bien! Mañana me encontraré en perfecto estado y me levantaré. ¡Esto es maravilloso! ¡Veo el manzano plantado por amor en todo su esplendor!

Y se durmió.

Al día siguiente, tercero que la barraca no se abría, la nieve había dejado de caer. El vecino de enfrente fue a llamar al viejo Antón. Lo encontró acostado, muerto, con el viejo gorro de dormir apretado entre sus manos. Al cadáver no le pusieron este gorro, sino otro limpio y blanco.

¿Dónde estaban, pues, las lágrimas que Antón había llorado? ¿Dónde estaban esas perlas? Quedaron en el gorro de dormir..., porque las verdades no se van con el lavado... Permanecieron en el gorro y fueron olvidadas... Los antiguos pensamientos, los viejos sueños, todos están aún en el viejo gorro de dormir del corredor de pimienta. ¡No deseéis ponéroslo! Él os quemará la frente, hará que vuestro pulso golpee más fuerte, os proporcionará sueños que parecerán realidad. Esto fue lo que experimentó el primero que se puso aquel gorro de dormir, cincuenta años más tarde. Fue el propio burgomaestre, que se hallaba confortablemente en su casa en compañía de su esposa y de sus once hijos. E inmediatamente tuvo sueños de amor, de fracaso y de miseria.

—¡Ah, cómo quema este gorro! —dijo, y se lo quitó de un papirotazo. De él cayó una perla, después otra. Al contacto con el suelo sonaron y brillaron—. ¡Es la gota! —exclamó el burgomaestre—. ¡Me hace ver visiones!

Eran las lágrimas lloradas por el viejo Antón de Eisenach hacía cincuenta años.

Todo aquel que se puso el gorro de dormir de Antón tuvo visiones y sueños. Su historia se transformó en la del viejo corredor de pimienta.

Pero todo esto no es más que un cuento, parecido a otros muchos que pueden ser contados. Nosotros aquí solo hemos narrado el primero de ellos, y nuestra palabra sobre este asunto es:

«... ¡No deseéis nunca poneros el gorro de dormir del corredor de pimienta!».

LA NIÑA QUE ANDUVO JOBRE EL PAN

¿Habéis oído hablar de la niña que anduvo sobre el pan para no ensuciar la suela de sus zapatos y, por causa de eso, lo pasó tan mal? Su historia se escribió y se imprimió.

Era una niña pobre, orgullosa y altiva. Había en ella mala semilla, como suele decirse. De muy niña era para ella un placer atrapar las moscas, arrancarles las alas y ver cómo se arrastraban. Cogía al moscardón y al escarabajo, los pinchaba con una aguja, ponía cerca de sus patas una hoja verde o un trozo de papel y el pobre animal se agarraba a él fuertemente, dándole vueltas y más vueltas para desprenderse de la aguja.

—¡Mirad al moscardón que lee! —decía la pequeña Inger—. ¡Ved cómo vuelve la página!

A medida que crecía, la niña se hacía peor; pero era linda, y esta fue su desgracia, porque sin eso la hubieran pegado y otra cosa hubiera sido de ella.

—Se necesitaría una lejía muy fuerte para lavar esa cabeza —decía su propia madre—. De niña me has pisoteado con frecuencia el delantal. Mucho me temo que de mujer me pisotees el corazón.

Y eso fue lo que hizo.

Se fue a servir al campo, a casa de unas personas muy distinguidas que la trataron como si fuera de la familia. La vistieron como si de su propia hija se tratara. Su aspecto mejoró y su orgullo aumentó.

Llevaba un año con sus señores cuando estos le dijeron un día:

—Deberías ir a ver a tus padres, Inger.

Y fue, pero para exhibirse, para que se dieran cuenta de cuán elegante era. Al llegar a la puerta de la ciudad observó cómo los muchachos y las muchachas de la villa conversaban alegremente cerca de la balsa; cómo su propia madre, sentada en un peñasco, descansaba, teniendo a su lado un haz de leña que había recogido en el bosque.

Y se volvió. Ella, que era tan distinguida, sentía vergüenza de tener una madre tan andrajosa, que recogía leña. No lamentaba en absoluto tener que volverse. Solamente se sentía vejada.

Pasaron seis meses.

—Deberías ir un día a ver a tus ancianos padres, querida Inger —le dijo su ama—. Aquí tienes una hogaza de pan de trigo que puedes llevarles como regalo. Se alegrarán mucho de verte.

Inger se puso la mejor ropa que tenía y se calzó sus zapatos nuevos. Se recogió la falda y anduvo con precaución para no ensuciarse los zapatos. Esto no hay por qué reprochárselo; pero, al llegar al lugar donde el sendero atraviesa un terreno fangoso, como había agua y barro en un largo trecho, arrojó el pan al fango para andar por encima y poder llegar al final con los pies secos. En el momento en que puso un pie sobre el pan y levantó el otro, la hogaza se hundió y la muchacha con ella, hasta que desapareció por completo. Después, solo se vio un estanque negro cubierto de burbujas.

Esta es la historia.

Pero, ¿qué fue de la muchacha?

Al hundirse en el negro estanque, Inger bajó hasta los dominios de la mujer del pantano, que bracea la cerveza. La mujer del pantano es una viejecilla tía de las muchachas elfos, bien conocidas por todos —se han compuesto canciones y se han pintado muchos retratos de ellas—; pero de su tía, la gente sabe solamente que, cuando los vapores del verano surgen en los prados, es que la viejecilla del pantano bracea la cerveza. Es a este lugar adonde había llegado Inger cuando se hundió, lugar en el que no se puede resistir mucho tiempo. La cloaca es un departamento suntuoso comparado con la cervecería de la mujer del pantano. Todas las cubas apestan de una forma que hace a uno desmayarse; están muy juntas las unas a las otras, y aunque quedase una pequeña abertura, en cualquier parte, por donde escurrirse, es imposible hacerlo a causa de los sapos y las babosas que por allí pululan. Allí era adonde había ido a parar la pequeña Inger. Toda aquella desagradable mezcolanza viviente era de una frialdad tal que la muchacha temblaba y sus miembros se entumecían. Estaba fuertemente unida a la hogaza, que la atraía de la misma forma que un trozo de ámbar atrae a una brizna de paja.

La mujer del pantano se encontraba en su cervecería, porque aquel día recibía la visita del diablo y de su tatarabuela, que es una anciana con una lengua muy venenosa y siempre muy atareada; jamás sale sin su labor en la mano, y aquel día la tenía allí. Cosía pretensiones para que las personas corriesen y no pudiesen estarse en su lugar. Bordaba mentiras y hacía croché con las palabras desconsideradas que se habían pronunciado, para causar la ruina y la perdición de las gentes. ¡Oh, sabía coser y bordar y hacer croché muy bien la anciana tatarabuela!

Vio a Inger, se puso las gafas y la miró con detenimiento.

—He aquí una muchacha con disposiciones —exclamó—. La reclamo como recuerdo de esta visita. Podrá ser una buena estatua en la antecámara de mi tataranieto.

Y se la llevó. Así fue cómo Inger llegó a los infiernos. Las personas no descienden a él directamente; pueden lograrlo, si tienen disposiciones, dando un largo rodeo.

Aquella era una antecámara que no tenía fin. Se sentía vértigo si se miraba hacia delante y también si se miraba hacia atrás. De pie, una legión de hambrientos esperaba a que se abriese la puerta de la gracia divina. ¡Y podían esperar así mucho tiempo! Enormes arañas tejían, renqueando, la tela milenaria que aprisionaba sus pies como si fuera cadena de cobre. En cada alma existía una inquietud eterna, una inquietud torturante. El avaro había perdido la llave de su caja y sabía que la había dejado encima de ella. Es inútil enunciar la larga serie de tormentos y suplicios que se experimentaban allí. Inger los sufría cruelmente al verse convertida en estatua. Estaba como anclada al suelo por el pan.

—Me encuentro así por haber querido conservar limpios mis zapatos —se decía—. ¡Oh, cómo tienen todos los ojos fijos en mí!

Sí. Todos la miraban... Sus malvadas intenciones brillaban en sus ojos y hablaban sin que sus labios emitiesen sonidos. Era espantoso verlos.

«Debe de ser agradable mirarme —pensaba la muchacha—. ¡Tengo un rostro tan bello y voy tan bien vestida...!».

Bajó los ojos, porque su cuello no podía moverse. Estaba demasiado rígido. ¡Oh, cómo se había manchado en la cervecería de la vieja del pantano! No había pensado en eso. Sus vestidos no eran más que una gran mancha de grasa; un caracol se había colgado de sus cabellos y babeaba en su cuello; de cada pliegue de su vestido salía un sapo que ladraba como un perrillo. Era muy desagradable.

—¡Pero los demás tienen un aspecto espantoso!

Y esta idea la consolaba.

Sin embargo, lo peor de todo era la terrible hambre que sentía; ¿no podría agacharse y coger un trozo de la hogaza sobre la que se sostenía? No, su espalda estaba rígida; todo su cuerpo era como una estatua de piedra. Solo sus ojos podían girar en sus órbitas, volverse por completo para ver lo que pasaba tras ella, y el panorama no era nada agradable. Llegaron las moscas, que se posaron sobre sus ojos, yendo y viniendo por ellos, que no hacían más que parpadear. Como tenían arrancadas las alas, no podían volar y se habían convertido en insectos que se arrastraban. Este fue, junto con el hambre, otro tormento, y le parecía a Inger que sus intestinos terminaban por devorarse a sí mismos y que ella se vaciaba, se vaciaba espantosamente.

—Si esto dura mucho no podré resistirlo —dijo. Pero había que resistir, y aquello continuaba y no acababa nunca.

Entonces una ardiente lágrima cayó sobre su cabeza, corrió por su rostro y pecho y llegó hasta el pan. Cayeron otras muchas. ¿Quién lloraba sobre Inger? ¿No tenía una madre en la Tierra? Las lágrimas de pena que llora una madre por su hijo lo alcanzan siempre, pero no lo libertan. Queman y solo hacen crecer el sufrimiento. ¡Oh, qué hambre tan insoportable! ¡Y sin poder coger aquel pan que tenía bajo sus pies! Ahora tenía la sensación que todo se había consumido en su interior, que era como un junco delgado y hueco que absorbía todos los ruidos. Oía claramente cuanto en la Tierra se refería a ella, y lo que escuchaba era duro y severo. Su madre, es cierto, lloraba, hondamente afligida; pero también decía:

—¡El orgullo precede siempre al fracaso! Esa fue tu desgracia, Inger. ¡Cuánto dolor has causado a tu madre!

Su madre y todo el mundo en la Tierra conocían su falta: había andado sobre el pan, se había hundido con él y había desaparecido. El que cuidaba las vacas lo contó, porque lo había presenciado desde la loma.

—¡Qué pena has causado a tu madre, Inger! —decía su mamá—. ¡Ya me lo esperaba!

—Hubiera sido mejor no haber nacido —murmuraba Inger—. Al menos, hubiera evitado las lágrimas de mi madre.

Oyó lo que decían sus amos, aquellas dos personas tan buenas que la habían tratado como a una hija.

—Era una niña llena de pecado. Despreciaba los dones de Nuestro Señor y los pisoteaba. Le será muy difícil pasar el umbral de la gracia divina.

—Vosotros debisteis corregirme —pensaba Inger—; no dejar que hiciera mi capricho, si es que tenía alguno.

Oyó una canción que habían compuesto sobre ella: «La muchachita orgullosa que anduvo por el pan para no ensuciar sus lindos zapatitos», y que se cantaba por todo el país.

«¡Y tener que oír tantas cosas por eso! —pensaba Inger—. ¡Y sufrir tanto! Seguro que los demás también serán castigados por sus faltas. ¡Oh, habrá mucho que castigar! ¡Ay, cómo me duele eso!».

Su corazón se volvió aún más duro que su cuerpo.

—No es aquí abajo donde uno puede hacerse mejor con tal compañía. Ni yo quiero tampoco hacerme mejor. ¡Ved cómo me miran!

Su corazón se irritó y se volvió hostil contra todos.

Oyó que contaban a los niños su historia y estos la llamaban Inger la impía.

—Era fea, espantosa —decían—. Había que imponerle un serio correctivo.

Los niños, cuando hablaban de ella, siempre tenían en su boca palabras duras.

Un día, cuando el rencor y el hambre la torturaban dentro de su vacía envoltura, oyó pronunciar su nombre y contar su historia a una inocente niña, que se echó a llorar al oír la desgracia de la orgullosa Inger, que amaba demasiado el lujo.

—Pero, ¿no subirá jamás? —preguntó la niñita.

Y le respondieron:

—¡Jamás!

—¿Y si pide perdón y dice que no volverá a hacerlo más?

—Pero ella no pedirá perdón —le contestaron.

—¡Me gustaría tanto que lo hiciese...! —exclamó la niña, inconsolable—. Yo daría el armario de mi muñeca con tal de que ella pudiera subir. ¡Estar allá abajo debe de ser tan terrible para la pobre Inger!

Estas palabras tocaron el corazón de la pobre Inger y le produjeron un gran bienestar. Era la primera vez que decían: «¡Pobre Inger!», sin añadir ninguna de sus faltas y defectos. Una inocente niñita lloraba y suplicaba por ella, e Inger se sintió embargada por la emoción. De buena gana hubiera llorado, pero no podía llorar, y esto era un sufrimiento.

Mientras los años pasaban en la Tierra, allá abajo no se experimentaba cambio alguno. Inger oía, cada vez más raramente, los ruidos de arriba. Se hablaba menos de ella. Pero un día percibió un suspiro:

—¡Inger! ¡Inger! ¡Cuánto me has hecho penar! Siempre lo dije.

Era su madre, que moría.

A veces oía su nombre pronunciado por sus viejos amos, y las palabras más dulces provenían siempre de su ama:

—¿No te volveré a ver jamás, Inger? ¡Dios sabe adónde iré a parar!

Pero Inger sabía que la buena mujer no bajaría nunca a donde ella estaba.

De nuevo pasó el tiempo, largo y amargo.

Un día, Inger oyó de nuevo pronunciar su nombre y vio lucir su cabeza como dos estrellas brillantes: eran dos bondadosos ojos que se cerraban en la Tierra. Habían transcurrido tantos años desde el día en que la desconsolada niñita lloró por la «pobre Inger», que ya se había convertido en una anciana, y Nuestro Señor quería llevársela con Él. En este momento supremo en que surgen los pensamientos desarrollados en el transcurso de la vida, la anciana se acordó de cómo había llorado al escuchar la historia de Inger. Aquella época y esta impresión estaban tan presentes en su espíritu, en aquel su último momento, que en voz alta dijo:

—¿Dios mío, es que, a veces, no he arrojado por tierra también, como Inger, los dones de tu bondad sin pensarlo? ¿No he sido orgullosa en mi corazón y, sin embargo, debido a tu bondad infinita no me has abandonado y me has conservado para Ti? No me abandones tampoco en mi último momento.

Y los ojos de la anciana se cerraron, mientras los ojos del alma se abrían al mundo desconocido. Como Inger se hallaba tan presente en sus últimos instantes, la piadosa mujer la vio. Se dio cuenta de cuán bajo había caído, y esto la llenó de tristeza. Sus ojos se llenaron de lágrimas. La anciana, lo mismo que en su infancia, estaba en el reino de los cielos y lloraba por la pobre Inger. Estas palabras y sus súplicas resonaron como un eco en aquella envoltura vacía que guardaba prisionera al alma torturada. Y por caridad de las alturas, que Inger jamás hubiera imaginado, acababa su tormento: un ángel de Dios lloraba sobre ella. ¿Por qué le habían concedido aquella gracia? El alma atormentada repasó, en su recuerdo, todos los actos de su vida terrestre, y tembló al verter lágrimas que jamás Inger hubiera podido llorar. Se afligía profundamente por sí misma porque le parecía que nunca se abrirían para ella las puertas del perdón, y en el preciso momento que experimentaba ésta sensación de arrepentimiento, un rayo descendió hasta ella, iluminando lo más recóndito de aquel abismo. Este rayo era más potente que el del mismo sol, que deshiela al hombre de nieve construido por los pequeños en el patio; y de repente, con mucha más rapidez que el copo de nieve se funde en los labios cálidos del niño, la figura petrificada de Inger se evaporó y, como un relámpago, un pajarillo se elevó en zigzag hacia el mundo de los hombres; pero era tímido y tenía miedo de cuanto le rodeaba. Estaba avergonzado de sí mismo ante los demás seres vivos, y fue a ocultarse rápidamente en un oscuro agujero que encontró en una pared medio derruida. Allí se metió y se acurrucó, temblando; no podía hablar, pues carecía de voz. En aquel lugar permaneció mucho tiempo antes de poder sentir y ver el esplendor que le rodeaba. Sí, era espléndido: el aire, puro y suave; la luna, clara; los árboles y arbustos perfumaban el ambiente... ¡Se encontraba tan a gusto en donde estaba, dentro de su plumaje, elegante y limpio! ¡Oh, cuán llena de caridad y de magnificencia estaba la creación! Los pensamientos que nacían en el corazón del pajarillo querían expresarse en cantos, pero el ave no era capaz de hacerlo. Hubiera querido cantar como lo hacen el cuco y el ruiseñor durante la primavera. Nuestro Señor, que oye hasta el mudo cántico de alabanzas del gusanillo, percibió el himno que se elevaba en armonías de pensamientos, como el salmo que cantaba en el pecho de David antes de tener palabras y melodía.

Durante días y semanas aumentaron y se desarrollaron estas mudas canciones que adquirían voz al primer aletazo que tuviera por fin una buena acción. ¡Había, pues, que realizar una!

Llegó la santa fiesta de la Navidad del Señor. El labrador colocó contra la pared donde el pajarillo tenía su agujero una pértiga a la que estaba atado un bote de avena sin trillar, para que los pájaros del cielo tuviesen también una alegre Navidad y una agradable comida en este día del Salvador.

La mañana de Navidad el sol se elevó espléndido y brilló sobre el bote de avena, y todos los pajarillos, piando, volaron alrededor de la pértiga, y entonces, desde el interior del agujero, se oyó: «¡Pío, pío...!». El pensamiento se expresaba en canto: la débil piada era un himno de alegría; la idea de una buena acción había nacido, y el pajarillo salió volando de su escondite. En el reino de los cielos sabían muy bien quién era esa avecilla.

El invierno se presentó dispuesto a cumplir con toda seriedad su cometido. Las aguas se helaron y los pájaros y los animales de la selva pasaban grandes apuros para alimentarse. Nuestro pajarillo volaba por la carretera y, en el rastro de los trineos, buscaba y encontraba, aquí y allá, un grano; en las paradas, migas de pan, de las que solo comía una, llamando a los otros pajarillos hambrientos, que de esta forma satisfacían su apetito.

Volaba hacia las ciudades, buscando por todas partes, y en las ventanas, donde una mano amiga había desmigado pan para los pajarillos, solo comía una, dejando las demás para los otros pájaros.

En el transcurso del invierno nuestro pajarillo había reunido y dado tantas migas de pan que su total debía de pesar tanto como la hogaza sobre la cual anduvo la pequeña Inger para no ensuciarse sus zapatitos, y cuando hubo encontrado y dado la última miga, sus grises alas se transformaron en blancas y se desplegaron.

—Ahí va una gaviota que vuela hacia el mar —dijeron los niños al ver al pájaro blanco.

Cuanto más movía sus alas, más se elevaba hacia el sol brillando. Después, no se supo lo que había sido de ella, pero los niños aseguraron que había volado hasta el sol.

LA DAMA DE LOS HIELOS

1.   El pequeño Rudy

Hagamos un viaje a Suiza, contemplemos y admiremos un poco este magnífico país, donde las selvas se extienden hasta las cimas de las montañas más escarpadas, marchemos por los campos de deslumbrante nieve y descendamos, al fin, a las verdes praderas, donde ríos y riachuelos corren rugiendo, como si temiesen no alcanzar con bastante rapidez la mar y desaparecer en ella a tiempo.

El sol quema en los profundos valles; quema también en las alturas, sobre las gruesas capas de nieve, de tal forma que a su contacto se funden en el transcurso de los años en brillantes bloques de hielo y se convierten en aludes rodantes, en apilados glaciares. Existen dos de ellos en las anchas gargantas de montaña situadas a los pies del Schreckhorn y del Wetterhorn, en las cercanías del pueblecito de Grindelwald. Es curioso verlos, y esa es la causa de que muchos extranjeros vayan allí, procedentes de todos los países del mundo. Llegan por encima de las altas montañas cubiertas de nieve; llegan por debajo, por los profundos valles, y tienen que escalar durante horas, y, a medida que suben, el valle se hunde más y lo ven como desde la barquilla de un globo. Sobre sus cabezas, las nubes están, con frecuencia, amontonadas, como si fueran espesos y pesados cortinones de humo extendidos sobre las cimas de las montañas, mientras que en el valle, donde se ven diseminadas tantas casas de madera, un rayo de sol luce aún y acusa un espacio de espléndido verdor, que parece transparente. El agua ruge, borbotea y susurra por abajo; cae en cascadas y canta por arriba, donde tiene aspecto de una cinta que ondea a lo largo de la montaña.

A ambos lados de la carretera ascendente se alzan casas de madera, con su pequeño jardín y huertos de patatas, muy necesarias, porque hay muchas bocas en casa, los niños son numerosos y comen con apetito.

De todas las viviendas salen y pululan, se muestran solícitos alrededor de los extranjeros, venidos a pie o en coche. Este enjambre de chiquillos hace su agosto: ofrecen y venden casitas de campo muy bellas, lindamente trabajadas y talladas, idénticas a las que se alzan en estas montañas. Con lluvia o con sol, la chiquillería está siempre presente con su mercancía.

Hace veintitantos años se encontraba entre ellos de cuando en cuando, aunque siempre un poco apartado de los otros niños, un muchachito que también quería comerciar. Poseía un rostro grave y apretaba sus manitas sobre su cajita de madera, como si temiese perderla, y precisamente, esta seriedad y la pequeña estatura del mozalbete hacían que las gentes lo vieran y lo llamaran, y hacía con frecuencia los mejores negocios, sin saber él mismo por qué. En la parte más alta de la montaña vivía su abuelo materno, que construía las lindas casitas de madera que él vendía, tan finas que parecían de encaje. En la casa tenía un viejo armario lleno de objetos tallados: cascanueces, cuchillos, cucharas y cajas con preciosos follajes y gamuzas saltando. Había allí todo cuanto podía agradar a los ojos de un niño: pero el pequeño, que se llamaba Rudy, miraba con más placer y deseo el viejo fusil colgado bajo la viga. Su abuelo le había dicho que un día sería suyo; pero primero tenía que crecer y hacerse fuerte para utilizarlo.

A pesar de lo pequeño que era el muchacho, estaba también encargado de cuidar las cabras, y si la habilidad de trepar con ellas es cualidad de un buen pastor, pues entonces Rudy era un excelente pastor de cabras. Trepaba siempre un poco más alto cada vez; le gustaba apoderarse de los nidos que los pájaros hacían en las copas de los árboles; era aventurado e intrépido, pero no se le veía sonreír sino cuando estaba junto a la rugiente cascada o cuando oía precipitarse una avalancha. Jamás jugaba con los otros niños; solamente se reunía con ellos cuando su tío le enviaba abajo para la venta de las casitas de madera.

Rudy se preocupaba poco de este negocio. Prefería andar solo por las montañas y escalarlas, o bien, permanecer en casa de su abuelo y oírle evocar los tiempos pasados y hablar de las gentes de Meiringen, vecinas al lugar donde ellos vivían. El viejo contaba que aquella gente no se hallaba allí desde los orígenes del mundo, sino que eran inmigrantes. Habían venido del norte, donde habitaba su raza, que se llamaba sueca. Era muy importante saber estas cosas, y Rudy se daba cuenta de ello. Su saber aumentaba, además, por medio de otras buenas relaciones: con las de los animales que vivían en la casa. Allí estaban: un perro enorme, _Ajola,_ herencia del papá de Rudy, y un gatazo. Este, sobre todo, era muy importante para el niño, pues le había enseñado a trepar.

—Ven conmigo al tejado —le había dicho el gato, clara e inteligentemente.

Pues cuando se es niño y no se sabe aún hablar, se comprende a la perfección a las gallinas y a los patos, a los perros y a los gatos. Nos hablan con tanta claridad como pueden hacerlo papá y mamá. Es suficiente ser pequeño. Hasta el báculo del abuelito puede entonces relinchar, convertido en caballo, con cabeza, patas y cola. En algunos niños, esta comprensión desaparece más tarde que en otros, y se dice de ellos que son unos retrasados, por permanecer niños demasiado tiempo. ¡Se dicen tantas cosas!

¡Ven, Rudy; vamos al tejado! —esta fue una de las primeras proposiciones del gato que Rudy comprendió—. Dicen que se cae uno. No hagas caso. Son ideas simples que se hacen las gentes. No se cae uno sino cuando tiene miedo de caerse. Ven, pon tu piececito aquí; el otro, allí. ¡Avanza con tus patas delanteras! ¡Ay, los miembros sueltos y los ojos atentos! Si hay un agujero, salta y agárrate fuerte, como yo hago.

Rudy lo hizo así. De esta forma se encontró con frecuencia en el alero del tejado, con el gato; se instaló en la copa de los árboles, con él, y subió también a lo alto de las peñas, donde el minino no subía jamás.

—¡Más alto! ¡Más alto! —le gritaban los árboles y los arbustos—. Mira cómo nos elevamos, cómo alcanzamos las alturas, cómo nos sostenemos firmemente, aun en la punta extrema de la peña.

Y Rudy subía a lo alto de la montaña, a menudo antes de que el sol la bañase con sus rayos, y se refrescaba con el aire puro de ella, bebida que solo Nuestro Señor sabe preparar, aunque los hombres pueden conocer su receta: perfume puro de las hierbas de la montaña y de la menta rizada del valle y tomillo. Todo lo que es ahogadizo lo absorben las nubes y lo arrojan enseguida sobre los bosques de abetos, y el espíritu del perfume se convierte en aire sano y ligero. Esta era la bebida matinal de Rudy.

La radiación solar, hija bienhechora del sol, besaba sus mejillas, y el vértigo, que era allí quien mandaba, no se atrevía a aproximarse. Las golondrinas de la casa del tío (no había menos de siete nidos) volaban hacia él y sus cabras cantando:

—¡Nosotros y él! ¡Él y nosotros!

Le llevaban el saludo de la casa, hasta el de las gallinas, los dos únicos animales con los que Rudy no tenía trato.

De recién nacido había viajado y hecho una larga ruta para ser un montañero tan pequeño. Nacido en el cantón de Valais, se le había traído por encima de las montañas; recientemente había ido a pie al cercano Staubbach, que ondula como velo de plata ante el monte de la Virgen cubierto de nieve, de una blancura deslumbrante. Había estado en Grindelwald, en el gran glaciar; mas esta era una historia muy triste, porque su madre había encontrado allí la muerte. Según decía el tío, «fue allí donde desapareció la alegría del pequeño Rudy. Cuando el niño no tenía aún un año, reía más que lloraba, según había escrito su madre; pero desde el momento en que cayó en el barranco de nieve, su humor se había transformado». Por otra parte, el abuelo apenas hablaba de esto; pero en toda la montaña se estaba al corriente de este asunto.

Por lo que sabemos, el padre de Rudy había sido postillón, y el perro de la casa le acompañaba siempre por la carretera del Simplón hasta el lago de Ginebra. En el valle del Ródano, en el cantón de Valais, vivía aún la familia paterna de Rudy. Su tío paterno era un hábil cazador de gamuzas y un guía bien conocido. Rudy tenía un año cuando perdió a su padre, y su madre sintió deseos de regresar con su pequeño junto a su familia del Oberland bearnés. Su padre vivía a pocas horas de Grindelwald, se ganaba la vida tallando en madera. En el mes de junio, la madre, con su hijo en brazos, se puso en camino hacia allá a pie, en compañía de dos cazadores de gamuzas, con el propósito de llegar a Grindelwald por el monte Gemmi. Habían recorrido ya la mayor parte del camino y llegado a lo más alto del campo de nieve, desde donde ella podía ver el valle de su país natal, con todas las casas diseminadas, que tan bien conocía. Solo quedaba por atravesar la cumbre de uno de los grandes glaciares. La nieve se extendía, caída recientemente, ocultando un barranco, que no descendía hasta el fondo profundo, donde rugía el agua, pero que era más hondo que la altura de un hombre. La joven madre, que llevaba a su hijito en brazos, cayó en él y desapareció. No se oyó ni un grito ni un suspiro; pero sí llorar al pequeño. Pasó más de una hora antes de que los compañeros de viaje descendieran hasta la casa más próxima y trajeran cuerdas y pértigas de alguna seguridad, y con grandes trabajos extrajeron del barranco lo que parecían dos cadáveres. Se emplearon todos los medios de auxilio y se logró que el niño se recuperara, pero no la madre. De esta forma, el abuelo recibió un nieto en lugar de una hija, a aquel niño que reía más que lloraba, aunque, a partir de entonces, pareció haber olvidado la risa. Sin duda, sobrevino un cambio en la hendidura del glaciar, en aquel frío y extraño mundo del hielo, donde las almas de los condenados están aprisionadas hasta el día del Juicio, como cree el campesino suizo.

No sin semejanza con el torrente helado que ruge al transportar bloques de verde cristal, se extiende el glaciar, amontonadas las grandes masas de hielo unas sobre otras. En el fondo brama la furia que lleva hielo y nieve fundidos. Allí se ven barrancos y hendiduras enormes. Es como un maravilloso palacio de cristal, en cuyo interior vive la dama del hielo, la reina del glaciar. Ella mata y pulveriza, siendo a la vez hija del aire y poderosa soberana del torrente, por cuyo motivo es capaz de trepar con la misma agilidad de la gamuza a la cima más alta de la más elevada montaña de nieve, donde los más audaces escaladores deben construir escalones de nieve. Con la fragilidad de un pájaro se posa en la rama más débil del árbol, desciende al tumultuoso torrente, donde salta de roca en roca, mientras que a su alrededor revolotea su larga cabellera blanca, de nieve, y su túnica azulverdosa, que brilla como el agua de los profundos lagos suizos.

—¡Pulverizar! ¡Atrapar! ¡El poder es mío! —exclama—. Se me escapó un niño encantador a quien había dado un beso, pero no un beso mortal. Ahora está de nuevo entre los hombres: guarda cabras en la montaña, trepa cada vez más alto, lejos de los demás, pero no de mí. ¡Es mío y lo tomaré!

Suplicó al vértigo que cumpliera su obligación.

En verano, en los prados donde crece la menta rizada hacía demasiado calor para la dama de los hielos. El vértigo acudió a la llamada. Llegó otro, llegaron tres, porque el vértigo tiene muchos hermanos: todo un batallón. La dama de los hielos eligió al más fuerte de los numerosos hermanos, que actuaban en los edificios y en la naturaleza. Se sentaban en la rampa de la escalera o en el pretil de la torre; corrían como ardillas a lo largo del borde de las montañas; saltaban fuera, agitaban en el aire los pies, como el nadador hace en el agua, y atraían a sus víctimas hacia el vacío y el precipicio. El vértigo y la dama de los hielos agarraban a los hombres como agarra el pulpo todo lo que se pone a su alcance.

—Yo no puedo cogerle —dijo el vértigo—. El gato (ese miserable) le ha enseñado sus trucos. Ese niño tiene una fuerza que me rechaza, ¡no puedo coger a ese pequeño cuando se cuelga de una rama por encima del abismo, y eso que le cosquilleo las plantas de los pies para que se desplome en el vacío! ¡No puedo con él!

—¡Tenemos que poder! —exigió la dama de los hielos—. ¡Tú, o yo! ¡Yo! ¡Yo!

—¡No, no! —resonó como un eco de campanas en la montaña.

Era una canción; era la palabra; era un coro de otros espíritus de la naturaleza, uniformes, dulces, amables y buenos. Eran las hijas del rayo de sol, que acampan en círculo todas las noches en las cumbres de los montes y despliegan sus alas coloreadas de rosa, que brillan más rosa a medida que el sol desciende. Llamean los altos Alpes, y los hombres llaman a este fenómeno «la llamarada de los Alpes». Cuando el sol se oculta, ellas suben a las cimas y duermen sobre la blanca nieve hasta que sale el sol, reapareciendo entonces. Aman, sobre todo, a las flores, a las mariposas, a los seres humanos, y entre estos, tienen predilección por el pequeño Rudy.

—¡No lo cogeréis, no lo cogeréis! —dijeron.

—He cogido a gentes mayores y más fuertes —respondió la dama de los hielos.

Las hijas del sol cantaron una canción acerca del viajero cuyo manto fue arrancado por un torbellino de aire y llevado en vuelo tempestuoso.

—El viento se llevó el manto, pero no al hombre. A él podéis cogerle vosotros, hijos de la fuerza; pero no conservarle. Es más fuerte, tiene un espíritu aún más sutil que el nuestro. Sube más alto que nuestro padre el sol. Posee la palabra mágica que somete al viento y al aire y los obliga a servirle y a obedecerle. Vosotros le desprendéis del terrible peso que le entorpece y sube más alto.

Así sonaba el coro de voces de campanas.

Todas las mañanas, los rayos del sol penetraban a través de la única ventanilla de la casa del abuelo y bañaban el lecho donde el niño dormía. Las hijas del rayo de sol le besaban. Deseaban fundirle, calentarle, hacer que un día desaparecieran de sus mejillas los besos que la dama de los hielos le había dado cuando yacía, en los brazos de su madre, en el fondo del barranco de hielo, de donde había sido salvado milagrosamente.

2. Cambio de hogar

Rudy había cumplido ocho años. Su tío paterno del valle del Ródano, al otro lado de las montañas, quería llevarse al niño a su casa, porque allí podría educarse mejor y labrarse un porvenir. El abuelo así lo comprendió y, por consiguiente, no lo detuvo.

Rudy iba a partir. Debía decir adiós a muchos seres queridos, además de su abuelo, sobre todo al viejo perro, *Aloja*.

—Tu padre era postillón, y yo, su perro de postas —le dijo *Aloja*—. Hemos subido y bajado las montañas, por lo que conozco bien a los hombres y a los perros del otro lado de la cordillera. No era costumbre en mí hablar mucho; pero ahora que, sin duda, estaremos mucho tiempo separados, he de hablar un poco más de lo corriente. Quiero contarte una historia que he cavilado durante muchos años. No la comprendo, ni tú la comprenderás tampoco; pero no importa porque yo me he dado cuenta de que, en este mundo, no está todo repartido equitativamente, ni entre los perros ni entre los hombres. No todos están hechos para dormir en cama blanda ni para tomar leche a cucharadas. Yo no he sido acostumbrado a eso; sin embargo, he visto viajar a un perrito en diligencia, ocupando el asiento de una persona. La señora o el señor que era su dueño llevaba consigo una botella de leche, de la que le daba cucharaditas. También, bizcochos; pero el perrito no se dignaba comerlos, los oliscaba nada más, y entonces, el dueño se los comía. Mientras tanto, yo corría por el fango, al lado de la diligencia, hambriento como un perro puede estarlo. Daba vueltas a mis propios pensamientos, considerando que aquello no era justo...; pero, ¡hay tantas cosas que no lo son! ¿Tú puedes dormir en blando lecho y viajar en coche? Yo no puedo arrancar esto de mí; no lo he podido, ni ladrando ni aullando.

Tal fue el discurso de *Aloja*. Rudy lo agarró por el cuello y le besó el húmedo hocico. Luego cogió al gato en brazos, pero este se escapó.

—Eres demasiado fuerte para mí, y contra ti no quiero emplear mis uñas. Trepa por las montañas, pues yo te he enseñado a trepar. No pienses nunca que vas a caerte y te mantendrás bien.

Y el gato huyó, escapado, pues no quería que Rudy se diera cuenta de que sus ojos brillaban de pena.

Las gallinas corrían por el patio. Una había perdido la cola. Un viajero, que pretendía ser cazador, se la había cortado de un tiro, confundiendo la gallina con una ave de presa.

—Rudy va a traspasar la montaña —dijo una de las gallinas.

—Se pasa la vida corriendo —respondió la otra—. ¡No me gustan las despedidas!

Y se largaron las dos corriendo.

Rudy se despidió de las cabras, que le dijeron:

—¡Llévanos! ¡Mee! ¡Mee...!

Era muy triste.

Dos hábiles guías del pueblo iban precisamente a atravesar las montañas, porque querían descender al otro lado de la cordillera Gemmi. Rudy los acompañó a pie. Fue una ruda caminata para un muchacho tan pequeño, pero era vigoroso y poseía un coraje que jamás decaía.

Las golondrinas lo acompañaron un trozo de carretera.

—¡Nosotros y él! ¡Él y nosotros! —cantaban.

La carretera atravesaba el tumultuoso Lutchine, que se alimentaba de los numerosos torrentes pequeños de la garganta negra del glaciar de Grindelwald. Servían de puente troncos de árboles arrancados y peñascos partidos. Se hallaban ya en la aliseda y empezaban la ascensión de la montaña, muy cerca del lugar donde el glaciar se había desprendido de su flanco. Luego avanzaron por el glaciar, y pasaban por encima de los bloques de hielo o los rodeaban.

Rudy trepó y anduvo como los demás. Sus ojos brillaban de placer e iba con sus botas montañeras tachueladas, firme en su paso, como si quisiera dejar en la nieve la huella de sus pies. El bordillo de tierra negra que el torrente de la montaña había vertido sobre el glaciar daba a este apariencia calcificada; mas el hielo azul verdoso, con su transparencia de cristal, brillaba a través de él. Había que contornear los pequeños estanques aprisionados entre los bloques de hielo apilados, y durante esta marcha llegaron junto a una enorme piedra que se bamboleaba al borde de un barranco de hielo. La piedra perdió su equilibrió, cayó, rodó, y el eco se esparció desde el fondo de los profundos corredores interiores del glaciar.

Avanzaban, avanzaban siempre cuesta arrriba. El glaciar se extendía en altura, como una de las masas de hielo acumuladas en desorden, aprisionadas entre escarpadas rocas. Rudy pensó un instante en lo que le habían contado: que había caído con su madre al fondo de uno de estos barrancos que exhalaban frío; pero tales pensamientos se disiparon enseguida. Aquella había sido una historia más, entre las muchas que le habían contado. A veces, cuando los hombres pensaban que el pequeño tenía dificultad en la escalada, le tendían la mano; pero él no estaba cansado y se mantenía sobre el hielo firme como una gamuza. Llegaron a un terreno rocoso; anduvieron por entre piedras sin musgo; más tarde, por entre medio de abetos enanos, y de nuevo, sobre un césped verde. El terreno era siempre variado, siempre nuevo. Todo alrededor se elevaban montañas de nieve, de las cuales, como todos los niños, conocía los nombres: La Virgen, El Monje, El Fantasma... Rudy no había subido nunca tan alto, jamás había pisado el vasto mar de nieve que se extendía con sus olas inmóviles y de donde el viento, al soplar, levantaba copos, lo mismo que hace con la espuma del mar. Los glaciares estaban, por decirlo así, cogidos de la mano. Cada uno es un palacio de cristal para la dama de los hielos, cuyo poder y voluntad son atrapar y sepultar a los seres humanos. El sol calentaba, la nieve era deslumbradora y como sembrada de puntitas de diamante azulblanco, centelleantes. Innumerables insectos, sobre todo mariposas y abejas, yacían muertos sobre la nieve. Se habían arriesgado demasiado lejos en su vuelo, o bien, el viento los había empujado hasta allí y habían muerto en este frío ambiente. Sobre el Wetterhorn se hallaba colgada, como una madeja de lana finamente cardada, una nube amenazadora. Vaciado de su contenido, se desplomó un *foehn,* terrible en su violencia cuando se desencadena. Las impresiones de esta marcha, el albergue nocturno en las alturas, el camino sin fin y las profundas gargantas de las montañas, donde el agua, durante el transcurso de los siglos, ha horadado los bloques de piedra, se grabaron de forma inolvidable en la memoria de Rudy.

Una construcción de piedras abandonada, al otro lado del mar de nieve, proporcionó refugio durante la noche. Dentro de ella encontraron carbón de encina y ramas de abeto. Pronto ardió el fuego, y se dispuso la cama lo mejor que se pudo. Los hombres se sentaron al lado del fuego, fumaron y bebieron la cálida y fuerte bebida preparada por ellos mismos. Rudy tuvo su ración, y se habló después de los seres misteriosos del país alpino, de las extrañas y monstruosas serpientes de los profundos lagos, de los seres nocturnos, del ejército de espectros que transporta al durmiente por los aires hasta la maravillosa ciudad flotante: Venecia; del pastor salvaje, que conduce sus ovejas negras al pasto, ovejas que si no se han visto nunca, al menos se había oído el sonido de sus esquirlas y los siniestros balidos del rebaño. Rudy escuchaba con curiosidad, pero sin ningún temor. Él no conocía el miedo y, mientras escuchaba, creyó percibir un sordo rugido espectral. ¡Sí! Se hacía cada vez más claro. Los hombres lo oyeron también, cesaron de hablar y dijeron a Rudy que no se durmiera.

Era que soplaba un *foehn,* el violento y tempestuoso viento que baja de las montañas al valle y que, en su violencia, arranca árboles como si fueran rosales, desplaza las casas de madera de un lado del torrente al otro, al igual que nosotros desplazamos las piezas del ajedrez.

Había pasado una hora cuando los hombres dijeron a Rudy que la tempestad había terminado y que ya podía dormirse, y, fatigado por la marcha, se durmió como un bendito.

A la mañana siguiente, muy temprano, se pusieron en marcha. El sol alumbró para Rudy nuevas montañas, nuevos glaciares y nuevos campos de nieve. Habían penetrado en el Valais y se encontraban al otro lado de la cordillera que se ve desde Grindelwald, pero todavía lejos del nuevo hogar. Otras gargantas y otros pastos, bosques y senderos montañosos, aparecieron. Pero, ¡qué gentes vio!: engendros de rostros siniestros, grasos, amarillentos. Eran cretinos. Se arrastraban, enfermos, y miraban a los forasteros con ojos de bestias. Las mujeres tenían un aspecto de lo más espantoso. ¿Esta era la gente del nuevo hogar?

3.   El tío paterno

En la casa de su tío paterno, adonde llegó Rudy, las personas, a Dios gracias, eran tales como él estaba acostumbrado a verlas. Un solo cretino había allí; un pobrecito idiota, una de esas miserables criaturas que, en su pobreza y abandono, circulan siempre, en el Valais, entre las familias y permanecen dos meses en cada casa. El pobre Saperli se encontraba en casa del tío paterno cuando Rudy hizo su aparición.

El tío era aún un vigoroso cazador. Además, sabía construir toneles. Su mujer, pequeña y vivaracha, tenía casi cabeza de pájaro, ojos de águila y un cuello largo, muy velludo.

Todo era nuevo para Rudy: trajes, costumbres y hasta el idioma; pero su oído infantil lo captó bien pronto. Al contrario que en casa de su abuelo materno, aquí se nadaba en la abundancia, según parecía. La sala, donde se hacía la vida, era muy amplia. Las paredes estaban adornadas con cuernos de gamuza y escopetas bien bruñidas. Encima de la puerta había un cuadro con la imagen de la Madre de Dios, y ante él estaban colocadas frescas rosas de los Alpes y una lámpara encendida.

El tío era uno de los cazadores de gamuza más diestros de la región, y también, el mejor y más experimentado guía. Rudy iba a convertirse en el niño mimado de la casa. Cierto que ya había uno allí. Era un viejo perro de caza, ciego y sordo, que ya no servía; pero que había sido muy buen cazador. Se recordaba con orgullo su habilidad de otros tiempos, y ese era el motivo de que se le considerase como de la familia y le diesen todos los gustos. Rudy acarició al perro; mas a este no le hacían gracia los extraños, y Rudy lo era todavía; pero no lo fue por mucho tiempo. No tardó en echar raíces tanto en la casa como en los corazones.

—No se está mal en el Valais —dijo el tío—. Tenemos gamuzas en abundancia. Su especie no se extinguirá tan rápidamente como la de las cabras montesas. Aquí se está ahora mucho mejor que antaño. Se tiene a bien hablar del honor de la época pasada. Mas la nuestra es mucho mejor. El callejón sin salida se ha destapado, y una corriente de aire ha penetrado en nuestro valle cerrado. Siempre se produce algo bueno cuando se derrumba lo que está decrépito.

Así hablaba el tío, y cuando estaba charlando contaba sus años infantiles y se remontaba a los más bellos días de su padre, a la época en que el Valais, como él decía, era un callejón sin salida, con demasiados enfermos y lamentables cretinos.

—Pero llegaron los soldados franceses y fueron los verdaderos médicos. Enseguida se acabaron las enfermedades... y la gente también. Los franceses sabían luchar, sí, señor; sabían luchar de muchas maneras, ¡y las muchachas también sabían luchar! —el tío hacía un gesto con la cabeza, señalando a su esposa, francesa de nacimiento, y se reía—. Los franceses saben machacar las piedras hasta reducirlas a polvo. Horadaron las rocas para hacer en ellas, en el Simplón, una carretera tal que hoy puedo decir a un niño de tres años: «Si quieres ir a Italia, no tienes más que seguir toda la carretera adelante».

Y el tío cantaba una canción francesa y gritaba «¡bravo!» en honor de Napoleón Bonaparte.

Rudy oyó entonces por primera vez hablar de Francia y de Lyon, la gran ciudad de orillas del Ródano, en donde había estado el tío.

Sin duda alguna, Rudy se convertiría al cabo de pocos años en un hábil cazador de gamuzas, pues tenía grandes disposiciones para ello, según decía su tío, que le enseñó a manejar la escopeta, a apuntar y a tirar. Le llevó con él a la montaña durante el período de caza; le hizo beber sangre caliente de gamuza, que evita al cazador el vértigo; le enseñó a conocer el momento, al mediodía o por la tarde, en que se precipitan las avalanchas de nieve por las diferentes pendientes de las montañas, según el efecto que sobre ellas producen los rayos del sol; le adiestró en observar bien a las gamuzas y a conocer de qué forma se salta para caer sobre las rodillas con firme equilibrio, y si en la garganta de la montaña no había base para los pies, era preciso buscar la forma de sostenerse con los codos y agarrarse con ayuda de los músculos del muslo y de la pantorrilla. Hasta el cuello podía ser de gran utilidad para sostenerse sólidamente. Las gamuzas eran astutas y colocaban su centinela. Era necesario que el cazador fuera más astuto y evitara su olfateo. El tío sabía engañarlas. Colgaba la chaqueta y el sombrero a su *alpenstock* y la gamuza tomaba el traje por el hombre. El tío empleó este truco un día que salió de caza con Rudy.

El sendero de la montaña era estrecho, casi no existía paso. Era una delgada cornisa, al borde mismo del vertiginoso abismo. La nieve estaba medio fundida. La piedra se desmenuzaba cuando se le ponía el pie encima; por eso, el tío se echaba a tierra y avanzaba arrastrándose. Toda piedra que se rompía caía, se detenía, saltaba y rodaba de nuevo. Daba numerosos saltos de roca en roca antes de quedar inmóvil en el profundo agujero. A cien pasos atrás, Rudy se sostenía en el extremo avanzado de la roca. Vio llegar, planeando en el aire por encima de la cabeza de su tío, a un enorme pajarraco, que iba de un aletazo a arrojar al precipicio al que se arrastraba, para hacer de él una carroña. El tío solo tenía ojos para la gamuza que estaba a la vista, con su chotillo, al otro lado de la garganta. Rudy siguió con los ojos al ave y, comprendiendo su intención, agarró el fusil y se dispuso a disparar. En este momento dio un salto la gamuza, el tío tiró, y el animal fue alcanzado por la bala mortalmente; pero el chotillo huyó, como si hubiese estado advertido y ejercitado en una vida de huidas y peligros. La temible ave cambió de rumbo, asustada por el disparo. El tío ignoraba el peligro que había corrido y se enteró por Rudy.

Cuando regresaban a la casa de muy buen humor, el tío silbando una canción de su infancia, no lejos de allí se oyó un ruido especial.

Miraron a su alrededor; elevaron la vista al espacio, y vieron, en la pendiente, cómo se levantaba la masa de nieve, ondulándose de la misma forma que cuando el viento corre bajo un paño extendido. La parte superior de las ondas se partía, como placa de mármol que se quiebra, y se transformaba en aguas espumantes, que se derrumbaban en cascada, rugiendo con sordo tronar. Era un alud de nieve que se precipitaba no sobre Rudy y su tío, sino cerca, demasiado cerca de ellos.

—¡Sostente bien, Rudy! —le gritó el tío—. ¡Agárrate bien, con todas tus fuerzas!

Rudy se afianzó al tronco del árbol que estaba junto a él. El tío trepó por encima del muchacho y se subió a las ramas, y allí se sujetó fuertemente, mientras la avalancha pasaba vertiginosamente muy cerca de ellos. El viento huracanado, que se levantaba a su paso, arrancaba y quebraba árboles y arbustos como si fueran plantas secas y los arrojaba lejos. Rudy se echó al suelo. El árbol al que estuvo agarrado había sido cortado como con una sierra, y su copa, lanzada a gran distancia. Allí, entre las desgarradas ramas, yacía el tío con la cabeza partida. Su mano estaba aún caliente. Su rostro, irreconocible. Rudy palideció y se echó a temblar. Fue el primer miedo de su vida, el primer momento de terror que conocía.

Muy avanzada la noche llegó a la casa con el anuncio de la muerte del tío. La viuda permaneció muda, sin lágrimas. Solo estalló su dolor cuando trajeron el cadáver. El pobre cretino saltó a su cama y no se le volvió a ver en toda la jornada. Al anochecer fue en busca de Rudy.

—¡Escríbeme una carta! ¡Saperli no sabe escribir! ¡Saperli quiere lleva una carta al correo!

—Una carta, ¿para quién? —le preguntó Rudy.

—Para Nuestro Señor Jesucristo.

—¿Qué quieres decirle?

El medio idiota, al que consideraban un cretino, miró a Rudy con ojos enternecidos, juntó las manos y dijo con tono solemne y piadoso:

—¡Jesucristo! Saperli quiere enviarte una carta; Saperli quiere pedirte que muera él y no el amo de la casa.

Rudy le estrechó las manos.

—La carta no puede llegar a los cielos, ni nos devolverá al amo.

Le era difícil a Rudy explicar esta imposibilidad.

—Ahora eres tú el sostén de la casa —le dijo la viuda.

Y, en efecto, Rudy lo fue.

4. Babette

¿Quién es el mejor cazador del Valais? Eso lo saben muy bien las gamuzas.

—¡Desconfiad de Rudy! —se decían entre ellas.

¿Quién es el cazador más guapo y viril?

—¡Oh, es Rudy! —exclamaban las muchachas.

Pero ellas no decían: «¡Desconfiemos de él!». Ni lo decían tampoco las graves madres, porque él las saludaba con una inclinación de cabeza, tan amablamente como a las muchachas. Era intrépido y jovial. Sus mejillas, morenas; sus dientes, blancos, y sus ojos, negros como el carbón. Desde luego, era un muchacho hermoso y viril, que apenas tenía veinte años. Cuando nadaba no le producía frío el agua helada. Sabía bucear como un pez; escalar como nadie; pegarse contra una pared rocosa tan sólidamente como el caracol. Poseía buenos músculos y mejores nervios. Y lo demostraba también en los saltos, que había aprendido, primero, del gato; después, de las gamuzas. Rudy era el mejor guía a quien uno podía confiarse, y solo con esta condición hubiera amasado una fortuna. El oficio de tonelero lo había aprendido también de su tío y no tenía secretos para él. Su placer y su gusto era disparar contra las gamuzas, y esto le reportaba buenos ingresos. Se decía que Rudy era un buen partido, siempre que no pusiera sus ojos en persona de condición social distinta a la suya. En el baile se comportaba como un consumado bailarín, con quien soñaban las muchachas, y aun en pleno día, muchas soñaban con él.

—Me ha besado mientras bailábamos —dijo Annette, la hija del maestro, a su más íntima amiga.

Pero no debió decírselo ni a esta muchacha. Estas confidencias no son fáciles de guardar. Son como arena en saco agujereado, que se escapa pronto. Inmediatamente, a pesar de lo caballeresco y decente que era Rudy, se supo que besaba a las muchachas cuando bailaba, y, sin embargo, aún no había besado a la que de verdad quería.

—¡Averiguadme esto! —exclamó uno de los viejos cazadores—. Ha besado a Annette. Ha empezado por la letra «A». Besará à todo el alfabeto.

Un beso era todo el delito que los murmuradores podían atribuir a Rudy. Sin embargo, aunque él había besado a Annette, esta no era la elegida de su corazón.

En Bex, en la parte baja del país, entre los enormes nogales, muy cerca de un pequeño pero impetuoso torrente montañero, vivía el rico molinero. Su casa era un gran edificio de tres pisos, con torrecillas cubiertas de tablas y guarnecidas de chapas de hierro que brillaban al sol y a la luz de la luna. La torrecilla más alta tenía como veleta una brillante flecha que atravesaba a una manzana. Era para recordar el gesto de Guillermo Tell. El molino tenía aspecto de abundancia y de elegancia. Dejaba que lo dibujaran y lo describieran; pero no la hija del molinero, según diría Rudy, aunque el muchacho llevaba dibujada su figura en el corazón, porque ella poseía unos ojos tan ardientes que lo habían incendiado. Esto había ocurrido casi repentinamente, como suelen ocurrir todos los incendios, y lo más curioso del caso era que la hija del molinero, la encantadora Babette, lo ignoraba por completo, pues ella y Rudy no habían cambiado entre sí ni dos palabras.

El molinero era rico, de donde resultaba que Babette, colocada muy alto, no podía conseguirse fácilmente. Pero Rudy decía que nadie se sienta tan alto que no se pueda coger. Es necesario trepar, trepar, y uno no se cae si no piensa en el fracaso. Era una máxima que había aprendido en su país.

Rudy tuvo que hacer un viaje a Bex. Era una larga caminata, pues el ferrocarril aún no estaba terminado. Desde el glaciar del Ródano, en la falda del Simplón, se extiende, entre numerosas y diferentes montañas, el ancho valle del Valais con su poderoso río Ródano, que, a veces, crece tanto que desborda campos y caminos y lo destruye todo. Entre las ciudades de Sión y Saint-Moritz, el valle hace una curva, se pliega como un codo, y en Saint-Moritz es tan angosto que solo hay sitio para el lecho del río y la estrecha carretera. Una antigua torre, centinela del cantón del Valais, que allí termina, se eleva en el flanco de la montaña y mira, por encima del puente de piedra, a la aduana, situada al otro lado. Es allí donde empieza el cantón de Vaud, y no lejos de ese lugar se alza su ciudad más rica: Bex. Es como si se estuviera en un jardín de castaños y nogales. De cuando en cuando surgen cipreses y granados. Su clima es meridional, como el de Italia.

Rudy llegó a Bex, hizo su encargo y echó una ojeada por los alrededores sin ver a nadie del molino, y menos a Babette, lo que no le satisfizo.

Llegó la noche. El ambiente estaba cargado de perfumes de tomillo silvestre y de tilos en flor. Una especie de velo brillante, azul celeste, cubría a las verdes montañas cuajadas de árboles. Reinaba un silencio que no era ni el del sueño ni el de la muerte. Era como si la naturaleza hubiera contenido la respiración, como si estuviera posando para ser fotografiada con un fondo de cielo. Aquí y allá, entre los árboles, a lo largo del verde campo, se elevaban postes con el hilo telegráfico del pacífico valle. En lo alto de uno de ellos colgaba un objeto completamente inmóvil, que hubiera podido tomarse por un trozo de madera, desprendido del poste; pero era Rudy, sin movimiento, como todo lo que le rodeaba en aquel momento. Ni dormía ni estaba muerto, sino que, lo mismo que los grandes acontecimientos mundiales y los hechos esenciales de la vida de los particulares pasan por el interior del hilo telegráfico sin que este lo manifieste por temblor ni murmullo alguno, así pasaban a través de Rudy los fuertes y abrumadores pensamientos, la felicidad de su vida, que era, desde ahora, su idea permanente. Su mirada estaba fija en un punto que se veía por entre el follaje: una luz en el salón del molinero. Rudy estaba completamente inmóvil, como si estuviera a la espera de una gamuza; mas en este instante él mismo era como una gamuza, que puede permanecer durante minutos tallada a la roca y, de repente, con solo el rodar de una piedrecilla, salta y huye al galope. Y eso fue, precisamente, lo que hizo Rudy. Fue una idea la que rodó.

—¡No hay que desesperarse jamás! —se dijo—. ¡Vamos al molino! Saludo al molinero, saludo a Babette... Uno no se cae cuando está seguro de que no se caerá. Es necesario que Babette me vea, si he de ser su marido.

Rudy se rio, se sintió de buen humor y se dirigió al molino. Sabía lo que quería: ver a Babette.

El amarillento río corría a borbotones. Los sauces y los tilos se inclinaban sobre la corriente. Rudy tomó el sendero y, como dice la canción infantil:

... en casa del molinero
no había nadie;
solo un gatito.

El gato estaba tumbado en la escalinata. Arqueó el lomo y maulló. Pero Rudy no le hizo caso. Llamó a la puerta. Nadie le oyó; nadie le abrió.

—¡Miau! —exclamó el gato.

Si Rudy hubiera sido un niño, habría comprendido el lenguaje de los animales y entendido lo que el gato le decía:

«¡No hay nadie!». Tuvo que ir al molino a informarse. Allí supo que el amo se hallaba de viaje, que había ido muy lejos a la ciudad de Interlaken, «*inter lacus,* entre los lagos», como le había explicado el maestro, padre de Annette, hombre muy inteligente. En aquella ciudad, tan lejana, estaba el molinero, y Babette con él. En ella iba a dar comienzo al día siguiente un concurso de tiro, que duraría ocho días justos. Y los suizos de todos los cantones alemanes se habían dado cita allí.

¡Pobre Rudy! No había venido a Bex en el momento más favorable. Ya podía volverse, y eso haría. Por Saint-Moritz y Sión tomaría el camino de su valle y de sus montañas; pero no estaba desesperanzado. Cuando el sol se elevó a la mañana siguiente, hacía rato que se encontraba de muy buen humor. Jamás se había abatido por nada.

—¡Babette está en Interlaken, a varias jornadas de viaje de aquí! —se dijo—. La ruta es larga hasta llegar allí si se sigue la carretera principal; pero no lo es si se va a través de las montañas, y esto es lo más conveniente para un cazador de gamuzas. Yo ya he recorrido ese camino, pues es allá abajo donde está mi pueblo, en el que pasé mi niñez y en donde se alza la casa de mi abuelo. ¡Están en un concurso de tiro que se celebra en Interlaken! Yo seré allí el primero y lo seré también para Babette cuando haya hecho amistad con ella.

Con su saco ligero, que contenía su traje de los domingos, su escopeta y su zurrón, Rudy escaló las montañas, tomando el atajo que, a pesar de todo, era bastante largo; pero el concurso empezaba aquel día y había toda una semana por delante. Le habían dicho que el molinero y su hija permanecerían durante todo este tiempo en Interlaken, en casa de unos parientes. Rudy dejó atrás el Gemmi. Quería bajar hasta Grindelwald.

Alegre y muy en forma, avanzaba en medio del aire puro de la montaña, ligero y fortificante. El valle se hacía más profundo; la vista se extendía. Aquí, una cima; allá, otra... Y, enseguida, la blanca y brillante cordillera de los Alpes. Rudy conocía cada montaña de nieve. Se dirigía hacia el Schreckorn, que elevaba a gran altura su dedo de piedra, empolvado de blanco.

Al fin se encontró en el borde, donde las hierbas se inclinaban hacia los valles de su pueblo. El aire era ligero y el muchacho se sentía a gusto. Abundancia de flores y de verdor en la montaña y en el valle. Tenía el corazón lleno de juventud: no se envejecía, jamás se muere. ¡Vivir, gozar, actuar! Era libre como el pájaro, ligero como el pájaro. Las golondrinas pasaban y cantaban como en su infancia:

—¡Nosotros y él! ¡Él y nosotros!

Todo era alegría, acción.

Abajo se extendía la pradera de terciopelo verde, sembrada de oscuras casas de madera. El Lutschine rugía y alborotaba. Contempló el glaciar con sus bloques de cristal verde en la sucia nieve; las profundas quebradas; el glaciar alto y el bajo. Las campanas de la iglesia tocaban y parecía que querían darle la bienvenida. Su corazón latió con más fuerza. Y se ensanchó tanto que Babette, por un solo instante, desapareció de él, tan grande, tan lleno de recuerdos estaba.

Continuó su marcha por el camino donde, cuando pequeño, permanecía con los otros niños al borde de la cuneta para vender las casitas de madera tallada. Allá arriba, tras los abetos, estaba aún la casa del abuelo materno, pero la habitaban gentes desconocidas. Los niños pululaban por la carretera queriendo vender algo. Uno de ellos le alargó una rosa de los Alpes, que Rudy cogió como un buen presagio, pensando en Babette. Pronto se halló en el puente, en el lugar donde los dos Lutschines confluyen, allí la abundancia de árboles era mayor y los nogales proporcionaban agradable sombra. Enseguida vio ondear la bandera: cruz blanca sobre fondo rojo, colores de los suizos y de los daneses. Y ante él, Interlaken.

En efecto, era una ciudad mejor que ninguna otra, pensaba Rudy. Una ciudad suiza con traje dominguero. No estaba formada, como las otras ciudades, por una gran cantidad de casas de piedra, pesadas, extrañas y elegantes. No; se hubiera podido decir que aquí habían descendido al valle las casas de madera de la alta montaña para colocarse al lado del transparente río de rápida corriente, y puestas en fila, unas un poco más adelante, otras un poco más atrás, formar las calles. ¡Oh, cómo había cambiado la mejor de todas ellas desde la última vez que Rudy, niño, había estado allí! Parecía deber su existencia a las lindas casitas de madera que su abuelo había tallado y que llenaban el armario de su casa. Era como si todas ellas se hubieran alineado allí, después de haber aumentado de tamaño, al igual que los viejos castaños. Cada casa era un hotelito, con frisos esculpidos alrededor de las ventanas y de los balcones, tejados salientes, coquetos y graciosos, y, delante de cada casa, un jardín que llegaba hasta la asfaltada carretera principal. Las casas se extendían a lo largo de ella, pero a un solo lado, pues en caso contrario hubieran ocultado la lozana pradera de enfrente, donde las vacas llevaban cencerros que sonaban como en los altos pastos de los Alpes. La pradera se hallaba rodeada de montañas, que, en su centro, se separaban como para que se viera la montaña nevada, de una blancura deslumbrante, llamada La Virgen, que, de todas las de Suiza, es la que tiene forma más encantadora.

¡Qué cantidad de señores y damas elegantes, procedentes de países extranjeros! ¡Qué bullicio de paisanos de los diferentes cantones! Los tiradores llevaban su número de tiro en una corona que rodeaba al sombrero. Se oían músicas y canciones, órganos de Berbería e instrumentos de viento, gritos y jaleo. Las casas y los puentes estaban adornados con estrofas y emblemas conmemorativos. Los estandartes y las banderas ondeaban al viento; las escopetas disparaban —esta era la mejor música para los oídos de Rudy—. En medio de aquella batahola, olvidaba por completo a Babette, causa principal de su venida a Interlaken.

Los tiradores avanzaron para intervenir en el tiro al blanco. Rudy pronto estuvo entre ellos, y fue el más diestro, el más afortunado. Siempre hacía diana.

—¿Quién es ese cazador extranjero, tan joven? —preguntaban.

—Habla el francés como en el Valais y se hace comprender con facilidad en nuestro alemán —decían algunas personas.

—Parece que de niño ha vivido aquí, en esta región, cerca de Grindelwald —dijo una de ellas, mejor informada.

El mozo estaba animado. Le brillaban los ojos. Tanto su vista como su brazo eran seguros, por cuyo motivo siempre daba en el blanco. Pronto tuvo a su alrededor un círculo de amigos. Se le rendían honores y homenajes. Babette casi había desaparecido de su pensamiento. Y en ese instante, una pesada mano cayó sobre su hombro y una voz ronca le interpeló en francés:

—¿Sois del Valais?

Rudy se volvió y vio un rostro rojo, jovial, que formaba parte de una figura corpulenta. Era el rico molinero de Bex. Tapaba con su corpachón a la fina y gentil Babette, la cual no tardó, sin embargo, en mirarle con sus oscuros y brillantes ojos. El rico molinero se vanaglorió de que fuese un cazador de su cantón el que hiciese los mejores disparos y a quien se le tributase tan justo homenaje. Verdaderamente Rudy tenía suerte. El objeto principal de su venida a Interlaken, casi olvidado ya, se presentaba de repente ante sus ojos.

Cuando lejos de la propia casa se encuentra uno a gente de su país, se traba amistad con ella, se la habla. Rudy, en la fiesta del tiro, era el primero, lo mismo que el molinero de Bex era el primero en su casa por su dinero y su magnífico molino. Los dos hombres se estrecharon las manos, lo que nunca antes había ocurrido. Babette también estrechó cordialmente la mano de Rudy, y este mantuvo la presión, mirando con fijeza a la joven, que se ruborizó.

El molinero contó el largo viaje que habían hecho para llegar allí y las ciudades que habían visto. ¡Un verdadero viaje! Navegaron en barco, fueron en ferrocarril y montaron en diligencia.

—Yo he tomado el camino más corto —contestó Rudy—. He venido a pie por las montañas. No existe camino tan alto que yo no pueda recorrer.

—Pero eso le destroza a uno —exclamó el molinero—, y termina por romperse la cabeza. Vos tenéis aspecto de romperos la cabeza un día por lo temerario que sois.

—Uno no se cae jamás si no piensa que se ha de caer —respondió Rudy.

La familia del molinero en Interlaken, en casa de la cual vivían Babette y su padre, invitó a Rudy a visitarla, puesto que era del mismo cantón que sus parientes. La invitación era magnífica para el muchacho. Tenía suerte, como la tiene siempre el que cuenta consigo mismo y recuerda que «Dios nos da la nuez, pero no nos la parte».

Rudy se encontró como en familia en casa de los parientes del molinero, y allí se bebió en abundancia en honor del mejor tirador. Babette también bebió, y Rudy lo agradeció mucho.

Al anochecer se pasearon a lo largo de la carretera, que flanqueaban los elegantes hoteles, bajo los añosos nogales. Había tanta gente, se estaba tan estrecho, que Rudy tuvo que ofrecer el brazo a Babette. Dijo que estaba muy contento por haber encontrado a personas de Vaud, ya que este y el Valais eran cantones vecinos. Expresó su alegría de forma tan patente que Babette creyó oportuno estrecharle la mano por eso. Marchaban casi como antiguos conocidos, y la encantadora muchacha lo pasó muy bien. Rudy encontraba muy bien que ella señalara lo ridículo y lo excesivo en los trajes de las damas extranjeras, así como su forma de andar, pues no era mofarse de ellas, que podían ser personas muy honradas, simpáticas y agradables. La propia muchacha tenía por madrina a una señora inglesa, muy distinguida, que estaba en Bex cuando se bautizó Babette, hacía ya dieciocho años. Ella le había regalado el precioso alfiler que la muchacha llevaba prendido en el pecho. Por dos veces le había escrito su madrina, y aquel año debían haberla encontrado en Interlaken con sus hijas, solteronas de casi treinta años, según opinión de Babette, que solo tenía dieciocho.

La linda y diminuta boca no callaba un momento, y todo cuanto decía Babette le parecía a Rudy de la mayor importancia. A su vez, él le contó cuanto tenía que contarle: con qué frecuencia iba a Bex, lo bien que conocía el molino, las veces que había visto a Babette, sin que ella, como es natural, le prestara la menor atención, y cómo había ido de nuevo al molino el otro día, con muchas ideas de las que no podía hablar, y se había encontrado que ella y su padre estaban ausentes, que habían marchado lejos, pero no tanto que no pudiese saltar el muro que obstruía la carretera.

Sí, dijo todo esto y mucho más. Le dijo cuánto le gustaba... y que había sido por ella y no por el concurso de tiro su venida a aquella ciudad.

Babette permaneció callada. El peso de esta confidencia era demasiado grande.

Mientras caminaban, el sol se ocultó tras las altas montañas. La Virgen surgió en todo su esplendor, rodeada por la corona de verdes bosques de las montañas más próximas. La multitud se detuvo a contemplarla. Rudy y Babette también admiraron este espectáculo.

—¡No hay nada más hermoso que esto! —exclamó Babette.

—¡Nada! —repitió Rudy sin apartar los ojos de la muchacha; y un poco después—: ¡Tengo que marcharme mañana!

—¡Venga a vernos a Bex! —susurró Babette—. ¡Le agradará a mi padre!

5.   El regreso

¡Oh, qué peso tuvo que llevar Rudy al día siguiente cuando volvió a su casa por encima de las montañas! Llevaba tres copas de plata, dos magníficas escopetas y una cafetera de plata, que podía servirle cuando se casara. Y, sin embargo, no era eso lo que más le pesaba. Llevaba consigo un peso mayor, más importante; pero este peso lo sostenía en su regreso. El tiempo era frío, gris, lluvioso y agobiante. Las nubes se extendían sobre las montañas como un sudario y envolvían las brillantes cimas. Del fondo de los bosques llegaba el eco del último hachazo, y por las laderas de las montañas rodaban los trozos de árboles que, vistos desde tan alto, parecían simples astillas, siendo tan grandes como mástiles. El Lutschine continuaba con su monótono rugido. El viento silbaba. Las nubes bogaban. De repente apareció al lado de Rudy una muchacha, de la que no se había dado cuenta antes, y que también quería atravesar las montañas. Sus ojos tenían un brillo especial; con su extraña transparencia de cristal atraían a su infinita profundidad.

—¿Tienes novio? —le preguntó Rudy.

Su mente se hallaba invadida por la idea de tener una novia.

—No —contestó la muchacha, y se echó a reír; pero a Rudy le pareció que no decía la verdad—. No demos un rodeo —continuó—. Debemos ir hacia la izquierda. Es más corto.

—Sí, para que nos caigamos en un precipicio —le respondió Rudy—. No conoces el camino y quieres ser guía.

—Precisamente lo digo porque conozco el camino —dijo ella—. Y tengo mi pensamiento puesto en él. El tuyo vuela sin duda hacia el valle. Aquí hay que pensar en la dama de los hielos. Dicen que no ama a la especie humana.

—No la temo —contestó Rudy—. Tuvo que dejarme escapar cuando era niño. Ahora, que soy mayor, sé muy bien cómo librarme de ella.

Aumentó la oscuridad. Empezó a llover. Comenzó a nevar. La nieve alumbró, deslumbró.

—Dame la mano —dijo la muchacha—. ¡Te ayudaré a subir!

Y le tocó con sus dedos helados.

—¿Ayudarme tú? —se extrañó Rudy—. ¡Aún no necesito ayuda de una mujer para escalar!

Anduvo más deprisa y se alejó de ella. La borrasca de nieve le rodeaba como una cortina. El viento silbaba; Rudy oyó detrás de él reír y cantar a la muchacha. El tono era muy particular. Sin duda se trataba de una hechicera al servicio de la dama de los hielos. Rudy había oído hablar de esto cuando, siendo pequeño, había tenido que acampar una noche en la nieve, en su marcha a través de las montañas.

La nieve cayó menos densa. La nube se hallaba por debajo de él. Miró hacia atrás y no vio a nadie, pero oyó cantar y reír a la tirolesa, y aquella voz no parecía provenir de un ser humano.

Cuando Rudy alcanzó, por fin, la cumbre de la cordillera, desde donde el sendero descendía hasta el valle del Ródano, percibió, en la banda clara de aire azul, en dirección de Chamonix, dos estrellas que titilaban y pensó en Babette, en sí mismo y en su suerte, y se sintió reconfortado.

6. Visita al molino

—¡Es vajilla de casa grande lo que traes a casa! —le dijo su anciana madre adoptiva, cuyos extraños ojos de águila refulgieron; movió con mayor presteza su delgado cuello, contorsionándolo—. ¡La suerte te acompañe, Rudy! ¡Déjame que te bese, hijito!

Rudy se dejó besar; pero en su rostro podía observarse que todo eso lo consideraba como molestias domésticas.

—¡Qué hermoso eres, Rudy! —exclamó la anciana.

—No hagas que me lo crea —le contestó Rudy, riendo. Esto le producía un gran placer.

—Vuelvo a repetírtelo: ¡que la suerte te acompañe!

—Así lo espero —asintió el muchacho, y pensaba en Babette.

Jamás había deseado como entonces bajar al valle.

—Ya deben de estar de regreso en su casa —se decía—. Seguramente, hace ya dos días. ¡Es preciso que vaya a Bex!

Y Rudy fue a Bex. El molinero estaba en su casa y Rudy fue bien recibido. Los primos de Interlaken lo acogieron con entusiasmo. Babette apenas habló. Se había vuelto muy callada, pero sus ojos hablaban, y eso era suficiente para el muchacho. El molinero, que de costumbre llevaba con gusto la conversación, habituado a que se rieran con sus gracias y sus juegos de palabras, porque era el rico molinero, pareció preferir oír los relatos de Rudy sobre las aventuras de caza, las dificultades y peligros que sufren los cazadores de gamuza en las altas cumbres, donde es preciso escalar y transitar por cornisas nevadas poco seguras, que el viento y el aire calzan al borde del rocoso monte, y arriesgarse por los puentes que las ráfagas de nieve hacen sobre los profundos precipicios. Rudy era de carácter intrépido. Sus ojos brillaban al contar la vida del cazador, la malicia y los audaces saltos de la gamuza, el violento _foehn_ y las avalanchas. Se daba perfecta cuenta de que, a cada nueva descripción, avanzaba en la conquista del molinero, a quien sobre todo placían las historias de los buitres y de las audaces águilas reales.

No lejos de allí, en el Valais, se encontraba un nido de águilas ingeniosamente construido bajo un bordillo de saliente roca. Allá arriba vivía una cría que era imposible coger. Algunos días antes, un inglés había ofrecido a Rudy un gran puñado de oro si le llevaba la cría viva.

—Hay límites a todo —dijo—. El aguilucho no se puede coger. Sería una locura intentarlo.

Corrió el vino, corrieron las palabras; mas la tarde fue demasiado corta a gusto de Rudy, aunque era más de medianoche cuando salió de su primera visita al molino.

En la ventana, por entre las verdes ramas, aún brillaron por un corto intervalo las luces. Por la puertecilla abierta sobre el tejado apareció el gato del salón y, trepando por el canalón, el de la cocina.

—¿Sabes la noticia? —preguntó el gato del salón—. Hay ambiente de noviazgo en la casa. El amo aún no sabe nada. Rudy y Babette, durante toda la velada, han tenido sus patas unas encima de las otras debajo de la mesa. A mí me las han puesto encima dos veces, pero no he maullado, porque hubiera atraído la atención de los demás.

—¡Pues yo sí hubiera maullado! —contestó el gato de la cocina.

—Lo que está bien en la cocina no lo está en el salón —replicó el gato del salón—. Me gustaría saber ahora lo que dirá el amo cuando se entere del noviazgo.

También a Rudy le hubiera gustado saber lo que diría el molinero; mas no tuvo que esperar mucho tiempo para saberlo. Pocos días después, cuando el ómnibus rodaba sobre el puente del Ródano, entre Valais y Vaud, conduciendo a Rudy, este iba lleno de valor, como siempre, y acariciaba la idea de una promesa de matrimonio para aquella misma noche.

Pasó la noche, y cuando el ómnibus hacía el mismo recorrido, pero en sentido contrario, llevando a Rudy dentro, en el molino el gato del salón corrió al tejado a contar las novedades.

—¿Lo sabes ya, gato de la cocina? ¡El molinero está enterado de todo! Es curioso cómo ha terminado este asunto. Rudy llegó casi anochecido. Babette y él tenían mucho de que hablar y cuchichear. Se hallaban en el corredor, justamente delante de la habitación del molinero. Yo estaba echado a sus pies, pero no me veían ni pensaban en mí. «Voy a hablar con tu padre. No tenemos por qué ocultarlo más», decía Rudy. ¿Quieres que te acompañe?, le preguntó Babette. «Eso te dará ánimos». «¿Ánimo? ¡No me falta!», respondió Rudy. «Pero si vienes, tu padre se mostrará benévolo, lo quiera o no». Y se dirigieron a la habitación del molinero. ¡Rudy me pisó el rabo con toda su fuerza! ¡Rudy es extremadamente torpe! Maullé, pero ni él ni Babette tenían oídos para oírme. Abrieron la puerta y entraron los dos, yo delante. Y salté sobre el respaldo de una silla, ¡porque no sabía qué patada iba a lanzar Rudy! Pero fue el molinero quien pegó la patada, ¡y de las buenas! ¡A la calle, Rudy! ¡Que escale montañas para cazar gamuzas! ¡Mas no a nuestra pequeña Babette!

—Pero, ¿qué se dijo? —preguntó el gato de la cocina.

—¿Decir?... Rudy dijo todo cuanto se dice cuando se va a solicitar la mano de una muchacha. «¡Yo la amo y ella me ama! ¡Y cuando hay leche en el jarro para uno, la hay también para dos!». «¡Pero mi hija es de condición demasiado elevada para ti —le respondió el molinero—. ¡Bien sabes que ella tiene un nido de oro! ¡No, no la tendrás!». «Nadie ni nada tiene su nido demasiado alto. ¡Cuando se quiere se llega a él por todos los caminos!», le respondió Rudy, que no tiene pelillos en la lengua. «¡Tú mismo has dicho que no podías alcanzar el nido del aguilucho! ¡Y Babette está anidada más alto aún». «¡Cogeré a los dos!», replicó Rudy. «¡Bien! Yo te entregaré a Babette a cambio del aguilucho vivo —dijo el molinero, y se rio tanto que se le saltaron las lágrimas—. Aparte de eso, te agradezco la visita, Rudy. Puedes volver mañana. No habrá nadie en la casa. ¡Adiós Rudy!». Babette también se despidió de él, tan triste como un gatito que no encuentra a su mamá. «¡Una palabra es una palabra; un hombre es un hombre! —dijo Rudy—. ¡No llores, Babette! Yo traeré el aguilucho». «Te romperás la cabeza y nos veremos libres de tu persecución», dijo el molinero. ¡He aquí lo que llamo una buena patada! Rudy se ha marchado y Babette llora, pero el molinero canta en alemán, que ha aprendido durante el viaje. Yo no me pondré de luto por esto; ¡no vale la pena!

—Al menos, siempre es elegante —dijo el gato de la cocina.

7. El nido del águila

Por el sendero de la montaña resonaba alegremente la canción tirolesa, síntoma evidente de buen humor y osado valor. Rudy se dirigía a casa de su amigo Vesinand.

—¡Necesito tu ayuda! Tengo que apoderarme del aguilucho que tiene su nido bajo la cornisa de nieve, allá arriba; Ragli vendrá con nosotros.

—Primero te apoderarás de los cuernos de la luna. ¡Es mucho más fácil! —le contestó Vesinand—. Siempre estás de buen humor.

—Sí, porque pienso casarme. Mas hablemos en serio. Quiero que te enteres de lo que me pasa.

Pronto supieron Vesinand y Ragli las vicisitudes de su amigo y lo que quería.

—¡Eres un arriesgado! —le contestaron—. ¡Eso es imposible! ¡Te romperás la cabeza!

—¡Uno no se cae cuando cree que no se ha de caer! —sentenció Rudy.

Con pértigas, escalas y cuerdas partieron los tres hacia medianoche. El camino pasaba por entre arbustos y árboles podados, sobre cantos rodados, subiendo, subiendo siempre en la negra noche. El agua bullía abajo; el agua susurraba arriba. Las nubes bogaban por el espacio. Los cazadores alcanzaron la base de la escarpada roca. Allí todo era más negro, pues las paredes de roca casi se tocaban. La claridad del cielo estrellado se vislumbraba por la estrecha fisura. Bajo ellos se abría un profundo precipicio, en cuyo fondo rugía el agua. En silencio se sentaron los tres. Querían esperar a la aurora. Entonces el águila emprendería su vuelo, cosa de capital importancia y en la que había que pensar antes de intentar apoderarse del aguilucho. Rudy estaba en cuclillas, sin más movimiento que si fuera un trozo de la piedra sobre la que se hallaba. Tenía el fusil preparado para disparar y sus ojos no se apartaban de la abertura superior, donde se encontraba escondido el nido del águila bajo el borde saliente. Los tres cazadores esperaron mucho tiempo. Al fin, por encima de sus cabezas se oyó un crujido y una conmoción: una gran masa volante ensombreció la banda de cielo. Dos cañones de escopeta se dirigieron al momento hacia la negra silueta del águila, que abandonaba el nido. Sonó un disparo. Las desplegadas alas se agitaron un instante, y, enseguida, el ave descendió lentamente, como si, con su tamaño y su envergadura, fuese a llenar todo el hueco y arrastrar a los cazadores en su caída. El águila cayó al precipicio; crujieron las ramas de los árboles y de los arbustos desgarrados por la caída vertiginosa del ave.

Entonces se pusieron activamente a la tarea. Ataron juntas tres escalas de las más largas, que debían llegar hasta lo alto. Las colocaron en el punto de apoyo extremo que procuraba el borde del precipicio, pero no alcanzaban su objetivo. El flanco de la roca subía, en una longitud mayor y uniforme como un muro, hasta el lugar donde el nido se ocultaba al abrigo de la extremidad saliente de la roca. Después de algunas deliberaciones, se llegó al acuerdo de que lo mejor sería bajar, desde arriba, dos escalas atadas juntas y unirlas a las tres que ya estaban colocadas abajo. Con gran trabajo se condujeron las dos escalas a lo alto de la roca y se ataron sólidamente con cuerdas. Fueron empujadas, por encima del saliente borde, y quedaron suspendidas en el abismo. Rudy ya estaba en el primer escalón. La mañana era glacial, la bruma se elevaba del fondo de la negra garganta. Rudy era como una mosca posada en una inestable brizna de paja que un pájaro ha perdido al borde de la alta chimenea de una fábrica al construir su nido, pero la mosca podía volar si la paja oscilaba y caía. Rudy podía romperse la cabeza si tal caso ocurría. El viento soplaba a su alrededor, y en el precipicio rugían las vertiginosas aguas, procedentes del glaciar, palacio de la dama de los hielos. Balanceó la escala, como la araña que, al extremo de su hilo, se balancea para alcanzar su propósito, y cuando, por cuarta vez, llegó a la extremidad de las escalas que se elevaban de abajo, se afianzó bien en ella y con mano segura y vigorosa cogió las que descendían de lo alto y las ató juntas; pero siempre quedaron oscilantes, como si tuvieran bisagras usadas.

Tenían estas cinco escalas, que llegaban hasta el nido y se elevaban en pico apoyadas contra la pared de piedra, el aspecto de un rosal agitado por el viento. Y fue entonces cuando se presentó el mayor peligro. Era preciso trepar como solo sabe hacerlo el gato; pero Rudy también sabía hacerlo, pues el gato se lo había enseñado. No sentía el vértigo, que batía el aire tras él y le tendía sus brazos de pulpo. Ya estaba en pie en el último escalón y se dio cuenta de que, desde allí, no alcanzaba a ver aún el interior del nido, el cual solo tocaba su mano. Probó la solidez de las ramas, gruesas y entrelazadas, que formaban la base del nido, y cuando se aseguró de una fuerte rama inconmovible, dio un salto desde la escala a la rama. Ya tenía la cabeza y el busto por encima del nido; entonces llegó hasta él un nauseabundo y sofocante olor a carroña: corderos, gamuzas y aves estaban allí despedazados. El vértigo, que no lograba tocarle, le sopló al rostro los vapores envenenados a fin de aturdirle, y abajo, en el negro agujero abierto, permanecía a la espera sobre el agua tumultuosa la dama de los hielos, con sus largos y verdosos cabellos, apuntando sus ojos de muerte como dos cañones de escopeta.

—¡Ahora sí que lo tengo!

Rudy vio echado en un rincón del nido al aguilucho, grande y fuerte, que aún no sabía volar. El muchacho fijó sus ojos en él, se agarró con todas sus fuerzas con una sola mano y lanzó con la otra el lazo sobre el pajarraco. El ave estaba viva y en su poder. Las patas quedaron aprisionadas en el nudo corredizo. Rudy arrojó el lazo con el pájaro por encima de su hombro, de forma que el animal pendía a una buena distancia por debajo de él, al mismo tiempo que se agarraba sólidamente a una cuerda de seguridad que había atado en lo alto y descendía por ella hasta que la punta de sus pies tocó el extremo de la escala.

«¡Sostente bien! ¡No pienses que te vas a caer y no te caerás!». Era su vieja doctrina, y él la siguió. Se agarró bien, trepó; estaba seguro de que no se caería, y no se cayó.

Y se oyeron los compases, vigorosos y alegres, de una canción tirolesa. Rudy estaba sobre tierra firme con su aguilucho en la mano.

8. Las novedades que pudo contar el gato del salón

—¡Aquí tenéis lo que habéis exigido! —exclamó Rudy al entrar en casa del molinero de Bex y depositar en el suelo un gran cesto. Abrió la tapadera y dos ojos amarillos, rodeados de negro, dardearon sus deslumbrantes miradas, furiosos, bien hechos para fascinar. El pico, fuerte y poderoso, se abría para morder. El cuello era rojo y velludo.

—¡El aguilucho! —gritó el molinero.

Babette lanzó un grito y saltó a un lado; pero no podía apartar los ojos de Rudy ni del pajarraco.

—¡No tienes miedo! —exclamó el molinero.

—¡Y vos cumplís siempre vuestra palabra! —respondió Rudy—. Cada cual tiene su marca que le distingue de los demás.

—¿Cómo no te has roto la cabeza? —preguntó el molinero.

—Porque yo me mantengo firme —respondió Rudy—. En todo me mantengo firme, hasta en mi amor por Babette.

—¡Trabaja para obtenerla! —dijo el molinero riendo. Babette sabía que esta era una buena señal.

—Saquemos al aguilucho del cesto. Da miedo ver cómo nos mira. ¿Dónde lo has atrapado? ¿Cómo?

Rudy tuvo que contar su odisea, mientras el molinero abría cada vez más los ojos.

—Con tu valor y tu suerte tienes bastante para mantener a tres mujeres —exclamó el molinero.

—¡Gracias, gracias! —gritó Rudy.

—¡Oh, aún no tienes a Babette! —rio el molinero.

Y campechanamente golpeó en la espalda al joven cazador de los Alpes.

—¿Sabes la nueva del molino? —preguntó el gato del salón al de la cocina—. Rudy nos ha traído el aguilucho y ha tomado a cambio a Babette. Se han besado a la vista del amo. Ya son novios, después de tanto hablar. El viejo no ha dado patadas. Ha escondido las uñas, se ha echado la siesta y ha dejado que los dos muchachos ronroneen. Tienen tanto que decirse que no terminarán hasta Navidad.

En efecto, en Navidad aún no habían terminado. El viento arremolinó las hojas secas. La nieve cayó en el valle con la misma intensidad que en las montañas. La dama de los hielos se asentó en su palacio, agrandado durante el invierno. Las laderas de roca recibieron una capa de nieve y los copos, de una toesa de grosor, pesados como elefantes, cayeron en los sitios donde, en verano, el torrente montañero hacía flotar su cinta de agua. Fantásticas guirnaldas de cristales de hielo brillaban en los abetos espolvoreados de nieve.

La dama de los hielos cabalgaba sobre el viento, bramando en los valles más profundos. El tapiz de nieve bajaba hasta Bex, en donde se podía ver a Rudy, con más frecuencia que de costumbre, sentado en un rincón del fuego. Estaba en casa de Babette. La boda se celebraría el próximo verano. Tenían los oídos atronados de tanto como hablaban los amigos de ella. El sol lucía, y la alegre, la riente Babette, la rosa más exquisita de los Alpes, enrojecía, encantadora como la primavera vecina, la primavera que hacía cantar a todas las aves la época estival, el día de la boda.

—¿Cómo será posible que los dos estén siempre tan pegados el uno al otro? —se preguntaba el gato del salón—. ¡Ya estoy harto de esos maullidos!

9.   La dama de los hielos

La primavera había desplegado su deliciosa enramada verde en los nogales y castaños, que se extendían, sobre todo, desde el puente cercano a Saint-Moritz hasta la orilla del lago de Ginebra y a lo largo del río Ródano, que arranca con vehemencia de su fuente, situada al pie del glaciar, del palacio de hielo donde reside la dama de los hielos y desde donde se hace transportar por el áspero viento hasta los más elevados campos de nieve para tenderse allí, a la viva luz del sol, sobre los cojines de copos. En este lugar era donde ella se encontraba ahora, contemplando con su penetrante mirada los profundos valles donde los hombres se movían de un lado para otro como hormigas sobre las piedras que bañaba el sol.

—¡Fuerzas del espíritu, que os llamáis hijos del sol, solo sois insectos; una simple bola de nieve, que ruede, basta para que vuestras casas y ciudades queden pulverizadas y desaparezcan! —exclamó la dama de los hielos.

Y alzó más su altiva frente. Sus ojos, que lanzaban rayos mortales, miraron a lo lejos y hacia abajo. Del valle se elevaba un ruido ensordecedor, un desgarramiento de rocas. Era la obra de los hombres: se estaban construyendo túneles y vías para el ferrocarril.

—¡Juego de topos! —exclamó—. Excavan galerías y se oyen como disparos de escopetas. Cuando yo desplazo mis castillos, el ruido es más fuerte que el rugido del trueno.

Del valle se elevó una humareda que avanzaba como velo flotante. Era la crin ondulante de la locomotora que tiraba del tren, marchando, por la vía recientemente colocada, como una serpiente sinuosa compuesta de vagones. Volaba como una flecha.

—¡Las fuerzas del espíritu juegan a los amos! —dijo la dama de los hielos—. ¡Sin embargo, las fuerzas de la naturaleza son las únicas soberanas!

Rio, cantó y un estruendo avanzó por el valle.

—¡Mirad, mirad: un alud de nieve! —gritó la gente.

Pero los hijos del sol cantaron con voz aún más potente el soberano pensamiento humano, que pone el mar bajo su yugo, desplaza las montañas y colma los valles. El pensamiento humano, señor y dueño de las formas naturales. En este preciso instante, al campo de nieve donde se halla la dama de los hielos llegó un grupo de viajeros. Iban fuertemente atados los unos a los otros por medio de cuerdas, para formar un solo cuerpo en la superficie pulimentada del hielo, próxima a los precipicios.

—¡Trepad, amos de las fuerzas naturales! —exclamó la dama de los hielos.

Y les volvió la espalda para mirar, burlona, hacia abajo, al valle por donde pasaba el tren.

—¡He ahí esos pensamientos! ¡Ellos están a merced de las fuerzas! ¡Yo los veo todos! Hay uno que está sentado, orgulloso como un rey, completamente solo. Más allá, forman una masa compacta. La mitad de ellos duermen. Y cuando el dragón de vapor se detiene, andan un poco. ¡Los pensamientos salen del mundo!

Se rio.

—¡Otro alud! —gritaron abajo, en el valle.

—¡No nos cogerá! —exclamaron dos viajeros que iban a lomo del dragón de vapor, «dos almas con un solo pensamiento», como vulgarmente se dice.

Eran Rudy y Babette. El molinero también estaba con ellos.

—Como equipaje —dijo—. Yo os acompaño como equipaje, como una necesidad.

—¡Allí van los dos! —exclamó la dama de los hielos—. ¡Yo he destrozado muchas gamuzas! ¡He desgarrado millones de rosas de los Alpes, sin dejar ni las raíces! ¡Arrancaré también los pensamientos, las fuerzas del espíritu!

Y se rio.

—¡Otro alud! —gritaron los del valle.

10.   La madrina

En Montreux, una de las ciudades vecinas que con Clarens, Vernex y Crin forman una guirnalda alrededor de la parte nordeste del lago de Ginebra, vivía la madrina de Babette, la distinguida dama inglesa, con sus dos hijas y un joven primo. Se habían instalado allí hacía poco tiempo, pero el molinero ya les había hecho una visita para anunciarles el próximo casamiento de Babette y narrarles con todo detalle las aventuras de Rudy y el nido del águila y el viaje a Interlaken, breve pero sustancioso. Su charla tuvo por objeto predisponer a la señora en favor de Rudy y de Babette y también en su propio favor. No podían dejar de venir a verla los tres, y eso hicieron... Babette vería a su madrina y la madrina a Babette.

En Villeneuve, el pueblecito situado a un extremo del lago de Ginebra, estaba el barco que en una media hora llega a Vernex, en la parte baja de Montreux. Esta es una de las riberas cantadas por los poetas. ¡Aquí, bajo los nogales que bordean el profundo lago azul verdoso, Byron escribió sus mejores y melodiosos versos sobre el prisionero del lúgubre castillo de piedra: Chillon. Por el lugar donde Clarens, con sus sauces llorones, se mira en el agua, se paseó Rousseau, soñando su *Eloísa*. El Ródano corre por la base de las altas montañas, cubiertas de nieve, de la Saboya, y no lejos de su desembocadura en el lago se encuentra una pequeña isla, tan pequeña que, desde la costa, parece una barca. Se trata de una roca que cierta dama, hace ya cien años, hizo rodear de un dique de piedras y llenar de tierra para plantar allí tres acacias, que hoy dan sombra a la isla entera. Babette se quedó maravillada de este rincón, según su opinión el más encantador de toda la travesía. Tenían que ir, necesariamente, allí. Sin duda alguna debía de ser delicioso pasar una jornada en aquel lugar, decía. Pero el barco pasó por su lado y se detuvo, como debía, en Vernex.

El pequeño grupo llegó al puerto, desembarcó y emprendió la marcha por entre los muros blancos, iluminados, que rodean los viñedos situados en vanguardia del pueblecito montañero, Montreux, donde las higueras dan sombra a la casa del campesino y los laureles y los cipreses crecen en los jardines. A mitad de camino se hallaba la pensión en donde vivía la madrina.

El recibimiento fue muy cordial. La madrina era una señora muy agradable, de rostro redondo y sonriente. Cuando niña, había poseído una verdadera cabeza de ángel de Rafael que, aun ahora, continuaba siendo una cabeza de ángel, aunque vieja, rodeada de bucles de cabellos plateados. Sus hijas eran elegantes, altas y delgadas. El joven primo, que iba vestido de blanco de pies a cabeza, poseía cabellos dorados y *côtelettes* del mismo color, tan enormes que tres caballeros hubieran podido repartírselas, y se manifestó inmediatamente muy solícito al lado de la pequeña Babette.

Sobre la mesa se veían libros con bellas encuadernaciones, partituras y dibujos. La puerta del balcón estaba abierta sobre el magnífico mantel del lago, tan tranquilo y uniforme como las montañas de Saboya, con sus pueblos, bosques y cumbres novadas, que se reflejaban, en sentido inverso, en el agua.

Rudy, que de costumbre era siempre osado, intrépido y lleno de buen humor, no se encontraba a gusto, como suele decirse. Se comportaba como si anduviese sobre guisantes colocados en un suelo encerado. ¡Cómo tardaba en pasar el tiempo! Era preciso estirar las piernas, y salieron a dar un paseo. Pero, ¡qué paseo! Era la misma lentitud. Rudy tenía que dar dos pasos adelante y uno atrás para mantenerse al mismo nivel. Fueron a Chillon, el viejo y lúgubre castillo que se alzaba sobre el islote rocoso, para ver el poste de tortura y las celdas de muerte, las cadenas sujetas al muro de piedra, los camastros de piedra para los condenados a muerte y las trampas por donde arrojaban a los desgraciados para ensartarlos en estacas de hierro colocadas en el centro de las vertientes. Decían que era divertido contemplar aquello. Era un lugar de suplicio, elevado por la canción de Byron hasta el mundo de la poesía. Rudy sintió vivamente este lugar de suplicio. Se apoyó en el quicio de piedra de la ventana y miró hacia abajo para contemplar las profundas aguas azul verdosas y, más allá, la islita solitaria de las tres acacias.

Pero Babette estaba muy contenta. Se había divertido extraordinariamente, dijo, y había encontrado perfecto al primo.

—¡Sí, perfecto papanatas! —exclamó Rudy.

Fue la primera vez que un chiste de Rudy no agradó a Babette. El inglés le había ofrecido un librito de recuerdos de Chillon. Era el poema de Byron *El prisionero de Chillon,* traducido al francés, para que Babette pudiera leerlo.

—Puede que el libro sea bueno —dijo Rudy—; pero el muchacho tan bien peinadito que te lo ha regalado no me lo parece.

—Tiene aspecto de un saco de harina sin harina —comentó el molinero, riéndose de su frase. Rudy también se rio, encontrando que aquella estaba muy bien dicha.

11.   El primo

Dos días después, cuando Rudy llegó al molino de visita se encontró allí al joven inglés. Babette le servía, en aquel preciso momento, truchas que habían guarnecido de perejil para darles mejor aspecto. Sin embargo, aquello no era necesario.

¿Qué venía a hacer aquí el inglés? ¿Por qué estaba allí? ¿Para que Babette le regalase y le sirviese? Rudy se sintió celoso, lo que divirtió a la muchacha. Le gustaba verlo bajo todos los aspectos, ya bonachón, ya furioso. El amor era un juego, y ella jugaba con el corazón de Rudy, y, sin embargo, es preciso decirlo, Rudy era su dicha, el único pensamiento de su vida, lo que había de mejor y más perfecto en el mundo; pero cuanto más sombrío estaba él, más sonrientes estaban los ojos de la muchacha. De buena gana hubiera besado al rubio inglés solo por ver a Rudy montar en cólera, lo que demostraría justamente cuánto la amaba. Esto no era justo, ni estaba bien hecho por parte de Babette; pero la joven solo tenía diecinueve años. No reflexionaba; menos pensaba aún en la forma en que podía ser interpretada su conducta por el joven inglés, sin duda más ligeramente de lo conveniente para la honradez de la hija del molinero, cuyo noviazgo era reciente.

En el lugar donde la carretera, saliendo de Bex, pasa al pie del monte cubierto de nieve que en la lengua del país se llama «Los diablillos», estaba situado el molino, no lejos de un tumultuoso torrente de montaña, grisáceo como el agua jabonosa. Este torrente no hacía funcionar el molino. Otro menos importante, al otro lado, brotaba de la montaña, y gracias a un empedramiento de su lecho se elevaba, por su fuerza y su velocidad, para correr hacia una balsa cerrada, construida con vigas de madera. Una acequia, en la parte alta del torrente, hacía dar vueltas a la rueda del molino. La acequia contenía tanta agua que se desbordaba y formaba un sendero húmedo, muy resbaladizo, por el que se podía llegar más rápidamente al molino. El joven inglés tuvo esta idea. Vestido de blanco, como aprendiz de molinero, subió por el sendero al anochecer guiado por la luz que brillaba en la ventana de Babette. No había aprendido a trepar y estuvo a punto de clavarse de cabeza en el torrente, mas pudo evitarlo a cambio de unas mangas mojadas y de un pantalón completamente lleno de barro. Llegó, temblando de frío y cubierto de lodo, bajo la ventana de Babette; trepó al viejo tilo e imitó al mochuelo, pues no sabía imitar el canto de otra ave. Babette lo oyó y echó una mirada a través de la fina cortina; pero cuando vio al hombre blanco y comprendió quién era, su corazoncito latió de miedo, pero también de ira. Apagó rápidamente la luz, se aseguró que las fallebas estaban bien cerradas y dejó al inglés que ululase.

Hubiera sido terrible que Rudy hubiese estado en aquel momento en el molino; pero el muchacho no estaba, no. Mas algo peor sucedía. Rudy se encontraba fuera. Oyeron hablar fuerte. Eran palabras de cólera. Aquello conduciría a una riña, tal vez a un crimen.

Babette, horrorizada, abrió la ventana, llamó a Rudy por su nombre y le rogó que se fuera de allí. Le dijo que no quería que permaneciese en aquel lugar.

—¡Tú no quieres que me quede! —gritó el muchacho—. ¡Era, pues, una cita! Esperas a buenos amigos, mejores que yo. Estoy avergonzado de ti, Babette.

—¡Es odioso! —exclamó Babette—. ¡Te detesto! ¡Vete, vete!

Y se echó a llorar.

—¡Yo no he merecido esto! —se lamentó Rudy.

Y se fue, con las mejillas arreboladas, el corazón echándole fuego. Babette se arrojó sobre el lecho y lloró desconsoladamente.

—¡Yo, que tanto te amo, Rudy, y has podido pensar esto de mí!

Estaba colérica, muy colérica, y eso le producía bien, sin lo cual se hubiera encontrado profundamente desolada. Así pudo caer en una suave lasitud y dormirse con el sueño fortificante de la juventud.

12.   Poderes malvados

Rudy abandonó Bex. Tomó el camino de regreso y subió a las montañas, hacia el aire puro, refrescante, donde se extiende la nieve y reina la dama de los hielos. Los árboles se veían a sus pies, a lo lejos, cuajados de hojas y con aspecto de simples plantas de patatas. Abetos y arbustos se veían aún más pequeños. Las rosas de los Alpes crecían al lado de la nieve caída en algunos sitios, nieve que parecía ropa tendida sobre la hierba puesta a blanquear. Vio una genciana azul, que desgarró con la culata de su escopeta.

Más arriba aparecieron dos gamuzas. Los ojos de Rudy brillaron. Sus ideas tomaron un nuevo rumbo. Pero no se hallaba bastante cerca de ellas para estar seguro de su tiro. Subió más, donde solo crecía una hierba áspera entre las piedras. Las gamuzas se paseaban tranquilamente por el campo nevado. El muchacho se apresuró, lleno de ardor. La niebla descendía a su alrededor y, de repente, se encontró ante una escarpada pared de piedra. La lluvia comenzaba caer a torrentes.

Sintió una sed abrasadora. La cabeza le ardía, mientras un temblor frío le recorría el cuerpo. Cogió la cantimplora. Estaba vacía. No se le había ocurrido llenarla cuando echó a correr hacia las montañas. Nunca había estado enfermo; pero, en este momento, tenía la seguridad de estarlo. Sentía deseos de tumbarse en tierra y dormir; pero el agua corría por todas partes. Trató de recobrarse. Los objetos oscilaban extrañamente ante su vista y, entonces, de repente, vio lo que nunca antes había visto allí: una casa bajita, recientemente construida, que se apoyaba contra la montaña y en cuya puerta, de pie, se hallaba una muchacha. Al principio creyó que era Annette, la hija del maestro, a la que había besado un día mientras bailaban; pero no era Annette, y, sin embargo, era alguien a quien ya había visto en otra ocasión, cerca de Grindelwald, la noche que regresaba del concurso de tiro celebrado en Interlaken.

—¿Qué haces aquí? —le preguntó.

—Estoy en mi casa —respondió la muchacha—. Cuido mi rebaño.

—¿Tu rebaño? ¿Y dónde pace? ¡Aquí no hay más que nieve y roca!

—¡Bien informado estás! —dijo la muchacha, riendo—. Aquí atrás, un poco más abajo, existe un pasto delicioso. Y allí van mis cabras. ¡Las cuido bien! No pierdo ninguna. Lo que es mío, siempre es mío.

—¡Eres intrépida! —dijo Rudy.

—¡Tú también! —replicó la muchacha.

—¿Tienes leche que darme? Tengo una sed insoportable.

—Tengo algo mejor que leche —le respondió la joven— Vas a verlo. Ayer vinieron varios viajeros con su guía y olvidaron media botella de vino. No has bebido en tu vida nada parecido. Ellos no volverán a buscarla. Como yo no bebo, te la cedo. Bébela tú. Para ti.

Y le trajo la botella. Vertió el vino en un cuenco de madera y se lo entregó a Rudy.

—¡Bueno es! —exclamó el muchacho—. ¡Jamás he bebido vino tan cálido, tan ardiente...!

Sus ojos brillaron. Rudy se reanimó. Un ardor se apoderó de su ser, como si todas las tristezas, todas las preocupaciones se hubieran evaporado. Su vida e hirviente naturaleza se agitaron dentro de él.

—¡Pero si eres Annette, la hija del maestro! —gritó—. ¡Dame un beso!

—Sí, pero a cambio dame la sortija que llevas en el dedo.

—¡Mi anillo de prometido!

—¡Exactamente! —insistió la joven.

Y vertió más vino en el cuenco, que ella misma llevó a los labios de Rudy. Este bebió. Una alegría de vivir le corrió por la sangre. Le parecía que el mundo entero estaba con él. ¿Para qué atormentarse? ¡Todo existe para gozar y ser dichoso! El río de la vida es el río de la alegría. Dejarse llevar y arrastrar por él es la felicidad. Miró a la joven. Era Annette y, sin embargo, no lo era, ni tampoco el fantasma, como había llamado a la muchacha encontrada cerca de Grindelwald. Esta de aquí era fresca como la nieve que acaba de caer, abierta como la rosa de los Alpes y ligera como un cervatillo. Pero un ser salido de la costilla de Adán, un ser humano como Rudy. Este la rodeó con sus brazos y contempló sus ojos extrañamente claros, cosa que solo duró un segundo; pero, en este segundo...

Expliquemos esto, expresémoslo con palabras...

¿De qué estaba Rudy lleno, de la vida del espíritu o de la muerte? ¿Se elevó más o se hundió en el profundo y mortal abismo, cayendo más bajo, cada vez más hondo? Vio las paredes de hielo como cristal verde azulado; las gargantas infinitas abiertas a su alrededor, y el agua que goteaba, que sonaba como tintineo de cascabeles y que poseía fulgores de perlas, resplandores de llamas azuladas. La dama de los hielos le dio un beso cuya frialdad le recorrió la columna vertebral, penetrando en su cerebro. Lanzó un grito de dolor, se desprendió de ella, vaciló y cayó. Sus ojos estaban cerrados, pero los abrió. Las fuerzas del mal habían hecho su juego.

La muchacha de los Alpes había desaparecido, la cabaña refugio también. El agua corría por el muro de roca desnuda, la nieve se extendía por todas partes. Rudy temblaba de frío, calado hasta los huesos. Su anillo, el anillo de prometido que Babette le regalara, había desaparecido. Su escopeta estaba a su lado, sobre la nieve. La cogió y quiso tirar; pero falló el tiro. Las nubes llenaban la garganta como masas de nieve firme. Allí estaba el vértigo, espiando a su débil presa, y por debajo de él resonaba en el profundo abismo algo parecido a la caída de un bloque de piedra, que desgarra y arranca todo cuanto quiere detenerlo.

En el molino, Babette lloraba, Rudy llevaba seis días sin aparecer, él, que debía de haberse dado prisa en ir a pedirle perdón, porque ella lo amaba con todo su corazón.

13.   La casa del molinero

—Es alarmante la tontería de los hombres —dijo el gato del salón al gato de la cocina—. De nuevo todo se ha roto entre Babette y Rudy. Ella llora y, sin duda alguna, él no piensa ya en la muchacha.

—A mí no me gustan esas cosas —contestó el gato de la cocina.

—A mí tampoco —replicó el del salón—. Pero ni he de preocuparme ni de entristecerme. ¡Babette puede prometerse con los *côtelettes* dorados! Aunque no han vuelto por aquí desde la noche en que el inglés quiso trepar al tejado.

Las fuerzas malignas hacen su juego y actúan a nuestro alrededor y en nuestro interior. Rudy lo había experimentado, y reflexionó sobre el asunto. ¿Qué había pasado alrededor y dentro de él allá arriba, en la montaña? ¿Fueron visiones o un delirio febril? Nunca estuvo enfermo ni había padecido fiebre. Se había examinado a sí mismo, condenando a Babette. Pensaba en la caza infernal dentro de su corazón, en el violento *foehn* que se había desencadenado en su interior. ¿Podía confesar todo a Babette, todos los pensamientos que acudían a su mente y que, a la hora de la tentación, podían transformarse en actos? Había perdido el anillo de prometido y, precisamente, a causa de esta pérdida ella lo reconquistaría. ¿Podía la muchacha confesarse a él a su vez? Rudy tenía la impresión de que su corazón se desgarraba cuando pensaba en Babette, tantos recuerdos le sugería. Él la veía alegre, riente, traviesa como una chiquilla. Las tiernas palabras que la muchacha le había dicho en la plenitud de su amor penetraban como un rayo de sol en su pecho, que muy pronto estuvo completamente soleado por Babette.

Ella tenía que confesarse a él, y lo haría.

Rudy se dirigió al molino. Surgió la confesión, que comenzó por un beso y terminó por declararse el muchacho culpable. Su gran falta fue poner en duda la fidelidad de Babette. ¡Era algo casi odioso por su parte! ¡Una desconfianza tal, un arrebato semejante, podría causar la desgracia de los dos! Sí, eso era verdad. Por consiguiente, Babette le echó un pequeño sermón, del que se consideró muy satisfecha, ya que lo hacía muy bien. Sin embargo, en una cosa tenía razón Rudy: el primo de la madrina era un impertinente. Babette quemaría el libro que él le había regalado y no poseería nada que pudiera recordárselo.

—Todo ha terminado —dijo el gato del salón—. Rudy está de nuevo aquí; ellos se entienden y dicen que esto es la mayor felicidad.

—Esta noche he oído a los ratones decir que la mayor felicidad consiste en comer velas de sebo y ser dueño de una buena corteza de tocino —contestó el gato de la cocina—. ¿A quién hay que creer, a los novios o a los ratones?

—¡Ni a los unos ni a los otros! —exclamó el gato del salón—. Es lo más seguro.

La mayor felicidad estaba muy cerca para Babette y Rudy. Tenían en perspectiva el día más hermoso de su vida: el día de la boda.

El casamiento no debía verificarse en la iglesia de Bex ni en casa del molinero. La madrina quería que la boda se celebrase en su casa y que las bendiciones se echaran en la linda iglesia de Montreux. El molinero insistió en que se aceptase esta petición de la inglesa. Solo él sabía lo que la madrina destinaba a los nuevos esposos. Recibirían un regalo de boda que bien valía esta pequeña complacencia. Se fijó el día. La víspera por la tarde se trasladarían a Villeneuve para tomar el barco que les conduciría a Montreux el día siguiente por la mañana, y poder así llegar muy temprano para que las hijas de la madrina vistiesen a la novia.

—Creo que habrá un segundo banquete de bodas aquí en la casa —dijo el gato del salón—. Si no, no daría un «¡miau!» por toda la fiesta.

—¡Aquí habrá fiesta! —dijo el gato de la cocina—. He visto cómo engordan a los patos, estofaban los pichones y colgaban un cerdo entero de la pared. ¡Se me hace la boca agua cada vez que contemplo ese panorama...! El viaje empieza mañana.

¡Sí; mañana! Aquella noche era la última que Rudy y Babette pasaban en el molino como novios.

Fuera se veía la iluminación de las cumbres, sonaban las campanas de la iglesia y las hijas de los rayos del sol cantaban. ¡Todo marchaba bien!

14. Apariciones en la noche

El sol se había puesto. Las nubes descendían hacia el valle del Ródano, entre las altas montañas. El viento soplaba del sur, un viento africano al pie de los escarpados Alpes, un _foehn_ que desgarraba las nubes. Cuando el viento pasó, hubo un momento de calma absoluta. Las nubes desgarradas se hallaban suspendidas en forma fantástica entre las montañas cuajadas de bosques que dominan el rápido torrente. Formaban figuras tales como los seres marinos del mundo primitivo, las águilas que planean en el cielo y las ranas que saltan en los pantanos. Las nubes se tendieron sobre las aguas tumultuosas y navegaron por encima de ellas, pero en el espacio. El río arrastraba un abeto arrancado con sus raíces, mientras los remolinos de agua daban vueltas delante de él. Era el vértigo, múltiple, que giraba en círculo sobre el rugiente río. La luna brillaba sobre la nieve de las cumbres, sobre los oscuros bosques y sobre las extrañas nubes blancas, visiones nocturnas, espíritus de las fuerzas de la naturaleza. El campesino montañés las veía a través de los cristales de su ventana. Las visiones flotaban en grupo ante la dama de los hielos, que llegaba procedente del glaciar, de su castillo. Iba en pie sobre el abeto arrancado del frágil navío que el agua del glaciar hacía descender, corriente abajo, hacia el lago.

—¡Ya llegan los invitados a la boda! —cantaban y bramaban el agua y el viento.

Visiones del exterior, visiones del interior. Babette tuvo un sueño especial.

Soñó que estaba casada con Rudy desde hacía muchos años. Él estaba de caza y ella en casa, y a su lado, sentado, el joven inglés de los cabellos dorados, cuyos ojos brillaban ardientes. Sus palabras poseían un poder mágico. Él le alargó la mano y ella tuvo que seguirlo. Salieron de la casa. ¡Siempre iban ascendiendo...! A Babette le parecía que tenía un peso sobre su corazón y este peso se hacía cada vez más pesado. Era un pecado contra Rudy, un pecado contra Dios. De repente se encontró abandonada, los vestidos desgarrados por las espinas, los cabellos grises. En su dolor, elevó la mirada al cielo y vio a Rudy al borde del abismo. Le tendió los brazos, pero no se atrevió a hablar ni a suplicar, lo que, por otra parte, no hubiera servido de nada, porque ella se dio cuenta enseguida de que no era él, sino su cazadora y su sombrero colgados en el *alpenstock,* como tienen costumbre de hacer los cazadores para engañar a las gamuzas.

Con inmenso dolor se lamentó Babette:

—¡Oh!, ¿por qué no me moriría el día de mi boda, el día más feliz de mi vida? ¡Señor Dios mío, eso hubiese sido una gracia divina, una verdadera suerte! Entonces, todo hubiera marchado bien. Hubiera sido lo mejor que pudiera habernos sucedido a Rudy y a mí. ¡Nadie conoce su porvenir!

Y en su loco dolor, se arrojó al profundo precipicio. ¡Se rompió una cuerda; se oyó un sonido lúgubre...!

Babette se despertó, el sueño había terminado... y se había también borrado de su mente; pero sabía que había tenido un sueño horrible, del que era protagonista el joven inglés, al cual no había visto desde hacía meses ni vuelto a pensar en él. ¿Estaba en Montreux? ¿Lo vería en la boda? Una ligera sombra pasó por sus finos labios. Frunció las cejas; pero pronto sonrió. Sus ojos brillaron. El sol también brilla en el exterior. Y mañana, Rudy y ella estarían casados.

El muchacho se hallaba ya en el salón cuando ella bajó, e inmediatamente partieron para Villeneuve. Los dos eran felicísimos, y el molinero también. No hacía más que reír; el buen humor se le desbordaba por todos los poros de su cuerpo. Era un padrazo y un alma de Dios.

—Ahora somos los amos de la casa —dijo el gato del salón.

15. Final

No era aún de noche cuando los tres felices viajeros llegaron a Villeneuve y cenaron con apetito. El molinero se sentó en una butaca con su pipa en la boca y se echó un sueñecito. Los jóvenes novios, cogidos del brazo, salieron de la ciudad, siguieron a pie el camino de las montañas donde crecen arbolillos y se extiende el profundo lago azul verdoso. El siniestro Chillon reflejaba sus muros grises y sus pesadas torres en el agua transparente. La islita de las tres acacias estaba aún más cerca. Tenía el aspecto de un ramo de flores sobre el lago.

—¡Debe de ser encantador estar allí! —exclamó Babette.

De nuevo sintió un vivísimo deseo de ir a la isla, y este deseo podía satisfacerse inmediatamente. A la orilla del lago estaba atracada una barca y la amarra que la sostenía era fácil de desatar. No se veía a nadie a quien pedir permiso, y se montaron en ella sin más ni más. Rudy sabía remar muy bien.

Se hubiera podido tomar a los remos como aletas de peces sobre el agua complaciente. Era dócil, y, sin embargo, vigorosa. Tenía buena espalda para cargar, buena boca para engullir. Su sonrisa era gentil, como su suavidad, y, no obstante, era terrible y poderosa en la destrucción. Una estela espumosa seguía a la barca, que, en pocos minutos, llegó a la isla con los muchachos. Allí apenas había espacio para un baile de dos parejas.

Rudy hizo que Babette diera la vuelta dos o tres veces; luego se sentaron en el pequeño banco, bajo las acacias. Se miraron a los ojos, se cogieron de las manos y todo resplandeció a su alrededor con el esplendor del sol poniente. Los bosques de abetos de las montañas se tiñeron de rosa-lila, igual que el brezo en flor, y más arriba, donde los árboles dejan de crecer, aparecía el terreno rocoso, encendido como si la montaña fuese transparente. Las nubes se iluminaban como si tuviesen fuego, y todo el lago era como un lozano pétalo de rosa.

A medida que las sombras se elevaban sobre las montañas de Saboya cubiertas de nieve, estas se volvían azul-negro, pero las cumbres brillaban como lava roja. Ellas revivían un momento de la formación de las montañas, cuando estas masas incandescentes surgían del seno de la Tierra y no estaban aún apagadas. Era una iluminación de los Alpes, tal y como los muchachos creían no haberla visto jamás igual. El *Dent du Midi,* cubierto de nieve, tenía un fulgor parecido al de la luna llena cuando su disco se eleva en el horizonte.

—¡Cuánta belleza! ¡Cuánta felicidad! —exclamaron a dúo.

—¡La Tierra no tiene ya nada más que ofrecerme! —dijo Rudy—. Un atardecer como este es toda una vida. ¡Cuántas veces he saboreado mi felicidad como la saboreo ahora, y he pensado que «¡si todo terminara en un momento así cuán dichoso hubiera vivido! ¡Qué espléndido es el mundo!», y el día se acaba, pero otro comenzaba y lo encontraba más hermoso que aquel. ¡Nuestro Señor es, en verdad, infinitamente bueno, Babette!

—¡Soy feliz! —exclamó la muchacha.

—¡La Tierra no tiene ya nada que ofrecerme! —dijo el muchacho.

Las campanas del Ángelus sonaron sobre los montes de la Saboya y de Suiza. Hacia el oeste, el Jura, negro azulado, se elevaba con fulgor de oro.

—¡Dios nos da siempre lo mejor que existe en este mundo! —le dijo Babette.

—¡Me lo dará! —exclamó Rudy—, ¡lo tendré mañana! Mañana tú serás de hecho mía, mi linda mujercita.

—¡La barca! —gritó Babette al mismo tiempo.

La barca, que debía devolverlos al punto de partida, se había desatado y se alejaba.

—Voy a cogerla —dijo Rudy.

Se quitó la cazadora y los zapatos y se arrojó al lago. Nadó con ímpetu hacia la barca.

La transparente agua azul verdosa, procedente del glaciar, estaba helada y su profundidad era grande. Rudy miró hacia el fondo con una sola ojeada y le pareció ver rodar por él y brillar un anillo de oro... Pensó en su alianza perdida. El anillo aumentaba de tamaño, se ensanchaba en forma de círculo brillante y en el centro de este círculo fulgía el nítido glaciar. Abismos infinitamente profundos se abrían aquí y allá, y el agua rielaba con un tintineo de campanas y fulgores de llamas azuladas. Vio en un segundo lo que nosotros necesitamos decir en muchas palabras: jóvenes cazadores y lindas muchachas, hombres y mujeres, que cayeron en otro tiempo en las insondables grietas del glaciar, se veían allí en pie, en carne y hueso, con los ojos abiertos y la boca sonriente, y muy por debajo de ellos repicaban las campanas de las iglesias de las ciudades sumergidas. Los fieles estaban arrodillados bajo la bóveda de la iglesia; los trozos de hielo formaban los tubos del órgano y el torrente de la montaña lo tocaba. La dama de los hielos, sentada en el fondo del claro y transparente lago, se puso en pie, se elevó hasta Rudy y le besó en los pies: un escalofrío mortal recorrió los miembros del muchacho, como si hubiese sido sacudido por una descarga eléctrica... ¡Fuego y hielo! Dos impresiones que no se distinguen a un breve contacto.

—¡Mío...! ¡Mío...!

Este grito resonó a su alrededor y dentro de él.

—¡Te he besado en la boca cuando eras pequeño! Te he tenido entre mis brazos. Ahora te beso el talón y la planta de los pies. Eres mío, completamente mío.

Y Rudy desapareció bajo la transparente y azulada superficie.

Todo estaba en calma. Las campanas de la iglesia cesaron en su toque. Las últimas notas dejaron de oírse al estallido de las rojas nubes.

—¡Eres mío! —se oía en las profundidades.

—¡Eres mío! —se oía en las alturas, en lo infinito.

¡Qué delicioso es volar de un amor a otro, de la tierra al cielo!

Se rompió una cuerda y se oyó un canto funerario. El beso de muerte triunfó sobre lo que era incorruptible. Este preludio se acababa para que el drama de la vida pudiese comenzar. La disonancia se revuelve en armonía.

¿Llamáis triste a esta historia?

¡Pobre Babette! Para ella fue una hora de angustia. La barca se alejó, cada vez más. En tierra nadie sabía que los novios habían ido al islote. Cayó la noche. Las nubes descendieron. Todo se oscureció. Sola, desesperada, gimiente, Babette permanecía allí. Amenazaba un tiempo espantoso. Los relámpagos se veían por encima de los montes del Jura, en Suiza y en Saboya. Surgían por todas partes y tronaban por todos lados. Los truenos se sucedieron sin parar durante algunos minutos. Pronto los relámpagos tuvieron el mismo resplandor del sol. Podía verse cada cepa de viña como en pleno día y, de repente, las tinieblas lo envolvían todo de nuevo. Los rayos formaban cintas y lazos y caían en forma de zigzag, en el lago; estallaban en todas partes, y el trueno se hacía pavoroso en el retumbar del eco. En tierra, las barcas fueron aseguradas y todo lo que tenía vida buscaba un refugio... La lluvia empezó a caer a torrentes.

—¿Dónde estarán Babette y Rudy con este tiempo infernal? —preguntó el molinero.

Babette tenía las manos juntas y la cabeza sobre las rodillas. Estaba transida de dolor, gritaba y gemía.

—¡Se ha hundido! —se decía—. ¡Se ha ido al fondo, como en el glaciar!

A su pensamiento acudía lo que Rudy le había contado sobre la muerte de su madre y su propia salvación, cuando lo sacaron del agujero del glaciar como un cadáver.

—¡La dama de los hielos se ha apoderado nuevamente de él!

Brilló un relámpago, tan deslumbrante como el fulgor del sol sobre la nieve blanca. Babette se sobresaltó. El lago, en este momento, se agitó. Allí estaba la dama de los hielos como un deslumbrante glaciar, majestuosa, azul pálida, luminosa, y a sus pies yacía el cadáver de Rudy.

—¡Mío! —exclamó la dama de los hielos.

Y de nuevo tinieblas y oscuridad, lluvia torrencial.

—¡Qué terrible! —gimió Babette—. ¿Por qué tenía que morir en el momento que se perfilaba el día de nuestra felicidad? ¡Dios mío, aclara mi razón, ilumina mi corazón! No comprendo los senderos de Tu poder ni de tu sabiduría. ¡Estoy a oscuras!

Dios iluminó su corazón. Un destello, un rayo de gracia divina —su sueño de la noche pasada— alumbró su oscurecida mente. Recordó lo que ella había pedido: «El deseo de lo que fuera mejor para ella y para Rudy».

—¡Desgraciada de mí! La semilla del pecado estaba en mi corazón. ¡Mi sueño era un futuro cuyo hilo debía ser cortado para mi salvación! ¡Desgraciada!

Se lamentaba en medio de la negra noche. Creyó oír entonces, en el profundo silencio, las palabras de Rudy, últimas palabras que él había pronunciado a su lado:

—¡La Tierra no tiene ya nada que darme!

Dichas en la plenitud de la alegría, fueron repetidas en el desgarramiento del dolor.

* * *

Han pasado dos años. El lago sonríe: sus riberas sonríen. Las cepas están cuajadas de uvas magníficas. Pasan los vapores con sus banderas al viento: navíos de recreo, con sus dos velas desplegadas, vuelan como mariposas blancas sobre el espejo del agua. El ferrocarril se extiende más allá de Chillon y alcanza un lugar muy lejano del valle del Ródano. En cada estación bajan los extranjeros, con sus guías encuadernadas en rojo, y leen en ellas las curiosidades que han de ver. Visitan Chillon; contemplan en el lago la islita de las tres acacias y leen en el libro la historia de aquellos novios, que una tarde del año 1856 fueron a ella;

la muerte del muchacho y... «solo se oyeron gritos desesperados de la novia a la mañana siguiente».

Pero la guía no dice nada de la vida silenciosa de Babette en casa de su padre; no en el molino, habitado hoy por gentes desconocidas, sino en la bella mansión situada junto al ferrocarril, donde desde la ventana, todas las tardes, la muchacha contempla por encima de los castaños las montañas nevadas recorridas en otros tiempos por Rudy. Ella ve, al ponerse el sol, la iluminación de los Alpes. Los hijos del sol acampan en las cumbres y repiten la canción del viajero a quien la borrasca arranca y eleva la capa, pero no al hombre.

Hay un fulgor rosa en la nieve de los montes y en todo corazón donde reside este pensamiento:

«¡Dios quiere lo mejor para nosotros!».

Pero este pensamiento no se manifiesta siempre como en el sueño de Babette.

LOS CHANCLOS DE LA FELICIDAD

1. Principio

Sucedió en Copenhague, en la calle del Este y en una de las casas próximas a la Nueva Plaza Real. En esta casa se celebraba una gran *soirée,* fiesta que es preciso dar de cuando en cuando para que uno pueda ser invitado a las demás. La mitad de los invitados a esta reunión se hallaba sentada alrededor de las mesas de juego, y la otra mitad esperaba la continuación del comentario que la dueña de la casa acababa de interrumpir:

—Bueno, será preciso que encontremos algo con que pasar el rato.

Así se encontraba la reunión, y las conversaciones se desarrollaban como podían. Entre los temas que se suscitaron surgió el de la Edad Media. Algunos la consideraban como una época mucho mejor que la nuestra. El consejero Knap la defendía con tanto estusiano que la dueña de la casa se puso enseguida de su parte, y ambos criticaron con fuerza el artículo que había escrito Oersted en el *Almanaque* sobre los tiempos antiguos y modernos, ponderando estos sobre aquellos. El consejero consideraba la época del rey Hans como la más agradable y la más feliz de todas.

Durante esta conversación en pro y en contra, que solo fue interrumpida durante un instante por la llegada del periódico, que no decía nada digno de ser leído, nos dirigimos a la antesala donde estaban depositados los abrigos, los bastones, los paraguas y los chanclos. Allí sentadas se encontraban dos mujeres: una joven y otra vieja. Pudiera haberse creído que eran dos sirvientas que habían venido acompañando a su ama, solterona o viuda; pero si se las observaba bien y de cerca, no se tardaba en comprender que no eran sirvientas corrientes. Sus manos eran demasiado finas para eso y su aspecto demasiado elegante. Sus trajes tenían un corte muy especial. Eran dos hadas. La más joven no era la propia Felicidad, sino una de sus damas de honor dedicadas a repartir los dones de la buena suerte, la anciana tenía un aspecto más serio: era el Dolor. Siempre cumplía sus cometidos en persona, para estar segura de que se hacían bien.

Se contaban mutuamente dónde habían estado durante la jornada. La dama de honor de la Felicidad decía que aún no había hecho nada importante durante aquel día; solo había salvado de un chaparrón a un sombrero nuevo, había logrado que una nulidad distinguida saludase a un hombre de bien, y así todo. Sin embargo, lo que le quedaba aún por hacer estaba fuera de lo corriente.

—Debo decir —continuó— que hoy es el día de mi cumpleaños, y como regalo me han confiado un par de chanclos que debo entregar a la humanidad. Estos chanclos tienen la propiedad de que, quienquiera que se los ponga, se encuentra inmediatamente en el lugar y en la época que desee; todos sus deseos acerca del lugar y del tiempo se verán satisfechos en el acto, y, por consiguiente, el individuo se convertirá inmediatamente en el hombre más feliz de la Tierra.

—¡Oh, eso os creéis! —dijo el Dolor—. Será espantosamente desgraciado y bendecirá el momento en que se vea libre de esos chanclos.

—¿Qué es lo que decís? —replicó la otra—. Los pondré aquí, cerca de la puerta; alguien se equivocará de chanclos y se convertirá en el hombre más feliz.

Esa fue la conversación.

2.   Lo que le sucedió al consejero

Era tarde. El consejero Knap, con el espíritu absorbido por la época del rey Hans, se decidió a regresar a su casa y al calzarse los chanclos, en vez de ponerse los suyos, se puso los de la Felicidad, y con ellos salió a la calle del Este. Pero por el poder mágico de los chanclos se encontró transportado a la época del rey Hans. Así, pues, al poner los pies en la calle, los hundió en el fango, ya que en aquellos tiempos no había pavimento.

—¡Es espantoso lo sucio que está esto! —exclamó el consejero—. No hay aceras y todos los faroles están apagados.

La luna aún no había salido; además, el ambiente estaba brumoso, por lo que la oscuridad lo invadía todo. En la esquina más próxima había colgada una linterna bajo una imagen de la Virgen; pero esta claridad era tanto como nada. Solo se dio cuenta de ella cuando estuvo debajo y en el momento en que levantaba los ojos.

«Esto debe de ser un almacén de antigüedades —pensó— y se les ha olvidado quitar la muestra».

Dos personas vestidas con trajes de aquella época pasaron por su lado.

«¡Qué forma de ir vestidos! —se dijo—. Deben de venir de algún baile de máscaras».

De repente se oyó un ruido de tambores y pífanos y surgió un resplandor de antorchas. El consejero se detuvo y vio desfilar ante sus ojos un extraño cortejo. En cabeza marchaba una banda de tambores que redoblaba con todas sus fuerzas. Iban seguidos de hombres de armas que llevaban arcos y ballestas. El individuo más importante del cortejo era un religioso. Extrañado, el consejero preguntó qué significaba aquello y quién era aquel hombre.

—Es el obispo de Zelandia —le respondieron.

—¡Dios mío! ¿Por qué han prendido al obispo? —suspiró el consejero, moviendo de un lado a otro la cabeza.

Pero no era posible que fuera el obispo. Reflexionando sobre esto, y sin mirar a derecha ni a izquierda, el consejero atravesó la calle del Este y la plaza del Puente Alto. No encontró el puente que conduce a la plaza del Castillo, pero sí vio el río y terminó por encontrar dos muchachos cerca de una barca.

—¿El señor desea que le pasemos a la isla? —le preguntaron.

—¿A la isla? —dijo el consejero, que no sabía en qué época estaba—. Quiero ir a Christianshavn, una callecita del Mercado.

Los muchachos le miraron.

—Díganme solo dónde está el puente —dijo—. Es vergonzoso que no estén los faroles encendidos, y hay tanto fango como si estuviera en una ciénaga.

Cuanto más hablaba con los marineros, menos les comprendía.

—No entiendo vuestra lengua de Bornholm —terminó por decir todo colérico, y les volvió la espalda.

No pudo encontrar el puente.

—¡Es un escándalo cómo está esto! —decía.

Jamás le había parecido tan miserable su época como aquella noche.

«Me parece que voy a coger un coche», se dijo.

Pero, ¿dónde estaban los coches? No se veía ninguno.

«Es necesario qué regrese a la Nueva Plaza Real. Allí habrá coches. Sin ellos no podré llegar jamás a Christianshavn».

Se dirigió, pues, hacia la calle del Este, y ya casi la había atravesado, cuando salió la luna.

—¡Gran Dios!, ¿qué es ese andamiaje que han levantado aquí? —dijo al ver la Puerta del Este, que en aquella época existía al final de la calle del Este.

Al fin halló un portillo por donde llegó a nuestra Nueva Plaza, pero era una enorme pradera. Allí crecían algunos matorrales y el prado estaba atravesado por un gran canal o un río. Algunas miserables chozas de madera habitadas por marineros de Halland, por lo que se llamaba a aquel lugar Hallandsaas, se alzaban en la otra orilla.

—O soy víctima de una alucinación —se lamentó el consejero— o estoy borracho. ¿Qué es esto? ¿Qué me pasa?

Volvió sobre sus pasos con la firme convicción de que iba enfermo; al entrar en la calle, miró las casas con mayor atención. La mayor parte de ellas eran de madera y muchas tenían tejados de paja.

«No, evidentemente, no estoy bien —se dijo, dando un suspiro—. Porque no he bebido más que un vaso de ponche, aunque esto sea un exceso en mí. Por otra parte, me parece una tontería que nos hayan dado ponche y salmón caliente. Será necesario que se lo diga a nuestra anfitriona. Debería volver allí y decirle en qué estado me encuentro por su culpa. Pero esto es una necedad. Además, estarán ya acostados».

Buscó la casa, pero no hubo medio de encontrarla.

«Es espantoso. No reconozco la calle del Este. No hay un solo establecimiento. No veo más que viejas tiendas en lamentable estado, como si me encontrara en Roeskilde o en Ringsted. ¡Ah, estoy enfermo! Pero de nada sirve incomodarse. ¿Dónde está la casa? No aparece por ninguna parte. Aquí está, pero no se parece en nada. Aún hay gente levantada. ¡Oh, qué mal me encuentro!».

Halló una puerta entreabierta, por cuya rendija pasaba luz. Era una posada de aquellos tiempos, una especie de cervecería. La sala tenía el aspecto de las antecámaras de Holstein. Allí había algunas personas: marinos, ciudadanos de Copenhague y dos eruditos sentados ante sus jarros de cerveza, abstraídos en sus cavilaciones. Todos prestaron poca atención al hombre que entraba.

—Perdón —dijo el consejero a la dueña, que avanzaba hacia él—. Estoy indispuesto. ¿Podría usted procurarme un coche para ir a Christianshavn?

La mujer le miró y movió la cabeza; después le habló en alemán. El consejero supuso que no sabía el danés, y entonces le repitió lo que deseaba en alemán. Esto, así como su traje, confirmó a la mujer en su idea de que se trataba de un extranjero. También se dio cuenta enseguida de que el consejero no se encontraba bien y le dio un jarro de agua, un poco salobre, que sacó del pozo.

El consejero apoyó la cabeza en su mano, suspiró profundamente y reflexionó sobre todo lo que le rodeaba, que era bien extraño.

—¿Es *El Día* de esta noche? —preguntó, por decir algo, al ver que la mujer cogía una hoja grande de papel.

Ella no comprendió lo que le había querido decir, pero le alargó la hoja. Era un grabado en madera que representaba un fenómeno atmosférico observado en la ciudad de Colonia.

—Es muy viejo —dijo el consejero, muy sorprendido de encontrar un documento tan antiguo—. ¿Cómo tiene usted esta pieza tan rara? Es muy interesante, a menos que todo esto no sea más que una fantasía. Se explican estos fenómenos atmosféricos diciendo que son auroras boreales. Seguramente están provocados por la electricidad.

Los que estaban sentados más cerca y oyeron sus palabras le miraron con asombro, y uno de ellos se levantó, se quitó respetuosamente el sombrero y le dijo con el tono más grave:

—Vos sois seguramente un hombre muy sabio, señor.

—¡Oh, no! —dijo el consejero—. Puedo hablar un poco de todo, pero es preciso hacerlo en nuestra época.

—*Modestia* es una virtud muy hermosa —dijo el hombre—. Por otra parte, debo decir con respecto a vuestras palabras: *mihi secus videtur,* aunque en este caso suspendo con gran placer mi *judicium.*

—¿Puedo preguntaros con quién tengo el honor de hablar? —interrogó el consejero.

—Soy *baccalaureus* en teología —respondió el hombre.

Esta respuesta bastó al consejero. El título estaba de acuerdo con el traje.

«Seguramente —se dijo—, es un viejo maestro de escuela de algún pueblecito, uno de esos tipos raros que aún se encuentran en Jutlandia».

—Esto no es, ciertamente, un *locus vocendi* —continuó el hombre—. Os ruego, sin embargo, que tengáis la bondad de continuar. Con toda seguridad, estáis instruido en los escritos antiguos.

—Sí, cierto —respondió el consejero—. Me agrada mucho leer libros antiguos y útiles, pero me gustan más los modernos; salvo las *Historias de todos los días.* ¡Ya tenemos bastante con la realidad!

—¿*Historias de todos los días?* —preguntó nuestro *baccalaureus.*

—Sí, me refiero a esas novelas recientes.

—¡Oh! —sonrió el hombre—. Son muy ingeniosas y se leen en la corte. Al rey le gusta mucho la novela sobre *sir* Iffven y *sir* Gaudian, que habla del rey Arturo y sus caballeros de la Tabla Redonda. Y sobre este tema ha gastado algunas bromas con sus cortesanos.

—Yo no la he leído aún —dijo el consejero—. Debe de ser alguna obra nueva que acaba de publicar Heiberg.

—No —respondió el hombre—. No ha sido publicada por Heiberg, sino por Godfred von Gehmen.

—¿Este es el editor? —preguntó el consejero—. Es un nombre muy antiguo. Fue el primer impresor que tuvimos en Dinamarca.

—Sí, es nuestro primer impresor —respondió el hombre. Hasta este momento la conversación se desarrollaba bien. Uno de los ciudadanos habló de la peste que había hecho estragos algunos años antes, y pensaba en la epidemia de 1484. El consejero supuso que se trataba del cólera y todo fue bien. La guerra de los filibusteros de 1490 estaba tan reciente que no podía evitarse este tema. Los filibusteros ingleses habían capturado los navíos en el Rheden, según decían, y el consejero, que había seguido de cerca el incidente de 1801, estuvo completamente de acuerdo con ellos para censurar a los ingleses. A partir de aquí, la conversación no se desarrolló tan bien, pues unos contradecían a otros. El honrado *baccalaureus* era demasiado ignorante, y las más sencillas frases del consejero parecían osadas y fantásticas. Se miraban todos, y cuando el consejero iba demasiado lejos, el bachiller hablaba en latín, creyendo que así le comprenderían mejor, pero era inútil.

—¿Cómo os encontráis? —preguntó la dueña, tirando de la manga al consejero.

Esto le hizo volver en sí, puesto que durante la conversación se había olvidado por completo de todo lo que le había sucedido antes.

—¡Gran Dios! —dijo—, ¿dónde estoy?

Y la cabeza empezó a darle vueltas solo de pensar en ello.

—Beberemos clarete, hidromiel y cerveza de Brema —gritó uno de los hombres—. Y vos beberéis con nosotros.

Entraron dos sirvientas. Una de ellas llevaba un gorro de dos colores. Sirvieron e hicieron reverencias. Al consejero le entró un sudor frío por la espalda.

—¿Qué es esto? ¿Qué es esto? —preguntó.

Pero tuvo que beber con los ciudadanos. Se adueñaron de su voluntad muy gentilmente. El consejero estaba desconcertado, y cuando uno de ellos declaró que este buen hombre estaba borracho, no dudó de que fuese verdad, y pidió que se le proporcionara un coche. Todos creyeron que hablaba en ruso.

Jamás se había encontrado en una compañía tan inculta y grosera. «Parece —se decía— que el país ha retrocedido hasta el paganismo. ¡Se trata del momento mas terrible de mi vida!». Y en este instante se le ocurrió la idea de meterse bajo la mesa, arrastrarse hasta la puerta y fugarse; pero cuando iba a salir, los otros comprendieron su intención, le agarraron por las piernas, y entonces, con gran suerte para él, se le cayeron los chanclos..., y la magia desapareció con ellos.

El consejero vio brillar ante él con mucha claridad una luz, tras la que había una enorme casa. Conocía esta casa, y las otras que estaban a su lado. Era la calle del Este, tal como la conocemos todos. Estaba caído en tierra con las piernas contra una puerta y exactamente delante del sereno, que estaba sentado y dormido.

«¡Oh, Dios mío! ¿Habré estado soñando, tumbado en medio de la calle? —se dijo—. Sí, es la calle del Este. ¡Qué iluminada y abigarrada! Es terrible el efecto que me ha producido aquel vaso de ponche».

Dos minutos más tarde se encontraba en un coche que le conducía a Christianshavn. Pensaba en la angustia que había pasado y estimó de todo corazón la feliz realidad de nuestro tiempo, que, a pesar de todos sus defectos, era mucho mejor que la que acababa de vivir. Y en eso tenía mucha razón el consejero.

3.   El cuento del sereno

—¡Vaya! Son unos chanclos —dijo el sereno—. Deben de ser del teniente que vive arriba, porque están en su puerta.

El honrado sereno hubiera llamado a la campanilla para devolverlos, porque aún había luz en la casa, pero no quería despertar a los otros inquilinos. Y no lo hizo.

«Debe de ser muy agradable usar unos chanclos de esta clase —se dijo—. ¡Qué piel tan suave!».

Le estaban bien.

«¡Qué extraño es el mundo! El teniente puede acostarse tranquilamente, y aún no lo ha hecho. Está paseando por su cuarto. Es un hombre feliz. No tiene esposa ni hijos y puede divertirse todas las noches. Me gustaría ser como él. Así sería un hombre completamente dichoso».

En el momento en que expresó este deseo, los chanclos que se había puesto produjeron su efecto. El sereno tomó el aspecto y la forma de pensar del teniente. Se encontraba arriba, en la habitación, y tenía entre sus dedos una cuartilla de papel rosa en la que estaba escrito un poema, del propio teniente. Porque, ¿quién, aunque solo sea una vez en la vida, no se ha sentido en disposición de escribir? Y puesto que había sentido ese impulso, lo había plasmado en estrofas. En el papel se leía:

¡Quisiera ser rico!

¡Yo quisiera ser rico! ¡Oh, cuando era pequeño,
de una vara de alto, cuántas veces lo he dicho!
¡Yo quisiera ser rico! Y sería oficial.
Tendría un uniforme, un sable y muchas plumas.
Oficial soy, en efecto pero rico,
por desgracia, no he sido.
¡Que Dios me proteja!

Una tarde estaba sentado, joven y feliz de vivir,
y una niñita de siete años besaba mis manos,
porque contaba lindos cuentos y aventuras.
Por el contrario, era muy pobre por el dinero
pero la niña no quería más que cuentos,
y yo era rico de eso, pero no de oro, por desgracia.
¡Dios lo sabe bien!

«¡Yo quisiera ser rico!» es aún mi plegaria.
La niñita ha crecido; ya no tiene siete años
Es linda, inteligente y muy buena:
si ella comprendiese el cuento de mi corazón,
si aún me mostrase... amistad...
Pero soy pobre y, por tanto, me callo. ¡Qué desgracia!
¡Dios lo ha querido!

Yo quisiera ser rico, de ánimo apacible
y no confiaría mi tormento al papel.
Pero, oh tú, a quien amo, si quieres comprenderme,
lee este tierno poema de mi juventud.
Pero quizá sea mejor que no me comprendas;
por desgracia, soy pobre; mi porvenir, sombrío.
¡Dios te bendiga!

Sí, se escriben versos como estos cuando se está enamorado; pero un hombre razonable no los compone para imprimirlos. Teniente, amor y miseria es un triángulo, o, si se quiere, es la mitad del dado roto de la felicidad. El teniente se daba cuenta de esto, y, apoyando la cabeza contra la chambrana de la ventana, suspiró profundamente:

—Ese pobre sereno que está en la calle es mucho más feliz que yo. No conoce lo que yo llamo privación. Tiene un hogar, una mujer y niños que lloran con sus penas, que se regocijan con sus alegrías.

¡Ah, sería mucho más dichoso de lo que soy si pudiese cambiarme de improviso por él, porque él es mucho más afortunado que yo!

En el mismo instante, el sereno se convirtió de nuevo en sereno, porque, gracias a los chanclos, se había convertido en teniente; pero, como ya hemos visto, se sentía entonces aún menos satisfecho que antes, y prefirió ser lo que era efectivamente. El sereno, por tanto, era de nuevo sereno.

«¡Qué sueño más desagradable —se dijo—, aunque bastante extraño! Me parecía que era teniente y que estaba allá arriba, y no era nada agradable. Me faltaban mi mujer y mis chiquillos, que me gastan bien la piel a fuerza de besos».

Se volvió a sentar y empezó a dar cabezadas. La pesadilla no se le apartaba de la imaginación, porque todavía llevaba puestos los chanclos. Una estrella errante cruzó el cielo por delante de él.

«Ha caído allá lejos —se dijo—, pero hay muchas. Me gustaría verlas desde más cerca, sobre todo la luna. No es posible cogerla con las manos. Decía el estudiante al que mi mujer lavaba la ropa blanca que cuando morimos volamos de una estrella a otra. Eso es una mentira bien gorda, pero sería divertido. Me gustaría dar un salto hasta allá, mientras mi cuerpo permanece aquí, sobre los escalones».

Existen cosas en la vida que no deben desearse ni decirse sin ciertas precauciones, y es preciso, sobre todo, ser aún más prudente si se calzan los chanclos de la felicidad. Escuchen, pues, lo que le sucedió al sereno.

Nosotros, los humanos, casi todos conocemos la rapidez que produce el vapor de agua. Lo hemos comprobado en el ferrocarril, en los barcos... Pero esta velocidad puede considerarse como el paso del perezoso o del caracol, comparada con la de la luz. Vuela diecinueve millones de veces más rápida que el mejor caballo de carreras; pues bien: la electricidad es todavía más veloz. La muerte es un choque eléctrico que recibimos en el corazón; el alma, liberada, vuela con alas de electricidad. En ocho minutos y algunos segundos, la luz solar hace un recorrido de más de veinte millones de millas; pero, gracias a las alas de la electricidad, el alma hace ese recorrido en muchos menos minutos. El espacio entre los astros es para ella menor que para nosotros, situados en la misma ciudad, la distancia entre las casas de nuestros amigos, por muy cerca que estén las unas de las otras. Por otra parte, este choque eléctrico al corazón nos priva del cuerpo, si no tenemos, como nuestro sereno, los chanclos de la felicidad puestos en los pies.

En algunos segundos, el sereno había recorrido los kilómetros que nos separan de la Luna; esta, como ya se sabe, está compuesta de una materia mucho más ligera que nuestra Tierra. Se parece a la consistencia de la nieve recién caída. El sereno se encontró sobre uno de los innumerables cráteres circulares que todos conocemos por el gran mapa lunar del doctor Mädler. El cráter, en su interior, descendía a pico hasta una profundidad de kilómetro y medio. Allí abajo había una ciudad que tenía el aspecto de una clara de huevo en un vaso de agua. Su material era de la misma consistencia, y se veían torres, cúpulas y balcones en forma de velos, que se transparentaban y se balanceaban en el ligerísimo aire. Por encima de la cabeza del sereno se veía la Tierra como una gruesa bola de color rojo fuego.

Allí había numerosas personas, que nosotros llamaríamos hombres, aunque eran muy diferentes a nosotros. Hablaban una lengua, pero no se le podía exigir al sereno que la comprendiese. Sin embargo, así era.

El alma del sereno comprendía muy bien el idioma de los habitantes de la Luna. Discutían sobre la Tierra y dudaban de que pudiese estar habitada. La atmósfera tenía que ser allí muy densa para que ningún ser lunar pudiese vivir en ella. Creían que solamente la Luna podía tener seres vivos. Era el verdadero globo donde habitaban los verdaderos humanos.

Pero regresemos a la calle del Este y veamos cómo se portaba el cuerpo del sereno.

Estaba sentado, sin vida, en uno de los escalones. La estrella de la mañana había caído de su mano, y sus ojos estaban vueltos hacia la Luna, como si buscara su buena alma que circulaba por allá.

—¿Qué hora es, sereno? —le preguntó uno que pasaba.

Pero el sereno no respondió. El hombre le dio un ligero papirotazo, y el cuerpo perdió el equilibrio, cayendo cuan largo era al suelo. Era la muerte. El que le había dado el papirotazo huyó espantado. El sereno estaba muerto, muerto quedó. Se comunicó el hecho, se habló del suceso, y, desde el primer momento, el cuerpo fue transportado al hospital.

Habría sido una broma pesada imaginar ahora que el alma regresara, buscara, como es lógico, su cuerpo en la calle del Este, y al no encontrarlo, corriera, sin duda, primero a la comisaría; después, a la oficina de objetos perdidos, para informarse de si estaba allí, y por último, al hospital. Pero debemos pensar que el alma es más inteligente cuando está sola, y que el cuerpo solo la embrutece.

Así pues, el cuerpo del sereno fue conducido al hospital y llevado a la sala de desinfección, en donde lo primero que le hicieron fue quitarle los chanclos, con lo que su alma tuvo que regresar deprisa y corriendo. Se dirigió directamente al cuerpo, y enseguida el hombre se reanimó. Aseguró que en su vida había pasado una noche tan espantosa. No querría, ni por todo el oro del mundo, volver a recibir sensaciones parecidas. Pero de ellas ya no le quedaba nada.

Aquel mismo día le dejaron marchar del hospital, pero los chanclos permanecieron allí.

4. Un momento crítico. Un recitador.
Un viaje extraordinario

Toda persona natural de Copenhague sabe perfectamente cómo es la entrada del hospital Frederick; pero como tengo la seguridad de que esta historia será leída también por personas que no pertenezcan a esta capital, es necesario que dé una pequeña descripción de él.

El hospital se halla separado de la calle por una verja bastante alta, cuyos barrotes están lo suficientemente separados entre sí para que los internos que sean muy flacos puedan pasar por entre ellos, según se dice, y hacer algunas visitas a la ciudad. La parte del cuerpo más difícil de pasar era la cabeza; por tanto, y como ocurre con frecuencia en el mundo, los que poseían cabezas muy pequeñas eran los más dichosos. Esto será suficiente como introducción.

Uno de los estudiantes internos más jóvenes, del que podemos decir que tenía una gran cabeza, en el sentido corporal, estaba aquella noche de guardia. Llovía torrencialmente. Pero, a pesar de estos dos impedimentos —la guardia y la lluvia—, quería salir. Un cuarto de hora solamente. «No vale la pena buscarse la complicidad del conserje —se decía—, cuando podría deslizarme por entre los barrotes». Los chanclos olvidados por el sereno estaban allí. El estudiante no tenía la menor idea de que eran los chanclos de la felicidad. Eran muy a propósito para el tiempo que hacía, por lo que se los puso. Ya no le quedaba más que pasar a través de los barrotes, cosa que jamás había intentado antes. Ya estaba ante la verja.

«¡Dios mío, cuánto me gustaría tener ya la cabeza afuera!».

E inmediatamente, a pesar de ser grande y gorda, se deslizó fácilmente por entre los barrotes, gracias a la magia de los chanclos. Pero ahora faltaba el cuerpo.

«¡Ay, soy demasiado grueso! —se lamentó—. ¡Yo creía que la cabeza era lo más difícil! ¡No podré pasar!».

Quiso retirar vivamente la cabeza, pero no lo logró. Podía mover el cuello a su antojo, pero eso era todo. Su primer sentimiento fue de cólera, pero después su valor se vino al suelo. Los chanclos de la felicidad le habían puesto en una situación penosa, y, desgraciadamente, no se le ocurrió la idea de desear su libertad. Por el contrario, se esforzaba por sacar la cabeza y no lo conseguía. La lluvia seguía cayendo; nadie pasaba por la calle. No podía alcanzar la campanilla y hacerla sonar. ¿Cómo lograría deshacerse de aquella trampa? Preveía que permanecería allí hasta la mañana siguiente; que sería preciso buscar una lima para aserrar los barrotes; pero eso no se hacía en un dos por tres. Todos los alumnos del colegio de enfrente y todas las personas de las Nuevas Barracas irían a verle en la picota. Se reuniría más gente que para ver al monstruo que apareció el año anterior.

—¡Ay! Se me sube la sangre a la cabeza. Voy a volverme loco. ¡Oh, cómo me gustaría ser liberado! Todo esto cesaría enseguida.

Era lo que debía haber dicho hacía tiempo. No había acabado de expresar este deseo cuando vio su cabeza libre, y se precipitó al interior del hospital, demudado por el susto que le habían causado los chanclos. Pero... no se vaya a creer que todo había terminado... Lo que siguió fue peor todavía.

La noche pasó, y al día siguiente nadie reclamó los chanclos.

Por la noche se iba a dar una representación en el teatrillo de la calle del Canónigo. La sala estaba llena de público. Entre los trozos recitados había un poema nuevo. Escuchémoslo. Se titulaba:

Los anteojos de mi tía

Mi abuelita es notable por su sabiduría
y en los «tiempos remotos» la hubieran quemado.
Ella sabe de todo. Adivina el futuro.
Lo que el año que viene, sin duda, ocurrirá,
y también en el «cuarenta», pues su vista es de lince;
pero de todo esto ella no quiere hablar.

Yo quisiera saber con todos los detalles
los sucesos notables que el año nos traerá:
mi suerte, la del arte, y también la del pueblo;
pero de todo esto ella no quiere hablar.
Yo, tenaz, he insistido, y, al fin, he conseguido,
después de mucho mimo, hacerla vacilar,
y como soy su niño del alma predilecto,
de su boca las frases salieron sin cesar.

—Por esta vez tan solo voy a satisfacerte.
Toma mis anteojos y márchate a un lugar
donde la buena gente se divierta reunida,

para que con mis gafas la puedas observar.
El juego es divertido y estarás satisfecho
después de ver las cosas que con ellos verás;
pero ten cuidadito. En los juegos de naipes
es siempre peligroso burlarse del azar.

Agradecí de veras sus preciosos consejos
y me fui de su lado dispuesto a aprovechar
la ocasión que tenía de contemplar, sin duda,
las cosas que mis gafas me iban a revelar.
—¿Adónde ir —me dije—, que la gente sea mucha
¿A la calle del Este? ¿A Longelinje?... No,
que se pesca un reuma en menos que se piensa,
Iré... iré al teatro. Sí, sí, es lo mejor.

Señoras y señores, aquí estoy. Me presento.
Las gafas, con permiso de ustedes, me pondré.
Con ellas en mis ojos predeciré el futuro,
y también del presente, si queréis, hablaré.
Vuestro silencio indica que no hay inconveniente
y por ello mis gracias sinceras aquí están.
Todos parte en el juego tomaremos reunidos.
Las cartas boca arriba. La farsa va a empezar.

(Se pone las gafas).

Ruego que no se rían, señoras y señores,
pues el juego, os advierto, no es cosa de reír.
¡Oh, es asombroso los reyes que aquí veo,
las sotas, los caballos dispuestos a partir!
Allí veo una sota de espadas, muy hermosa,
que al caballo de copas quiere entregar su amor.
¡Qué sublime espectáculo! ¡Mis sentidos se enervan!
Los mayores tesoros están en el salón,
y también extranjeros de otras partes del mundo.
Pero nada de esto es digno de mención.
¿Los asuntos de Estado?... ¡Veamos...! No es preciso.
El periódico os dice cuanto va a ocurrir.
Si lo digo yo ahora, hago daño al diario
y le quito del plato su trozo más feliz.
¿El teatro...? ¿La moda...? ¿El tono...? ¿La función...?
No, no quiero, de veras, con nadie indisponerme,

y menos que con nadie, con nuestra dirección.
¿Mi porvenir? Pues..., si habéis de creerme,
no es un plato de gusto. Nuestros propios asuntos
a nadie le interesan, no más que al corazón.

¡Veo! ¡Sí...! ¡Sí...! ¡Mas no puedo decir lo que veo!
Cuando llegue el momento me daréis la razón.
De los que aquí estamos, ¿quién es el más dichoso?
Con mis gafas es fácil conocer la verdad.
Es..., es..., es...; mas no. Pecaría de indiscreto
y las otras personas lo tomarían a mal.

¿Quién vivirá más años? ¡Ah, es fácil decirlo!
¿Esa dama?... ¿Este joven?... ¿Aquel de más allá?...
Mas, chitón. No es prudente decir tales simplezas.
Las personas se ofenden, y allá que cada cual
se arregle con sus años... Ni yo mismo sé ya
si con mi charla insulsa voy a causar un mal.

Hablemos, pues, ahora de lo que todos piensan
que con mis anteojos nadie puede ocultar.
Vos pensáis... ¿Queréis que os lo diga?... ¿No?
En fin: vais a creer que toda esta función
solo es ruido vacío, sin pizca de emoción;
por lo tanto, me marcho, honorable asamblea,
y cada cual allá con su propia opinión.

El poema fue muy bien recitado, y el poeta obtuvo un gran éxito. Entre los espectadores se encontraba el estudiante del hospital, quien parecía haber olvidado su aventura de la noche anterior. Llevaba los chanclos puestos, ya que nadie había venido a reclamarlos, y aún podían serle útiles, porque todo estaba lleno de barro.

El poema le había agradado.

La idea le obsesionó mucho. Le hubiera gustado tener unos anteojos parecidos a aquellos; tal vez, debidamente usados, habría podido ver el interior del corazón de las personas, cosa mucho más interesante, según su criterio, que enterarse de lo que iba a suceder el año próximo, puesto que eso terminaría por conocerse, al fin y al cabo, mientras que el fondo de los corazones no se vería jamás.

«Me imagino —se decía— a todas esas señoras y caballeros que se encuentran en la primera fila... vistos por dentro, a través de una abertura... Tendrán el aspecto de una especie de tienda. Eso es. ¡Vaya si iba a ver tiendas! En unas damas encontraría, con toda seguridad, un verdadero almacén de modas; en otras, la tienda estaría vacía. Pero pudiera ser que estuvieran limpiándola. ¡Me encontraría con tantos y tan interesantes establecimientos! Sí —suspiró—; conozco a una cuyo corazón es sano y hermoso, pero ya tiene dueño. Eso es lo único malo de toda la tienda. Estoy seguro de que alguno de ellos saldría a la puerta y me diría: "Pase usted, tenga la bondad". Sí, me gustaría mucho entrar en los corazones de la misma forma que penetra en ellos un hermoso pensamiento».

Y, sin duda, gracias a los chanclos, el estudiante se desvaneció y comenzó a realizar un maravilloso viaje por los corazones de todos los espectadores sentados en la primera fila de butacas. El primer corazón que recibió su visita fue el de una dama. Inmediatamente creyó encontrarse en un instituto ortopédico. Llámase así al establecimiento donde el médico opera a las personas contrahechas y las pone derechas. Se hallaba en una sala cuyas paredes estaban adornadas con moldes de miembros tullidos, con la diferencia de que, en el instituto, el vaciado de estos miembros deformes se verifica a la entrada del enfermo, mientras que en este corazón se realizaba a la salida de los buenos visitantes. Los que allí se conservaban eran los moldes de los defectos físicos y de otras clases de las amigas de esta señora.

El estudiante pasó rápidamente a otro corazón de mujer y este le pareció al igual que una iglesia muy grande. La paloma blanca de la inocencia volaba por encima del altar mayor. Le hubiera gustado a nuestro héroe arrodillarse ante el ara; pero tenía que darse prisa para poder visitar los otros corazones. Sin embargo, le dio tiempo de escuchar el órgano y le pareció que se había convertido en un ser mejor de lo que en realidad era, y no se sintió indigno de penetrar en el santuario siguiente. Este era un miserable desván, que alojaba a una madre enferma. Por la ventana abierta penetraba el cálido sol, unas hermosas rosas se balanceaban movidas por el viento dentro de la cajita de madera que les servía de maceta y que estaba colocada en el tejado, y dos pajarillos gorjeaban acerca de la alegría de la infancia, mientras la madre enferma pedía la bendición para su hijita.

Después entró a gatas en una carnicería llena de gente. No veía más que carne por todas partes. Era el corazón de un hombre rico y respetable, cuyo nombre se encontraría con seguridad en el Gotha.

Luego penetró en el corazón de la señora de este caballero. Era un chalé en ruinas. El retrato de su esposo le servía de veleta. Sus palpitaciones eran como puertas que se abrían y cerraban al compás de los movimientos de su marido.

Inmediatamente llegó a un gabinete repleto de espejos, como el del castillo de Rosenborg; pero eran de un tamaño increíble. En el centro de la sala estaba sentado un Dalai Lama, el yo insignificante del individuo en cuestión, en admiración ante su propia grandeza.

De allí pasó a un alfiletero lleno de agujas finísimas. «Este debe de ser, sin duda, el corazón de una solterona», pensó. Pero no. El personaje era un oficial condecorado con varias cruces. Un hombre de espíritu y de corazón.

El estudiante de medicina sintió una especie de vértigo cuando salió del último corazón de la fila. No podía poner en orden sus ideas y pensaba que era su exceso de imaginación el que acababa de gastarle una broma pesada.

«¡Gran Dios! —se dijo—. Seguramente estoy a punto de volverme loco. Es que hace aquí un calor sofocante, y la sangre se me agolpa en la cabeza».

Se acordó del incidente de la víspera, cuando su cabeza había quedado aprisionada por los barrotes de la verja.

—Fue entonces cuando me puse malo. Es preciso que me cuide a tiempo. Un baño turco me sentaría muy bien. ¡Cuánto me gustaría estar ya dentro de él!

Y se encontró metido en un baño turco, cuyo vapor de agua estaba a temperatura elevadísima. Tenía el traje, los zapatos y los chanclos puestos. Y desde el techo le caían las gotas de agua hirviente sobre su rostro.

—¡Puf! exclamó, y dio un salto para meterse debajo de la ducha.

El mozo que cuidaba del baño lanzó un grito cuando vio allí a un hombre vestido.

El estudiante tuvo bastante sangre fría para decirle en voz baja:

—¡Se trata de una apuesta!

Pero su primer cuidado ya de regreso a su habitación fue aplicarse a la nuca y a lo largo de la espalda unos emplastos para alejar de sí la locura.

A la mañana siguiente tenía la espalda en carne viva y llena de sangre. Eso fue lo que ganó con el uso de los chanclos de la felicidad.

5.   La metamorfosis del empleado

El sereno, al que vosotros sin duda no habréis olvidado, se acordaba con frecuencia de los chanclos que había encontrado y llevado puestos al hospital. Fue a recogerlos; pero como ni el teniente ni nadie quería reconocerlos de su propiedad, los depositó en la comisaría de Policía.

—Son iguales que los míos —exclamó uno de los empleados, mirándolos con detenimiento.

Los puso al lado de los suyos, y se hubieran necesitado los ojos de un zapatero muy experto para diferenciarlos.

—¡Señor empleado! —llamó un muchacho que entraba en aquel momento con unos papeles.

El empleado se volvió para atenderle, cambió con él algunas palabras, y cuando posó de nuevo su mirada sobre los chanclos, se quedó suspenso. No recordaba si los suyos eran los de la derecha o los de la izquierda.

«Serán los mojados», se dijo.

Pero se equivocó. Eran los de la felicidad. Porque la Policía puede equivocarse también. Se los puso, metiose algunos papeles en el bolsillo y colocose otros debajo del brazo. Se trataba de unos documentos, que debía leer y copiar de nuevo en su domicilio. Pero como al día siguiente era domingo y hacía un tiempo espléndido, se dijo que un paseo hasta Frederiksberg le sentaría bien, y se decidió a darlo.

No se podía ser un hombre más tranquilo ni más celoso de su deber que este joven; por tanto, nosotros damos nuestra conformidad a este paseo, que, en verdad, debía de producirle mucho bien después de las largas jornadas de trabajo sentado en una silla. Al principio marchaba tranquilamente, sin pensar en nada. Los chanclos no tuvieron, pues, ocasión de mostrar su mágica virtud.

Durante el paseo se encontró con un conocido, un joven poeta, quien le contó que partiría de viaje al día siguiente, para gozar sus vacaciones de verano.

—Otra vez de viaje, ¿eh? —le dijo el empleado—. Eres un hombre afortunado, feliz y libre. Puedes volar adonde mejor te parezca. En cambio, yo siempre estoy atado con una cadena al tobillo.

—Pero has de tener en cuenta que el otro extremo está atado al árbol de la nutrición —le respondió el poeta—. No tienes que preocuparte del día de mañana, y cuando seas viejo tendrás tu retiro.

—Sin embargo, tu suerte es mucho mejor que la mía. Es un placer sentarse a componer versos. Todo el mundo te felicita y eres tu propio patrono. Sí; yo quisiera verte sentado todo el día tras una mesa y tratando con asuntos vulgares.

El poeta movió la cabeza. Otro tanto hizo el empleado. Ambos mantenían su opinión, y se separaron. «Estos poetas son de una raza aparte —pensó el oficinista—. Me gustaría probar a ser poeta. Estoy seguro de que no escribiría poesías tristes ni dolientes, como hacen todos... Hoy es un día primaveral digno de un poeta; el ambiente es de una extraña pureza, las nubes son soberbias y las flores exhalan un suave perfume... Hace muchos años que no sentía lo que siento en estos momentos».

Ya nos hemos dado cuenta de que se había convertido en poeta. Esto no saltaba a los ojos, claro está, puesto que no es posible hallar diferencias físicas entre poetas y hombres vulgares. Estos pueden tener naturalezas poéticas mucho más destacadas que los grandes poetas reconocidos como tales.

La diferencia está solamente en que el poeta tiene mejor memoria espiritual, puede retener en sí el sentimiento y la idea hasta darles una forma verbal precisa y clara; los otros no pueden hacerlo. Sin embargo, pasar de una naturaleza vulgar a otra dotada de ingenio siempre es una transición, y esto es lo que le había ocurrido al empleado.

—¡Qué perfume tan exquisito! —decía—. ¡Cómo me recuerda a las violetas de tía Lone! Sí, entonces era un niño. ¡Dios mío, no he pensado en ella desde hace años! ¡Qué buena mujer! Vivía detrás de la Bolsa. Siempre tenía algunos ramos verdes en agua, por muy riguroso que fuese el invierno. Las violetas embalsamaban el ambiente mientras yo ponía algunos *skillings* de cobre, calentados, sobre las ventanas llenas de escarcha y hacía redondeles para mirar afuera. Desde allí se veían unas vistas preciosas. En el canal, los barcos estaban aprisionados por el hielo, abandonados por la tripulación, era su único habitante una corneja graznadora. Pero cuando llegaba la primavera, todo recibía nueva vida. El hielo se aserraba entre cantos y hurras. Alquitranaban y enjarciaban los barcos, que partían hacia países extranjeros. Ahora, sin embargo, estoy aquí y deberé permanecer siempre aquí, sentado en mi mesa de la comisaría de Policía, y veré cómo los demás piden sus pasaportes para ir al extranjero. Tal es mi suerte.

Suspiró profundamente, pero pronto se detuvo.

—Dios mío, ¿qué es lo que me pasa? ¡Jamás había pensado ni sentido de tal forma! Esto debe de ser consecuencia del ambiente primaveral. Y es inquietante y agradable a la vez.

Busco los papeles que tenía en el bolsillo.

«Esto es otra cosa que me hace pensar —se dijo, echando una ojeada a la primera cuartilla—. *Madame Sigbrith,* tragedia en cinco actos. ¿Qué es esto? Y está escrito con mi propia letra. ¿Acaso he escrito esta tragedia? *La intriga en la muralla o el gran día de la plegaria,* comedia. Pero, ¿dónde he cogido esto? Alguien me lo ha debido de meter en el bolsillo. ¿Una carta? Sí; es de la dirección del teatro. Las obras no han sido aceptadas, y la carta no es nada cortés. ¡Hum! ¡Hum!».

El empleado se sentó en un banco. Estaba completamente aturdido. Pero tenía ideas claras, y el corazón enternecido. Maquinalmente arrancó una de las flores que estaban más cerca de él. Era una simple margarita. Lo que los botánicos no nos dicen en múltiples lecciones, ella nos lo revela en un instante. Relató el mito de su nacimiento, el poder de la luz solar, que desdobla sus lindos pétalos y los fuerza a oler bien. Esto hizo que el empleado reflexionase sobre las luchas de la vida, que, de la misma forma, despiertan los sentimientos de nuestro pecho. El aire y la luz eran los enamorados de la flor, pero la luz llevaba ventajas. La flor se volvía hacia ella. Y cuando la luz desaparecía, la flor plegaba sus pétalos para dormir bajo las caricias del aire.

—Es la luz la que me hermosea —decía la flor.

—Sí, pero el aire te hace respirar —murmuraba la voz del poeta.

Muy cerca de allí, un muchacho se entretenía en remover con su palo un hoyo fangoso. Las gotas de barro salpicaban las ramas verdes, y el empleado pensó en los millones de microbios que vivían en esas gotas y se veían lanzados así a una altura que, teniendo en cuenta su tamaño, era, para ellos igual que si a nosotros nos lanzasen por encima de las nubes. Pensando en esto y en todos los cambios que se habían operado en él, sonrió.

«Duermo y sueño. Es curioso, además, cómo se puede tener un sueño natural y saber que solo es un sueño. Me gustaría recordarlo mañana al despertarme. Me parece que estoy excepcionalmente bien dispuesto en este momento. Tengo una visión muy clara de todas las cosas y el espíritu despierto. Pero estoy seguro de que mañana, al despertar, apenas recordaré nada de esto. Ya me ha pasado otras veces. Las cosas inteligentes y brillantes que se dicen y se oyen en sueños son como el oro de los enanos, que cuando se le tiene en la mano vale una fortuna y es magnífico; pero, visto a plena luz, no es más que piedras y hojas secas».

—¡Ay! —suspiró, y se fijó en los pajarillos que cantaban alegremente, saltando de rama en rama—. ¡Esos sí que son más felices que yo! Volar es un arte encantador. ¡Feliz aquel que goza de ese arte desde el día de su nacimiento ¡Si yo quisiera tomar nueva forma, elegiría una parecida a la de la alondra!

De repente, las mangas y la cola de su levita se convirtieron en alas, sus vestidos en plumas y los chanclos en garras. Cuando se dio cuenta de ello, se rio para sí:

«Ahora me doy perfecta cuenta de que estoy soñando aunque jamás había tenido un sueño tan extravagante».

Y voló hacia las verdes ramas y empezó a cantar. Pero no había poesía en ese canto, ya que su naturaleza de poeta había desaparecido. Los chanclos, como cualquiera que hace a conciencia su cometido, no podían hacer más que una cosa la vez. Había querido ser poeta y lo había sido; ahora deseó ser pájaro y lo era. Pero cuando se convertía en una cosa, la anterior desaparecía.

«Esto está muy bien —se dijo—. Durante el día estoy sentado en la comisaría de Policía, en medio de los expedientes más fastidiosos, y por la noche puedo soñar que vuelo como la alondra en el parque de Frederiksberg. Habría tema para escribir todo un drama popular. ¡Caramba!

Y voló hacia la hierba. Volvió la cabeza de un lado para otro, golpeó con su pico las flexibles briznas de hierba, que teniendo en cuenta su tamaño actual, eran para él como palmeras en el África del Norte. Esto solo duró un instante. Pronto se hizo de noche a su alrededor. Un objeto que le pareció enorme había sido arrojado sobre él: era una gorra que un chiquillo había tirado al pájaro. Una mano pasó por debajo de ella y agarró al empleado por las alas, lo que le hizo piar. En su primer momento de susto, gritó lo más alto que pudo:

—¡Mamarracho! Soy un empleado de la comisaría de Policía.

Pero el chiquillo no oía más que el piar, por lo que le tapó el pico y se fue con él.

En la avenida se encontró con dos alumnos de la clase superior, en lo referente al medio social, pues con respecto a sus inteligencias, eran los últimos de la clase. Le compraron el pájaro por ocho *skillings,* con lo que el empleado llegó de esta forma a Copenhague y se introdujo en el seno de una familia de la calle Gothev.

«Felizmente, todo esto es un sueño —se decía el empleado—; pues si no, me vería precisado a montar en cólera. Primero, he sido poeta, y ahora, alondra. Sí; es, sin duda, la naturaleza de poeta lo que ha hecho que me convierta en pájaro. Es lamentable, sobre todo cuando se cae entre las manos de unos muchachos. Me gustaría saber cómo va a terminar esto».

Los muchachos lo llevaron a una habitación lujosamente amueblada, donde los recibió una señora gruesa y alegre, que no se sintió muy satisfecha al ver que traían un pájaro vulgar, que ella llamaba alondra. Les permitió que lo tuvieran solo durante el día y que lo encerraran en la jaula vacía que estaba al lado de la ventana.

—Tal vez divierta a Jacquot —añadió, riendo, vuelta la cara hacia un gran loro verde que se balanceaba con aire digno en el anillo de su soberbia jaula de latón—. Hoy es el cumpleaños de Jacquot —continuó con afectada alegría.

El pájaro de los campos tendrá que felicitarlo.

Jacquot no contestó ni una palabra, pero se columpió majestuosamente. Un lindo canario que había en la jaula inmediata, y que había sido traído de su cálida y perfumada patria el verano anterior, se puso a cantar alegremente.

—¡Chitón! —le dijo la señora, arrojando un pañuelo blanco sobre la jaula.

—¡Pío, pío! —suspiró el pajarillo—. Vaya borrasca de nieve —y se calló.

El empleado o, como decía la dama, el pájaro de los campos, fue metido en una jaula que estaba al lado de la del canario y no muy lejos del loro. Las únicas palabras humanas que Jacquot sabía pronunciar, y que a veces decía sin ton ni son, eran: «¡Vamos, seamos hombres!». Todo lo que gritaba, aparte de esto, era tan incomprensible como el trino del canario, salvo para el empleado, que era también un pájaro. Comprendía perfectamente a sus camaradas.

—He volado bajo las verdes palmeras y los almendros en flor —cantaba el canario—. He volado con mis hermanos y hermanas por encima de las magníficas flores y de los límpidos lagos, en donde las plantas del fondo nos saludaban al pasar. He visto también gran número de magníficos loros, quienes contaban largas historias muy divertidas y no se callaban jamás.

—Eran pájaros salvajes —contestaba el loro—. No estaban bien educados. ¡Vamos, seamos hombres...! ¿Por qué no te ríes? Si la señora y todos los demás que vienen a la casa se ríen de mi frase, tú también debes hacerlo. Es un defecto grandísimo no saborear lo que es divertido. ¡Vamos, seamos hombres!

—¡Oh! ¿Te acuerdas de las lindas muchachitas que bailaban bajo la tienda instalada cerca de los árboles en flor? ¿Recuerdas los frutos dulces y la savia refrescante de las plantas silvestres?

—Sí, sí —contestó el loro—. Pero me encuentro mejor aquí. Estoy bien alimentado y me tratan como a un amigo. Sé que soy inteligente y no deseo más. ¡Vamos, seamos hombres! Tú tienes alma de poeta, según dicen; yo, en cambio, poseo grandes conocimientos y un magnífico espíritu. Tienes genio, pero no discreción. Te pierdes en medio de tus altas melodías naturales, y por eso te tapan la jaula y tienes que cerrar el pico. Eso no me lo hacen a mí porque les he costado muy caro. Además, los impresiono con mi pico y sé agradarlos. ¡Vamos, seamos hombres!

—¡Oh, mi cálida y florida patria! —trinaba el canario—. Quiero cantar tus árboles verde oscuro, tus ensenadas en calma, donde las ramas de los árboles besan la superficie límpida del agua. Quiero cantar la alegría de todos mis hermanos de colores brillantes y del país de los cactus.

—Acaba de una vez con tus elegías —dijo el loro—. Cuéntanos algo que nos haga reír. La risa es señal de inteligencia altamente cultivada. Fíjate si el caballo o el perro pueden reír. No. Pueden llorar, pero no reír. Esto es un don exquisito de los hombres. ¡Jo, jo, jo! —rio Jacquot, y añadió—: ¡Vamos, seamos hombres!

—Y tú, pajarillo gris y danés —dijo el canario—, hete aquí prisionero también. Debe de hacer frío en tus bosques. Pero, al menos, tendrías libertad. ¡Huye...! Han olvidado cerrar tu jaula. La ventana tiene abierta la parte de arriba. ¡Huye, huye...!

Y eso fue lo que hizo el empleado, saliendo rápidamente de la jaula. En este momento chirrió la puerta entreabierta de la habitación vecina, y el gato de la casa, con los ojos verdes y brillantes, se lanzó a la caza del pajarillo. El canario se agitó en su jaula; el loro batía sus alas y gritaba:

—¡Vamos, seamos hombres!

El empleado sintió un miedo mortal, pero huyó por la ventana y voló por encima de las casas y de las calles. Al fin, pudo posarse y reposar un poco en un tejado.

La casa de enfrente tenía un aspecto familiar. Una ventana se hallaba abierta. Voló hacia allí. Era su propia habitación. Se posó sobre la mesa.

—¡Vamos, seamos hombres! —dijo, sin pensar en lo que decía.

Era la frase del loro, y al instante se convirtió de nuevo en el empleado que era, sentado sobre la mesa.

—Dios mío —dijo—. ¿Cómo habré llegado hasta aquí dormido? En verdad que he tenido un sueño bastante agitado. Ha sido una historia muy estúpida.

6.   Lo mejor que hicieron los chanclos

Al día siguiente por la mañana, muy temprano, el empleado se hallaba aún en la cama cuando oyó llamar con los nudillos a la puerta; era su vecino del mismo piso, un estudiante que se preparaba para sacerdote. Entró.

—Préstame tus chanclos —le dijo—. El jardín está muy húmedo, aunque brilla el sol. Quisiera bajar a él y fumarme una pipa.

Se puso los chanclos, y bien pronto se encontró en el jardín, donde había un manzano y un peral. En Copenhague, un jardín, por muy pequeño que sea, se considera siempre como algo magnífico.

El estudiante paseaba por el sendero. No eran más que las seis. En la calle sonó el cuerno de un postillón.

—¡Oh, viajar, viajar! —exclamó el estudiante—. ¡Eso es la cosa más agradable del mundo! ¡Es el fin supremo de todos mis deseos! Se me calmaría la ansiedad que me domina. Pero sería preciso ir lejos, muy lejos. Me gustaría ver la hermosa Suiza, viajar por Italia, y...

Fue una suerte que los chanclos produjeran su efecto inmediatamente, sin que tuviera que recorrer demasiados países. Suerte tanto para él como para nosotros. Viajaba. Estaba en plena Suiza, pero metido, con otras ocho personas, en el interior de una diligencia. Le dolía la cabeza. Sentía una gran laxitud en el cuello. La sangre le había bajado a las piernas, que estaban hinchadas, y los zapatos le herían los pies. Se hallaba entre la somnolencia y la vela. En su bolsillo derecho llevaba su carta de crédito; en el izquierdo, su pasaporte y algunos luises de oro en una bolsita de piel, que llevaba cosida sobre el pecho. Cada uno de sus sueños le decía que uno u otro de sus preciosos objetos se le había perdido, y entonces experimentaba un movimiento febril, que se traducía en un gesto triangular de la mano hacia el bolsillo derecho, hacia el izquierdo y hacia el pecho, para convencerse de que no le había desaparecido nada. Los paraguas, los bastones y los sombreros se balanceaban sobre la red e impedían algo la vista del paisaje, que era magnífico. Nuestro teólogo le echaba un vistazo de cuando en cuando y cantaba canciones que algunos de nuestros poetas han cantado ya en Suiza, aunque nunca, hasta ahora, se habían impreso.

Sí, es tan bello, que se desea,
querido mío, ver el Mont Blanc;
mas solo cuando se tiene bastante dinero
se pasa aquí estupendamente.

El paisaje que los rodeaba era vasto, sombrío y grave. Los bosques de pinos parecían cimas de brezos sobre las altas montañas, cuyos picos estaban ocultos por la bruma de las nubes. Empezó a nevar. Soplaba un viento helado.

—¡Oh! —suspiró—. Si estuviéramos al otro lado de los Alpes, sería verano, y ya habría conseguido algún dinero a cuenta de mi carta de crédito. La inquietud que ella me produce hace que no goce con plenitud de este bello país que es Suiza. ¡Ah, cuánto me gustaría estar ya al otro lado de los Alpes!

Y se encontró al otro lado. Estaba en el interior de Italia, entre Florencia y Roma. El lago de Trasimeno se extendía ante él, a la luz del atardecer, como llameante oro en medio de las montañas azul oscuro.

Allí, donde Aníbal derrotó a Flaminio, las vides enroscábanse verdes y pacíficas; encantadores niños, medio desnudos, guardaban un rebaño de cerdos negros bajo un grupo de laureles situados al borde de la carretera y que embalsamaban el ambiente con su aroma. Si pudiéramos hacer una descripción detallada de este cuadro, todo el mundo exclamaría: «¡Ah, maravillosa Italia!».

Pero el teólogo no decía nada de esto, ni tampoco sus compañeros de viaje en el coche del *vetturino*.

Millares de moscas venenosas y de mosquitos volaban, zumbando, alrededor de ellos. Trataban de ahuyentarlos por medio de una rama de mirto, pero las moscas picaban sin compasión. No había nadie en el coche que no tuviera el rostro hinchado y desfigurado por las picaduras. Los pobres caballos parecían carroñas. Las moscas se posaban sobre ellos en grandes grupos, y cuando el cochero se bajaba para ahuyentarlas, el alivio era solo momentáneo. A la puesta del sol empezó a silbar un fuerte viento glacial, que no tenía nada de agradable. Por todas partes, las montañas y las nubes adquirieron una tonalidad verde deliciosa, clara, luminosa... Sí. Vayan ustedes a verlo. Es preferible a todas las descripciones. ¡Es algo espléndido! Los viajeros se daban cuenta de todo esto; pero... sus estómagos estaban vacíos, sus cuerpos cansados y suspiraban por conseguir un alojamiento donde pasar aquella noche. Pero, ¿dónde hallarlo? Las mentes se encontraban más preocupadas por esta cuestión que por mirar y contemplar la bella naturaleza.

La carretera atravesaba un olivar, del mismo modo que en el norte hubiera podido atravesar un saucedal. Allí se hallaba el albergue solitario. En el exterior estaban acampados una docena de mendigos, el mejor de los cuales tenía cara de «hijo primogénito del Hambre, llegado a su mayor edad». Los demás, o bien eran ciegos o tenían las piernas lisiadas y se arrastraban sobre las manos, o bien tenían los brazos contraídos y carecían de dedos. Era la miseria escapada de sus harapos.

—*¡Eccellenza, miserabili!* —gemían, extendiendo sus miembros lisiados.

La propia posadera, con los pies desnudos, los cabellos en desorden, vestida solo con una blusa sucia, recibió a los que llegaban. Las puertas estaban atadas con cuerdas; las habitaciones ofrecían un pavimento de piedra medio destruido; los murciélagos volaban por los techos, y en cuanto al olor...

—Bueno, sería preferible que nos sirvieran la cena en la cuadra —dijo uno de los viajeros—. Al menos, sabríamos lo que olíamos.

Abrieron las ventanas, para que entrase un poco de aire; pero antes que este entraron los brazos lisiados y la cantinela *¡miserabili, ecce-*

llenza! Se veían en las paredes numerosas inscripciones, la mitad de ellas contra la *bella Italia*.

Sirvieron la comida. Era una sopa de agua sazonada con pimienta y aceite rancio, y también el mismo aceite en la ensalada; huevos pasados y crestas de gallo asadas fueron los platos fuertes, y aun el vino tenía mal sabor. Era una verdadera mixtura.

Durante la noche, el equipaje permaneció apilado contra la puerta. Uno de los viajeros cuidaba de él, mientras los demás dormían. Al teólogo le correspondió la primera guardia. ¡Qué fastidiosa fue! El aire era pesado; el calor, opresivo, y los mosquitos zumbaban y picaban, mientras los *miserabili,* en el exterior, gemían mientras dormitaban.

—Sí; está bien viajar —suspiró el estudiante—, si no se tuviese cuerpo. Si este pudiese quedar en reposo, y el espíritu volar. A todas partes que voy luego siento el corazón oprimido por alguna causa. Lo que yo deseo no es el placer del instante, sino algo mejor. Pero, ¿qué es lo mejor y dónde encontrarlo? En el fondo, sé muy bien lo que quiero, quiero alcanzar un fin dichoso, el más feliz de todos.

Tan pronto como fue formulado este deseo se encontró en su casa. Las largas y blancas cortinas se hallaban bajadas ante las ventanas, en el centro de la habitación había un ataúd negro, donde dormía su apacible sueño de la muerte el estudiante de teología. Quedaba cumplido su deseo: su cuerpo reposaba, su espíritu viajaba. «No digáis que un hombre es feliz antes de que esté en la tumba», decía Solón. La fórmula está aquí confirmada.

Todo cadáver es la esfinge de la inmortalidad; la esfinge del ataúd negro tampoco hubiera podido responder a la pregunta que dos días antes hiciera aquel mismo hombre:

Muerte poderosa, tu silencio nos causa horror;
tu rastro es solamente la tumba del cementerio.
¿Rompe ella la escala de Jacob del pensamiento?
¿Viviré solamente con hierba en campo muerto?

El mundo ignora nuestras grandes penas.
¡Oh tú, que estás solo hasta el fin postrero,
has de saber que el mundo oprime al corazón
más que la tierra arrojada sobre tu ataúd!

En la habitación se movían dos personas. Conocemos a las dos: eran el hada de la Tristeza y la emisaria de la Felicidad. Se inclinaron sobre el muerto.

—¿Ves? —decía el Dolor—. ¿Qué felicidad han procurado a la humanidad estos chanclos?

—Por lo menos, han procurado un bien duradero al que aquí duerme —respondió la Alegría.

—¡Oh, no! —contestó el Dolor—. Marchó por sí mismo. No le llamaron. Su fuerza espiritual no era lo bastante grande para realizar los deberes que le tenían impuestos. Voy a hacerle un servicio.

Y le quitó los chanclos. El sueño de la muerte terminó. El estudiante se levantó, y el dolor desapareció, pero los chanclos con ella. Es seguro que los consideraba como de su propiedad.

EL CERRO DE LOS ELFOS

Los lagartos corrían inquietos por las aberturas de un viejísimo árbol; se comprendían muy bien entre ellos, porque todos hablaban el lenguaje de los lagartos.

—¡Cuánto ruido y cuánto escándalo en el cerro de los elfos! —comentaba uno de los lagartos—. Hace dos noches que no puedo pegar ojo a causa de esa algarabía. No sería peor si tuviese dolor de muelas, aunque entonces no dormiría nunca.

—Debe de suceder algo allá arriba —dijo el segundo lagarto—. Han dejado al cerro montado sobre cuatro estacas rojas hasta que cante el gallo; lo han aireado muy bien, y las elfos hembras han aprendido nuevas danzas en las que se dan golpecitos con los pies. Sucede algo.

—Sí, yo he hablado con un gusano de tierra que es bastante amigo mío —dijo el tercer lagarto—. El gusano había venido directamente del cerro, donde, noche y día, había excavado la tierra. Había oído muchas cosas; el pobre no puede ver, pero tocar y oír, ese es asunto suyo. Se esperan forasteros en el cerro de los elfos; forasteros de calidad. Pero, ¿quiénes? El gusano no quería decirlo, o bien, es que no lo sabía, sin duda. Se ha solicitado la colaboración de todos los fuegos fatuos para hacer un desfile con antorchas, y la plata y el oro, de los que hay tanta abundancia en el cerro, serán pulimentados y expuestos al claro de luna.

—¿Quiénes pueden ser esos forasteros? —preguntaron todos los lagartos—. ¿Qué es lo que pasa? ¡Escuchad qué ruido! ¡Qué algarabía!

En ese mismo momento, el cerro de los elfos se abrió y una anciana elfo, que no tenía dorso, pero que, aparte de eso, estaba muy bien vestida, se acercó trotando. Se trataba de la vieja gobernanta del rey de los elfos. Era pariente lejana de él y llevaba sobre su frente un corazón de ámbar. ¡Oh, cómo movía las piernas! *¡Tric, trac!* ¡Caramba, sí que trotaba! Y así hasta el pantano, donde estaba la choza del chotacabras.

—Vengo a invitaros al cerro de los elfos. Es para esta noche —dijo—. Pero antes, ¿no quisierais prestarnos un gran servicio y encargaros de las invitaciones? Es necesario ser siempre útiles, ya que vos no tenéis casa propia. Tendremos invitados forasteros de alta calidad, geniecillos que son seres importantes, y por ese motivo el rey de los elfos se presentará esta noche.

—¿A quién hay que invitar? —preguntó el chotacabras.

—Bueno, todo el mundo podrá asistir al gran baile, aun los hombres, si supiesen solo hablar mientras duermen o comportarse un poco a nuestra manera. Pero para el banquete principal es preciso una rigurosa selección. No queremos más que seres eminentes. Yo he discutido este asunto con el rey de los elfos, ya que soy de la opinión de que no debemos, ni podemos, tener espectros. El tritón y sus hijas son los primeros que deben ser invitados. Es cierto que a ellos no les gusta apenas asistir a lugares secos; pero se les brindará una piedra bien mojada para que se sienten, o algo mejor aún, y pienso que esta vez no se negarán. Todos los ancianos duendecillos, con sus colas, siempre que sean de alta alcurnia; el genio del arroyo y los gnomos. Creo que tampoco debemos olvidar a la cerda funeraria, al caballo fatídico y a la gárgola. Es verdad que ellos forman parte del clero, que no es de los nuestros, pero tienen en eso su oficio. Han emparentado con nosotros y nos visitan con frecuencia.

—¡Bien! —contestó el chotacabras, y emprendió el vuelo para hacer las invitaciones.

Los elfos hembras danzaban ya sobre el cerro de los elfos, y lo hacían con largos chales bordados de bruma y de rayos de luna, lo que es muy agradable de ver para los que les gustan estas cosas. En el centro, ya en el interior del cerro, la gran sala había sido limpiada con gran minuciosidad. El suelo lo habían fregado al claro de luna y las paredes frotado con grasa de bruja. Brillaban como pétalos de tulipanes a plena luz. En la cocina había ranas asadas, pieles de culebra, ensaladas de ranúnculos, hocicos de ratones y cicuta; cerveza, procedente del pantano, vino de salitre de sepultura, todo de muy buena calidad; clavos mohosos y cristales de vidrieras de iglesia figuraban entre los fiambres.

El anciano rey de los elfos había hecho pulir su corona de oro con yeso molido: era un yeso extra, y para un rey de los elfos es muy difícil procurarse un yeso extra. En el dormitorio, las cortinas estaban corridas y sujetas con baba de culebra. Esto puede dar idea del ruido y de la algarabía que allí había habido.

—Ahora se va a frotar con cepillos de crin de puerco, y creo que ya ha terminado mi labor —dijo la anciana elfo.

—Querido papá —dijo la más pequeña de las hijas del rey—, ¿puedo saber quiénes son esos distinguidos forasteros?

—Vamos —contestó el rey—, es necesario que os lo diga. Porque dos de mis hijas han de estar dispuestas a casarse. Dos se marcharán seguramente casadas. El viejo duendecillo de Noruega, el que vive en el antártico fiordo de Dovre y que posee tantos castillos de granito y una mina de oro, que vale más de lo que se cree, viene con sus dos hijos, que buscan esposa; el anciano duendecillo es un verdadero bonachón noruego, anciano y leal, sencillo y alegre. Yo le conozco de otras ocasiones, cuando bebíamos juntos, y hasta nos tuteamos. Vino aquí en busca de esposa, que ya ha muerto. Era la hija del rey del acantilado en Moën. ¡Oh, qué impaciente estoy por ver al viejo duendecillo noruego! Sus hijos, según dicen, son niños mal educados, arrogantes; pero tal vez esto sea algo injusto, y con seguridad se convertirán en buenos chicos una vez casados. Espero que vosotras sabréis atraéroslos.

—¿Y cuándo llegan? —preguntó una de las hijas.

—Depende del tiempo y del viento —contestó el rey de los elfos—. ¡Viajan con economía! Llegarán aquí en un barco de ocasión. Me hubiera gustado verlos pasar por Suecia; pero el viejo no era de mi parecer. No está por hacer el gasto, y eso a mí no me gusta.

En este momento llegaron, saltando, dos fuegos fatuos, uno más rápido que el otro, con lo que aquel llegó el primero.

—¡Aquí están! ¡Aquí están! —gritaban.

—Dadme mi corona y me pondré al claro de luna —dijo el rey de los elfos.

Sus hijas se quitaron los chales y se inclinaron en profunda reverencia.

Y el viejo gnomo de Dovre, con corona y témpanos de hielo y su pálido cetro, soberbio, con su abrigo de pieles y sus botas de caña, se hallaba ante ellos. Sus hijos, en cambio, iban ligeros de ropa porque presumían de fuertes.

—¿Es esto un cerro? —preguntó el más pequeño de los muchachos, señalando con el dedo el cerro de los elfos—. Allá, en Noruega, a esto le llamamos agujero.

—Niños —replicó el viejo—, un agujero desciende, un cerro asciende. ¿Dónde tenéis los ojos?

Lo que les maravillaba, según decían, era poder comprender sin dificultad e inmediatamente el idioma de los elfos.

—Vamos, dejaos de tonterías —dijo el viejo—. Van a creer que no estáis bien educados.

Y entraron en el cerro, donde se hallaba reunida una sociedad muy elegante. Entraron allí con tal precipitación, que se podría haber dicho que habían sido llamados a toque de corneta. Todo estaba muy bien y alegremente dispuesto para cada uno: las sirenas estaban sentadas en una cuba de agua y decían que se encontraban como en su casa. Todo el mundo observaba las reglas de la mesa, excepto los dos muchachos noruegos, que pusieron los pies sobre ella. ¡Creían que les estaba permitido todo!

—¡Quitad los pies de los platos! —gritó el viejo duende.

Y los hijos obedecieron, pero no muy deprisa. Hacían cosquillas a sus compañeros de mesa con piñas que habían sacado de sus bolsillos, se quitaban los zapatos para estar cómodos y se los daban para que los tuvieran. Sin embargo, el padre, el viejo duendecillo de Dovre, era muy distinto. Habló con mucha ecuanimidad de los soberbios fiordos noruegos, de las cascadas que se precipitan, blancas de espuma, con un ruido de trueno y un sonido de órgano; contó cómo el salmón salta por entre las aguas resplandecientes cuando el gnomo toca el arpa de oro. Habló de las noches luminosas cuando los cascabeles tintinean y los muchachos corren con antorchas encendidas sobre el hielo reluciente, tan transparente, que se ven los peces asustarse bajo sus pies. ¡Oh, cómo sabía contar las cosas! Lo que decía, se veía y se oía. Era como una sierra en movimiento, como si muchachos y muchachas hubiesen cantado lindas canciones y bailado sin cesar. De repente, el viejo duendecillo se inclinó hacia la anciana elfo y le dio un resonante beso familiar. Sin embargo, no eran parientes del todo.

Después, las elfos se pusieron a bailar. Hicieron el paso sencillo y el paso taconeado, que les salía muy bien; inmediatamente se pusieron a bailar la danza artística o, como también se la llamaba, la «danza dislocante». Movían con tanta velocidad las piernas, que no se sabía si eran los brazos o las piernas las que se veían por los aires. Todos los miembros se entremezclaban como virutas, y se contorsionaban de tal forma que el caballo fatídico se puso malo y se tuvo que marchar de la mesa.

—¡Brrr! —exclamó el viejo duendecillo—. ¡Vaya un zipizape de piernas! Pero, ¿qué saben hacer además de bailar, de mover las piernas y de contornearse?

—Ahora vas a verlo —le respondió el rey de los elfos, e hizo avanzar a la menor de sus hijas.

Era delicada y diáfana como un rayo de luna; era la más fina de todas las hermanas. Se puso una varilla blanca en la boca y desapareció inmediatamente. Este era su arte.

Pero el anciano duendecillo dijo que a él no le gustaría ese arte en su mujer, y que no creía tampoco que sus hijos lo apreciaran.

La segunda sabía andar al lado de sí misma como si fuese su sombra, cosa que no existe en los duendecillos.

La tercera era de otra clase. Había tomado lecciones en la cervecería del pantano, y era ella quien sabía proveer de fuegos fatuos el tronco de los olmos.

—Será buena ama de casa —dijo el viejo duendecillo, y guiñó el ojo en lugar de beber con ella, pues no quería beber demasiado.

Y le llegó el turno a la cuarta hija del rey de los elfos. Tenía un gran arpa de oro, y cuando tocó la primera cuerda, todos levantaron la pierna izquierda (porque en el mundo de los duendecillos todos son zurdos de los pies), y cuando tocó la segunda cuerda, se vieron obligados a hacer lo que ella quiso.

—Esta sí que es una mujer peligrosa —exclamó el viejo duendecillo.

Los dos muchachos se habían marchado del cerro. Ya estaban hartos.

—Y, ¿qué sabe hacer tu otra hija? —preguntó el viejo duendecillo.

—He aprendido a amar a los noruegos —contestó— y no me casaré jamás si no puedo ir a Noruega.

Pero la menor de las hermanas susurró al viejo duendecillo:

—Todo eso es porque ella ha sabido por una canción noruega que cuando el mundo perezca, las rocas noruegas permanecerán como piedras conmemorativas. Por eso ella quiere ir allá, porque tiene mucho miedo a perecer.

—¡Oh! —exclamó el anciano duendecillo—. Dejemos eso. ¿Qué sabe hacer la séptima y última?

—La sexta viene antes de la séptima —contestó el rey de los elfos, que sabía contar.

Pero la sexta hija del rey no estaba dispuesta a presentarse.

—Yo no sé decir a las gentes más que la verdad —dijo—. Nadie se preocupe por mí, yo tengo bastante con coser mi sudario.

Acudió entonces la séptima y última de las hijas del rey de los elfos. ¿Qué sabía hacer? ¡Oh, sabía contar cuentos, y tantos como ella quería!

—He aquí mis cinco dedos —dijo el viejo duendecillo—. Cuéntame uno para cada uno.

Y la muchacha le cogió la muñeca, y él se rio como si cloqueara al oír tantos cuentos, y cuando la muchacha llegó al dedo corazón, que tenía un anillo de oro, como si hubiera presentido que habría esponsales, el viejo duendecillo dijo:

—Quédate con él, la mano es para ti. Yo mismo quiero tenerte por esposa.

La hija del rey dijo que aún tenía que contar un cuento sobre el dedo corazón y otro sobre el meñique.

—Los oiremos este invierno próximo —dijo el viejo duendecillo—, y los oiremos sobre el abeto, sobre el abedul, sobre los regalos de la hiedra y sobre los espinos helados. Podrás contarlos muy bien, porque nadie sabe cuentos en mi país. Nos sentaremos en la sala de piedra, en donde arden los troncos de pino, y beberemos el hidromiel en los cuernos de oro de los viejos reyes noruegos; el gnomo me ha ofrecido dos. Y cuando estemos allí, el Garbo vendrá a visitarnos y te cantará todas las canciones de las muchachas de los pastos. ¡Eso será magnífico! El salmón saltará en la cascada y se golpeará contra el muro de piedra, pero no entrará... Sí, puedes pensar que todo es bueno en la querida y vieja Noruega. Pero, ¿dónde están mis hijos?

Sí, ¿dónde estaban los muchachos? Corrían por todas partes y soplaban los fuegos fatuos que habían venido a hacer un desfile con antorchas.

—¿Es momento de hacer el vago? —preguntó el anciano duendecillo—. Mirad, he tomado una madre para vosotros. Ahora ya podéis tomar una tía.

Pero los muchachos respondieron que ellos preferían pronunciar un discurso y beber. No tenían muchas ganas de casarse.

Pronunciaron discursos, bebieron y volvieron los vasos boca abajo para demostrar que habían bebido hasta la última gota; después se quitaron los vestidos y se acostaron sobre la mesa para dormir, porque ellos no respetaban nada. El viejo duendecillo bailó alrededor de la sala con su joven prometida y cambió de zapatos con ella, ya que esto era mucho más elegante que cambiar de anillos.

—Aquí está ya el gallo que canta —dijo la anciana elfo, que era la que dirigía el cotarro—. Es necesario que cerremos las contraventanas para que el sol no nos consuma.

Y el cerro fue cerrado.

En el exterior, los lagartos corrían, subiendo y bajando por las hendiduras del árbol, y uno decía a otro:

—¡Oh, cómo me gusta el viejo duendecillo!

—Yo prefiero a los muchachos —dijo el gusano de tierra, pero el pobre animal no podía ver.

LA HUCHA

Había muchos juguetes en la habitación de los niños. En la parte más alta del armario se hallaba una hucha de barro que tenía la forma de un cerdo. En su lomo poseía, naturalmente, una ranura, que había sido agrandada con una navaja para que pudiesen entrar y salir por ella los *rixdales* de plata. En su interior dormían dos *rixdales* juntos, con otras muchas monedas. El cerdo estaba tan repleto que no podía sonarse, y esto es el súmmum de lo que puede alcanzar un cerdo-hucha. Estaba, como ya hemos dicho, encima del armario, y desde aquella altura veía todo cuanto pasaba en la habitación. Sabía muy bien que con lo que tenía en su barriga podía comprar todo, y esto le daba cierta confianza.

Los otros también lo pensaban así, pero no lo decían. Tenían otros temas de conversación. El cajón de la cómoda estaba entreabierto, y una gran muñeca asomaba por él. Estaba un poco vieja y tenía el cuello remendado. Miró hacia fuera y dijo:

—Vamos a jugar a la dama. Eso nos entretendrá.

Y se armó tal barullo que hasta los cuadros se volvieron contra la pared. Sabían que ellos poseían un revés, pero eso no era para protestar.

Era medianoche. La luna lanzaba sus rayos a través de la ventana, y esta iluminación la hacía completamente gratis. El juego iba a comenzar, y todos estaban invitados, hasta el cochecito del niño, aunque formaba parte de los juguetes vulgares.

—Cada cual es bueno en su clase —decía la muñeca—. Todos no podemos ser nobles. Como suele decirse, es preciso que cada uno haga su trabajo.

El cerdo-hucha fue el único que recibió una invitación escrita. Estaba demasiado alto para creer que sería capaz de oírla de palabra, y, a pesar de todo, no respondió a ella, puesto que no bajó. Para que él tomase parte en el juego hubiera sido preciso realizarlo encima del armario. Los demás podían arreglárselas como pudieran, y eso fue lo que hicieron.

El teatrillo de marionetas fue colocado de forma que la hucha pudiera verlo de frente. Se comenzaría por representar una comedia, después se serviría el té, con ejercicios de ingenio. Inmediatamente se empezó por estos. El caballo-balancín habló de entrenamientos y de purasangres; el cochecito, del bebé, de los ferrocarriles y de los vapores... Siempre se hablaba de aquello que se relacionaba con la especialidad de cada cual y de lo que se podía hablar. El reloj habló de política. El bastón estaba erguido, orgulloso de su puño de plata y su contera de hierro. Estaba metalizado de arriba abajo. Sobre el canapé se veían dos lindos y magníficos cojines bordados... La comedia podía empezar ya.

Todos se sentaron y pusieron sus ojos en el escenario. Se rogó que aplaudieran, poco o mucho, según lo satisfechos que quedaran de la representación. El látigo decía que él no aplaudía jamás a los viejos, sino solo a los que no estaban casados.

—¡Yo aplaudo por todos! —dijo el guisante fulminante.

—Es preciso comportarse bien en cualquier parte —exclamó la escupidera.

Y todos se sentían orgullosos de asistir a la representación.

La obra no valía nada, pero fue muy bien interpretada. Los que actuaban volvían hacia los espectadores su lado pintado, por lo que solo se los veía por una cara: de frente y no de espaldas. Todos actuaban muy bien, aunque el hilo que los sostenía era muy largo, y, a veces, se salían del escenario; pero eso servía también de diversión. La muñeca remendada estaba tan emocionada que su remiendo se descosió, y el cerdo-hucha se emocionó tanto también que resolvió hacer algo por alguno de los actores: recordarlo en su testamento para que, cuando llegase el momento, lo depositasen con él en un monumento funerario.

La fiesta era un encanto, aunque se renunció al té para continuar con los ejercicios de ingenio, pues era así como se llamaba el juego de damas, y en esto no había ninguna maldad, puesto que no era más que un juego..., y cada uno pensaba en sí y en lo que pensaba el cerdo-hucha. Este tenía puesto su pensamiento en algo muy lejano: pensaba en testamento y entierro y que el momento en que se llevan a cabo... siempre es demasiado pronto, más pronto de lo que se espera...

¡Pum! La pobre hucha cayó de lo alto del armario... Estaba en el suelo hecha pedazos, y las monedas danzaban y saltaban; las más pequeñas bullían, las grandes rodadan, sobre todo el *daler* de plata, que quería de verdad echarse a rodar por el mundo. Y así ocurrió, y todas las monedas lo siguieron. Y el cerdo-hucha fue a parar al cubo de la basura; pero al día siguiente había otro cerdo-hucha de barro sobre el armario, que aún no contenía en su interior ninguna moneda, y, por consiguiente, no podía sonar tampoco. En esto se parecía al otro, y siempre es un buen comienzo..., y por eso nosotros terminamos.

LO MÁS INCREÍBLE

Aquel que hiciera lo más increíble se casaría con la hija del rey y entraría en posesión de la mitad del reino.

Los jóvenes, y los viejos también, tensaron sus espíritus, sus nervios y sus músculos. Dos murieron a fuerza de comer y uno a fuerza de beber, por hacer, según su opinión, lo más increíble. Pero no era así como se conseguía. Los pilluelos de la calle se ejercitaban en escupirse mutuamente en la espalda, porque esto les parecía la hazaña más increíble.

El día señalado debía presentarse lo que cada cual mostraría como el invento más increíble. Habíanse nombrado jueces, cuyas edades oscilaban entre los tres y los cien años. Hubo una exposición de los objetos más increíbles, pero no tardaron todos en convenir que lo más increíble era un gran reloj perfectamente construido, tanto interior como exteriormente. Cada vez que daba la hora aparecían unos personajes que señalaban la hora sonada. Esto daba lugar a doce cuadros de figuras móviles que cantaban y hablaban.

—¡Es lo más increíble! —decía la gente.

El reloj daba la una, y Moisés, de pie sobre la montaña, escribía en las Tablas de la Ley su primer mandamiento:

«Amad a Dios sobre todas las cosas».

Al dar las dos, se veía el Paraíso Terrenal, donde se encontraban Adán y Eva, felices los dos, completamente desnudos, porque en ellos no existía el pecado.

A las tres aparecían los tres Reyes Magos. Uno de ellos era negro como el carbón. No podía hacer nada contra eso, pues el sol lo había tostado. Llevaban incienso y preciosos juguetes.

A las cuatro desfilaban las estaciones: la primavera, con el cuco en una rama de haya llena de brotes; el verano, con un saltamonte en la gavilla del trigo maduro; el otoño, con un nido de cigüeñas vacío, y el invierno, con un viejo cuervo que sabía contar cuentos al lado de la estufa, y traía a la memoria viejos recuerdos.

Cuando sonaban las cinco salían los cinco sentidos: la vista venía como vendedor de gafas; el oído, como tocador de platillos; el olfato, como vendedor de violetas y muguetas; el gusto, como cocinero, y el tacto, como agente de pompas fúnebres con crespones negros hasta los talones.

El reloj daba las seis y, entonces, se presentaba un jugador con un dado que, al tirarlo, marcaba un seis.

Después venían los siete días de la semana, o bien, los siete pecados capitales. Las gentes no se ponían de acuerdo sobre esto. Unos y otros iban juntos y no era fácil distinguirlos.

A continuación apareció un coro de monjes que cantaban maitines a las ocho.

A las nueve surgían las musas: una estaba dedicada a la astronomía; otra, a la historia, y las siete restantes a diferentes ramas del teatro.

Cuando daban las diez se presentaba de nuevo Moisés con las Tablas de la Ley, donde estaban escritos los Diez Mandamientos.

El reloj sonaba otra vez y niños y niñas aparecían saltando. Jugaban y cantaban: «¡Pim, pam, pum! ¡El reloj da las once!», y sonaban las once campanadas.

Y, por último, las doce: el sereno avanza con su capuchón y el mazo de armas, y canta el viejo dístico del sereno:

¡A la hora de la medianoche
nació Nuestro Señor!

Y, mientras canta, brotan rosas que se transforman en cabezas de ángeles, conducidas por alas con los colores del arcoíris.

Aquello era delicioso, encantador. La totalidad constituía una obra maestra sin igual. «¡Lo más increíble!», decían todos.

El artista era un joven muy bondadoso, alegre como un niño, amigo fiel y caritativo para sus padres pobres. Se merecía la princesa y la mitad del reino.

Había llegado el día decisivo. Toda la ciudad estaba de gala. La princesa se sentaba en el trono del país, adornado con nuevos bordados, pero no muy cómodo. Los jueces, de todas las clases, miraban con ojos maliciosos al que iba a ganar y este se mostraba confiado y alegre. Su premio era seguro. Él había construido lo más increíble.

—¡No, soy yo quien va a hacerlo ahora! —gritó de repente un mozo alto y fuerte. ¡Yo soy el hombre que va a hacer lo más increíble!

Y, blandiendo un hacha, se lanzó contra la obra maestra.

¡Cric, crac! Todo se vino a tierra. Ruedas y plumas volaron por todas partes. ¡Todo quedó destruido!

—¡Yo he podido hacer esto! —dijo el hombre—. Mi acto ha afectado a su obra y ha afectado a todos. ¡Yo he hecho lo más increíble!

—¡Destruir una obra de arte! —exclamaron los jueces—. ¡Es increíble!

Todos los presentes estuvieron de acuerdo y, por tanto, aquel individuo debía casarse con la princesa y entrar en posesión de la mitad del reino, porque una promesa hay que cumplirla, aunque sea lo más increíble.

Desde las murallas y torres de la ciudad se anunció:

«¡Van a celebrarse las bodas!».

La princesa no estaba nada contenta pero sí encantadora con su magnífico traje de boda. La iglesia resplandecía de luces a última hora de la tarde. Era el mejor momento. Las nobles damiselas de la ciudad cantaron cuando llevaban a la novia; los caballeros cantaban, acompañando al novio, que se pavoneaba como si nada pudiera sucederle.

Cesaron los cantos. Se hizo un silencio tal que hubiera podido oírse el ruido de una aguja al caer al suelo; pero, en medio del silencio, se abrió con estrépito la puerta de la iglesia y... *¡bom! ¡bom!*, todo el equipo del reloj llegó en procesión, marchando a lo largo del pasillo central de la iglesia y colocándose entre el novio y la novia. Los muertos no vuelven, eso lo sabemos todos; pero sí puede volver una obra de arte. El cuerpo construido de piezas; pero no el alma. El espíritu del arte invadía la iglesia, y eso era muy serio.

La obra de arte estaba allí, viva, como cuando estaba entera e intacta. Las horas sonaron, una tras otra, hasta doce, y se mostraron los personajes. Primero apareció Moisés, de su frente brotaban como resplandores de fuego. Arrojó las pesadas Tablas de la Ley a los pies del novio, que quedaron sujetos a las baldosas del suelo de la iglesia.

—Yo no puedo llevar las Tablas porque me has roto los brazos —dijo Moisés—. ¡Quédate donde estás!

Después aparecieron Adán y Eva, los Reyes Magos y las cuatro estaciones, y cada cual le decía cosas desagradables:

—¡Vergüenza para ti!

Pero él no tenía vergüenza.

Cada personaje, que cada hora tenía que presentar, salió del reloj, y todos aumentaron prodigiosamente de tamaño. Hubiera podido decirse que ya no había sitio para los seres reales. Y cuando al duodécimo golpe hizo su avance el sereno con su capuchón y su mazo de armas, hubo un murmullo especial. El sereno se fue derecho al novio y le dio un mazazo en la frente.

—¡Túmbate ahí! —le dijo—. Ojo por ojo, diente por diente. ¡Ya estamos vengados, y el artista también! ¡Desaparezcamos!

Y la obra de arte desapareció por completo. Pero las luces, situadas en la iglesia por todas partes, se convirtieron en grandes flores luminosas, y las estrellas doradas, colocadas bajo la bóveda, emitieron vivos rayos. El órgano se puso a tocar por sí solo. Todo el mundo dijo que aquello era lo más increíble.

—¡Id, pues, a avisar al bondadoso artista! —dijo la princesa—. El que ha hecho la obra de arte será mi esposo y señor.

El artista llegó a la iglesia acompañado por todo el pueblo. La gente estaba encantada y lo bendecía. No hubo nadie que sintiera celos ni envidia... ¡y aquello sí que era lo más increíble!

EL EJCARABAJO PELOTERO

Al caballo del emperador le pusieron herraduras de oro, una en cada pezuña.

¿Por qué le pusieron herraduras de oro?

Era un magnífico animal, de patas finas, ojos inteligentes y una crin que le caía sobre el cuello como velo de seda. Había llevado a su dueño a la guerra, entre el olor de la pólvora y la lluvia de balas. El silbido de los proyectiles había cantado en sus oídos; había mordido y coceado a su alrededor, tomado parte en la batalla cuando el enemigo avanzaba, saltado con el emperador por encima del caballo del enemigo caído en tierra, salvado la corona de oro y brillantes del rey y salvado la vida de este, que valía más que su corona. Por este motivo le herraron con herraduras de oro, una en cada pezuña.

El escarabajo pelotero se presentó.

—Primero, los grandes; después, los pequeños —dijo—. Sin embargo, el tamaño no tiene nada que ver en esto.

Y alargó sus enjutas patas.

—¿Qué es lo que quieres? —le preguntó el herrero.

—Herraduras de oro —contestó el escarabajo.

—No debes de andar bien de la cabeza —dijo el herrero—. ¿Herraduras de oro?

—Sí. ¡Herraduras de oro! —insistió el escarabajo—. ¿Es que, acaso, no valgo tanto como ese gran imbécil a quien cuidan con exceso, almohazan y dan de comer y beber? ¿Es que no pertenezco a la cuadra del emperador?

—Pero, ¿sabes por qué han puesto al caballo herraduras de oro? —le preguntó el herrero.

—¿Saber? Lo único que sé es que es ofensivo para mí —respondió el escarabajo—. Es un ultraje... Así pues, me voy de aquí.

—¡Vete con Dios! —exclamó el herrero.

—¡Grosero! —escupió el escarabajo.

Y salió de la herrería. Voló un momento y se encontró en un precioso y florido jardín que olía a lavanda y a rosas.

—¿No es esto encantador? —le preguntó una de las mariquitas que volaban, con sus puntitos negros sobre sus alitas rojas, fuertes como escudos—. ¡Qué bien se está aquí y qué hermoso es todo!

—Yo estoy acostumbrado a cosas mejores que estas —respondió el escarabajo—. ¿Decís que esto es hermoso? ¡Y no hay ni estiércol!

Y se fue más lejos, a la sombra de un girasol. Una oruga se arrastraba por allí.

—¡Qué delicioso es el mundo! —le dijo la oruga—. El sol calienta. Todo es muy agradable, y cuando un día me duerma y muera, me despertaré, según dicen, convertida en mariposa.

—¡Qué ideas! —exclamó el escarabajo—. ¡Nosotros también volamos como las mariposas! Vengo de la cuadra del emperador, y allí nadie, ni aun el mismo caballo de su majestad, que se alza con mis viejas herraduras de oro, tiene ideas parecidas. ¡Tener alas! ¡Volar...! ¡Vaya cosa! —y el escarabajo se echó a volar—. No quiero enfadarme, y, sin embargo, lo estoy.

Luego se metió en un hermoso césped. Allí permaneció un poco y se durmió.

¡Dios nos asista, qué chaparrón! Al escarabajo lo despertó el cabrilleo del agua y quiso meterse bajo tierra, pero no pudo. Estaba boca arriba. Nadaba sobre la barriga y sobre la espalda. Volar, no había que pensar en ello. Jamás saldría con vida de este césped. Estaba en tierra y allí se quedó.

Cuando la lluvia disminuyó un poco y el escarabajo hubo parpadeado para desprenderse del agua que le cegaba, vio cerca de él algo blanco. Era ropa tendida, puesta a secar sobre la hierba. Se dirigió a ella y se metió en un pliegue de una sábana mojada. Desde luego no se estaba como en el estiércol caliente de la cuadra; pero allí no había nada mejor. En ese pliegue permaneció, pues, durante todo el día y toda la noche. La lluvia continuó cayendo. A la mañana siguiente, el escarabajo salió, muy irritado contra el clima.

Dos ranas se encontraban sobre la sábana. Sus claros ojos brillaban de placer.

—¡Qué tiempo tan magnífico! —exclamó una—. ¡Cómo nos reanima y qué bien conserva la tela el agua, la humedad! Me cosquillea en las patas de atrás como si fuese a nadar.

La otra rana le dijo:

—Mucho me gustaría saber si la golondrina, que vuela por lugares tan alejados de aquí, ha encontrado en sus numerosos viajes por el extranjero un clima mejor que el nuestro, una bruma parecida y tanta humedad. Es como si siempre estuviéramos metidas en una fosa mojada, y si no se está contento con esto, es que no se ama de verdad a nuestro país.

—¿No habéis estado nunca en la cuadra del emperador? —preguntoles el escarabajo—. Allí la humedad es caliente y picante al mismo tiempo. Yo estoy acostumbrado a ella. Es mi clima; pero no se puede llevar consigo cuando se viaja. ¿No hay ninguna bancada de estiércol en el jardín donde persona de calidad, como yo, pueda entrar y sentirse como en su casa?

Pero las ranas no le comprendieron o no quisieron comprenderle.

—Jamás repito una pregunta —dijo el escarabajo, después de haber interrogado tres veces sin obtener respuesta.

Anduvo un poco. Se encontró en su camino con una maceta vacía, que no debía estar allí, pero que estaba. Era un buen refugio. Ya habían buscado abrigo en ella varias familias de tijeretas, que no necesitaban mucho espacio, sino cordialidad. Sobre todo las hembras, cuyo amor maternal estaba muy desarrollado, y para quienes sus hijitos eran los más hermosos y los más inteligentes de todos.

—Nuestro hijo está prometido —dijo una mamá—. ¡Dulce inocente! Su mayor esperanza es poder un día llegar hasta la oreja de un reverendo. Es de una agradable frivolidad, pero su noviazgo le ha apartado de hacer escandalosas travesuras. Y esto es lisonjero para una madre.

—Nuestro hijo —replicó otra mamá— acaba de salir del cascarón, y enseguida ha hecho de las suyas. Es muy belicoso y pronto se lía a mamporros con todos. Esto es una gran alegría para una madre. ¿No es verdad, señor escarabajo?

Ellas reconocían la importancia del forastero.

—Las dos tenéis razón —contestó el escarabajo, y fue invitado a pasar, siempre que pudiese entrar por debajo de la maceta.

—Ahora vais a ver también a mi pequeño tijereta —dijeron una tercera y cuarta mamá—. Son unos nenes deliciosos, ¡y tan divertidos! Jamás hacen una barrabasada, a menos que estén mal de la barriga, y a su edad esto es una cosa muy corriente.

Y de esta forma cada mamá habló de su hijo, y los hijos hablaban también y se valían de la pincita que llevaban en el extremo de la cola para tirar de los bigotes al escarabajo.

—¡Os atrevéis a todo, sinvergonzones! —dijeron las mamás, exaltadas de amor maternal; pero el escarabajo se enfadó y preguntó si había algún estercolero cerca de allí.

—Está muy lejos, al otro lado del foso —dijo una tijereta—. Espero que ninguno de mis hijos se arriesgue a ir tan lejos: me moriría.

—De todas formas, yo voy a intentarlo.

Y se fue sin decir adiós. Era lo más cortés.

En el foso encontró a muchos de su especie.

—Es aquí donde vivimos —dijeron—, porque nos encontramos muy a gusto. ¿Podemos invitaros a bajar al pringoso fondo? Seguramente os ha fatigado el largo viaje.

—Sí, me ha fatigado —respondió el escarabajo—. He permanecido en los pliegues de una sábana durante la lluvia, y lo limpio me agobia. También he agarrado un reuma en las articulaciones de las alas por haber permanecido en corriente de aire bajo una maceta vacía. Es agradable volver a encontrarse entre los suyos.

—¿Venís, tal vez, de la bancada? —le preguntó el más anciano.

—De mucho más lejos —respondió el escarabajo—. Procedo de la cuadra del emperador, en donde he nacido con herraduras de oro. Viajo con una misión secreta sobre la que no hay que interrogarme, porque nada diré.

Y el escarabajo descendió hasta el sucio fondo, en donde se encontraban tres jóvenes escarabajos hembras, que se rieron, porque no sabían qué decir.

—No están prometidas todavía —dijo la mamá.

Y las jóvenes se rieron de nuevo, pero era de vergüenza.

—Las he visto más bellas y hermosas en la cuadra del emperador —contestó el escarabajo viajero.

—¡No pervirtáis a mis hijas! —exclamó la mamá— ¡Y no les habléis si no traéis buenas intenciones...! Pero sé que sí las tenéis, y por eso os otorgo mi bendición.

—¡Hurra! —gritaron los demás, y el escarabajo, sin comerlo ni beberlo, se encontró prometido.

Primero, noviazgo; bodas, después. No faltó nada.

El primer día lo pasó muy bien; el segundo, mejor aún. Pero al tercer día tuvo que pensar en alimentar a su esposa y, tal vez, a la gente menuda.

«Me he dejado sorprender —se dijo—. Tengo que engañarlos a mi vez».

Y así lo hizo. Se marchó volando; desapareció durante todo un día y no apareció en toda la noche... Su mujer se había quedado viuda. Los otros escarabajos lo tacharon de vagabundo, diciendo que era una vergüenza haberlo admitido en la comunidad. Su esposa se hallaba, de ahora en adelante, a cargo de ellos.

—Puede volver a su vida de soltera —dijo la madre—, vivir conmigo. ¡Maldito sea el sinvergüenza que la ha abandonado!

Este sinvergüenza había emprendido la huida, atravesando el foso montado en una hoja de col. Durante la mañana se presentaron dos hombres que, al ver al escarabajo, lo cogieron y le dieron vueltas en todos los sentidos. Eran individuos muy instruidos, sobre todo el más joven.

—¡Alá vio al escarabajo negro en la piedra negra del monte Negro! ¿No está así escrito en el Corán? —preguntó este, y tradujo en latín el nombre del escarabajo, enumerando su especie y naturaleza.

El sabio de más edad fue de la opinión de no llevarlo consigo, pues en su casa tenían muy buenos ejemplares. El escarabajo encontró muy sesuda esta opinión, por lo que se escapó volando de su mano. Como sus alas estaban secas, pudo sostenerse en el aire durante un rato grande, hasta que llegó al invernadero, en donde se introdujo con la mayor facilidad, pues uno de los cristales estaba roto, aterrizando en el húmedo y caliente estiércol.

—¡Esto sí que es sabroso! —exclamó.

Se durmió pronto y soñó que el caballo del emperador había muerto y que el señor escarabajo recibía sus herraduras de oro con la promesa de otras dos más. Fue muy agradable aquel sueño, y cuando se despertó, trepó por el agujero hacia el exterior y contempló el ambiente que le rodeaba. ¡Cuánta belleza encerraba el invernadero! Grandes palmeras en abanico se veían en lo alto. El sol las hacía transparentes. Por debajo de ellas se extendía una gran abundancia de hierbas y flores que brillaban, rojas como el fuego, amarillas como el ámbar y blancas como la nieve recién caída.

—¡He aquí unas magníficas plantas! —se dijo el escarabajo—. Esto estará estupendo cuando todo esté podrido. ¡Es una buena despensa! Seguramente tengo familiares viviendo aquí. Iré en su busca y trataré de encontrar a alguien con quien alternar. Soy orgulloso, y ese es mi orgullo.

Y se puso en camino, prosiguiendo sus sueños sobre el caballo muerto y las herraduras de oro. De repente sintió que una mano lo cogía y se lo llevaba.

El hijo menor del jardinero se hallaba en el invernadero con un amiguito. Vieron al escarabajo y quisieron divertirse con él. Colocado en una hoja de parra, el animalito cayó dentro de un asfixiante bolsillo de pantalón. Se agitó y picó. Sufrió una fuerte presión de la mano del niño, que a pasos rápidos, ganó el gran estanque situado al fondo del jardín. Puso al escarabajo en un viejo zueco roto, que había perdido el empeine; clavó en su interior un palo, que hacía de mástil, y a él ató al escarabajo con un hilo: era el capitán e iba a navegar.

El estanque era enorme. El escarabajo creyó que era un océano y se asustó tanto que se cayó de espaldas y agitó las patas al aire.

El zueco navegaba, pues había corriente; pero cuando el barquichuelo se alejó más de lo debido, uno de los niños se remangó los pantalones y lo acercó. Cuando el zueco se alejaba de nuevo, llamaron a los niños. Fue una llamada imperativa, por lo que se apresuraron a acudir, dejando al navío abandonado a su suerte. Cada vez se alejaba más de la orilla, y esto era espantoso para el escarabajo. No podía volar. Estaba atado al mástil.

Recibió la visita de una mosca.

—¡Qué buen tiempo tenemos! —le dijo—. ¿Puedo descansar aquí y calentarme al sol? ¡Estáis muy bien en este sitio!

—¡Hablad por vos! ¿No veis que estoy atado?

—Yo no estoy atada —replicó la mosca, y emprendió el vuelo.

«Ahora me doy cuenta de cómo es el mundo —se dijo el escarabajo—. ¡Es un mundo abyecto! Yo soy el único ser honrado. Me negaron primero las herraduras de oro; después tuve que dormir sobre una sábana mojada, sufrir una corriente de aire y terminaron por endosarme una mujer. Me lanzo entonces osadamente por el mundo para ver cómo puede uno encontrarse en él, y un hombrecillo me coge, me ata a un palo y me arroja al furioso mar. ¡Y durante todo este tiempo el caballo del emperador anda con herraduras de oro! Esto es lo que más me irrita. Pero no se puede esperar compasión alguna de este mundo. La historia de mi vida es muy interesante, sí; mas, ¿a quién puede servir cuando nadie la conoce? Por otra parte, el mundo no merece conocerla, porque no me concedió las herraduras de oro en la cuadra del emperador cuando tendí mis patas para que me las herrasen. Si hubiese tenido herraduras de oro, yo hubiese sido un honor para la cuadra. Ahora, ella me ha perdido y el mundo también. ¡Todo ha terminado!

Pero aún no había terminado todo. Se aproximaba al zueco una barca ocupada por algunas muchachas.

—¡Mirad un zueco que navega! —exclamó una de sus ocupantes.

—¡Hay un animalito atado dentro! —exclamó otra.

Estaban al lado del zueco. Lo cogieron, y una de ellas sacó unas tijeras pequeñas, cortó el hilo sin dañar al escarabajo y, cuando llegaron a la orilla, lo depositó en el césped.

—¡Corre, corre! ¡Vuela si puedes! —dijo la muchacha—. La libertad es deliciosa.

Y el escarabajo voló directamente hacia la ventana abierta de un gran edificio y se dejó caer, agotado, sobre la bella, suave y larga crin del caballo del emperador, que estaba en su cuadra, y donde él y el escarabajo se hallaban en su ambiente. Este se agarró fuertemente a la crin y reflexionó un momento.

«¡Heme sobre el caballo del emperador! Soy como un jinete. ¿Qué digo? ¡Oh, es una idea magnífica, y justa, ahora me doy cuenta! ¿Por qué le concedieron al caballo herraduras de oro? El herrero también me hizo esta pregunta. Ahora lo comprendo: fue a causa mía que otorgaron al caballo herraduras de oro».

El escarabajo se puso de muy buen humor.

«El viajar aclara el espíritu», se dijo.

El sol, magnífico, brillaba sobre él.

«El mundo no está tan mal hecho como yo creía —se dijo—. Lo que hace falta es comprenderlo y saber metérselo en el bolsillo».

El mundo era encantador, pues el caballo del emperador había recibido herraduras de oro porque el escarabajo tenía que montarlo.

«Ahora iré a ver a los otros escarabajos y les diré todo lo que han hecho por mí. Les pondré al corriente de los acuerdos que he firmado durante mi viaje al extranjero, y que, de ahora en adelante, permaneceré en mi casa hasta que el caballo haya desgastado sus herraduras de oro».

LA MARIPOSA

La mariposa quería una novia. Como es natural, la deseaba guapa y la buscaba entre las flores, a las que no cesaba de mirar. Cada flor se comportaba de forma tranquila y recogida, como debe comportarse toda señorita cuando aún no está prometida. Pero la elección era muy difícil. La mariposa no sabía cómo decidirse y, al fin, voló hacia la margarita. Todos sabemos que esta flor es capaz de adivinar las preguntas que los novios le hacen sobre su futuro en común cuando ellos le van arrancando pétalo tras pétalo: «¿Cordialmente?... ¿Con disgusto?... ¿Mucho?... ¿Poco?... ¿Nada?...», o algo por el estilo. Cada cual la interrogaba en su idioma. La mariposa acudía también a ella para interrogarla. Ella no le arrancó los pétalos, sino que besó cada uno de ellos con la idea de que su dulzor le daría la mejor contestación.

—Querida margarita —le dijo—, vos sois la mujer más inteligente de todas las flores. ¡Sois capaz de adivinar el porvenir! Decidme: ¿tendré esto o aquello? ¿A quién poseeré? Cuando lo sepa podré volar directamente hacia ella para hacerle mi declaración de amor.

Pero la margarita no le contestó. No podía sufrir que la tratasen como mujer, porque era una señorita, y cuando se es señorita no se es una mujer cualquiera. La mariposa interrogó otra vez a la margarita; después, una tercera, y como esta no soltase prenda, no preguntó más, y se fue a otra parte a hacer su petición.

La primavera acababa de llegar y había una enormidad de campanillas de las nieves y de crocos.

—¡Qué gentiles! —exclamó la mariposa—. Son como bellas muchachitas en el día de su confirmación, pero un poco aniñadas.

Como todos los jóvenes, buscaba muchachas mayores.

Luego voló hacia las anémonas, que encontró demasiado amargas; las violetas, demasiado sentimentales; los tulipanes, demasiado soberbios; los narcisos, demasiado burgueses; las flores de lis, demasiado pequeñas y con familia numerosa. Las flores del manzano tenían aspecto de rosas; pero, brotadas hoy, se caían mañana si el viento soplaba, y a él le parecía que el matrimonio duraría poco. La flor del guisante era la que más le placía. Era rosa y blanca, pura, elegante y formaba parte de las muchachas casaderas que tienen aire aristocrático, y, sin embargo, entienden de cocina. Ya estaba a punto de lanzar su declaración amorosa, cuando vio que pendía al lado de ella una cáscara de guisante con una flor marchita en su extremo.

—¿Quién es? —le preguntó a su futura.

—Mi hermana —respondió la flor del guisante.

—¡Ah, es a esto a lo que os pareceréis más adelante!

La mariposa se aterrorizó y huyó.

Las madreselvas colgaban junto a la haya. Había una enorme cantidad de señoritas con rostros alargados y piel amarillenta. A la mariposa no le agradaba esto. Bueno; pero, ¿qué le gustaba? ¡Preguntádselo a ella!

Pasó la primavera, se marchó el verano y se presentó el otoño. Aún no estaba muy avanzado, y las flores vestían sus galas más deliciosas; pero, ¿para quién? Faltaba allí el espíritu juvenil, fresco y perfumado, porque es precisamente el perfume lo más necesario para el corazón, cuando se tiene edad, y el perfume apenas existe en las dalias, en las malvarrosas, por lo que la mariposa se posaba en la menta rizada.

—No tiene flor, pero toda ella es una flor. Perfuma desde la raíz hasta su extremo más elevado. Huele a flor en todas sus hojas. ¡Me la quedo!

Y, al fin, hizo su declaración de amor.

La menta permaneció inmóvil y muda. Al cabo de un rato, dijo:

—¡Amistad, sí; pero nada más! Soy vieja y vos lo sois también. Podemos vivir el uno para el otro; pero casarnos..., no. ¡Sería ridículo a nuestra edad!

La mariposa no pudo casarse. Había buscado durante mucho tiempo, y eso no se puede hacer. La mariposa quedó solterona, como vulgarmente se dice.

Al término del otoño, el tiempo se hizo lluvioso y brumoso. El viento sopló helado en los troncos de los añosos sauces y los hizo crujir. No era nada agradable volar por el exterior vestido de verano, porque se pasaba mal; pero la mariposa no volaba ya por fuera. Había penetrado por azar en una habitación donde la estufa estaba encendida. El cuarto estaba caldeado, con un ambiente verdaderamente estival. Allí podía vivir bien, pero...

—¡Vivir no es suficiente! —exclamó—. ¡Se necesita sol, libertad y una flor!

Y voló hacia la ventana. Pero la vieron, la cogieron y la clavaron con alfiler en la caja donde había otras muchas. No se podía hacer más por ella.

—¡Vaya! Ahora tengo también tallo como las flores —suspiró la mariposa—. ¡No es nada agradable! ¡Esto es muy parecido al matrimonio! ¡Se está sujeto!

Y esta idea le consoló.

—¡Es un consuelo pobre! —exclamaron las flores de una maceta que había en la habitación.

—¡No hay que fiarse de lo que digan las flores que están en macetas! —se dijo la mariposa—. ¡Tratan demasiado con los seres humanos...!

EL SAPO

El pozo era profundo y, por consiguiente, la cuerda larga cuando se quería subir el cubo lleno de agua hasta el brocal. El tiempo era desabrido. El sol no conseguía nunca mirarse en el agua, por clara que fuese; pero, allí donde sus rayos llegaban, la hierba crecía entre las piedras del pozo.

Y era entre estas piedras donde vivía una familia de sapos, emigrada. Había llegado allí hacía ya muchos años, siendo la jefa de ella una anciana mamá sapo que aún vivía. Las ranas, que tenían su guarida allí desde tiempo inmemorial y nadaban en el agua, reconocieron su parentesco con los sapos, a los que ellas llamaban «los bañistas». Estos tenían la intención de quedarse allí para siempre; vivían muy agradablemente en lo seco, como ellos llamaban a las húmedas piedras.

Mamá rana había viajado en cierta ocasión. Se había metido en el cubo de agua cuando subía; pero el exceso de luz le hizo daño a los ojos. Entonces escapó, felizmente, del cubo, cayendo al agua con un terrible *¡puf!*, por lo que tuvo que permanecer tres días acostada, sufriendo de los riñones. No tenía mucho que contar de lo visto en el mundo que existía más allá del brocal del pozo; pero ella sabía, y todos también, que el pozo no era el mundo entero. Mamá sapo bien hubiera podido contar esto y aquello; pero ella no contestaba jamás a las preguntas, por lo que nada le preguntaban.

—Es tosca y deforme, fea y gorda —decían las ranas jóvenes—. Sus hijos también son horribles.

—Es muy posible —contestaba mamá sapo—. Pero uno de ellos tiene en la cabeza una piedra preciosa, y yo también la tengo.

Las ranas, al oír esto, abrieron mucho los ojos, y como les daba igual, dieron media vuelta y se tiraron al agua. Los sapitos extendieron sus patas traseras por puro orgullo. Cada uno creía que era él el poseedor de la piedra preciosa, y permanecieron con la cabeza inmóvil; pero terminaron por preguntar qué era eso de lo que estaban tan orgullosos, qué era exactamente esa piedra preciosa.

—Es tan magnífica y soberbia —les dijo mamá sapo—, que no puedo describirla. Es un objeto que se tiene por placer y del cual todos sienten envidia. Pero no preguntadme, porque no contestaré.

—Yo no tengo la piedra preciosa —dijo el sapo más pequeño, que era tan deforme como no se puede ser más—. ¿Por qué habría de poseer tal esplendor? Y si produce envidia a los demás, no puede causarme placer. No. Mi único deseo es poder subir un día hasta el brocal del pozo y mirar al exterior. ¡Eso debe de ser magnífico!

—¡Quédate donde estás! —le recomendó mamá sapo—. Conoces el lugar y sabes cómo es. ¡Guárdate del cubo! ¡Te aplastará! Y si, por casualidad llegaras arriba en buen estado, puedes caerte. No todos caen tan bien como caí yo y conservan sus miembros y sus ojos.

—¡Cuac! —respondió el pequeño, que es algo parecido a cuando los humanos exclaman: «¡Ay de mí!».

Tenía grandes deseos de subir al brocal y mirar hacia fuera. Sentía un vivo anhelo por lo verde de arriba. Y al día siguiente, cuando el cubo, lleno de agua, se detuvo un momento por azar ante la piedra donde estaba el sapito, este sintió que un temblor recorría su cuerpo y saltó dentro del cubo lleno, cayendo en el fondo del agua. El cubo subió inmediatamente y fue sacado del pozo.

—¡Horror! —exclamó el muchacho al verlo—. ¡Es lo más feo que me he echado a la cara!

Y con su zueco dio una patada al sapo, que estuvo a punto de ser baldado; pero escapó, no obstante, metiéndose entre las altas ortigas. Vio los tallos espinados; vio también cómo el sol brillaba en las hojas, que eran muy transparentes. Todo era para él como cuando nosotros, los humanos, entramos de repente en un inmenso bosque donde el sol luce entre ramas y hojas.

—Se está mucho mejor aquí que abajo, en el pozo. ¡Es delicioso permanecer aquí toda la vida! —exclamó el sapo.

Estuvo allí una hora, dos...

—¿Qué hay más allá? Si he llegado tan lejos, es lógico que continúe.

Y se arrastró tan rápido como pudo, llegando a la carretera, donde brillaba el sol, y donde el polvo le ensuciaba durante su trayecto por el ancho camino.

—Aquí, todo está muy seco —dijo el sapo—. Esto está casi demasiado bien. Pero siento picazón.

Y alcanzó la cuneta, donde crecían miotosis y espircas. Muy cerca, la valla estaba guarnecida de saúcos y de majuelos. En ella se enroscaban las blancas campanillas. No faltaban los colores. Pasó volando una mariposa. El sapo creyó que era una flor que se había desprendido de su tallo para ver mejor el mundo. ¡Era tan natural!

—¡Si pudiera volar como ella...! —exclamó el sapo—. ¡Cuac! ¡Qué delicia!

Permaneció ocho días completos en la cuneta, donde no faltaba qué comer. Al noveno día se dijo: «¡Más lejos!».

Pero, ¿dónde podría encontrar algo mejor? ¿Tal vez otro sapo o alguna rana? La noche precedente, los ruidos, llevados por el viento, parecían anunciar que había «primos» en la vecindad.

—¡Maravilloso vivir! Salir de los pozos, acostarse en las ortigas, arrastrarse hasta la polvorienta carretera y descansar en la húmeda cuneta. Pero ir más lejos, intentar encontrar ranas u otro sapo, es algo de lo que no se puede prescindir. ¡La naturaleza no nos colma!

Y se puso en camino.

Llegó a un campo, cerca de una enorme balsa rodeada de juncos, y se acercó a observar.

—Sin duda, esto está demasiado mojado para ti —le dijeron las ranas—. No obstante, sé bienvenido. ¿Eres macho o hembra? Mas poco importa. De todas formas, eres bien recibido.

Aquella noche fue invitado a un concierto, un concierto familiar. Había gran entusiasmo y voces destempladas. Ya sabemos lo que es esto. No se servía nada, los líquidos solamente eran a discreción. Todo el estanque, si se quería.

—Ahora iré más lejos —dijo el sapo.

Siempre aspiraba a mejorar. Vio lucir las estrellas, grandes y claras, ¡vio brillar la luna nueva y vio al sol aparecer en el horizonte y elevarse, cada vez más alto!

—Aún debo de estar metido en un pozo, un pozo más grande. ¡Tengo que salir de él! ¡Estoy lleno de inquietudes y deseos!

Cuando fue luna llena, la pobre bestia se dijo: «Es el cubo que baja. ¿He de saltar dentro para llegar más alto? ¿O bien, es el sol el cubo más grande? ¡Cuán grande es, cómo resplandece! Puede contenernos a todos. Es preciso que aproveche la ocasión que se me presenta. ¡Oh, cómo brilla en mi cabeza! ¡No creo que la piedra preciosa pueda brillar más! Pero yo no la tengo, y no lloro por eso, no. He de subir más alto, hasta el esplendor y la alegría. Tengo confianza y, sin embargo, tengo miedo... Es un gran paso, pero he de darlo. ¡Adelante! ¡Todo derecho hacia la carretera!».

Y avanzó como puede hacerlo un animal que se arrastra. De pronto se encontró en la ancha ruta donde habitaban los hombres. Había jardines y huertas. Descansó en un sembrado de coles.

«¡Qué variedad de criaturas que jamás había visto! ¡Cuán grande y maravilloso es el mundo! Pero es necesario mirar alrededor de uno y no permanecer siempre en el mismo lugar».

Y saltó al sembrado de coles.

«¡Cuánto verde hay aquí! ¡Qué hermosura!».

—Lo sé muy bien —dijo la oruga de la col—. ¡Mi hoja es la más grande de todas las de aquí! Oculta a medio mundo. Pero es la parte de mundo de que puedo prescindir.

—¡Clu, clu!

Las gallinas se metieron, a saltitos, en el sembrado. La que iba en cabeza tenía vista penetrante. Vio a la oruga en la rizada hoja, que golpeó con el pico, y la oruga cayó a tierra, retorciéndose y contorsionándose. La gallina la miró con un ojo; después, con el otro, porque ella no sabía lo que resultaría de aquellas contorsiones.

—¡No lo hace con buena idea! —dijo la gallina, que levantó la cabeza, dispuesta al picotazo.

El sapo se asustó tanto que se arrastró en línea recta hacia la gallina.

—¡Ah! Tiene ejércitos que la defienden —exclamó la gallina—. ¡Mirad ese animalucho que se arrastra!

Y la gallina huyó.

—Yo no me molesto por este piscolabis verde; solo sirve para cosquillearle a uno la garganta.

Las otras gallinas opinaron lo mismo y se marcharon también.

—Me he librado de ellas retorciéndome —dijo la oruga—. Es bueno tener presencia de ánimo. Pero me queda por hacer lo más difícil: trepar a mi hoja. ¿Dónde está?

El sapito fue a expresarle su simpatía. Estaba contento de haber asustado a la gallina con su fealdad.

—¿Qué queréis decir con eso? —preguntó la oruga—. Yo me he desembarazado de ella gracias a mis contorsiones. ¡Qué aspecto más feo tenéis! ¡Permitidme que me dedique a mi cometido! ¡Ah, ya percibo el olor de mi col! ¡Estoy cerca de mi hoja! ¡No hay nada mejor que lo de uno! Pero aún tengo que subir más arriba, más alto.

—Sí. ¡Más alto! —dijo el sapo—. ¡Tiene la misma idea que yo! Pero hoy no está de buen humor, y es a causa del miedo que ha pasado. ¡Todos queremos llegar más alto!

Y miró lo más alto que pudo.

Papá cigüeña estaba en su nido situado en el tejado de la cabaña del labrador. Mamá cigüeña y él cuchicheaban.

—¡Qué alto viven! —pensó el sapo—. ¡Si pudiera llegar a esa altura...!

En la casa del labrador vivían dos estudiantes. Uno era poeta; el otro, naturalista.

El primero escribía con entusiasmo sobre todo lo que Dios había creado y que se reflejaba en su corazón, y lo hacía con palabras claras y precisas, y ricos y sonoros versos.

El segundo se aprovechaba del mismo hecho, que él descomponía a su necesidad. Consideraba la obra de Nuestro Señor como una gran operación aritmética: sustraía, multiplicaba, quería conocer a fondo y dar de ello razón, y tenía razón. Hablaba con entusiasmo e ingenio. Los dos muchachos eran osados y alegres.

—He aquí un bello ejemplar de sapo —dijo el naturalista—. Tengo que meterlo en alcohol.

—Ya tenéis otros —le dijo el poeta—. Dejad que se divierta en paz.

—Pero, ¡si es deliciosamente deforme! —exclamó el naturalista.

—¡Si pudiéramos encontrar en su cabeza la piedra preciosa, tomaría parte en la disección! —exclamó el poeta.

—¡La piedra preciosa! ¡Conocéis bien la Historia Natural...!

—Pero, ¿no hay una gran belleza en esta creencia popular que admite que el sapo, el animal más feo de la creación, oculte, a veces, en su cabeza una joya de lo más valiosa? ¿No existe también en los hombres? ¿No la poseía Esopo? ¿Y Sócrates?...

El sapo no oyó más ni comprendió la mitad de lo que habían dicho. Los dos amigos se alejaron, y el sapo se libró del tarro de alcohol.

«¡También han hablado de la piedra preciosa! —dijo el sapo—. Es suerte que yo no la tenga, pues me hubiera proporcionado serios disgustos».

Se oyó un parloteo en el tejado de la casa del labrador. Papá cigüeña daba una conferencia a su familia, que miraba de reojo a los dos jóvenes que paseaban por el sembrado de coles.

—El hombre es el animal más fatuo —decía papá cigüeña—. ¡Escuchad cómo vocifera! No pueden hablar como es debido. Se jactan de su don de palabra, de su lengua. ¡Graciosa lengua, que se hace más incomprensible para ellos en cada viaje que nosotros realizamos, hasta el punto de que no se comprenden unos a otros! ¡Nosotros sí que podemos hablar nuestro lenguaje en cualquier parte del globo, tanto en Dinamarca como en Egipto! ¡Tampoco saben los hombres volar! Adquieren velocidad gracias a ese invento que ellos llaman ferrocarril, pero con el que se parten con frecuencia la cabeza. Me tiembla el pico cuando pienso en ello. El mundo puede subsistir sin hombres. Nosotros podemos pasarnos sin ellos. ¡Con tal que no nos falten las ranas ni los gusanos!

«¡Vaya discurso valiente! —exclamó el sapo, y cuando vio que la cigüeña desplegaba las alas y emprendía el vuelo a través del espacio, gritó—: ¡qué gran hombre, y qué alto sube, más alto que cualquier otro hombre...! ¡Y cómo nada...!».

Mamá cigüeña habló en el nido, contó cosas de Egipto y del río Nilo y de la maravillosa ciénaga que existía en aquel país extranjero. Todo era nuevo y fascinante para el sapito.

«Es preciso que vaya a Egipto —se dijo—, ¡si la cigüeña quisiera llevarme..., o uno de sus hijos...! A cambio, seré su servidor en el día de su boda. Sí, iré a Egipto, porque soy un ser tan afortunado... Todo el placer y el anhelo que experimento vale mucho más que poseer una piedra en la cabeza.

Y, sin embargo, así poseía en la cabeza la piedra preciosa: el anhelo eterno de subir, de subir siempre, alegría entusiasta y radiante.

En este momento se acercó papá cigüeña. Había visto al sapo en la hierba y se precipitó sobre él, agarrándole sin ninguna delicadeza. El pico apretaba, el aire rugía. Aquello no era agradable; pero conducía a las alturas, a Egipto. Él lo sabía, y por eso, sus ojos brillaban, y una chispa parecía salir de ellos.

—¡Cuac!

El cuerpo estaba muerto, el sapo, también. Pero, ¿qué fue de la chispa de sus ojos? El rayo de sol se apoderó de ella; el rayo de sol se llevó la piedra preciosa que se alojaba en la cabeza del sapo.

¿Adónde?

No se lo preguntéis al naturalista. Preguntádselo mejor al poeta. Os lo dirá en forma de cuento, en el que figurarán también la oruga de la col y la familia de las cigüeñas. ¡Soñad, pues! La oruga se transforma y se convierte en adorable mariposa. La familia de las cigüeñas vuela sobre montes y mares para ganar el África lejana y encuentra, al mismo tiempo, el camino más corto para regresar a Dinamarca, al mismo lugar, al mismo tejado... Sí, en realidad es casi demasiado fantástico, y, sin embargo, es verdad. Podéis interrogar al naturalista. Se verá forzado a reconocerlo. Y vosotros lo sabéis también, porque lo habéis visto.

Pero, ¿y la piedra filosofal que se alojaba en la cabeza del sapo?

¡Buscadla en el sol! ¡Miradlo, si podéis!

El fulgor en él es demadado fuerte. Aún no tenemos ojos que puedan ver todo el esplendor que Dios ha creado; pero los tendremos algún día, sin duda, y ese será el cuento más fantástico, ya que nosotros mismos intervendremos en él.

LA HISTORIA DEL AÑO

Era finales de enero. Se había desencadenado una terrible tempestad de nieve, cuyos copos volaban en torbellino por las calles y las callejas. Parecían agarrarse a los cristales de la ventana; caían formando paquetes desde lo alto de los tejados, y las personas huían, corrían, se arrojaban las unas en brazos de las otras, se agarraban fuertemente y volvían a recobrar por un instante el equilibrio. Caballos y carruajes estaban como cubiertos de polvo; los cocheros, con las espaldas contra el vehículo, conducían a contraviento; los peatones se ponían al abrigo de los coches, que avanzaban muy lentamente por entre la espesa nieve. Y cuando, al fin, la tormenta amainó y pudo hacerse un estrecho pasadizo a lo largo de las casas, las personas que se encontraban fuera, paralizadas por la tempestad, no se atrevían a seguir adelante. Nadie sentía deseos de dar el primer paso y marchar a través de la nieve caída, para que los demás pudiesen pasar. Permanecían mudos, hasta que, al fin, como por un tácito acuerdo, cada uno sacrificó una pierna y la arriesgó por entre el espesor de la nieve.

Hacia la caída de la tarde se hizo la calma. El cielo parecía haber sido barrido y estar más alto y más transparente. Las estrellas tenían aspecto de ser nuevas, y varias de ellas estaban azuladas y brillantes... Pero helaba terriblemente... Sí, la nieve, a la mañana siguiente, poseía una costra lo suficientemente dura para poder sostener a los gorriones. Saltaban tan pronto hacia lo alto como hacia lo bajo, por donde la pala había pasado; pero apenas tenían qué comer y hacía un frío horroroso.

—¡Pío, pío! —dijo uno al otro—. ¡Esto es lo que se llama Año Nuevo! ¡Es peor que el viejo! Hubiera sido mejor conservarlo. ¡Estoy muy fastidiado, y no sin motivo!

—Sí, los hombres han discutido sobre este punto, han anunciado el nuevo año —dijo un gorrioncito, transido de frío—. Han arrojado cacharros de barro contra sus puertas y estaban encantados de que terminase el año viejo. Y yo también lo estaba, porque esperaba que tuviéramos días cálidos. Pero no ha sido así. Hace mucho más frío que antes. Los hombres se han equivocado en sus cálculos sobre el tiempo.

—Sí, se han equivocado —repitió un tercero, que era viejo y tenía la cabeza blanca—. Tienen una cosa que llaman almanaque. Es un invento de ellos, y todo ha de marchar con arreglo a eso. Pero no tiene por qué ser así. El año empieza cuando viene la primavera. Este es el orden de la naturaleza, y es por él por el que yo me rijo.

—¿Cuándo vendrá la primavera? —preguntaron los otros.

—Viene cuando aparece la cigüeña; pero esta es muy irregular, y aquí, en la ciudad, nadie sabe nada sobre este asunto. Se está mejor enterado en el campo. ¿Volamos hacia allí para esperarla? En el campo se está mucho más cerca de la primavera.

—Sí, eso tal vez sea lo mejor —dijo una de las gorrionas que desde hacía mucho tiempo piaba sin decir nada preciso—. Pero aquí, en la ciudad, gozo de ciertas comodidades que no tendría allá, según me temo. En una casa de por aquí vive una familia de seres humanos que ha tenido la buena idea de fijar en la pared tres o cuatro macetas de flores con la boca hacia el interior y el fondo hacia fuera. En este fondo han hecho un agujero lo bastante grande para que yo pueda entrar y salir. Es allí donde tenemos nuestro nido mi marido y yo, y desde donde han aprendido a volar nuestros pequeñuelos. La familia de seres humanos ha dispuesto todo esto con el sano propósito de gozar del placer de vernos, porque si no, no lo hubiera hecho. Esparcen migas de pan, siempre por su gusto, y de esta forma estamos alimentados... ¡Es como si estuviésemos mantenidos!... Por tanto, creo que nos quedaremos mi marido y yo. Estamos muy descontentos con este frío..., pero nos quedamos.

—Pues nosotros levantaremos el vuelo hacia el campo para ver si llega la primavera.

Y emprendieron el vuelo.

El invierno era muy crudo en el campo. Hacía dos grados menos que en la ciudad. El viento acre soplaba en los campos cubiertos de nieve. El labrador, con las manos enfundadas en gruesos mitones, se hallaba sentado en su trineo y movía los brazos para calentarlos. El látigo permanecía sobre sus rodillas; los famélicos caballos corrían lanzando bocanadas de aliento; la nieve crujía, y los gorriones saltaban en los carriles, tiritando de frío.

—¡Piii! ¿Cuándo vendrá la primavera? ¡Qué largo es esto!

—¡Muy largo!

Estas palabras resonaban en los campos desde lo alto de la más alta colina cubierta de nieve. Tal vez era el eco lo que se oía; pero quizá procediese del extraño anciano que permanecía en lo más alto del montón de nieve, a pleno aire. Estaba completamente blanco, como un labrador con blusa de burdo paño blanco, con largos cabellos blancos, barba blanca, muy pálido y con grandes ojos claros.

—¿Quién es ese viejo que está allá arriba? —preguntaron los gorriones.

—Yo lo sé —replicó un viejo cuervo encaramado sobre un poste de barrera. Tuvo la condescendencia de reconocer que todos nosotros somos pajarillos ante Nuestro Señor y consintió en dar a los gorriones una explicación—. Sé quién es ese viejo. Es el invierno, el anciano del año pasado. No ha muerto, como lo pretende el almanaque. No; es el autor del pequeño príncipe primavera, que va a llegar pronto. ¡Ah, sí; es el invierno quien manda. ¡Ay, vosotros, pequeños, aún tiritáis!

—¿Veis? ¿No es esto lo que yo os decía?—dijo el más pequeño—. Este almanaque solo es un invento de los seres humanos. No está de acuerdo con la naturaleza. Deberían dejarnos a nosotros que nos ocupáramos de eso, a nosotros, que somos los más elegantes.

Paso una semana, y casi otra. El bosque estaba sombrío; el lago helado se hizo pesado y pareció de plomo fundido; las nubes..., pero no eran nubes, eran nieblas húmedas y heladas, suspendidas por encima del país; las grandes cornejas negras volaban en grupos, sin lanzar un grito; hubiera podido decirse que todo dormía... Un rayo de sol tocó el lago, que brilló como estaño fundido. La costra de nieve, que se extendía sobre los campos y en lo alto de la colina, no brillaba ya como antes pero el sol blanco, el propio invierno, estaba aún allí, con la mirada siempre vuelta hacia el sur. No se daba cuenta del todo de que el tapiz de nieve se fundía en algunos sitios de la tierra, y que aquí y allá surgía un pequeño brillo de verde hierba, adonde acudían los gorriones en masa.

—¡Pío, pío!, ¡pío, pío! ¿Es ya primavera?

—¡La primavera!

Este grito resonaba por todas partes, en los campos y en los prados, en los bosques sombríos, donde el musgo brillaba, verde claro, en los troncos de los árboles. Y por el aire, procedentes del sur, llegaron las dos primeras cigüeñas. Sobre cada una de ellas venía sentado un precioso niñito, un muchacho y una muchacha, que besaron la tierra a manera de saludo. Y donde posaron sus pies crecieron blancas flores bajo la nieve. Cogidos de la mano subieron hasta donde se alzaba el hombre de nieve, el invierno, se apretaron contra su pecho, e inmediatamente los tres desaparecieron, como todo el paisaje. Una niebla espesa, húmeda, densa y pesada lo envolvió todo... Poco a poco se disipó... El viento se elevó a golpes violentos y ahuyentó a la niebla. El sol empezó a calentar... El invierno había huido, y los preciosos niños de la primavera ocupaban el trono del año.

—Esto sí que es un año nuevo —exclamaron los gorriones—. Ahora gozaremos de nuestros privilegios y recibiremos compensaciones por el riguroso invierno padecido.

Por todas las partes por donde iban los dos niños surgían verdes plantas, los árboles brotaban, la hierba crecía, el campo sembrado se coloreaba del más hermoso verde. Y la muchachita arrojaba flores a un lado y a otro. Llevaba una profusión de ellas en su faldita y parecían multiplicarse, pues la falda siempre estaba llena, por mucha prisa que la nena se diese en arrojarlas... En su precipitación hizo caer toda una lluvia de flores sobre los manzanos y los melocotoneros, que brotaron en todo su esplendor, antes de tener sus ramas cubiertas de hojas verdes.

Aplaudió jubilosa, y el muchacho también. Los pájaros llegaron no se sabe de dónde, y todos gorjeaban y cantaban:

—¡Ha llegado la primavera!

Era delicioso contemplar aquello. Y muchas buenas ancianas franqueaban su puerta y se ponían al sol, se sacudían y miraban las flores amarillas que abundaban por todos los prados, de la misma forma que cuando eran jóvenes. El mundo se rejuvenecía.

—Hace hoy un tiempo delicioso fuera —dijo una anciana.

Los bosques aún estaban de un color verde oscuro; pero el musgo florecía, las violetas abundaban y había anémonas, primaveras. Toda brizna de hierba poseía vigor y savia. Era un verdadero tapiz de lujo, y la joven pareja de la primavera estaba sentada en él, con las manos cogidas, cantando, sonriendo y creciendo cada vez más.

Una lluvia suave cayó del cielo sobre los dos. No se dieron cuenta. La gota de agua y la lágrima de alegría se confundieron en una sola y misma gota. Los novios se besaron, y el bosque se ensanchó... Entonces, el sol se elevó y todos los árboles verdecieron.

Cogidos de la mano, la pareja penetró en la fresca fronda, donde los rayos del sol y las sombras que ellos obligaban a hacer matizaban el verdor. Una pureza virginal y un perfume refrescante emanaban de las hojas recién brotadas; vívidos y límpidos, los arroyuelos murmuraban por entre los juncos de terciopelo verde y por encima de las piedrecillas de todos los colores. «¡Aleluya!», gritaba la naturaleza. El cuco cantaba, y la alondra retozaba. ¡Era la gentil primavera! Sin embargo, los sauces tenían manoplas de lana alrededor de sus flores. Son terriblemente prudentes, y eso es molesto.

Pasaron los días, pasaron las semanas. El calor parecía desbordarse. Olas de aire caliente atravesaban los prados, que amarilleaban. El loto blanco del norte extendía sus grandes hojas verdes sobre el espejo de los lagos del bosque, y los peces se ponían a la sombra debajo de ellas. En el sitio donde los árboles estaban al abrigo del viento, donde el sol calentaba la pared de la casa del labrador y penetraba con su fuego en las rosas abiertas, donde pendían de los cerezos grandes cantidades de fruto sabroso, negro, cálido por el sol, se hallaba sentada la soberbia mujer del verano, la que habíamos visto de niña y prometida. Miraba elevarse las oscuras nubes, que tomaban forma de olas, de pesadas montañas de un negro azulado. Cada vez se aproximaban más, procedentes de tres sitios distintos. Como un mar a la inversa, petrificado, se reunían apretadamente alrededor y por encima del bosque, donde todo, como por arte de magia, se había calmado: ni un soplo de aire, ni un piar de pájaro... Existía una gravedad, una espera, en toda la naturaleza; pero por las carreteras y los caminos, personas en coche, a caballo, a pie, se daban prisa por encontrar un refugio... De repente, un relámpago, como un desgarramiento del sol, lució y cegó, como incendiándolo todo, y de nuevo se hicieron las tinieblas, en medio de un trueno espantoso. Cayeron torrentes de lluvia. Se hizo la noche; después, la luz, el silencio; más tarde, el estruendo. Los jóvenes juncos de alas color castaño que crecían en medio del musgo se agitaban en amplias ondulaciones; las ramas del bosque se ocultaron en vahos de humedad... La oscuridad, la luz, el silencio, el estrépito... La hierba y el trigo estaban abatidos, como tronchados; parecía como si no fueran a levantarse jamás... De repente, la lluvia se redujo a algunas gotas, el sol brilló, y en los tallos y en las hojas, las gotas de lluvia brillaron como perlas; los pájaros cantaron; los peces daban saltos fuera de los arroyos; los mosquitos danzaban, y sobre la piedra, en el agua de mar salada y azotada, estaba sentado el propio verano, hombre poderoso, de miembros atléticos, con los cabellos mojados..., rejuvenecido por el baño vivificante. Se hallaba sentado tomando el sol. Toda la naturaleza se había rejuvenecido, todo estaba frondoso, fuerte y bello. Era el verano; el cálido, delicioso verano.

Suave y exquisito era el perfume que provenía del hermoso campo de trébol. Las abejas zumbaban alrededor del viejo dolmen que, lavado por la lluvia, brillaba a la luz del sol. Y fue allí donde la reina de las abejas, con sus enjambres, depositó cera y miel. Nadie la vio más que el verano y su esposa, su robusta esposa. Para ellos estaban servidas, sobre la mesa del altar, las ofrendas de la naturaleza.

El cielo de la tarde resplandeció como el oro. Ninguna cúpula de iglesia era tan magnífica, y la luna lució del crepúsculo a la aurora. Era el verano.

Los días y las semanas pasaron... La guadaña de los segadores lució en los campos de trigo; las ramas de los manzanos se doblaban bajo el peso de los frutos rojos y amarillos; el lúpulo embalsamó el ambiente y tuvo gruesos amientos, y bajo los avellanos, cuyos frutos colgaban en grandes racimos, descansaban los dos, el verano y su esposa, con aspecto solemne.

—¡Cuántas riquezas! —dijo ella—. Por todas partes, la abundancia. Estoy en mi casa, a gusto, y, sin embargo, no sé..., tengo ganas... de calma..., de paz. Los hombres vendrán a arar los campos, siempre quieren ganar más. Mira las cigüeñas. Acuden por grupos para seguir el arado a distancia; el pájaro de Egipto, que nos ha traído a través de los aires. ¿Te acuerdas de cuando llegamos, siendo dos niños, a este país del norte?... Trajimos las flores, la espléndida luz y los verdes bosques; el viento ha maltratado muy pronto los bosques, amarillean y se oscurecen, como los árboles del Mediodía; pero no tienen, como ellos, frutos dorados.

—¿Quieres verlos? —dijo el Verano—. Pues sé dichosa.

Levantó el brazo, y las hojas del bosque se colorearon de rojo y oro; suntuosos colores llenaron los árboles; granos rojo fuego brillaron en los agavanzos; grandes y pesadas bayas marrón oscuro pendieron de las ramas de los saúcos; cayeron las castañas, saliendo de sus cáscaras verde oscuro.

Pero la reina del año se volvía cada vez más pálida y triste.

—El aire es frío —dijo—. La noche tiene bruma... Siento deseos... de regresar al país de nuestra infancia.

Vio cómo las cigüeñas levantaban el vuelo y partían, ¡todas!, y ella extendió los brazos hacia ellas... Miró los nidos, que quedaban vacíos, y en uno de ellos creció la flor de la gramínea, la del largo tallo, y en otro, el amarillo alhelí, como si el nido no hubiese existido más que para rodearlos y protegerlos. Y llegaron los gorriones.

—¡Piii! ¿Es que nos hemos convertido en los dueños de esto? No pueden soportar que el aire sople sobre ellos y han abandonado el país. ¡Buen viaje!

Los bosques amarilleaban cada vez más, y las hojas se cayeron; las tempestades de la última estación volvieron. El otoño estaba muy avanzado. Sobre el tapiz amarillo de hojas caídas, la reina del año se hallaba tendida y miraba con dulces ojos la estrella titilante. Su marido estaba a su lado. Un golpe de viento sacudió las ramas..., cayeron más hojas... La reina había desaparecido; pero una mariposa, la última del año, volaba por el frío ambiente.

Y volvieron las humedades, el viento glacial y las largas y sombrías noches. El rey del año estaba en pie, con sus cabellos de un blanco de nieve, pero él no sabía nada. Creía que eran los copos de nieve que caían de las nubes. Una delgada capa de nieve cubría los campos.

Las campanas de la iglesia repicaron. Era Navidad.

—Repican las campanas de Navidad —dijo el rey del año—. Pronto nacerá la nueva y soberana pareja. Y yo reposaré, como mi esposa, reposaré en la estrella titilante.

En el bosque lleno de pinos, donde la nieve caía, el ángel del Señor consagraba los jóvenes árboles que iban a tomar parte en la fiesta.

—¡Alegría en los salones y bajo las verdes ramas! —dijo el rey del año, transformado en un anciano solo en algunas semanas—. Para mí ha llegado ya el momento del reposo. La joven pareja del año tendrá la corona y el cetro.

—Tú tienes, sin embargo, el poder —dijo el ángel del Señor—. El poder..., y no el reposo. Que la nieve se extienda sobre la nueva semilla y le conserve el calor. Aprende a soportar que otro reciba los homenajes, aunque tú seas el soberano; aprende a ser olvidado y a vivir lo mismo. ¡La hora de tu libertad te llegará cuando aparezca de nuevo la Primavera!

—¿Cuándo llegará la primavera? —preguntó el invierno.

—Llegará cuando regrese la cigüeña.

Y con sus bucles blancos y su barba blanca como la nieve, de invierno, glacial, viejo, encorvado, pero fuerte como un huracán invernal y potente como el hielo, se sentó en lo alto de la colina, sobre el montón de nieve, y dirigió la mirada hacia el sur, como el invierno anterior se había sentado y había mirado... El hielo crujió, la nieve se cuajó, los patinadores hacían piruetas sobre los blancos lagos pulimentados, y los cuervos y las cornejas formaban un bello contraste sobre la bella sábana de nieve. No se oía el menor ruido. En el aire inmóvil, el invierno juntó las manos, y el hielo se hizo más espeso.

De nuevo, los gorriones llegaron de la ciudad y preguntaron:

—¿Quién es ese viejo que esta allá arriba?

Y el cuervo, que siempre estaba allí, o bien uno de sus hijos, lo cual no hace al caso, les contestó:

—Es el invierno. El viejo del año pasado. No ha muerto, como dice el almanaque. Es tutor de la primavera, que pronto ha de llegar

—¿Cuándo va a venir la primavera? —preguntaron los gorriones—. Tendremos entonces buen tiempo y un gobierno mejor. El antiguo no valía nada.

Y, soñador, el invierno inclinó la cabeza hacia el sombrío y deshojado bosque, donde los árboles mostraban sus bellas formas y los esqueletos de sus ramas; y bajo la aquiescencia del invierno, se espesaba la nubosidad glaciar de las nubes... El soberano soñó con la época de su juventud y de su pleno vigor, y, a la aurora, el bosque se encontró todo cubierto de escarcha. Era el sueño del invierno. La luz del sol hizo correr gota a gota la escarcha de las ramas.

—¿Cuándo llegará la primavera? —preguntaron los gorriones.

«¡La primavera!» Este grito era como un eco de las colinas que la nieve cubría. Y el sol brillaba, cada vez con más fuerza; la nieve se fundía; los pájaros gorjeaban... «¡Ya está aquí la primavera!».

Y por los aires, muy alta, llegó la primera cigüeña... Pronto le siguió una segunda... Cada una traía sobre sí un precioso niño. Descendieron las cigüeñas, en el desnudo campo, los niños besaron la tierra, abrazaron al tranquilo anciano, que, cual Moisés sobre la montaña, desapareció, transportado por la nube de niebla.

La historia del año había acabado.

—Está bien —dijeron los gorriones—, y todo eso es muy bonito; pero no está de acuerdo con el almanaque. Por tanto, no es así.

EL CARACOL Y EL ROSAL

El jardín estaba rodeado de un seto de avellanos. En el exterior se extendían los campos y las praderas, donde pastaban las vacas y las ovejas. En el centro del jardín florecía un rosal, en el que se sostenía un caracol. Lo que había dentro del caracol era muy importante, pues era él mismo.

—Esperad a que llegue mi hora —decía—. Yo haré algo más importante que dar flores, o avellanas, o leche como las vacas y las ovejas.

—Yo espero mucho de vos —exclamó el rosal—. ¿Puedo preguntaros cuándo sucederá eso?

—¡Ah! Necesito tiempo —replicó el caracol—. ¡Vos tenéis mucha prisa! La espera no excita.

Al año siguiente, el caracol continuaba en el mismo sitio, al sol, bajo el rosal, donde crecían los capullos y se abrían las rosas, siempre lozanas, siempre nuevas. El caracol salió a medias de su caparazón, alargó los cuernos y los volvió a recoger.

—Todo tiene el mismo aspecto del año pasado. No hay ningún progreso. El rosal continúa con sus rosas, y no sabe hacer otra cosa; ¡así no se llega lejos!

Pasó el verano, se alejó el otoño; pero el rosal conservaba sus rosas y capullos, y no los perdió hasta que nevó por primera vez. El tiempo se hizo frío y lluvioso. El rosal se inclinó hacia la tierra, en donde se refugió el caracol.

Más tarde comenzó un nuevo año. Salieron nuevas rosas y volvió a hacer su aparición el caracol.

—Sois ya un rosal muy viejo —dijo—. Deberíais pensar en desaparecer pronto. No habéis dado al mundo más que lo que tenéis. Y, ¿qué importancia puede tener eso? Es una cuestión sobre la que no he tenido tiempo de reflexionar; pero está claro que no habéis hecho absolutamente nada por vuestro desarrollo personal, sin que hayáis producido algo mejor que rosas. ¿Podéis justificar esta conducta? ¡Pronto no seréis más que un montón de ramas sin hojas! ¿Os dais cuenta de lo que os quiero decir?

—¡Me asustáis! —exclamó el rosal—. No he pensado jamás en eso.

—¡Claro, no habéis dedicado mucho tiempo a la reflexión! ¿No os habéis preguntado nunca por qué florecéis y cómo hacéis para florecer? ¿Por qué hacéis eso y no otra cosa?

—¡No! —contestó el rosal—. Yo florezco con alegría, porque no puedo hacer otra cosa! El sol es cálido, el aire fortificante; bebo el claro rocío y la lluvia tonificadora. ¡Respiro, vivo! De la tierra asciende hasta mí una fuerza y otra desciende sobre mí desde las alturas. Yo experimento siempre una gran dicha, siempre nueva, y es a causa de eso que he de florecer. Es mi vida. No puedo hacer otra cosa.

—Os habéis elaborado una vida bien fácil —dijo el caracol.

—¡Cierto! —exclamó el rosal—. ¡Todo me lo han dado! Pero a vos os han dado más aún. Sois una de esas naturalezas que piensan profundamente, uno de esos seres bien dotados que asombrarán al mundo.

—No me propongo nada semejante —dijo el caracol—. ¡El mundo no me importa! ¿Qué tengo yo que ver con el mundo? Bastante tengo conmigo mismo y en mí mismo.

—Pero, ¿no debemos dar todos aquí, en la Tierra, lo mejor que tengamos a los demás? ¿Aportar lo que podamos...? ¡Oh, yo no he dado más que rosas...! Pero, ¿y vos? Vos, a quien tanto ha sido dado, ¿qué habéis aportado al mundo? ¿Qué le dais?

—¿Qué le he dado? ¿Qué le doy? ¡Yo escupo al mundo! No tiene nada de bueno, ni me importa. ¡Dad color a las rosas, ya que no podéis hacer otra cosa! ¡Que el avellano produzca avellanas! ¡Que las vacas y las ovejas den leche! ¡Cada cual, a su público! Yo, yo tengo el mío en mí mismo. Yo me meto en mí, y allí me quedo. ¡El mundo no me interesa!

Y el caracol se metió en su concha y se encerró en ella.

—¡Es triste! —exclamó el rosal—. Debo hacer algo hermoso. Pero no puedo. Siempre he de dar a luz rosas, siempre rosas. Los pétalos caen, se vuelan con el viento. Sin embargo, yo he visto depositar una de mis rosas en el altar de la Patrona; otra encontró acomodo en el pecho de una joven encantadora, y una tercera fue besada con extasiada alegría por los labios de un niño. Todo eso me causa un gran placer, me pareció una verdadera bendición de Dios. Estos son mis recuerdos en la vida.

El rosal creció incensantemente, y el caracol se adormeció en su caparazón. El mundo no le importaba.

Pasaron los años.

El caracol es tierra en la tierra. El rosal es tierra en la tierra. Hasta la rosa del recuerdo colocada en el altar ha desaparecido... Pero en el jardín crecen nuevos rosales, trepan nuevos caracoles, que se esconden en su concha, escupen... porque el mundo no les importa.

    ¿Hay que volver a leer este cuento desde el principio? ¿Para qué?... No sería diferente.

EL PORQUERIZO

Había una vez un príncipe pobre. Su reino era muy pequeño; pero, lo suficientemente grande para que él se pudiera casar. Y casarse era lo que más deseaba.

Naturalmente, era un atrevimiento de su parte decir a la hija del emperador: «¿Queréis casaros conmigo?». Pero podía atreverse, puesto que su nombre era bien conocido en todas partes, y existían centenares de princesas que le hubieran respondido: «Sí; gracias». Sin embargo, ¿creéis que lo hizo así la hija del emperador?

Pues escuchad la siguiente historia:

Sobre la tumba del padre del príncipe crecía un rosal. ¡Oh, qué rosal tan maravilloso! Solo florecía cada cinco años; pero una sola, tan grande y con un perfume tan exquisito, que al olerlo se olvidaban todas las penas y todas las preocupaciones. El príncipe también era dueño de un ruiseñor que cantaba como si en su garganta se almacenasen las más bellas melodías del mundo. Esta rosa y este ruiseñor eran para la princesa. Así, pues, ambas cosas fueron colocadas en grandes cajas de plata y enviadas a su destinataria.

El emperador hizo llevarlas a la sala donde la princesa jugaba a las visitas con sus damas de honor. No tenían otra ocupación. Y cuando la princesa vio las grandes cajas de plata que contenían los regalos aplaudió alegremente.

—¡Si fuera una gatita!... —murmuró.

Y apareció la deliciosa rosa.

—¡Oh, qué preciosidad de rosa! —exclamaron las damas de honor.

—Es más que preciosa —respondió el emperador—. ¡Es bella!

Pero la princesa la tocó y estuvo a punto de llorar:

—¡Oh, papá! Si no es artificial... Si es una rosa de verdad.

—¡Oh! —exclamaron las damas de honor—. ¡Es una rosa de verdad!

—Bueno, veamos ahora lo que hay dentro de la otra caja antes de enojarnos —dijo el emperador.

Y apareció el ruiseñor. Cantó tan bien, que al principio nadie pudo decir nada en contra suya.

—¡Soberbio, encantador! —exclamaron las damas de honor en francés, puesto que todas ellas hablaban este idioma, unas peor que otras.

—Cómo me recuerda este pájaro a la cajita de música de la emperatriz —exclamó un anciano gentilhombre—. ¡Oh, sí! Posee la misma melodía, igual dicción.

—Sí —dijo el emperador, y se echó a llorar como un niño.

—Apenas puedo creer que sea un pájaro de verdad —dijo la princesa.

—Sí, es de verdad —le contestaron los que habían llevado las cajas.

—Entonces echen el pájaro a volar —dijo la princesa.

Y no permitió que el príncipe fuera a verla.

Pero este no se desanimó. Se pintó la cara de negro y pardo, y encasquetándose la gorra, fue a llamar a la puerta del palacio.

—Buenos días, emperador —dijo—. ¿Podría encontrar trabajo en el castillo?

—¡Oh, lo pide tanta gente...! —contestó el emperador—. Pero veamos... Sí; necesito una persona para guardar mis cerdos, porque tengo muchos.

Y el príncipe quedó convertido en porquerizo real. Le dieron por alojamiento una habitación mala y pequeña, debajo de la pocilga, y allí tuvo que vivir. Pero pasaba todo el día trabajando, y cuando llegaba la noche fabricaba una linda olla con campanillas a su alrededor. Una vez hecha, al ponerla a hervir, las campanillas interpretaban de un modo delicioso la antigua melodía:

Ach du lieber Augustin,
alles ist vaek, vaek, vaek![2]

Pero lo más curioso de todo era que, si se ponía un dedo en el vapor que desprendía la olla, se conocían inmediatamente los platos que guisaban en cada cocina de la ciudad; esto era algo muy diferente a una rosa.

La princesa, en unión de sus damas de honor, pasó un día por delante del lugar donde se hallaba el porquerizo, y al oír la melodía se detuvo y puso una cara muy contenta, ya que ella también sabía tocar *Ach du*

---

[2] ¡Ah, mi querido Agustín, todo está perdido, perdido, perdido! *(N. del T.)*

lieber Augustin. En realidad, era la única cosa que sabía tocar, aunque la tocaba con un solo dedo.

—Es la canción que yo sé —dijo—. Este porquerizo debe ser un muchacho educado. Entrad y preguntadle cuánto cuesta este instrumento.

Una de las damas de honor no tuvo más remedio que ir hasta donde estaba el porquerizo, pero se puso unos gruesos zuecos.

—¿Qué quieres por esta olla? —le preguntó la dama de honor.

—Quiero diez besos de la princesa —le contestó el porquerizo.

—¡Dios tenga piedad de nosotros! —exclamó la dama de honor.

—Sí; no la doy por menos.

—Bueno, ¿qué dice? —preguntó la princesa.

—No puedo decíroslo —le contestó la dama de honor—. ¡Es terrible!

—Bueno, decídmelo bajito.

Y la dama de honor se lo dijo en voz baja.

—Es un mal nacido —replicó la princesa, y partió inmediatamente.

Mas cuando hubo dado algunos pasos, las campanillas comenzaron a interpretar deliciosamente:

> *Ach du lieber Augustin,*
> *alles ist vaek, vaek, vaek!*

—Escuchad —dijo la princesa—. Id a decirle si quiere diez besos de mis damas de honor.

—No, gracias —contestó el porquerizo—. Diez besos de la princesa; si no, me quedo con ella.

—¡Qué pesado es! —repitió la princesa—. Será necesario que os coloquéis delante de mí, para que nadie lo vea.

Y las damas de honor se colocaron delante de ella, con sus trajes extendidos, y el porquerizo recibió los diez besos a cambio de la olla.

¡Oh, qué placer! Toda la tarde y todo el día siguiente, la olla los pasó hirviendo. Gracias a ella no hubo una cocina en toda la ciudad que guisase algo sin llegar a conocimiento de la princesa, lo mismo la de casa del chambelán que la de casa del zapatero. Las damas de honor bailaban y aplaudían con entusiasmo.

—Ahora sabremos quién tendrá potaje para comer o solomillo para cenar. ¡Esto es muy interesante!

—Extremadamente interesante —dijo la encargada del guardarropa de la Corte.

—Sí, pero las bocas cerradas, porque yo soy la hija del emperador.

—Dios nos guarde de decir nada —contestaron a coro.

El porquerizo, es decir, el príncipe, aunque todos creían que era un verdadero porquerizo, no se pasó el día sin hacer nada. Construyó una carraca, y cuando la agitaba tocaba todas las polcas, valses y danzas conocidos desde la creación del mundo.

—¡Oh, es maravilloso! —dijo la princesa, un día que pasó por allí—. Jamás había oído una pieza tan agradable. ¡Escuchad! Id a preguntarle qué cuesta ese instrumento. Pero ¡nada de besos!

—Quiere cien besos de la princesa —dijo la dama de honor que había ido a informarse.

—Me parece que está loco —contestó la princesa y se alejó. Pero a los pocos pasos se detuvo—. Es preciso proteger el arte —dijo—. Soy la hija del emperador. Decidle que le daré diez besos, como ayer. El resto los recibirá de mis damas de honor.

—Sí, pero nosotras no queremos —contestaron las damas de honor.

—¡Tonterías! —dijo la princesa—. Si yo puedo besarle, vosotras también podéis. Recordad que os doy sueldo y manutención.

Y la dama de honor tuvo que volver a insistir cerca del porquerizo.

—Cien besos de la princesa —insistió el porquerizo—, o me quedo con mi instrumento.

—Formad un círculo —ordenó a las damas.

Y así lo hicieron mientras la princesa daba los besos al porquerizo.

—¿Qué es ese grupo de personas que hay al lado de las pocilgas? —preguntó el emperador, que había salido a la terraza. Se frotó los ojos y se puso las gafas—. ¡Vaya! Si son las damas de honor, que están de broma. Voy a unirme a ellas.

Se calzó bien las zapatillas, que llevaba en chancleta, porque le hacía daño el contrafuerte.

¡Caramba, y cómo corría!

Cuando llegó al patio aminoró el paso, y como las damas de honor estaban muy ocupadas contando los besos, a fin de que la cuenta fuese exacta, ni más ni menos, no se dieron cuenta de la presencia del emperador. Y este se acercó de puntillas.

—¿Qué pasa? ¿Qué es esto? —exclamó cuando vio que se estaban besando.

Y con la zapatilla les golpeó la cabeza en el preciso instante en que el porquerizo recibía el beso ochenta y seis.

—¡Fuera de aquí! —gritó, colérico, el emperador.

Y la princesa y el porquerizo fueron arrojados del imperio.

La princesa lloró, el porquerizo gruñó y la lluvia empezó a caer.

—¡Oh, qué desgraciada soy! —exclamó la princesa—. ¿Por qué no aceptaría a aquel príncipe tan encantador? ¡Qué desgraciada soy!

El porquerizo se ocultó tras un árbol, se quitó lo negro de su cara, se despojó de sus ropas sucias y avanzó hacia ella vestido de príncipe, tan hermoso, que la princesa se inclinó en una reverencia.

—He venido a despreciar tu mano —dijo—. Tú no has querido un príncipe leal. No has apreciado el valor de la rosa y del ruiseñor; sin embargo, has besado al porquerizo por una cajita de música. Aguántate ahora.

Y se volvió a su reino, cerró la puerta y echó el cerrojo. Y la princesa tuvo que quedarse fuera y cantar:

Aeh du lieber Augustin,
alles ist vaek, vaek, vaek!

LA PRINCEJA Y EL GUIJANTE

Érase una vez un príncipe que quería casarse con una princesa, pero esta tenía que ser una verdadera princesa. Viajó por el mundo entero en busca de una, pero siempre había algo que censurar. Princesas no faltaban, mas ¿eran verdaderas princesas? Él no podía asegurarlo, porque siempre había algo que no estaba como era debido. Y regresó a su país muy triste, ya que le habría gustado casarse con una verdadera princesa.

Una noche hacía un tiempo espantoso. Tronaba y relampagueaba. Llamaron a la puerta del palacio, y el anciano rey fue a abrir.

Era una princesa la que estaba fuera. Pero, Dios, ¡vaya aspecto que tenía con tal lluvia y tal aire! El agua le caía a chorros de los cabellos a sus vestidos; le entraba por las punteras de los zapatos, saliéndole por los talones. Pero dijo que era una verdadera princesa.

«Bien, eso lo sabremos pronto», pensó la anciana reina, pero no dijo nada.

Se dirigió al dormitorio, quitó toda la ropa de la cama y depositó un guisante en el fondo del lecho. Luego sacó veinte colchones, los extendió encima del guisante y puso, además, veinte edredones de plumas de ánade encima de los colchones.

Era allí donde tenía que dormir la princesa aquella noche. A la mañana siguiente le preguntaron cómo había dormido.

—¡Oh, terriblemente mal! —dijo la princesa—. Casi no he cerrado el ojo en toda la noche. ¡Sabe Dios lo que debía haber en la cama! He estado acostada sobre algo muy duro, y tengo el cuerpo lleno de cardenales. ¡Es terrible!

Entonces comprendieron que era una verdadera princesa, puesto que había sentido el guisante a través de veinte colchones y de otros tantos edredones de pluma. Solo una verdadera princesa podía tener la piel tan delicada.

Por tanto, el príncipe la tomó por esposa, pues ahora sabía que había encontrado una verdadera princesa, y el guisante se depositó en la sala de los objetos de arte, donde aún continúa, sin que nadie lo haya tocado.

¡Y esta si que es una historia real y verdadera!

EL TALISMÁN

Un príncipe y una princesa se hallaban todavía en su luna de miel. Se sentían inmensamente felices; solo un pensamiento les preocupaba, y era este: «¿Seremos siempre tan felices como ahora?». Por eso querían poseer un talismán con el cual pudiesen asegurarse contra toda infelicidad en el matrimonio. Habían oído hablar con frecuencia de un hombre que vivía en el bosque y era admirado de todos por su sabiduría. Para todos los problemas y dificultades tenía una solución. El príncipe y la princesa fueron a su encuentro y le explicaron cuál era su problema. Cuando el sabio les hubo escuchado, dijo:

—Viajad por todas las tierras del mundo, y cuando halléis a una pareja verdaderamente feliz pedidle un trozo de su camisa, y cuando la tengáis llevadla siempre con vosotros. Es un remedio seguro.

El príncipe y la princesa partieron en su largo viaje, y pronto oyeron hablar de un caballero que, en unión de su esposa, debía vivir la más dichosa vida. Se encaminaron al castillo y preguntaron al caballero si era realmente tan feliz en su matrimonio como la gente decía.

—Desde luego —fue la respuesta—; si se exceptúa una cosa, que no tenemos hijos.

Aquí no estaba el talismán, y el príncipe y la princesa tuvieron que continuar su viaje en busca de la pareja completamente feliz.

Llegaron a un lugar en el que oyeron decir que vivía un honorable burgués, con su mujer, en absoluta soledad y contentamiento.

Hacia él se fueron y le preguntaron si realmente era tan feliz en su matrimonio como la gente decía.

—Sí, lo soy —dijo el hombre—. Mi mujer y yo somos verdaderamente felices, si no fuese porque los niños nos causan demasiadas penas y preocupaciones.

Aquí tampoco se hallaba el talismán, y el príncipe y la princesa prosiguieron su viaje, preguntando por doquier por una pareja feliz, sin que nadie les supiese dar razón.

Un día, cuando atravesaban prados y campos a caballo, divisaron no lejos del camino a un pastor que alegremente soplaba su flauta. Al mismo tiempo vieron que se acercaba a él una mujer, con un niño en brazos y otro, ya mayorcito, de la mano. Tan pronto como el pastor la vio se levantó y fue hacia ella, la saludó y cogió al niño en brazos, besándole y acariciándole. El perro del pastor se acercó al muchachito, lamió su mano, ladrando y saltando de alegría. Entretanto, la mujer dispuso la olla que había traído y dijo:

—Padre, vamos a comer.

El hombre se sentó y se sirvió en su plato; pero el primer trozo se lo dio al niño, y el segundo lo repartió entre el muchacho y el perro. Todo esto vieron y oyeron el príncipe y la princesa. Se acercaron a hablarles y les dijeron:

—¿Sois verdaderamente lo que se dice felices y contentos?

—Sí —dijo el hombre—; gracias a Dios, ningún príncipe ni ninguna princesa podrían ser más felices que nosotros.

—Entonces, óyeme —dijo el príncipe—: haznos un favor, del que no tendrás que arrepentirte. Danos un trozo de la tela de tu camisa.

Al oír esto, el pastor y su mujer se miraron extrañados el uno al otro. Finalmente, dijo aquel:

—Dios sabe que de buena gana os daríamos no un trozo, sino la camisa entera, y la camiseta, si la tuviésemos.

De forma que el príncipe y la princesa tuvieron que continuar infructuosamente su viaje. Finalmente se cansaron de su largo e inútil vagabundear y decidieron regresar a casa. Cuando pasaron ante la choza del sabio le reprendieron por haberles dado un consejo tan nefasto. Y oyó de ellos la entera narración de su viaje.

Entonces, el sabio sonrió y dijo:

—¿Habéis realmente viajado en vano? ¿No volvéis a casa ricos de experiencia?

—Sí —respondió el príncipe—. Yo he aprendido que la alegría es un don raro en esta tierra.

—Y yo —dijo la princesa—, que para estar contento no hace falta otra cosa más que... estar contento.

En esto, el príncipe cogió la mano de la princesa, se miraron el uno al otro con una expresión del más genuino amor, y el sabio les bendijo diciendo:

—En vuestros corazones habéis hallado el verdadero talismán. Veladlo cuidadosamente, y jamás tendrá el mal espíritu de la desavenencia poder sobre vosotros.

LA MONEDA DE PLATA

Érase una moneda que llegaba reluciente de la Casa de la Moneda, saltando y sonando.

—¡Hurra! Ya salgo a recorrer el mundo.

Y así fue.

El niño la tenía bien apretada en su mano caliente y el avaro en su mano fría y húmeda. Los viejos le daban vueltas, una y otra vez, mientras los jóvenes la hacían circular enseguida. La moneda era de plata, contenía muy poco cobre, y ya había pasado todo un año recorriendo el mundo; es decir, de aquí para allá en el país donde había sido acuñada. Después marchó de viaje al extranjero. Era la última pieza del país que había quedado en el bolsillo del viajero, el cual no supo que la poseía hasta que apareció entre sus dedos.

—¡Vaya! Aún me queda una moneda del país —dijo—. Bueno, pues hará el viaje conmigo.

La moneda saltó y sonó de alegría cuando el viajero la volvió a meter en su portamonedas. Ahora estaba entre compañeras extranjeras, que se iban como venían. Unas dejaban sitio a otras, pero la moneda procedente de nuestro país quedaba siempre. Era una distinción.

Habían pasado varias semanas. La moneda se hallaba lejos de su país, sin saber exactamente dónde. Ella oía decir a las otras monedas que eran francesas e italianas. Una decía que estaban en tal ciudad; otra, que en tal otra. Mas la danesa no podía hacerse una idea exacta, pues el mundo no se ve cuando se permanece continuamente en el interior de un portamonedas, y este era su caso. Un día se dio cuenta de que el portamonedas no estaba cerrado y se deslizó hasta la abertura para echar un vistazo al exterior. No debió hacerlo, pero era curiosa. Y le salió mal, porque se cayó al bolsillo del pantalón. Cuando, por la noche, sacaron el portamonedas, ella se quedó donde estaba y, con la ropa, salió al corredor, deslizándose del bolsillo y cayendo al suelo. Nadie la oyó ni nadie la vio.

A la mañana siguiente, la ropa volvió a la habitación. El viajero se la puso y se marchó. La moneda no le acompañó. La encontraron en el suelo y, para cumplir de nuevo su misión, salió con otras tres monedas.

«Es divertido mirar el mundo que uno tiene a su alrededor —se dijo la moneda—, conocer a otras personas, darse cuenta de otras costumbres...».

—¿De dónde ha salido esta moneda? —oyó decir en aquel momento—. ¡Esta moneda no es del país! ¡Es falsa! ¡No vale!

Y aquí es donde comienza la verdadera historia de esta moneda, tal como ella nos la contó más tarde.

—«¡Falsa! ¡No vale!». Me sobresalté —dijo la moneda—. Yo sabía que estaba acuñada con la mejor plata, que mi sonido era excelente y mi calidad inmejorable. Seguramente estaban equivocados. No era de mí de quien hablaban. Pues sí, se hablaba de mí. Era a mí a quien llamaban falsa; era yo la que no valía nada. «Será necesario que la pase en la oscuridad», dijo el individuo que me tenía, y me pasó en la oscuridad. Después, a la luz del día me llenaron de improperios... «¡Falsa! ¡No vale! ¡Hay que desembarazarse de ella!».

La moneda temblaba entre los dedos cada vez que la pasaban furtivamente como moneda del país.

—¡Qué moneda tan miserable soy! Por lo visto, mi buena plata, mi valor, mi cuño no significan nada. Para el mundo no se es más que lo que él cree. ¡Debe ser espantoso tener una conciencia perversa y caminar por la senda del mal, cuando yo, que soy inocente, sufro de tal modo, y solo porque la apariencia está contra mí!... Cada vez que me sacaban, temblaba ante los ojos que iban a mirarme. Sabía que me rechazarían, que me arrojarían sobre la mesa, como si fuera un engaño o una trapacería.

Un día caí en manos de una pobre mujer, que me recibió como salario por su rudo trabajo y que no podía desprenderse de mí. Nadie quería aceptarme, y fui para ella una verdadera desgracia. «Es preciso que engañe a alguien con esto —dijo la mujer—. Mis medios de fortuna no me permiten que me quede con una moneda falsa. Se la daré al panadero. Es rico y puede soportar mejor la pérdida. De todas formas, es una jugarreta lo que voy a hacerle».

—¡Mira por dónde voy a cambiar la conciencia de esta mujer! —suspiró la moneda—. ¿Es que he cambiado tanto al llegar a mi edad madura?

La mujer se dirigió a la panadería; pero el panadero conocía muy bien las monedas en curso y no pude permanecer donde ella me había dejado. Fui arrojada a su cara. Por mi culpa no tuvo pan, y me sentí profundamente afligida de haber sido acuñada para causar disgustos, yo, que en mi juventud había sido tan segura y tan confiada, tan convencida de mi valor y de mi buen cuño. Me volví tan triste como una moneda que nadie quiere. La mujer me llevó con ella a su casa y me miró con ojos dulces y cariñosos. «No, yo no quiero engañar a nadie contigo —dijo—. Voy a hacerte un agujero para que todos puedan ver que eres falsa..., y, sin embargo..., surge en mí una idea... Tal vez seas una moneda de la buena suerte. Sí. ¡Quiero creerlo! Me ha pasado esta idea por la cabeza. Haré un agujero en la moneda, pasaré por él un cordón y se la pondré al cuello al niño de la vecina para que le dé la buena suerte». Me hizo un agujero. No es nada agradable que le agujereen a una; pero, cuando la intención es buena, todo se soporta con gusto. Me atravesó un cordón y me convertí en una especie de medalla. Me colgaron al cuello del niño, que sonrió y me besó, y yo reposé una noche completa sobre su cálido e inocente pecho.

A la mañana siguiente, su mamá me tomó entre los dedos, me miró y le sugerí una idea. No tardé en darme cuenta de ello. Con unas tijeras cortó el cordón. «¡Buena suerte! —exclamó—. Sí, se nota enseguida». Me metió en un ácido que me volvió verde. Luego tapó el agujero, me frotó un poco y fui, al crepúsculo, al despacho de lotería para cambiarme por un billete.

¡Qué mal me encontraba! Sufría contracciones como si fuera a romperme. Sabía que me llamarían falsa y que me arrojarían al aire, todo en presencia de innumerables monedas y billetes que llevaban impresos inscripciones y caras, de las que se consideraban orgullosas. Pero escapé a esta vergüenza. Había tanta gente en la lotería, estaban tan ocupados, que caí sonando en el cajón entre las otras monedas. Si el billete salió premiado, no lo sé. Lo que sí sé es que, al día siguiente, fui reconocida como moneda falsa, puesta aparte y pasada a otros con engaño. Es insoportable esto cuando se posee una honradez acrisolada, y yo no puedo negar que la tengo.

Durante años he circulado así de mano en mano, de casa en casa, siempre insultada, siempre mal vista. Nadie creía en mí; ni yo tampoco, ni en mí ni en la gente. Fue una temporada muy penosa.

Un día llegó un viajero a quien, como es natural, fui pasada. Era bastante ingenuo para aceptarme como moneda en curso. Quiso gastarme enseguida, y entonces oí, una vez más, los gritos de: «¡No vale! ¡Es falsa!». «A mí me la han dado como buena», dijo el hombre, y me miraba de cerca.

Entonces sonrió abiertamente, cosa que no hacía por lo general nadie al contemplarme de cerca. «¿Cómo? ¿Qué es esto? —exclamó—.

¡Si es una moneda de mi país! ¡Una moneda auténtica, buena, a la que han hecho un agujero y llaman falsa! ¡Qué divertido! ¡Te conservaré para llevarte a tu país!».

Me estremecí de alegría. Me había llamado moneda auténtica, buena, e iba a regresar a mi país, donde todos me reconocerían y se darían cuenta de que era de plata buena y del mejor cuño. De buena gana hubiera sonado de alegría, pero sonar no es natural en mí. El acero lo hace, pero no la plata.

Fui envuelta en un lindo papel blanco para no ser confundida con las otras monedas y perdida de nuevo. Y solo fui presentada con grandes elogios en circunstancias alegres, cuando se encontraban los compatriotas. Decían que yo era interesante. ¡Es agradable poder ser interesante sin pronunciar una sola palabra!

¡Y volví a mi país! Toda mi miseria había terminado. Mi alegría comenzaba de nuevo. Yo era de buena plata, mi cuño era excelente, y esto nadie podía negarlo, a pesar de haberme hecho un agujero como si fuera una moneda falsa. ¡Cuando se es buena, todos lo reconocen al fin! Es preciso conservarse buena, pues con el tiempo a todos se hace justicia, terminó la moneda.

LA PLUMA Y EL TINTERO

Decían en el despacho de un poeta, mirando al tintero que estaba encima de la mesa:

—¡Es curioso todo lo que puede salir de ese tintero! ¿Qué saldrá la próxima vez?... ¡Es curioso!

—Es cierto —replicó el tintero—. ¡Inconcebible! ¡Es lo que yo digo siempre! —exclamó, dirigiéndose a la pluma de ganso y a todos los que estaban sobre la mesa y podían oírle—. ¡Es curioso lo que puede salir de mi interior! Sí, es casi increíble. Y, en verdad, ni yo mismo sé lo que voy a dar a luz la próxima vez cuando el escritor se valga de mí. Una gota de mi tinta basta para llenar media cuartilla, y ¡hay que ver lo que puede escribirse en media cuartilla! Soy un objeto muy importante. Es de mí de donde provienen todas las obras del escritor: estos seres vivos que la gente conoce tan bien, estos sentimientos íntimos, este buen humor y estas encantadoras descripciones de la Naturaleza. Claro que yo no lo comprendo, porque no conozco la Naturaleza; pero, en fin, la llevo en mí. También es de mí de quien parten y salen esas legiones de deliciosas muchachitas, tan ligeras, que parecen volar, y esos osados caballeros montados sobre espumeantes alazanes, tales como Peer Döver y Kirsten Kimer. Sí, me temo que ni yo mismo sepa cómo puede ser, y os aseguro que surgen de mí sin que yo me dé cuenta.

—Tenéis razón —le contestó la pluma—. ¡Claro que no os dais cuenta de nada! Porque si os dierais cuenta, comprenderíais que vos solo ponéis el líquido. A mí me mojan en vuestra tinta, y con ella puedo expresarme y hacer perceptible en el papel cuanto llevo en mí... ¡Quien escribe es la pluma! Ningún ser humano lo duda, aunque la mayor parte de la gente entiende de poesía tanto como un tintero.

—Tenéis poca experiencia —le respondió el tintero—. Estáis en servicio hace apenas una semana y ya estáis medio gastada. ¡Creéis que sois el escritor! Sois un simple servidor, y como vos he tenido muchas de la misma clase antes de vuestra llegada, tanto de la familia de los gansos como de fabricación inglesa. ¡Conozco plumas de ganso y plumas de acero! He tenido muchas a mi servicio y tendré infinitas más cuando el escritor, que hace los movimientos por mí, venga a escribir lo que saca de mi interior. Me gustaría saber qué escribiré ahora cuando moje la pluma en mi tinta.

—¡Bote de tinta! —zanjó, despectiva, la pluma.

El escritor llegó tarde aquella noche. Había estado en un concierto, oído a un magnífico violinista y estaba satisfecho y emocionado de la incomparable interpretación del artista. ¡Qué prodigiosas florituras había logrado arrancar del instrumento, el cual sonaba ya como gotas de agua que caen una a una, ya como un coro de pájaros cantores, ya como el huracán que azota un bosque de pinos! Al escritor le parecía oír llorar a su corazón, pero armoniosamente, igual que se le puede oír en una exquisita voz de mujer. Hubiérase dicho que el sonido no provenía solamente de las cuerdas, sino del puente del violín, de las clavijas y aun de la tabla de armonía. ¡Era extraordinario! Y era un trabajo difícil, aunque parecía un juego, como si el arco fuese de un lado para otro sobre las cuerdas y cualquiera pudiera hacerlo. El violín sonaba solo, el arco se movía solo, y el resultado era obra de los dos. Se olvidaba al virtuoso que los manejaba, que les daba alma y vida. Se olvidaba al maestro, pero era en él en quien pensaba el escritor. Le nombró por su nombre y escribió lo que pensaba sobre este individuo:

«¡Qué absurdo si el arco y el violín quisieran enorgullecerse de sus armonías! Esto es lo que hacemos corrientemente nosotros, los hombres: el poeta, el artista, el científico, el jefe de un ejército. ¡Enorgullecernos! Y, sin embargo, todos no somos más que instrumentos sobre los cuales actúa Nuestro Señor. ¡Para Él solo es el honor! ¡No hay de qué enorgullecernos!».

El poeta escribió esto bajo la forma de una parábola que tituló: *El artista y sus instrumentos.*

—¡Os habéis llevado un buen chasco! —dijo la pluma al tintero cuando de nuevo se quedaron solos—. ¡Deberíais haberle oído leer en voz alta lo que yo había escrito!

—Sí, lo que yo os he dado a escribir —respondió el tintero—. Decid que no os dais cuenta de que se burlan de vos. Os he enviado un aforismo que venía directamente de mi interior. ¡Yo me doy cuenta enseguida de mi propia mancha!

—¡Bote de tinta! —escupió la pluma.

—¡Palo de escribir! —despreció el tintero.

Los dos estaban convencidos de que habían respondido bien, y es una agradable convicción saber que se ha respondido bien, porque se puede dormir tranquilo, y así durmieron ellos. Pero el escritor no durmió. De su mente surgían los pensamientos lo mismo que los acordes surgían del violín, rodaban como las perlas y bramaban como el huracán en el bosque. Comprendió que todo no provenía de su corazón y percibió el resplandor del Artista Eterno.

¡Para Él solo el honor!

LO QUE HACE EL MARIDO
SIEMPRE ESTÁ BIEN HECHO

Ahora voy a contaros una historia que oí cuando era niño, y cada vez que después he pensado en ella, siempre me ha parecido más bonita. Existen historias que, al igual que ciertas personas, embellecen con los años, ¡y esto es muy agradable!

¿Habéis estado en el campo? Si es así, habréis visto verdaderas casas de campesinos, viejas, con techos de paja, y en donde las hierbas y las plantas crecen a su antojo. En su techumbre las cigüeñas construyen su nido, pues es imposible pasarse sin una cigüeña. Las paredes de estas cabañas están inclinadas, sus ventanas son bajas y solo una de ellas puede abrirse; el horno para el pan sobresale como vientrecillo abultado y el saúco se inclina sobre la cerca, donde se extiende una pequeña balsa con patos o patitos, exactamente bajo el nudoso sauce.

Pues precisamente en una de estas casas de campesinos se desarrolla la acción de nuestra historia. La habitaban dos personas: el labrador y su mujer. Por escasos que fueran sus bienes de fortuna, no carecían de un caballo, que pastaba en la cuneta de la carretera. El labrador lo montaba cuando iba al pueblo. Los vecinos se lo pedían prestado y le pagaban el servicio; pero pensaba que tal vez fuera más ventajoso vender el animal o cambiarlo por otra cosa que le produjera más beneficio. Pero ¿cambiarlo por qué?

—Eres tú quien ha de saberlo mejor, pues eres el amo —le dijo la mujer—. Es día de mercado en el pueblo. Monta el caballo y vete allá. Véndelo o haz un buen cambio. Lo que tú hagas siempre estará bien hecho. ¡Vete al mercado!

Ella le hizo el nudo de la corbata, porque de esto entendía mucho más que él. Le hizo un doble nudo, porque era más elegante; le cepilló el sombrero, pasando por él la palma de la mano; le besó en la boca, y el marido partió sobre el caballo que debía vender o cambiar. Sí. ¡El amo entendía bien de eso!

El sol calentaba de firme. El cielo estaba sin nubes. Por la carretera llena de polvo iba mucha gente camino del mercado, en coche, a caballo o sobre sus propias piernas. El sol ardía, ¡y ni una sola nube que diese sombra a la carretera!

Un hombre conducía una vaca tan linda como puede serlo una vaca. «¡Debe dar una leche excelente! —se dijo el labrador—. Si me la cambiara por mi caballo haría un buen cambio».

Y en voz alta le dijo:

—¡Eh, buen hombre! ¿No podríamos charlar un rato juntos? ¿Veis mi caballo? Yo creo que vale más que una vaca. ¿Los intercambiamos?

—Sí, me parece bien —replicó el de la vaca.

Y cambiaron sus respectivos animales.

Una vez realizado el trueque, el labrador hubiera podido regresar a su casa, pues había hecho lo que quería. Pero ya que se había propuesto ir al mercado, deseaba continuar adelante. Iría solo para curiosear y regresaría con su vaca. Iba deprisa y la vaca también. Muy pronto se encontraron junto a un individuo que llevaba un carnero en buen estado y con gran cantidad de lana.

«¡Cómo me gustaría tenerlo! —se dijo el campesino—. En mi campo no le faltaría pasto y en invierno podría estar en nuestra habitación. En el fondo, más me convendría un carnero que una vaca».

Y en voz alta le propuso al dueño del carnero:

—¿Cambiamos?

—¡Claro!

El del carnero aceptó el cambio y el campesino continuó su camino con el carnero. Cerca de un vallado vio a un tipo que llevaba en sus brazos una gruesa oca.

«¡Qué gorda está! —se dijo nuestro protagonista—. ¡Tiene plumas y grasa! Haría un buen papel atada junto a nuestra balsa. A mi mujer le gustaría mucho guardar los desperdicios para dárselos como comida. Con frecuencia me tiene dicho: "Si tuviéramos aunque solo fuera una oca...". Ahora puede tener una..., y la tendrá».

Y dijo al de la oca:

—¿Queréis que cambiemos? Os doy el carnero por la oca y mi eterno agradecimiento.

Al otro le pareció bien, ¡claro!, y se llevó a efecto el cambio: el campesino pasó a ser dueño de la oca. Estaban ya cerca del pueblo. La aglomeración aumentaba en la carretera. Era una mezcolanza de hombres y bestias. Lo mismo andaban por medio de la calzada como por las cunetas e invadían los campos de patatas del recaudador de contribuciones, que tenía una gallina atada con una cuerda a fin de que, asustada por el tropel de gentes, no se escapase y desapareciese. Era una gallina de cola corta, que guiñaba el ojo y tenía una figura muy simpática. «¡Clu, clu!», decía. Lo que expresaba con esos monosílabos no os lo puedo descifrar; pero el labrador, al verla, se dijo:

«He aquí la gallina más hermosa que he visto en mi vida, más que la del pastor. ¡Tiene que ser mía! Una gallina encuentra siempre un grano que llevarse al pico, casi puede alimentarse sola. Me parece que sería un buen cambio si diese la oca por la gallina».

Y en voz alta exclamó:

—¿Cambiamos?

—¡Cambiamos! —fue la respuesta del recaudador.

¡Sí; aquello no estaba mal!

Hicieron la permuta. El recaudador se quedó con la oca y el campesino con la gallina.

¡Era magnífico lo que había llevado a cabo durante el viaje al pueblo! Hacía mucho calor y estaba cansado. Necesitaba beber un buen vaso de vino y comer un trozo de pan. Se hallaba cerca de la posada y entró. El posadero salía en aquel momento con un saco lleno y se encontraron en el umbral.

—¿Qué llevas ahí? —preguntó el campesino.

—Manzanas maduras —le contestó el posadero—. Un saco lleno para los cerdos.

—¡Vaya cantidad tan fantástica! Me gustaría que mi mujer la viese. El año pasado solo tuvimos una manzana en el viejo manzano que se alza al lado del cobertizo del combustible. Era preciso conservarla, y la dejamos sobre el cofre hasta que se pudrió. «¡Esto significará la abundancia!», me dijo mi mujer. Pues bien, verá la abundancia; quiero que la vea de cerca.

—Bueno, ¿qué das? —le preguntó el posadero.

—¿Dar? Doy mi gallina a cambio.

Hízolo así, recibió el saco de manzanas y penetró en la posada. Se dirigió derecho al mostrador, puso el saco apoyado en la estufa, que estaba encendida, y no volvió a ocuparse de él. La sala estaba llena de forasteros: tratantes de caballos y de animales de todas clases, y dos ingleses. Estos eran tan ricos, que sus bolsillos rebosaban monedas de oro. Se dedicaban a hacer apuestas.

¿Qué era ese ruido que se oía al lado de la estufa? Pues nada, que las manzanas comenzaban a asarse.

—¿Qué hay?

¡No se tardó en saberlo! Se supo también la historia del caballo cambiado por la vaca... hasta llegar a las manzanas maduras.

—¡Bien! Cuando regreses a tu casa recibirás buenos pescozones de tu mujer —le dijeron los ingleses—. ¡Habrá tormenta!

—Recibiré besos y no pescozones —respondió el campesino—. Mi mujer dirá: «¡Lo que hace mi marido, bien hecho está!».

—¡Hagamos una apuesta! —dijeron los ingleses—. Me apuesto una tonelada de oro. ¡Cien libras! El contenido de un galón.

—Un saco es suficiente —dijo el labrador—. Yo no puedo ofrecer más que un saco de manzanas repleto, y mi mujer y yo con él, a cambio de otro igual lleno de monedas de oro.

—Bien, bien —le contestaron—. Aceptada la apuesta.

Trajeron el coche del posadero; montaron en él los ingleses, el campesino y el saco de manzanas. Y llegaron a casa del labrador.

—¡Buenas tardes, mujer!

—¡Buenas tardes, marido!

—He hecho un cambio.

—Sí, ya lo dijiste —exclamó la mujer, y le abrazó sin preocuparse de los ingleses ni del saco.

—He cambiado el caballo por una vaca.

—¡Gracias a Dios tendremos leche! —dijo la mujer—. Tendremos leche, mantequilla y queso sobre la mesa. Es un cambio excelente.

—Sí; pero es el caso que inmediatamente cambié la vaca por un carnero.

—Seguramente que eso es lo mejor —contestó la mujer—. Siempre piensas en todo. Tenemos pastos suficientes para alimentar un carnero. Tendremos leche, queso y medias de lana, ¡hasta camisones de lana! La vaca no da tanto, y pierde el pelo. ¡Eres un hombre que piensa en todo!

—Pero el carnero lo cambié por una oca.

—Este año tendremos oca para san Martín, querido mío. Solo piensas en agradarme. ¡Qué hermosa acción! ¡Podremos tener atada la oca y que engorde hasta san Martín!

—Mas cambié la oca por una gallina... —continuó el marido.

—¡Una gallina! Es un buen cambio —exclamó la esposa—. La gallina pone huevos y empolla. Tendremos pollitos. ¡Un gallinero! ¡Es justamente lo que siempre he deseado tanto!

—Sí, pero cambié la gallina por un saco de manzanas maduras.

—¡Oh, déjame que te abrace! —exclamó la mujer—. Gracias, querido, gracias. Voy a contarte una cosa... Cuando te marchaste, pensé en prepararte un buen almuerzo: tortilla de cebolletas. Tenía los huevos pero no la cebolleta. Fui a casa del maestro. Sé que tiene cebolletas, pero la mujer es muy tacaña, ¡la muy estúpida! Le pedí que me prestara alguna... «¿A cambio de qué?», me respondió. En mi jardín no tengo ni una manzana. Yo no podía darle nada a cambio pero ahora puedo darle diez manzanas, pues tenemos un saco lleno. ¡Eres magnífico, querido!

Y le dio un beso, en plena boca.

—Nos gusta eso —dijeron los ingleses—. Cada vez ha ido a menos en el cambio, y la mujer tan contenta. Eso bien vale dinero.

Y pagaron un galón de monedas de oro al campesino que había recibido un beso y no pescozones.

Sí; es una gran ventaja tener una mujer que comprenda y declare que su marido es el más inteligente y que cuanto él hace está bien hecho.

¡Esta es la historia! Yo la oí cuando era niño. Ahora la habéis oído vosotros también y no olvidéis nunca que cuanto hace papá siempre está bien hecho.

PULGARCITA

Había una vez una mujer a la que le hubiera gustado mucho tener un hijito muy pequeño, pero no tenía ni la más ligera idea de cómo podría procurárselo. Al fin, se decidió a ir a visitar a una vieja bruja, y le dijo:

—Me gustaría mucho tener un hijito. ¿Quieres decirme dónde podría encontrar uno?

—Sí; vamos a ver si es posible —contestó la bruja—. Toma, aquí tienes un grano de cebada. No es igual que la que siembran los labradores en el campo, ni parecida a la que se les da de comer a las gallinas. Siémbrala en una maceta, y ya verás.

—Gracias —contestó la mujer.

Y le dio doce *skillings* a la bruja. Volvió a su casa, plantó el grano de cebada, y casi inmediatamente salió una flor de un tamaño que parecía enteramente un tulipán. Pero sus pétalos estaban cerrados, como si aún fuera un capullo.

—Es una hermosa flor —dijo la mujer.

Y besó los bellos pétalos, rojos y amarillos. Pero en el mismo instante de depositar en ellos sus labios, la flor se abrió, produciendo el mismo ruido que una explosión. Era, efectivamente, un tulipán, como le había parecido. Pero en su centro, sentada en una silla verde, estaba una niña pequeñísima, hermosa y delicada, que no era más alta que una pulgada. Por esa razón la llamó Pulgarcita.

Tuvo por cuna una cáscara de nuez lacada; sus colchones fueron pétalos de violetas, y su edredón, pétalos de rosas. Allí dormía por las noches, y durante el día jugaba sobre la mesa, donde la mujer había puesto un plato rodeado de una corona de flores de manera que los tallos estuvieran sumergidos en el agua; en él flotaba un pétalo de tulipán, donde Pulgarcita navegaba de un extremo a otro del plato. Tenía por remos dos crines de caballo blanco. Era encantador. También sabía cantar, y su canto era tan dulce y lleno de gracia, que nadie había oído jamás nada parecido.

Una noche que ya estaba acostada en su delicioso lecho saltó por la ventana, uno de cuyos cristales estaba roto, una rana feísima, gorda y viscosa. Saltó sobre la mesa donde Pulgarcita estaba acostada y dormida bajo el edredón de pétalos de rosas rojas.

«¡Esta sería una esposa perfecta para mi hijo!», se dijo la rana.

Y apoderándose de la cáscara de nuez en donde dormía Pulgarcita, saltó al jardín a través del roto cristal.

Muy cerca corría un riachuelo, cuyas orillas eran fangosas y húmedas. Allí era donde habitaba la rana con su hijo. ¡Oh! Pero este era tan feo y malo como su madre.

—Cuá, cuá, cuá, brequequé —es todo lo que supo decir cuando vio a la linda niña dentro de la nuez.

—No hables tan alto, porque vas a despertarla —dijo la vieja rana—. Aún podría escapársenos, puesto que es ligera como una pluma de cisne. La meteremos dentro de una de las grandes hojas de nenúfar. Será para ella, tan pequeña y ligera, como una isla. De allí no podrá huir, mientras prepararemos la hermosa habitación donde viviréis bajo el fango.

En el arroyo crecían muchos nenúfares, cuyas grandes hojas verdes parecían flotar sobre la superficie del agua; la hoja más retirada de la orilla era también la más grande. Fue allí donde la vieja rana llegó nadando y colocó la cáscara de nuez con Pulgarcita.

La pobrecita niña se despertó muy temprano a la mañana siguiente, y cuando se dio cuenta de dónde estaba, se echó a llorar amargamente, puesto que se encontraba rodeada de agua por todas partes y era imposible volver a tierra.

La vieja rana se hallaba en el fondo del cieno, arreglando la cámara nupcial con cañas y capullos de nenúfar amarillos. Era necesario que todo estuviera muy elegante para su nueva nuera. Con su horrible hijo nadó hacia la hoja en que estaba Pulgarcita, con el fin de llevar entre los dos el hermoso lecho e instalarlo en la habitación de la desposada, antes de trasladar allí a la pequeña. La vieja rana se inclinó cortésmente ante Pulgarcita y le dijo:

—Este es mi hijo. Será tu marido. Tendréis un delicioso hogar en el fondo del cieno.

—¡Cuá, cuá, brequequé! —fue todo lo que dijo el hijo.

Cogieron el lindo y diminuto lecho y partieron a nado. Pulgarcita permaneció sola y lloró sobre la hoja verde, porque no quería vivir en casa de la fea rana ni tener a su horrible hijo por marido. Los peces que nadaban en el agua habían visto a la rana y oído lo que ella había dicho.

Sacaron la cabeza del agua, deseando ver a la niñita. Tan pronto como la vieron la encontraron encantadora, y les dio pena que tuviera que habitar en casa de la fea rana. No, no lo lograría. Se reunieron bajo el agua alrededor del tallo que sostenía la hoja y lo mordisquearon hasta que la hoja se vio impulsada por la corriente, llevando a Pulgarcita lejos, muy lejos, a donde la rana no podía ir.

Pulgarcita navegó, pasó por delante de muchos lugares, los pajarillos posados en los arbustos la veían y cantaban:

—¡Qué niña tan encantadora!

La hoja, con ella, se alejó cada vez más. Y así es como Pulgarcita partió hacia el extranjero.

Una linda mariposa blanca no dejaba de volar alrededor de ella y terminó por posarse en la hoja, porque le gustaba Pulgarcita. Esta estaba muy contenta, porque la rana no podía ya alcanzarla, y el lugar por donde navegaba era muy agradable. El sol resplandecía sobre el agua como si fuera oro. La niña se quitó su cinturón, ató la mariposa a un extremo y la hoja al otro, con lo que esta tomó mayor velocidad, y también ella, puesto que iba encima.

En este momento llegó volando un enorme abejorro. La vio, e inmediatamente agarró con sus pinzas el esbelto talle de la pequeña y la trasladó a un árbol. La hoja verde continuó corriente abajo, y la mariposa voló con ella, porque estaba atada a la hoja y no podía liberarse.

¡Dios mío, cuánto se asustó Pulgarcita cuando el abejorro voló hacia el árbol con ella! Pero, sobre todo, tenía un gran pesar por la linda mariposa blanca que había atado a la hoja: si no lograba liberarse, moriría de hambre. Pero esto le daba igual al abejorro. Se instaló con ella, sobre la más grande hoja verde del árbol, le dio a comer el polen de las flores y le dijo que era encantadora, aunque no se parecía en nada a un abejorro. Todos los otros abejorros que habitaban en el árbol fueron a visitarla, examinaron a Pulgarcita, y las señoritas abejorros agitaron sus antenas y dijeron:

—No tiene más que dos patas. ¡Qué aspecto más raro tiene!

—Y no tiene antenas —dijo una.

Y todos los abejorros hembras dijeron:

—Tiene la cintura tan estrecha, que parece un ser humano. ¡Qué fea es!

Al abejorro que la había encontrado le parecía muy bella; pero como todos los otros decían que era fea, terminó por creerlo así y no quiso volver a verla. ¡Podía irse a donde quisiera! Bajó del árbol volando con ella y la depositó sobre una margarita; allí lloró, porque los abejorros la habían considerado fea, cuando era el ser más delicioso que se podía imaginar, delicado y puro como el más bello pétalo de rosa.

La pobre Pulgarcita vivió sola en el inmenso bosque durante todo el verano. Tejió un lecho de hierba y lo colgó bajo una gran hoja de paciencia, de forma que no le cayera la lluvia; recolectaba el polen de las flores y se alimentaba de él; bebía el rocío que por las mañanas aparecía sobre las hojas.

Así pasaron el verano y el otoño; pero llegó el invierno... y con él el frío. Todos los pájaros que habían cantado dulces canciones para ella se fueron; los árboles y las flores se secaron; la gran hoja de paciencia bajo la que habitaba se enrolló, convirtiéndose en un péndulo amarillo y seco, y ella temblaba de frío porque sus vestidos estaban desgarrados. Era tan pequeña y tan débil, que terminaría por morirse de frío. Empezó a nevar, y cada copo de nieve que caía sobre Pulgarcita era como una paletada de nieve que nos arrojasen a nosotros, pues nosotros somos grandes y ella apenas tenía una pulgada. Entonces se envolvió en una hoja seca; pero no le daba calor, y temblaba de frío.

En el linde de la arboleda, donde se encontraba Pulgarcita, se veía un enorme campo de trigo, pero el trigo había desaparecido hacía mucho tiempo; solo los secos rastrojos se alzaban sobre la tierra helada. Para ella era como recorrer un bosque. ¡Oh, cuánto frío sentía! Así llegó hasta la guarida de la rata de los campos. Era un agujerito situado al pie de los rastrojos. La rata tenía allí su caliente madriguera; llena de grano, la sala; la cocina y el comedor. La pobre Pulgarcita se apoyó contra la puerta, como todo mendigo, y pidió un trocito de grano de cebada, porque hacía dos días que no probaba bocado.

—Pobre pequeña —dijo la rata, porque era una verdadera rata de los campos, anciana y buena—. Entra en mi caliente vivienda y comerás conmigo.

Luego, como Pulgarcita le agradara, añadió:

—Puedes quedarte en mi casa este invierno; pero será preciso que tengas mi casa siempre arreglada y me cuentes historias, porque me gustan mucho.

Pulgarcita aceptó lo que le pedía la buena y anciana rata, y vivió perfectamente.

—Pronto vamos a tener una visita —dijo la rata de los campos—. Mi vecino tiene la costumbre de venir a verme todos los días de la semana. Está aún mejor alojado que yo. Tiene grandes salones y usa una deliciosa pelliza de terciopelo negro. Si quisieras tomarlo por esposo, no volverías a tener necesidad de nada. Pero es ciego. Necesitarás contarle las historias más bellas que tú sepas.

A Pulgarcita no le agradaba casarse con el vecino, que era un topo. Llegó dentro de su pelliza de terciopelo negro. Era rico e instruido; como le dijo la rata de los campos, su guarida era casi veinte veces más grande que la de la rata, y era cultísimo; pero no podía soportar el sol ni las flores. Hablaba mal de ellos, puesto que nunca había visto ni al uno ni a las otras. Pulgarcita se vio obligada a cantar, y entonó: «Abejorro, vuela, vuela, y el monje va al campo», y el topo se enamoró de ella por su bella voz; pero no dijo nada, porque era una persona muy circunspecta.

Había construido recientemente un largo corredor por debajo de tierra, que iba desde su casa a la de la rata, y permitía a esta y a Pulgarcita pasearse por él tanto como quisieran. Les advirtió que no tuvieran miedo del pájaro muerto que yacía en el corredor. Estaba entero, con pico y plumas, y seguramente había muerto hacía poco, tal vez al comienzo del invierno, y enterrado justo en el sitio donde él había construido su corredor.

Cuando llegaron al lugar donde yacía el pájaro muerto, el topo levantó su gran hocico hacia el techo e hizo un agujero por el cual podía pasar la luz. En el suelo yacía una golondrina muerta, sus lindas alas aplastadas contra su cuerpo, la cabeza y las patas ocultas bajo las plumas. El pobre pajarillo había muerto de frío, evidentemente.

Pulgarcita sintió mucha pena. ¡Le gustaban tanto los pájaros!... ¡Habían cantado y gorjeado tan dulcemente para ella durante el verano!... Pero el topo dio un golpe con sus cortas patas a la golondrina y dijo:

—¡Ya no piará más! Debe ser lamentable nacer pajarillo. A Dios gracias, ninguno de mis hijos será así. Un pájaro de tal clase no tiene para sí más que su pío-pío, y con ello se muere de hambre durante el invierno.

—Sí, usted lo puede decir; usted, que es clarividente —dijo la rata—. ¿De qué sirve a un pájaro su pío-pío cuando llega el invierno? Padece hambre y se muere de frío. Pero este pío-pío es, de todas formas, una gran cosa. Viste mucho.

Pulgarcita no dijo nada; pero cuando los otros dos se hubieron vuelto de espaldas al pájaro, se arrodilló, separó las plumas que ocultaban la cabeza de la golondrina y la besó en sus ojos cerrados.

«Tal vez sea una de las que han cantado tan dulcemente para mí durante el verano —se dijo—. ¡Cuánta alegría me ha proporcionado este querido, este lindo pajarillo!».

El topo tapó después el agujero por donde se filtraba la luz, y las damas lo acompañaron a su vivienda. Durante la noche, Pulgarcita no pudo dormir. Se levantó de su camita y tejió una linda colcha de paja, con la que fue a envolver al pajarillo muerto. Puso alrededor de su cuerpo un poco de algodón en rama que había encontrado en casa del topo, a fin de que pudiese estar caliente sobre la fría tierra.

—Adiós, lindo pajarillo —susurró—. Adiós, y gracias por tus deliciosos cantos de este verano, cuando todos los árboles estaban verdes y el sol brillaba, caliente, por encima de nosotros.

Y posó la cabeza sobre el pecho del pájaro, pero se asombró al percibir como un batir de alas en su interior. Era el corazón del pajarillo. La golondrina no estaba muerta. Solo aterida de frío, y el calor la había reanimado.

En el otoño, todas las golondrinas vuelan hacia los países cálidos; pero la que se retarda siente tanto frío, que cae como muerta. Quedan donde caen, y la nieve las cubre por completo.

Pulgarcita temblaba de miedo, porque la golondrina era muy grande a su lado, ya que ella no medía ni una pulgada. Pero recuperó su valor, apretó más el algodón contra el cuerpo del pájaro y fue en busca de una hoja de menta, que había utilizado como colcha, y la colocó sobre la cabeza de la golondrina.

A la noche siguiente acudió de nuevo a su lado. Estaba completamente viva, pero muy débil. Solo pudo abrir los ojos un instante y ver a Pulgarcita, que estaba allí con un trozo de mecha en la mano, ya que no tenía otra luz.

—Muchísimas gracias, adorable niña —dijo la golondrina—. Me has calentado deliciosamente. Pronto recuperaré mis fuerzas y podré volar por entre los cálidos rayos.

—¡Oh! —contestó Pulgarcita—. Hace mucho frío afuera. Nieva y hiela. Estate en tu camita caliente, que yo te cuidaré. Llevó agua a la golondrina en un pétalo de flor. Bebió y después le contó cómo se había herido el ala con un espino y no había podido volar con tanta rapidez como las otras golondrinas, que habían marchado lejos, muy lejos, hacia los países cálidos. Había acabado por caer a tierra, y ya no se acordaba de nada más ni sabía cómo había llegado hasta allí.

Permaneció allí todo el invierno, y Pulgarcita fue buena con ella y la quería mucho; ni el topo ni la rata sospecharon nada, porque ninguno de los dos podían sentir cariño hacia la pobre y desgraciada golondrina.

En cuanto llegó la primavera y el sol recalentó la tierra, la golondrina dijo adiós a Pulgarcita, quien abrió el agujero que el topo había hecho en el techo. El sol lanzaba, soberbio, sus rayos por encima de ellas, y la golondrina preguntó a Pulgarcita si no le gustaría acompañarla, ya que podría montar sobre ella y volarían juntas lejos, hasta el interior del verde bosque. Pero Pulgarcita sabía que esto produciría gran dolor a la anciana rata. No podía abandonarla de esta manera.

—No, no puedo —dijo Pulgarcita.

—Adiós, adiós, linda y gentil niñita —dijo la golondrina volando hacia el sol.

Pulgarcita la siguió con los ojos, que se le llenaron de lágrimas, porque quería mucho a la pobre golondrina.

—¡Quivit! ¡Quivit! —cantó el pájaro, y se alejó hacia el interior del bosque.

Pulgarcita estaba triste. No tenía permiso para salir al sol; el trigo, sembrado en el campo por encima de la madriguera de la rata, crecía alto. Era como una especie de bosque demasiado tupido para la pobre niñita.

—Este verano has de coser tu ajuar —le dijo la rata, porque su vecino, el feísimo topo de la pelliza de terciopelo negro, la había pedido en matrimonio—. Te daré lana e hilo. Tendrás tiempo de estar sentada y acostada cuando seas la esposa del topo.

Pulgarcita tuvo que hilar en la rueca, y la rata alquiló a cuatro arañas para que hilasen y tejiesen día y noche. El topo venía todos los días a visitarlas y hablaba mucho sobre la terminación del verano, cuando el sol sería mucho menos caliente y la tierra ya no quemaría ni estaría, como ahora, dura como una piedra. Cuando el verano acabase se celebraría la boda con Pulgarcita; pero la pequeña no estaba contenta porque no le gustaba nada, nada, el feísimo topo.

Todas las mañanas, cuando el sol se elevaba, y todas las tardes, cuando se ocultaba, se asomaba a la puerta, y si el viento separaba los tallos de forma que a ella le fuera posible ver el cielo azul, se decía que era claro y hermoso todo lo que había afuera y que deseaba con toda su alma volver a ver a su querida golondrina. Pero esta no regresaría jamás. Volaba muy lejos por entre los árboles del verde bosque.

Cuando llegó el otoño, Pulgarcita tenía listo su ajuar de novia.

—Dentro de cuatro semanas se celebrará la boda —le dijo la rata.

Y Pulgarcita lloró, diciéndole que no quería casarse con el horrible topo.

—¡Tatatá! —exclamó la rata—. No te resistas, porque te morderé con mi blanco diente. Tendrás un excelente marido. Ni la misma reina tiene una pelliza de terciopelo negro como la suya. Posee cocina y bodega. Da gracias a Dios porque vas a casarte con él.

Por tanto, tenía que celebrarse el matrimonio. El topo había llegado ya para llevarse a Pulgarcita, que debía vivir con su marido en lo profundo de la tierra y no salir jamás al sol, que el topo no podía soportar. La pobre niña estaba muy afligida. Quería decir adiós al hermoso sol. Por lo menos, en casa de la rata tenía permiso para mirarlo desde la puerta.

—¡Adiós, luminoso sol! —exclamó con los brazos extendidos a lo alto. Dio algunos pasos fuera de la guarida de la rata, porque el trigo había sido segado y solo quedaban los secos rastrojos—. ¡Adiós, adiós!

—repitió, y rodeó con sus brazos a una florecilla roja que había allí—. Saluda de mi parte a la golondrina, si la ves.

—¡Quivit! ¡Quivit! —oyó cantar en este momento por encima de su cabeza.

Miró hacia arriba. Era la golondrina, que pasaba en aquel momento. En cuanto vio a Pulgarcita se sintió cautivada; la niñita le contó que no quería de ninguna manera casarse con el espantoso topo, pues si lo hacía, tendría que vivir en lo profundo de la tierra, donde el sol no brillaba jamás. Por eso no podía impedir que las lágrimas arrasasen sus ojos.

—El frío invierno llega de nuevo —dijo la golondrina—. Emprendo el vuelo hacia los países cálidos. ¿Quieres venir conmigo? Puedes montarte sobre mí. Solo tienes que atarte bien fuerte con tu cinturón, y volaremos lejos del feo topo y su sombría madriguera, muy lejos, por encima de las montañas hasta los países cálidos, donde el sol luce más hermoso que aquí; donde siempre es verano y las flores son espléndidas. Ven y vuela conmigo, querida Pulgarcita, tú que me salvaste la vida cuando estaba helada en el lúgubre corredor de tierra.

—Sí, iré contigo —contestó Pulgarcita.

Se puso sobre las plumas del pájaro, con los pies sobre sus alas extendidas, y se ató fuertemente con su cinturón a una de las plumas más gruesas, y así, la golondrina se elevó alto en el aire, por encima del bosque y del mar; muy alto, sobre los grandes montes siempre cubiertos de nieve, y Pulgarcita tuvo frío al sentir aquel aire helado, pero se acurrucó bajo las calientes plumas del ave y sacó solo su cabecita para ver todo el esplendor extendido a sus pies.

Y llegaron a los países cálidos. El sol brillaba mucho más luminoso que aquí. El cielo era dos veces más alto, y en las cunetas y en los setos crecían deliciosos racimos de uvas blancas y azules. En los bosques se criaban naranjas y limones, los mirtos y la menta embalsamaban el ambiente, y por la carretera corrían deliciosos niños que jugaban con grandes mariposas multicolores. Pero la golondrina voló más lejos aún, y cada vez era más bello el paisaje.

Bajo los magníficos árboles verdes que crecían al borde del mar azul se encontraba un castillo de mármol de una asombrosa blancura, muy antiguo. Las parras se entrelazaban en torno a las altas columnas. En lo alto de ellas, las golondrinas habían hecho numerosos nidos, y en uno de ellos habitaba la que llevaba a Pulgarcita.

—Aquí está mi casa —dijo la golondrina—. Pero si quieres, puedo buscarte una de esas flores bellísimas que crecen allá abajo. Allí te dejaré, y estarás tan bien como jamás hubieras podido desear.

—Me gustaría mucho —contestó Pulgarcita.

Había en tierra una enorme columna de mármol blanco que se había caído y roto en tres pedazos, entre los cuales crecían las más bellas flores blancas. La golondrina voló hasta allí y depositó a Pulgarcita sobre uno de los grandes pétalos; pero ¡qué sorpresa hubo para la pequeña! Un hombrecillo estaba sentado en medio de la flor, tan blanco y transparente como si fuera de cristal. Se tocaba con una linda corona de oro y tenía en las espaldas unas preciosas alas claras. No era más grande que Pulgarcita. Se trataba del duende de la flor. En cada una de estas vivía un duende parecido, hombre o mujer; pero el de esta era el rey de todos ellos.

—¡Oh, qué bello! —murmuró Pulgarcita a la golondrina.

El pequeño príncipe se asustó mucho al ver al pájaro, puesto que era enorme a su lado; pero se sintió encantado al ver a Pulgarcita. Era la muchachita más bella que jamás había visto. Así, pues, se quitó la corona de oro y la colocó sobre la cabeza de Pulgarcita, le preguntó cómo se llamaba, y, si quería ser su esposa, se convertiría en la reina de todas las flores. ¡Oh, este era un marido muy diferente al hijo de la rana y al topo de la pelliza de terciopelo negro! Por tanto, dijo que sí al príncipe encantador, y de cada flor llegó una dama o un joven tan gentil que era un placer para los ojos. Cada cual llevaba un regalo para Pulgarcita, pero el mejor de todos fue un par de lindas alas de una mosca blanca. Fueron acopladas a la espalda de Pulgarcita, que pudo así volar de flor en flor. Esto era muy agradable y la golondrina, que estaba allá arriba en su nido, cantaba lo mejor que podía, aunque en su corazón se sintiera afligida, ya que amaba mucho a Pulgarcita y le hubiera gustado no separarse jamás de ella.

—Tú no te llamarás más Pulgarcita —le dijo el duende de las flores—. Es un nombre muy feo, y tú eres muy linda. Te llamaremos Maya.

—¡Adiós! ¡Adiós! —se despidió la golondrina, que emprendió de nuevo el vuelo, abandonando los países cálidos para ir más lejos, hasta Dinamarca. Allí en donde poseía un nidito, encima de la ventana donde habitaba el hombre que sabía contar bellos cuentos. Ella le cantó su ¡pío-pío!, ¡pío-pío!, y de ahí nos proviene esta historia.

LA HIJA DEL REY DE LA CIÉNAGA

Las cigüeñas cuentan a sus pequeños multitud de cuentos, sobre todo los que tratan de ciénagas y pantanos. Corrientemente son relatos apropiados a la edad y al conocimiento de las crías. Los más pequeños se consideran satisfechos si se les dice: «¡Patachín, patachán, pam!». Lo encuentran magnífico; pero los mayorcitos siempre quieren que tengan un sentido más profundo, un significado más real, o bien que se refieran a hechos ocurridos a sus familiares. Todos conocemos uno de los dos cuentos más largos y más antiguos que se han conservado entre las cigüeñas, el que trata de Moisés, abandonado en las aguas del río Nilo y encontrado y recogido por la hija del faraón. Moisés recibió una educación esmerada, fue un gran hombre y no se sabe dónde fue enterrado. En realidad, es un cuento vulgar.

El otro no es conocido todavía, tal vez porque casi no nos pertenece. Después de centenares de años transmitido de mamá cigüeña a mamá cigüeña, mejorándolo cada cual a su modo, ha llegado a convertirse en una historia perfecta y que ahora podemos contar.

La primera pareja de cigüeñas que narró este cuento y que había tomado parte en él, tenía su residencia de verano en la mansión de madera del vikingo, situado en lo alto de la landa pantanosa de Vendyssel. Esta ciudad pertenece al departamento de Hjöring, no lejos de Skagen, en Jylland. Decimos esto para que se vea que somos un poco instruidos. Todavía continúa siendo un inmenso pantano, como puede leerse en los folletos turísticos del departamento. En otras épocas, el mar llegaba hasta allí, cubría todo el terreno; pero, según se dice, el fondo se elevó, las aguas se retiraron y allí quedó una ciénaga que se extiende varias leguas a la redonda y que se halla rodeada de húmedos prados y de terrenos fangosos repletos de turberas, moras silvestres y árboles achaparrados y retorcidos. Casi de continuo flota una neblina por encima de la landa, y hace setenta y cinco años aún se encontraban lobos por sus alrededores. Se la puede llamar «la landa pantanosa» e imaginarse uno cómo sería hace mil años. ¡Cuántos lagos y pantanos habría! En detalle, entonces se observaban las mismas cosas que en la actualidad: los juncos tenían la misma altura, las mismas hojas e idénticas flores emplumadas color violeta oscuro, que tienen siempre; el abedul se erguía con su corteza blanca y sus finas hojas caídas, igual que hoy, y en cuanto a los otros seres vivos que poblaban la ciénaga, el manto de gasa de la mosca estaba diseñado como ahora, los colores de las cigüeñas eran el blanco mezclado con el negro y las patas rojas. En cambio, los seres humanos llevaban vestidos de un corte diferente a los actuales; pero todos, fueran esclavos o cazadores, si pisaban aquellos terrenos se hundían e iban derechos a los dominios del rey de la ciénaga que reinaba en las profundidades, en el gran reino de los pantanos. También se le conocía como el rey de los cenagales o de los pantanos; pero nos parece más adecuado llamarlo rey de la ciénaga, porque este es también el nombre que le dan las cigüeñas. Pocas cosas se saben de su gobierno, pero quizá sea preferible así.

Cerca de la landa, al mismo borde del Liinfjord, se alzaba la casa de madera del vikingo, con su sótano de piedra, su torre y sus dos pisos. En la parte más alta del tejado las cigüeñas habían construido sus nidos. Mamá cigüeña empollaba sus huevos y estaba segura de que todos saldrían con bien.

Una noche, papá cigüeña permaneció mucho tiempo ausente, y cuando regresó al nido parecía estar aturdido y preocupado.

—Tengo que contarte una historia espeluznante —dijo a mamá cigüeña.

—Quédate con tu historia —le contestó mamá cigüeña—. Recuerda que estoy empollando y podría causarme un perjuicio. Los huevos sufrirían.

—¡Es preciso que la sepas! —insistió papá cigüeña—. Ha llegado a este país la hija del dueño de nuestro nido en Egipto. Se ha atrevido a hacer el viaje, ¡y ha desaparecido!

—¡Es del linaje de las hadas! Cuenta, cuenta. Ya sabes que no puedo esperar cuando estoy empollando.

—Escucha, mamá: sin duda ha creído lo que decía el médico y que tú tantas veces me has recordado: que la flor de los pantanos podía curar a su padre enfermo, y ella ha emprendido el vuelo, transformada en ave, con las otras dos princesas, pájaros que venían aquí, al norte, cada año, para bañarse y rejuvenecerse. Pero ha llegado y ¡ha desaparecido!

—No has terminado. Sigue —dijo mamá cigüeña—. Los niños pueden enfriarse. No puedo soportar estar en vilo.

—He vigilado un poco —continuó papá cigüeña—, y esta noche he ido a los juncos, donde la ciénaga soporta mi peso; cuando estaba allí he visto llegar tres cisnes, cuyo vuelo tenía un no sé qué que me decía: «¡Atención! ¡No son cisnes, no tienen más que el plumaje de los cisnes!». Tú ya conoces esto por instinto, mamá; tú, como yo, sabes distinguir lo que es y lo que no es.

—Sin duda —dijo—. Pero háblame de la princesa. ¡Ya he oído bastante del plumaje de los cisnes!

—Ya sabes que en el centro de la ciénaga hay como un lago —continuó papá cigüeña—, porque lo ves desde aquí con solo estirar un poco el cuello. Entre los juncos, a lo largo de los cañaverales, había un gran tronco de abedul; los tres cisnes se posaron sobre él, batieron sus alas y miraron a su alrededor. Uno de ellos se desprendió de su plumaje y enseguida reconocí a la princesa de nuestro nido de Egipto. Se hallaba sentada sin otro ropaje que sus largos cabellos negros. La oí cómo recomendaba a los otros dos que cuidaran de su plumaje mientras se sumergía para recoger la flor, que ya creía ver en el fondo. Los otros dos cisnes asintieron con sus cabezas; pero emprendieron el vuelo, llevándose el plumaje de su compañera. «¿Qué irán a hacer?», me pregunté, y la princesa seguramente se hizo la misma pregunta, cuya respuesta llegó con toda claridad a gritos, pues los dos cisnes volaban ya a gran altura con el plumaje vacío.

—¡Húndete ahí! ¡Nunca más volverás a ser cisne; jamás regresarás a Egipto! ¡Quédate para siempre en la landa pantanosa!

Y destrozaron el traje de cisne, cuyas plumas volaron por todas partes como si fuera un torbellino de nieve. Luego, las malvadas princesas se alejaron.

—¡Es espantoso! —exclamó mamá cigüeña—. ¡No puedo oírlo!... Y dime: ¿qué pasó después?

—La princesa gimió y se echó a llorar. Las lágrimas resbalaron a lo largo del tronco del abedul, que empezó a moverse, pues este tronco era el propio rey de la ciénaga, que vive en el pantano. Vi cómo el tronco se daba la vuelta y observé que ya no era un tronco, sino que tenía largas ramas llenas de cieno que parecían brazos. La pobre niña se asustó al verlo, saltó y echó a correr por la arena movediza, que no puede sostenerme a mí, y menos a ella. Se hundió enseguida y el tronco de abedul con ella, porque era él quien tiraba hacia abajo. En la superficie aparecieron grandes burbujas negras; después, nada. Ahora está enterrada en la ciénaga y jamás regresará a Egipto con la flor. ¡Querida, tú no hubieras podido soportar tal espectáculo!

—No deberías haberme contado ni una sola palabra de esta historia en estos momentos. ¡Los huevos pueden padecer!... La princesa saldrá bien del apuro; acudirán en su socorro... Si hubiéramos sido tú o yo, otra cosa sería. Todo hubiera terminado para nosotros.

—A pesar de todo, continuaré mi vigilancia diaria —concluyó papá cigüeña.

Y eso fue lo que hizo.

Pero pasó el tiempo.

Un día se dio cuenta de que del fondo del lago salía un tallo verde y al alcanzar la superficie del agua brotaba una hoja, que se hacía cada vez mayor. Esta hoja llevaba anejo un capullo. Una mañana que papá cigüeña volaba por encima de ella observó que el capullo se había abierto a la caricia de los rayos del sol y en su centro yacía una niñita encantadora, que tenía todo el aspecto de acabar de salir del baño. Se parecía extraordinariamente a la princesa egipcia, por lo que papá cigüeña creyó, al principio, que se trataba de ella transformada en niña; pero, reflexionando, encontró más natural que fuera la hija del rey de la ciénaga y de la princesa. Por eso estaba en el nenúfar.

—¡No puede permanecer acostado mucho tiempo ahí! —se dijo papá cigüeña—. En mi nido somos demasiados. Pero tengo una idea: la esposa del vikingo no tiene hijos y siempre ha deseado uno. Según se dice por ahí, soy yo el encargado de llevar los niños a sus papás. Esto no es cierto; pero, por una vez, voy a convertir la mentira en verdad. Volaré con la pequeña hasta el palacio del vikingo y proporcionaré a su esposa una gran alegría.

Tomó a la niña y la transportó a la casa de madera del vikingo. Con el pico abrió un agujero en la ventana de piel de vejiga, posó a la niña en el seno de la mujer del vikingo y emprendió el vuelo hacia su nido para contar a mamá cigüeña lo que había hecho. El relato fue escuchado también por las crías, que ya estaban bastante creciditas.

—¿Lo ves? La princesa no ha muerto —exclamó papá cigüeña—. Ha mandado a su hija aquí arriba, y, ahora, ya tiene un hogar.

—Es lo que yo te he dicho siempre —dijo mamá cigüeña—. Pero piensa ahora un poco en tus hijos. El instante de la marcha se aproxima. Los he enseñado a volar en todos los momentos disponibles. El cuco y el ruiseñor han partido ya, y oigo decir a las codornices que tendremos pronto un viento favorable. Me parece que nuestros hijos se portarán bien en esta expedición.

¡Oh, qué contenta se puso la mujer del vikingo cuando, al despertarse a la mañana siguiente, encontró sobre su pecho a la encantadora niña! La besó y la acarició, pero la niña lloraba escandalosamente y se debatía con brazos y piernas. No daba ninguna muestra de satisfacción. A fuerza de llorar, terminó por dormirse, y entonces no se podía contemplar nada más delicioso. La esposa del vikingo estaba encantada, alegre, satisfecha. Pensó que su marido llegaría con sus hombres de improviso, lo mismo que la niña, y con todos sus servidores se puso a trabajar para poner en orden la casa. Fueron colgadas las largas tapicerías de colores que la dueña y sus criadas habían tejido con las figuras de sus dioses Odín, Thor y Freya. Los siervos se ocuparon de pulimentar los escudos que servían de adornos; en los bancos se colocaron almohadones y cojines, y se echó leña a la chimenea situada en el centro de la sala para que el fuego ardiese inmediatamente. La propia mujer del vikingo tomó parte en todas las tareas, de forma que por la noche estaba tan cansada que se quedó dormida enseguida.

Cuando se despertó, poco antes del amanecer, se aterrorizó, porque su hija había desaparecido. Saltó del lecho, encendió una rama de pino y miró por toda la habitación. La niña no estaba en su camita; pero, en cambio, a los pies vio a un enorme sapo. Molesta por la visión del animalucho, cogió una barra de hierro y fue a matarlo, pero el animal le dirigió una mirada tan extremadamente triste, que la mujer no tuvo valor para golpearlo. Una vez más miró a su alrededor y el sapo lanzó un grito lastimero, que la hizo estremecer. Corrió a la ventana y la abrió con ímpetu. El sol penetró por ella y sus rayos se dirigieron directamente hacia el gran sapo. De repente, la enorme boca del monstruo se contrajo, adquiriendo un tamaño pequeño y rosado, y los miembros se alargaron, tomando de nuevo su encantadora forma. La esposa del vikingo tenía, al fin ante sus ojos, a su deliciosa niña. El sapo había desaparecido.

—¿Qué es esto? —exclamó la mujer—. ¿Es que he sufrido una pesadilla? Es mi niñita la que está acostada ahí.

La besó y la apretó contra su corazón; pero la pequeña la mordió y la arañó como un gatito salvaje.

El vikingo no llegó aquel día ni al siguiente. Aunque se hallaba en el camino de regreso, el viento le era contrario, porque soplaba hacia el sur y era favorable a las cigüeñas. Viento favorable para uno, viento desfavorable para otro.

Al cabo de dos días con sus dos noches, la esposa del vikingo se dio cuenta de que su hijita se hallaba bajo los efectos de un sortilegio. Durante el día, era encantadora como un elfo de luz, aunque poseía un carácter muy malo y salvaje; por la noche, al contrario, era un feo y asqueroso sapo, tranquilo y gemidor, de ojos tristes. Dos naturalezas se alternaban en este ser, tanto en su aspecto físico como en el moral. Esto era debido a que la niña recogida por papá cigüeña poseía durante el día los rasgos externos de su madre, pero el humor y el carácter de su padre; mientras que por la noche predominaban las características físicas paternas mezcladas con la dulzura y el corazón maternos. ¿Quién sería capaz de destruir este encantamiento? La mujer del vikingo estaba inquieta y desolada; pero amaba con toda su alma a este pobre ser, cuya verdadera naturaleza no pensaba revelar a su marido, por miedo a que este, siguiendo la costumbre de la época, la dejase abandonada en un camino a la caridad de quien la quisiera. La mujer no podía resignarse a eso. Por tanto, su marido no vería a la niña más que a pleno día. Un día las alas de las cigüeñas se agitaron ruidosamente en el tejado de la mansión del vikingo. Más de cien parejas se hallaban posadas allí, después de haber realizado los ejercicios de entrenamiento. Estaban preparadas para volar hacia el sur.

—¿Está todo el mundo preparado? —preguntó alguien.

—¡Qué ligeras nos sentimos! —decían las cigüeñas más jovencitas—. Tengo un hormigueo que me llega hasta las patas y mi barriga parece estar llena de ranas vivas. ¡Qué agradable es marchar al extranjero!

—¡Todos en fila! —gritaron mamá y papá cigüeña—. Y no charlotear tanto, que os fatigáis más.

Y las aves emprendieron el vuelo.

Al mismo tiempo, resonó la trompa en la landa. El vikingo acababa de tomar tierra con todos sus hombres. Volvían dueños de un rico botín apresado en las costas galesas, donde las gentes, en medio de su terror, gritaban como en Inglaterra:

—¡Líbrenos Dios de los bárbaros normandos!

¡Oh, cuánta animación, cuánta alegría en el palacio del vikingo, situado cerca de la ciénaga! Al salón fue llevado el barril de hidromiel; se encendió el fuego y se degollaron caballos. El entusiasmo se desbordaba por todas partes. El sacerdote que realizó el sacrificio vertió la sangre caliente de los caballos sobre los esclavos, según el rito iniciático. El fuego crepitó, el humo se condensó bajo el techo, y el hollín caía desde las vigas al suelo, pero los asistentes estaban acostumbrados a todo eso. Participaban en la fiesta numerosos invitados, que fueron obsequiados con valiosos presentes. El odio y el rencor fueron olvidados. Al final, se arrojaban a la cabeza unos a otros los huesos pelados, síntoma de buen humor. El escaldo —especie de músico de aldea y poeta, también guerrero, que, habiendo estado con ellos en sus acciones, sabía cantar y recitar para agradarlos— les ofreció una canción en la que se glorificaban los hechos de guerra y los triunfos alcanzados por los vikingos. Al final de cada estrofa se cantaba el mismo estribillo:

«¡La fortuna desaparece, los padres mueren, uno también muere; pero jamás muere un nombre glorioso!».

Todos palmoteaban en sus escudos o martilleaban la mesa con los cuchillos o con los huesos, haciendo un enorme ruido.

La esposa del vikingo estaba sentada en la mesa transversal de la amplia sala. Vestía un traje de seda, brazalete de oro y gruesas perlas de ámbar. Su traje era el de ceremonia. El escaldo la mencionó también en su canción, habló del precioso tesoro que había dado a su poderoso marido y lo encantado que este estaba con la deliciosa niña, que solo había contemplado por el día en toda su resplandeciente belleza. Le gustaba la violencia que mostraba la niña y decía que podía llegar a ser una perfecta valquiria, que mataría a los hombres. Era una mujer que no cerraría los ojos si, por divertirse, una mano diestra le cortaba las pestañas con una espada afilada.

Vaciado el barril de hidromiel, fue traído un segundo. Se bebió abundantemente, porque aquella gente soportaba bien la bebida. Un proverbio de aquel tiempo decía: «El buey sabe cuándo debe dejar de pacer; pero el hombre imprudente no conoce jamás la capacidad de su estómago». Sí; ellos la conocían muy bien; pero una cosa es saber y otra hacer. También se sabía que «un amigo se hace molesto si permanece mucho tiempo en la casa de otro amigo»; sin embargo, se continuaba allí. ¡Es tan bueno el hidromiel, tan exquisita la carne! El tiempo pasa alegremente, y los esclavos, por la noche, durmieron sobre la ceniza caliente, metiendo sus dedos en el grasiento hollín y lamiéndoselos. ¡Era una época muy extravagante!

Durante el transcurso del año el vikingo marchó una vez más a la guerra, a pesar de que ya empezaban a desencadenarse las tormentas de otoño. Llegó con sus hombres a las costas de Inglaterra. Dijo a su mujer que solo tenía que atravesar el mar, y la esposa se quedó con la pequeña. La mamá no estaba muy lejos de preferir al pobre sapo, con sus dulces ojos y sus hondos suspiros, a la magnífica niñita que mordía y arañaba.

«Sin boca», la fría y húmeda neblina del otoño, que roe y hace caer las hojas de los árboles, se extendía sobre el bosque y la ciénaga; «el pájaro sin plumas», como la gente llamaba a la nieve, voló y se esparció por todas partes. El invierno se aproximaba. Los gorriones se adueñaron del nido de las cigüeñas y discutieron a su gusto sobre los dueños ausentes. Pero ¿dónde estaban estos dueños, la pareja de cigüeñas y sus pequeños?

Las cigüeñas estaban en Egipto, donde el sol lucía como en nuestro país durante los magníficos días de verano; los tamarindos y las acacias florecían por todas partes; la media luna de Mahoma brillaba en las cúpulas de las mezquitas; en las esbeltas torres se asentaban muchas parejas de cigüeñas, descansando de su largo viaje; las grandes familias habían hecho sus nidos, unos al lado de los otros, en las gruesas columnas y en los arcos partidos de los templos en ruinas y de los monumentos olvidados; las palmeras extendían sus ramas a lo alto, como si las cigüeñas quisieran servirse de ellas como sombrillas. En el aire transparente, las grisáceas pirámides eran como sombras chinescas sobre el fondo del desierto, donde el avestruz demostraba lo bien que sabía servirse de sus patas, y donde el león, con sus grandes ojos inteligentes, miraba a la esfinge de mármol, medio sepultada en la arena. Las aguas del Nilo se habían secado; las ranas se habían adueñado del lecho del río, y para las familias de las cigüeñas aquel era el espectáculo más maravilloso de todo el fascinante país. Las jóvenes cigüeñas creían que aquello era una ilusión óptica; tan magnífico lo encontraban.

—Esto es siempre así en nuestro cálido país —explicó mamá cigüeña, y los pequeños sintieron un hormigueo por todo el cuerpo.

—¿Veremos todo el país? —preguntaron—. ¿Iremos mucho, mucho más lejos?

—Ya no hay mucho más que ver —dijo mamá cigüeña—. En la región fértil no hay más que árboles que se entrecruzan, unidos entre sí por las lianas y plantas trepadoras cuajadas de espinos. Solo el elefante, con sus pesadas patas, puede penetrar allí; las serpientes son demasiado grandes para nuestro estómago, y los lagartos, demasiado ágiles. Si vais al desierto, se os meterá la arena en los ojos, aunque el tiempo sea bueno, y si es malo, el ciclón puede envolveros y sepultaros. No, este sitio es el mejor. Aquí hay ranas en abundancia y saltamontes exquisitos. Aquí me quedo, y vosotros también.

Y se quedaron. Los papás, ya instalados en su nido sobre el alto alminar, descansaron, y pronto estuvieron dispuestos para la importante tarea de alisarse las plumas y frotarse con los picos sus rojas patas. Después, alargaron el cuello, saludaron majestuosamente a diestro y siniestro e irguieron la cabeza, de alta frente y delicadas plumas. Había un destello de inteligencia en sus oscuros ojos. Las cigüeñas jóvenes marchaban silenciosamente por entre los juncos, observaban de reojo a las demás, hacían amistades y engullían ranas a cada tres pasos, o bien circulaban con una víbora colgada del pico, porque creían que eso era elegante, además de bueno. Las cigüeñas hembras se peleaban, agitaban sus alas y se daban picotazos hasta hacerse sangre. Los machos discutían, se daban aletazos y picotazos hasta hacerse sangrar y luego se prometían con las hembras: era ley natural, y para eso se vivía. Luego, ya emparejados, se construían su propio nido y volvían a pelearse, porque en los países cálidos todo el mundo se apasiona fácilmente. Esto era divertido y, sobre todo, hacía la delicia de los viejos. ¡Los padres encuentran a sus hijos perfectos! El sol lucía todos los días; A diario había comida en abundancia, y no se podía pensar más que en divertirse y pasarlo bien... Sin embargo, en el espléndido palacio donde nuestra pareja de cigüeñas tenía su nido, no reinaba la alegría. Su dueño, «el egipcio», como ellos le llamaban, no se encontraba bien.

Este rico y poderoso señor yacía en un lecho, colocado en el centro del enorme salón de paredes pintadas con vivos colores, con los miembros rígidos y quieto como una momia. Se hubiera podido creer que estaba acostado dentro de un tulipán. Sus familiares y servidores le rodeaban; no había muerto, aunque apenas podía decirse que viviera. La flor de la ciénaga de los países nórdicos, la flor salvadora, la que fue a buscar aquella persona que más le amaba, no llegaría jamás. Su encantadora hija, que, transformada en cisne, había volado por encima de mares y tierras hacia el lejano norte, no regresaría nunca.

—Ha muerto —anunciaron las dos princesas-cisnes cuando regresaron.

Sobre este asunto habían inventado una historia que contaban así:

«Volábamos las tres a gran altura. Un cazador nos vio y disparó su arco. La flecha alcanzó a nuestra amiga, que cayó lentamente, cantando su adiós como un cisne moribundo, en mitad del lago del bosque; nosotras la enterramos bajo un oloroso sauce llorón. Pero nos vengamos. Atamos teas encendidas en las alas de la golondrina que tenía su nido en el tejado de juncos del cazador, y la casa ardió. El cazador murió achicharrado dentro de ella, y el incendio iluminó el lago y el sauce llorón, que en él se miraba, y bajo el cual la princesa es ahora tierra de la tierra, ¡Jamás regresará a Egipto!».

Y las dos lloraban desconsoladamente. Papá cigüeña, al oír esto, estalló en cólera y gritó:

—¡Mentira! ¡Mentira! ¡Pura invención! Siento verdaderos deseos de hundir mi pico en sus asquerosos corazones.

—¿Para partírtelo? —exclamó mamá cigüeña—. ¡Buena la harías! Piensa antes que nada en ti, en los tuyos. ¡Lo demás no tiene importancia!

—Sin embargo, mañana mismo me posaré en el borde de la cúpula abierta, cuando todos los sabios y los hombres prudentes se reúnan para hablar del enfermo. Tal vez de esa reunión saquen algo en limpio, se acerquen un poco a la verdad.

En efecto, los sabios y los hombres prudentes del país se reunieron y hablaron mucho de cosas de las que papá cigüeña no entendía ni jota, pero de las que no salieron nada de provecho para la salud del enfermo ni para la búsqueda de su hija, prisionera en la landa cenagosa. Pero será mejor que nosotros oigamos también lo que dijeron, como se escuchan otras cosas.

Aunque también será mejor escuchar y saber lo que había sucedido antes, para así estar al corriente de toda esta interesante historia; por lo menos, como lo estaba papá cigüeña.

«El amor engendra la vida». «Cuanto más intenso es el amor, más espléndida es la vida». «Solo por amor se puede salvar la vida».

Eran tres dichos que se repetían con frecuencia y que son muy juiciosos y cabales, según afirmaban los sabios del país.

—¡Es un hermoso pensamiento! —asintió papá cigüeña.

—Yo no lo comprendo —aseguró mamá cigüeña—. Y no es culpa mía, sino del pensamiento, pero me importa poco. ¡Tengo otras cosas en qué pensar!

Los sabios y los hombres prudentes hablaron del amor entre unos y otros, de las diferencias que se observan en él; del amor entre amantes, del de los padres hacia los hijos, del de la luz hacia las plantas, de cómo los rayos del sol acariciaban la ciénaga y hacían brotar los gérmenes. Y todo expuesto tan amplia y sabiamente, que papá cigüeña no podía asimilarlo y, menos, repetirlo. Se quedó muy pensativo, cerró los ojos a medias y permaneció un día entero en pie sobre una pata. La ciencia era para él una carga demasiado pesada.

Sin embargo, papá cigüeña estaba seguro de una cosa: de que había oído decir, tanto a la gente ignorante como a la más inteligente e instruida, con palabras salidas del corazón, que era una gran desgracia para millares de personas y para el propio país que este hombre estuviera enfermo y no pudiera recobrar la salud, y que sería una alegría y una bendición para todos si se restableciera. Pero ¿dónde se hallaba la flor que lo curaría? Todos se habían hecho esta pregunta, consultando obras eruditas, interrogando a las estrellas que titilaban en el firmamento, deliberando sin tregua y estudiando el asunto en todos sus aspectos, y, al fin, los sabios y los hombres prudentes habían llegado a la conclusión, que hemos visto antes, de que «solo el amor engendra la vida, la vida para el padre». Pero, aunque lo decían, no estaban convencidos en absoluto de su eficacia. Sin embargo, lo repitieron por todos los ámbitos del país y lo dictaminaron como una receta: «El amor engendra la vida». Pero el quid estaba en cómo preparar la receta. Por fin convinieron en que el remedio debía provenir de la princesa, que amaba a su padre con toda su alma y todo su corazón. Y se la puso en antecedentes de cómo tenía que actuar. Pero ya habían pasado muchos años desde la noche en que la princesa, aprovechando la luna nueva y el instante en que declinaba en el horizonte, llegó hasta la esfinge de mármol del desierto, separó la arena que obstruía la puerta situada a sus pies, recorrió el largo pasillo que conducía al centro de una de las grandes pirámides, donde uno de los poderosos faraones de la Antigüedad, rodeado de un lujo exorbitante, yacía en su envoltura de momia, y una vez allí, inclinó la cabeza sobre la frente del muerto y recibió la revelación del lugar en donde podría obtener la salud y la vida de su adorado padre.

La princesa había cumplido la orden rigurosamente y en sueños tuvo la revelación de que del fondo de la ciénaga, situada en el país del norte —le había sido indicado el lugar exacto—, debería traer a Egipto la flor de loto que, en las profundidades del agua, le tocaría en el pecho. Y entonces su padre se salvaría.

Esta fue la causa de que emprendiera el vuelo, transformada en cisne, desde Egipto a la landa cenagosa. Papá y mamá cigüeña estaban bien enterados de este asunto, y, ahora, nosotros lo conocemos tan bien como ellos, así como el resto de la historia: que el rey de la ciénaga se la había llevado consigo y que, para los del país de la princesa, esta estaba muerta. Únicamente los más inteligentes de todos ellos continuaban diciendo con mamá cigüeña:

—La princesa saldrá bien del apuro.

Y se disponían a esperar, pues no podían hacer otra cosa.

—Me parece que voy a llevarme los plumajes de cisne de las malvadas princesas —dijo papá cigüeña—. Así no podrán volver a la landa pantanosa para hacer nuevo daño. Y estos plumajes los guardaré hasta que piense para qué pueden servir.

—¿Y dónde los meterás? —preguntó mamá cigüeña.

—En nuestro nido de la landa pantanosa. Entre mis hijos y yo los transportaremos, y si nos cansamos del peso, nunca faltará un sitio, en nuestra ruta, para esconderlos hasta el viaje siguiente. Un solo plumaje sería suficiente; pero mejor están los dos. Es importante tener ropa de abrigo en los países nórdicos.

—No te lo agradecerán mucho —exclamó mamá cigüeña—. Pero, en fin, eres el jefe de la familia y puedes hacer lo que quieras. Como no estoy empollando, no tengo nada que decir.

En el castillo del vikingo, próximo a la landa pantanosa, se le había impuesto a la niña el nombre de Helga, demasiado dulce para el carácter de este ser de aspecto tan encantador. De día en día embellecía más, y en unos cuantos años, mientras las cigüeñas hacían el mismo viaje —en otoño hacia Egipto, en primavera hacia la landa pantanosa—, la niña se había transformado en una espléndida jovencita, y, sin que nadie se diera cuenta, alcanzó los diecisiete años, convirtiéndose en una deliciosa mujercita, deliciosa por su envoltura física, pero cruel y despiadada en su interior, más violenta que la mayor parte de las personas de aquellos tiempos, ya por sí brutales y adustas.

Su mayor placer era ver cómo corría por sus nacaradas manos la sangre caliente de los caballos ofrecidos en sacrificio; trituraba salvajemente con sus dientes el cuello del gallo negro que el sacerdote iba a degollar, y decía con mucha seriedad a su padre adoptivo:

—Si tu enemigo llegase hasta este palacio y arrojase una cuerda a las vigas del techo para subir y deslizarse dentro de tu cámara mientras duermes, no te despertaría aunque pudiera hacerlo. No prestaría oídos a sus pasos, pues aún hierve la sangre dentro de la oreja que me abofeteaste un día, cuando era pequeña. Y yo no olvido.

El vikingo no creía en estas palabras. Como los demás, estaba seducido por su belleza. Por otra parte, ignoraba que la muchacha cambiaba de aspecto y de carácter todas las noches. Helga montaba a pelo su caballo y parecía formar un solo cuerpo con el animal, que galopaba vertiginosamente, y no saltaba a tierra, aunque el caballo luchase a dentelladas con otros caballos salvajes. Con frecuencia se arrojaba vestida a la fuerte corriente de los fiordos desde el acantilado y nadaba al encuentro del vikingo cuando su barco ya había puesto proa a tierra. Un día se cortó el bucle más largo de sus largos y hermosos cabellos y se trenzó una cuerda para su arco.

—Lo que hago yo está bien hecho —decía.

La mujer del vikingo, según la costumbre de la época, poseía una enérgica voluntad; pero al lado de su hija tenía más bien un carácter tímido y complaciente. Además, sabía que todo cuanto le ocurría a su hija era debido al maleficio que la hechizaba.

Cuando su madre estaba en la galería o salía al patio, Helga experimentaba un maligno placer en sentarse en el brocal del pozo y, agitando brazos y piernas, dejarse caer dentro del estrecho y profundo agujero. Con ayuda de su naturaleza de sapo saltaba y salía a la superficie, y maullando como un gato, corría, toda mojada, a la gran sala, y en el suelo, a su alrededor, se formaba un gran charco, en donde nadaban hojas verdes.

Sin embargo, un lazo contenía a la pequeña Helga: el crepúsculo. Entonces se tranquilizaba y, como en sueños, se dejaba conducir y mandar. Una especie de presentimiento la llevaba hacia su madre y, cuando el sol desaparecía y se operaba la transformación interna y externa, quedaba inmóvil y triste, encogida bajo su forma de sapo. Su cuerpo era ahora mucho mayor que el de este animal, por lo que era mucho más espantoso. Tenía el aspecto de asqueroso enano con cabeza de rana y patas palmípedas. Sus ojos lanzaban una mirada lastimera; perdía la voz, pero daba un grito cavernoso, como niño que gime en sueños. La mujer del vikingo se la ponía sobre las faldas, olvidaba la horrible apariencia, no mirando más que sus tristes ojos, y le decía:

—Casi me alegraría de que siempre tuvieras este aspecto de sapo mudo. Eres más espantosa cuando vuelve tu belleza.

Luego escribía runas contra los maleficios y la enfermedad y las esparcía sobre la desgraciada; pero Helga no experimentaba mejoría alguna.

—Nadie me creería si dijera que había sido tan pequeña que estaba en un nenúfar —dijo papá cigüeña—. Es ahora toda una mujer, el mismo retrato de su madre la egipcia. A esta no la hemos vuelto a ver. No se cumplirá la profecía de los más inteligentes del país. Durante años y años he volado de un lado a otro de la landa, y jamás ha dado señales de vida. Ahora puedo decirte que, todos los años, cuando llegaba aquí algunos días antes que tú, a fin de preparar el nido y poner todo en orden, volaba sin cesar toda la noche, como si fuese una lechuza o un murciélago, por encima del lago; pero en vano. Es, pues, también en vano que nuestros hijos y yo nos hayamos dado una paliza por traer desde el país del Nilo los dos trajes de cisne. ¡Fue muy penoso, pues necesitamos tres viajes! Llevan muchos años en el fondo del nido y se perderían si se produjese un incendio, si la casa de madera ardiese.

—¡También se perdería nuestro nido! —exclamó mamá cigüeña—. Pero tú no piensas más que en tus plumajes y en tu princesa de la ciénaga. ¡Deberías bajar a donde está ella y quedarte para siempre en el pantano! Eres un mal padre para tus hijos, lo dije en mi primer empollamiento. ¡Con tal que nosotros o nuestros pequeños no recibamos un flechazo de la hija del vikingo, de esa loca! Porque no sabe lo que se hace. Nosotros vivimos aquí, en nuestro nido, desde hace más tiempo que ella, y debería pensar en eso. Nosotros no olvidamos jamás nuestras obligaciones, pagamos nuestro tributo todos los años: una pluma, un huevo, una cría, como es debido. ¿Crees tú que, cuando ella está fuera, me atrevo a bajar como otras veces, o como lo hago en Egipto, donde soy casi una más entre las personas, para echar una ojeada al pote o a la marmita? No, me quedo aquí, y estoy furiosa contra ella..., ¡la perra!..., y también lo estoy contra ti. Debiste dejarla en el nenúfar. Nos hubiéramos visto libres de ella.

—Es mejor que no hables —le contestó papá cigüeña—. Te conozco mucho mejor que tú.

Dio un salto, agitó con fuerza dos veces las alas, tendió las patas hacia atrás y voló, planeando, sin mover las alas. Estaba bastante lejos cuando dio otro vigoroso aletazo. El sol brillaba sobre sus blancas plumas; su cabeza y su cuello se tendían hacia adelante; su vuelo era raudo y ligero.

—A pesar de todo, es el más encantador —dijo mamá cigüeña—. Pero no debo decírselo.

* * *

Aquel otoño, el vikingo regresó pronto a su casa, con botín y prisioneros; entre estos se hallaba un joven sacerdote cristiano, uno de esos hombres que despreciaban a los ídolos de los países nórdicos. Desde hacía algún tiempo se hablaba, en la sala y en las habitaciones de las damas, de la nueva fe que se extendía ampliamente por todos los países situados más al sur, y que, con san Ansgarius, había alcanzado también a Hedeby, en el Sli. La propia Helga había oído hablar de la fe de Cristo, el cual, por amor hacia los hombres, se había dejado crucificar para salvarlos. Esto le había entrado por un oído y le había salido por el otro, como vulgarmente se dice. La palabra amor no parecía producir en ella ningún efecto más que cuando se encontraba en su habitación bajo la forma de mísero sapo. Pero la mujer del vikingo sí había escuchado lo que se decía, y se había sentido extrañamente conmovida por las leyendas y los relatos que corrían acerca del Hijo de un único y verdadero Dios.

Los hombres que volvían de las expediciones hablaban de los magníficos templos de piedra tallada erigidos en honor de Aquel cuyo mensaje solo era de amor. Habían traído dos pesados recipientes hábilmente cincelados, de oro puro, y que exhalaban un aromático perfume: eran incensarios, que los sacerdotes cristianos balanceaban ante el altar, en donde no corría jamás la sangre, sino vino, y donde el pan consagrado se transformaba en el Cuerpo de Aquel que se había consagrado a las generaciones futuras.

En el profundo sótano de piedra del palacio de madera se había encerrado al joven sacerdote, con los pies y las manos atadas con fibras. Era hermoso «como el dios Baldur», decía la mujer del vikingo, y se compadecía de su desgracia; pero la joven Helga quería que se pasase una cuerda por sus ligaduras y se le atase a la cola de los toros salvajes.

—Y luego le echaría los perros. ¡Oh, qué carrera por los pantanos y los estanques hacia la ciénaga! Sería muy divertido verlo y más aún poder correr tras de él.

Pero el vikingo no quería darle esa muerte; el sacerdote debía ser inmolado a la mañana siguiente, como enemigo y negador de los grandes dioses, en el bosque, sobre la piedra de los sacrificios. Era la primera vez que un hombre iba a ser sacrificado allí.

La joven Helga pidió permiso para rociar las estatuas de los dioses con su sangre. Afiló su cuchillo, y cuando uno de los grandes perros feroces, de los que había una jauría en la mansión, saltó a sus pies, le hundió el cuchillo en un costado.

—¡Es para probarlo! —dijo.

La mujer del vikingo echó una triste mirada de desconsuelo a aquella hija brutal y malvada, y cuando llegó la noche, y el hermoso cuerpo se transformó, dejó escapar la pena de su alma afligida.

El feo sapo de cuerpo de enano se hallaba ante ella, mirándola con sus tristes ojos oscuros. Escuchaba y parecía comprender como si se tratase de un cerebro humano.

—Jamás, ni aun con mi marido, he padecido el doble sufrimiento que tú me causas —decía la mujer del vikingo—. En mi corazón hay más piedad hacia ti de lo que creía. El amor de una madre es grande; pero este amor no ha penetrado nunca en tu corazón, que es como una gota de cieno. ¿Cómo llegaste a mi casa?

Entonces, el espantoso ser gruñó extrañamente. Hubiera podido decirse que estas palabras hacían vibrar un invisible lazo entre el cuerpo y el alma, y las lágrimas acudieron a sus ojos.

—Llegarán para ti tiempos difíciles —continuó la pobre mujer—, que también serán espantosos para mí... Hubiera sido mejor que te hubieran dejado en la carretera cuando pequeña, y que el frío de la noche te hubiera dormido en la muerte.

Y la mujer del vikingo lloró lágrimas amargas. Abrumada por el dolor y la cólera se marchó, atravesando la cortina de piel que dividía en dos la habitación.

El sapo permaneció solo en un rincón. No se oía ningún ruido; pero, a cortos intervalos, se elevaba del sapo un suspiro medio ahogado; era como si una nueva vida fuese alumbrada con dolor desde lo más profundo de su corazón. Dio un paso, escuchó; avanzó de nuevo y con sus torpes manos agarró la pesada barra de hierro atravesada en la puerta. La quitó suavemente; sin ruido retiró el pasador metido en el picaporte; cogió la lámpara encendida que se hallaba en la antecámara y avanzó. Una férrea voluntad parecía darle fuerzas. Sacó la cuña de hierro de la trampa cerrada y se deslizó por el sótano hasta donde estaba el prisionero, que dormía. Le tocó la mano fría y húmeda, y cuando el sacerdote se despertó y vio a aquel monstruo espantoso tembló como ante una siniestra visión. Ella agarró su cuchillo, le cortó las ligaduras y le hizo señas de que la siguiera.

Él invocó a todos los santos del cielo, hizo la señal de la cruz y, como el monstruo permaneciese allí sin cambiar de actitud, recitó las palabras de la Biblia:

—Bienaventurados los que tratan bien a los pobres, porque el Señor los salvará un día de la desgracia... ¿Quién eres? ¿De dónde ha llegado esta alma tan caritativa con envoltura animal?

La criatura que tenía forma de sapo le hizo una seña y le condujo por el largo corredor vacío, que se ocultaba tras espesas cortinas, hasta la cuadra; le indicó un caballo, sobre el cual saltó el sacerdote, y el batracio se colocó delante y se agarró a las crines del animal. El prisionero comprendió, y emprendieron un rápido galope por un camino que él jamás hubiese encontrado y que desembocaba en la landa.

El sacerdote olvidó la espantosa forma de su compañero, dándose cuenta de que la gracia divina y la caridad del Señor actuaban por mediación del monstruo; rezó piadosas oraciones y entonó canciones litúrgicas. El sapo tembló. ¿Era el poder de las oraciones y de los cantos sagrados lo que le producía tal efecto, o era el frío que se apodera de uno cuando la aurora está próxima? ¿Cuáles eran sus sensaciones? Se irguió, quiso detener al animal y saltar a tierra; pero el sacerdote la mantuvo con todas sus fuerzas, cantó un salmo en voz alta, como si este fuese capaz de romper el maleficio que la ligaba a la espantosa forma de sapo, y el caballo galopó más fogoso. El cielo se volvió rosado, los primeros rayos del sol atravesaron las nubes, y con la clara oleada de luz llegó la transformación: el sapo se cambió en la joven beldad de carácter demoníaco y malvado. El sacerdote tenía entre sus brazos a la joven más hermosa que jamás contemplara y se asustó, saltó del caballo y lo detuvo, creyéndose en presencia de un nuevo maleficio fatal. Pero la joven Helga, de un solo salto, se encontró también en tierra; su corta vestidura no le llegaba más que a las rodillas. Arrancó del cinto su afilado cuchillo y se precipitó sobre el estupefacto sacerdote.

—¡Espera que te alcance! —le gritó—. Cuando te tenga en mis manos, mi cuchillo se hundirá en tu carne. ¡Estás pálido como la paja! ¡Esclavo! ¡Hombre sin barba!

Se lanzó sobre él, y una dura lucha se entabló entre ambos; pero un poder invisible parecía dar fuerza al cristiano. La mantuvo vigorosamente, y el viejo abedul que estaba al lado acudió en su ayuda: sus raíces a medio salir de tierra fueron como ligaduras para los pies de Helga, que se habían enredado en ellas. Muy cerca de allí corría un riachuelo; el sacerdote le roció el rostro y el pecho con agua fresca, ordenó al espíritu impuro que la abandonara e hizo la señal de la cruz, según el rito cristiano; mas el agua del bautismo es impotente, si la fuente de la fe no brota de dentro.

Sin embargo, en eso también él era el más fuerte. En su acción residía una fuerza más que humana contra la violencia malvada y hostil. Helga, así sujeta, dejó caer los brazos, miró con ojos asombrados a este hombre, y sus mejillas palidecieron. Le parecía un poderoso mago, hábil a los encantamientos y a las artes de magia. Lo que él recitaba eran negras runas; letras misteriosas las que dibujaba en el aire. Ella no hubiera parpadeado ante el brillo del hacha ni ante el puntiagudo cuchillo, si el sacerdote los hubiera blandido ante sus ojos; pero los bajó cuando trazó la señal de la cruz sobre su frente y su pecho. Se encontró entonces como un pájaro prisionero, y su cabeza se inclinó.

El sacerdote la habló dulcemente de la acción caritativa que había realizado con él durante la noche, cuando llegó a su lado bajo la apariencia de un asqueroso sapo, le cortó las ligaduras y le condujo a la luz y a la vida. Ella también estaba atada, atada con ligaduras más apretadas que las suyas; pero también sería conducida, y por él, a la vida y a la luz. La llevaría a Hedeby, a la casa de san Ansgarius; allí, en la ciudad cristiana, se rompería el encantamiento. Pero no se atrevía a llevarla colocada ante él, sobre el caballo, aunque viniese de buen grado.

—Es preciso que vayas detrás de mí, no delante. Tu maléfica belleza tiene un poder impuro, según me temo... Sin embargo, mi victoria está en Cristo.

Se arrodilló, rezó piadosamente con todo su corazón. El paisaje mudo del bosque fue así consagrado como santa iglesia. Los pájaros se pusieron a cantar como si formasen parte de la nueva parroquia. Las hierbabuenas silvestres embalsamaron el aire, como si quisieran reemplazar al incienso y a la mirra. El sacerdote pronunció en voz alta las palabras del Evangelio:

—¡La luz de los cielos nos ha visitado, a fin de brillar para los que están en tinieblas y a la sombra de la muerte y conducir nuestros pasos por el camino de la paz!

Y habló del deseo nostálgico del universo, y mientras hablaba, el caballo, que los había traído en medio de un furioso galope, permanecía tranquilo y reposaba su cuello sobre los altos tallos de las zarzas, de forma que las maduras y azucaradas moras caían en las manos de la joven Helga, ofreciéndole su frescor.

Ella, dócilmente, se dejó montar sobre la grupa del animal, sentada como una sonámbula que no ha sido despertada y, sin embargo, no deambula. El sacerdote ató dos ramas con una fibra para hacer una cruz, que su mano sostenía. Luego cabalgaron por el bosque, que cada vez se hacía más espeso. El camino cedía bajo las patas del caballo, hundiéndose por momentos. El endrino se atravesaba en su marcha, y fue preciso dar la vuelta. La fuente no era ya riachuelo que corre, sino balsa estancada, que era preciso rodear. El fresco ambiente de los bosques respiraba bienestar y confortación, y no menos potentes eran las palabras de dulzura que inspiraban la fe y la caridad cristianas y el profundo deseo de llevar a la muchacha hechizada a la luz y a la vida.

Se dice que la gota de agua horada la piedra; que las olas del mar, a la larga, redondean las puntiagudas rocas. Así, el rocío de la gracia divina, que había tocado a la joven Helga, ablandó su dureza, pulimentó sus asperezas. Apenas era perceptible; ni ella misma se dio cuenta. El germen de la tierra, la humedad bienhechora y el cálido rayo del sol, ¿saben que de ellos proviene la flor?

Lo mismo que la canción materna se fija insensiblemente en el alma del niño, que balbucea sus palabras sin saber lo que significan y las reúne en su pensamiento, donde se hacen más claras con el tiempo, así actuó aquí el Verbo creador.

Salieron del bosque, galoparon por la landa, penetraron en la selva sin caminos y, al fin, hacia la caída de la tarde se encontraron con unos bandidos.

—¿Dónde has robado ese lindo pimpollo? —le gritaron.

Detuvieron al caballo y bajaron a los dos jinetes, pues eran muchos. El sacerdote no tenía más arma para defenderse que el cuchillo tomado a la joven Helga, el cual blandió a su alrededor. Uno de *los bandidos* levantó su hacha. El cristiano dio un salto hacia un lado, sin que el forajido llegara a alcanzarle; pero el filo del hacha se hundió profundamente en el cuello del caballo. Brotó la sangre a chorros, y el animal se desplomó. Entonces, la pequeña Helga, como si despertara de una larga y profunda inercia de su pensamiento, dio un salto y se arrojó sobre la bestia agonizante. El sacerdote se colocó ante ella para protegerla; pero uno de los facinerosos le lanzó a la frente su pesada maza de hierro, que le destrozó la cabeza. El sacerdote cayó muerto.

Los bandidos agarraron a Helga por sus blancos brazos. En este momento se ponía el sol. Apagado el último rayo, la muchacha se transformó en un espantoso sapo: su boca blanca y verde se agrandó en su rostro, sus brazos se hicieron más largos y viscosos, una ancha mano palmípeda se abrió en abanico..., y los desalmados la soltaron, espantados. Ella estaba en medio del círculo formado por los hombres como un horrible monstruo y, aprovechándose de su naturaleza de sapo, dio un enorme salto y desapareció en la espesura. Los malhechores se dieron cuenta entonces de que aquello era una malvada artimaña del dios Loke, o bien una magia, y se apresuraron a abandonar el lugar, espantados.

La luna llena se había elevado ya en el cielo, y pronto extendió por toda la tierra una magnífica luz. La joven Helga, bajo la forma de asqueroso sapo, salió de la zanja donde se había ocultado. Se detuvo al lado de los cadáveres del sacerdote y del caballo y los contempló con ojos llenos de lágrimas. El sapo emitió un grito, como el de un niño que solloza. Se inclinó ya sobre el uno, ya sobre el otro; cogió agua con sus manos, más grandes y más huecas porque eran palmípedas, y la roció sobre ellos. Pero el sapo comprendió que estaban muertos, y muertos quedarían para siempre. Pronto acudirían las bestias salvajes a hacer presa de sus cuerpos. No, esto no debía suceder. Por tanto, haría un hoyo en la tierra lo más profundo que pudiera. Quería darles sepultura; pero para hacer la fosa no tenía más que un duro pedazo de madera y sus dos manos, cuyas membranas interdigitales se desgarraban, haciendo correr la sangre. Se dio cuenta de que no podría hacer el trabajo. Entonces cogió agua y lavó el rostro del muerto, le cubrió de hojas verdes, transportó grandes ramas, que colocó sobre él, y llenó de follaje los intersticios. Inmediatamente agarró las piedras más grandes que era capaz de llevar y las colocó sobre los cadáveres, cubriendo las aberturas con musgo. Creyó que así el túmulo funerario sería sólido y seguro. La noche había ido avanzando mientras se afanaba en este penoso trabajo; el sol apareció..., y la joven Helga surgió en toda su belleza, con las manos ensangrentadas y, por primera vez, con lágrimas en sus rosadas y virginales mejillas.

En este cambio hubo como una especie de lucha entre dos naturalezas; tembló, miró a su alrededor como si despertara de un sueño angustioso y, después, corrió y se abrazó fuertemente a una esbelta haya, a fin de tener, por lo menos, un sostén. De pronto escaló como un gato hasta la copa del árbol y allí se afianzó. Estaba como una inquieta ardilla; permaneció todo el día en la profunda soledad de la selva, donde todo está silencioso y muerto... ¿Muerto? Dos mariposas volaban, la una alrededor de la otra, jugando o disputándose algo; muy cerca se veían varios hormigueros, con centenares de hormigas muy ocupadas en sus respectivos trabajos; en el aire danzaban multitud de mosquitos, nubes tras nubes; enjambres de moscas zumbaban al pasar volando; cochinillas, libélulas y otros insectos alados se mostraban por doquier; los gusanos salían del suelo mojado, los topos se dejaban ver...; pero, a excepción de esto, todo estaba silencioso y muerto, según lo que se entiende por silencio y muerte. Nadie prestaba atención a la joven Helga, salvo los grajos que volaban, graznando, alrededor de la copa del árbol donde estaba ella. Saltaban de rama en rama hacia donde la muchacha se encontraba, movidos de intrépida curiosidad; pero una sola mirada de ella bastó para ahuyentarlos... No podían comprender quién era aquel extraño ser, al igual que ella no se comprendía a sí misma.

Cuando se aproximaba la noche, y el sol descendía en el horizonte, la transformación le hizo realizar un nuevo movimiento. Se dejó deslizar por el tronco de árbol, y en el momento en que se extinguía el último rayo del sol se encontró en el suelo con la forma achaparrada del sapo y las palmas de las manos desgarradas; pero sus ojos tenían un brillo de belleza que no poseían bajo su aspecto de mujer; los ojos más dulces, los más puros, eran los que brillaban bajo la máscara del sapo, testimonio de una naturaleza profunda, de un corazón humano, y estos bellos ojos rompieron en llanto: lloraban las lágrimas amargas que apaciguan al corazón.

Al lado de la tumba yacía aún en tierra la cruz construida con las dos ramas atadas con la fibra, última obra del que había muerto; la joven Helga la tomó en sus manos y, siguiendo un pensamiento surgido en ella, la plantó entre las piedras colocadas sobre el hombre y el caballo muertos. La melancolía del recuerdo la hizo llorar, y, con el corazón emocionado, trazó en la tierra el mismo signo y fue rodeando con ellos las tumbas, como si fuera una verja..., y mientras trazaba con sus dos manos el signo de la cruz, las palmas se desprendieron, como guantes que se quitan, y cuando se lavó en el agua de la fuente y miró, toda sorprendida, sus manos blancas, hizo de nuevo la señal de la cruz en el aire entre ella y el muerto, y entonces sus labios temblaron, su lengua se movió, y el nombre que durante el galope a través de la selva había oído pronunciar y cantar con frecuencia fue articulado claramente por su boca. Dijo: «¡Jesucristo!».

Enseguida, la piel de sapo se desprendió de su cuerpo y quedó transformada en la bella joven...; pero su cabeza se inclinó abrumada, sus miembros necesitaban descansar..., y se durmió.

El sueño no duró mucho tiempo. Se despertó hacia medianoche. Ante ella se hallaba, sobre sus cuatro patas, el caballo muerto, deslumbrante, lleno de vida, con los ojos y la herida del cuello resplandecientes; muy cerca de él apareció el sacerdote asesinado «más bello que Baldur», hubiera exclamado la mujer del vikingo, y que se aproximaba como rodeado por llamas.

En sus grandes y dulces ojos había una gravedad, un espíritu de equidad, una penetración, tales, que cuanto él miraba parecía esclarecido hasta en los recovecos del corazón. La joven Helga tembló y se aclaró su pensamiento como si fuera el día del Juicio. Toda la bondad de que había sido objeto, todas las palabras de cariño que se le habían dirigido, surgieron como vivificadas. Comprendió que era la caridad quien la había sostenido en sus días de prueba, cuando su padrinazgo de alma y cuerpo de ciénaga estaba en fermentación y en lucha. Reconoció que solo había seguido los impulsos de sus sentimientos y que no había hecho nada por sí. Todo le había sido dado, todo, y se inclinó humilde, confusa, ante el que podía leer hasta en lo más íntimo de su corazón, y en ese instante percibió como un destello de la llama de la purificación, el resplandor del Espíritu Santo.

—¡Oh, hija de la ciénaga! —exclamó el sacerdote cristiano—. Del fango de la tierra has surgido..., de la tierra resurgirás de nuevo. El rayo de sol que está en ti retorna espontáneamente a su origen, rayo procedente no del astro solar, sino rayo divino. Ningún alma será damnificada, pero el camino es largo para la vida que se enlaza con lo eterno... Vengo del país de los muertos. También tú atravesarás un día los profundos valles que conducen a los luminosos países de las montañas donde residen la gracia divina y la perfección. Ahora no puedo conducirte a Hedeby para bautizarte; es preciso, primero, que te bañes en el agua que cubre el suelo profundo de la ciénaga, que arranques la raíz viva de tu vida y de tu cuna, que consumas tu obra antes que llegue la iniciación.

La montó sobre el caballo y le entregó un incensario dorado, como el que ella había visto en la mansión del vikingo, del que se expandía un delicioso y suave perfume. Las heridas abiertas de la frente del asesinado brillaban como deslumbrante diadema. Cogió la cruz de la tumba, la alzó, y partieron, volando por encima de la mugiente selva, por encima de los túmulos funerarios donde estaban enterrados los guerreros, montados sobre sus alazanes muertos; y estas imponentes figuras se alzaron, salieron a caballo y se pusieron sobre sus túmulos; en sus frentes brillaban, a la luz de la luna, el ancho aro de oro que ceñía sus cabezas, y el manto flotaba a los vientos. El dragón que guardaba los tesoros levantó la cabeza y miró pasar a los caballeros volantes. El pueblo de los enanos los espió desde las alturas y desde los surcos; estaban reunidos en grupos, con luces rojas, blancas y verdes. Era un hormiguero parecido a las chispas que surgen de las cenizas del papel quemado.

Volaron por encima de la selva y de la landa, de los riachuelos y de los estanques, hacia la ciénaga, sobre la que planearon, describiendo grandes círculos. El sacerdote alzó la cruz, que relucía como el oro, y entonó el canto sagrado. Helga lo cantó también, como el niño canta para acompañar a su madre, y balanceó el incensario. Se esparció un perfume de iglesia, tan fuerte, tan maravilloso, que los juncos y las cañas del pantano florecieron; todos los tallos surgieron del fondo, todo lo que tenía vida se elevó a la superficie, toda una floración de nenúfares se extendió como una alfombra de flores bordadas, y sobre esta alfombra yacía una mujer dormida, joven y encantadora. Helga creyó contemplarse a sí misma, reflejada en el espejo del agua tranquila. Era a su madre a quien veía, la esposa del rey de la ciénaga, la princesa venida desde las aguas del Nilo.

El sacerdote ordenó que la durmiente fuese izada hasta el caballo; este se hundió bajo el peso, como si su cuerpo no fuera más que un sudario que vuela en el viento; pero la señal de la cruz dio vigor al fantasma aéreo, y los tres se dirigieron hacia tierra firme.

Cuando el gallo cantó en el castillo del vikingo, las visiones se dispersaron como el humo; pero madre e hija estaban una frente a otra.

«¿Soy yo misma que me veo reflejada en las profundidades del agua?», se preguntó la madre.

«¿Soy yo misma que me veo en el agua transparente?», se preguntó la hija.

Y se aproximaron, pecho contra pecho, y se abrazaron. Era el corazón de la madre el que latía con más fuerza y la hija lo comprendía.

—¡Hija mía! ¡Flor de mi propio corazón! ¡Mi loto surgido del fondo de las aguas!

Besó a su hija y rompió a llorar. Las lágrimas fueron un nuevo bautismo de vida y de amor para Helga.

—Vine aquí con plumaje de cisne —contó la madre—. Me lo quité y me arrojé a la ciénaga, mas las arenas movedizas me absorbieron hacia el abismo y se cerraron a mi alrededor como una muralla; pronto sentí una corriente más agradable: una fuerza me atraía más hacia el fondo, siempre más lejos. Los párpados me pesaban. Soñaba... Me pareció que estaba de nuevo acostada en la pirámide de Egipto; pero ante mí se hallaba siempre el tronco vacilante del abedul que tanto me había asustado en la superficie de la ciénaga. Miraba las grietas de su corteza, que se coloreaban, convirtiéndose en jeroglíficos. Eran las bandas de la momia las que yo veía. Se abrieron, y de ellas salió el rey milenario, la figura de la momia, negra como la pez, de un negro brillante como el del caracol de los bosques o el fango grasiento. No sabía si era el rey de la ciénaga o la momia de las pirámides. Me tomó en sus brazos, y me pareció que me iba a morir. Me sentí vivir de nuevo por un calor, en mi pecho, donde un pájaro aleteaba y piaba. Voló de mi pecho y se elevó hacia el alto y oscuro techo; pero un largo cordón verde lo unía aún a mí. Oí y comprendí los acentos de su deseo: ¡Libertad! ¡Sol! ¡Para el Padre!... Entonces, yo pensé en mi padre, que estaba en nuestra casa del país del sol, en mi vida, en mi amor. Y desaté el lazo, lo dejé volar y se fue... al país del sol, a casa de mi padre. Desde ese momento no he vuelto a soñar. He dormido seguramente un sueño muy largo y pesado hasta el momento en que la canción y el perfume me despertaron y desataron.

Esta cinta verde que ligaba el corazón de la madre a las alas del pajarillo, ¿por dónde revoloteaba? ¿En dónde había caído? Solo papá cigüeña la había visto. La cinta era el tallo verde, el nudo era la brillante flor, cuna de la niña, que había crecido en medio de la belleza y que ahora reposaba de nuevo sobre el corazón de su madre.

Mientras las dos mujeres permanecían abrazadas, papá cigüeña volaba en círculo a su alrededor. Luego se apresuró a regresar a su nido, cogió los plumajes de cisnes, conservados durante tantos años, y los arrojó a las damas, que, así vestidas, se elevaron de la tierra como dos cisnes blancos.

—Hablemos ahora —dijo papá cigüeña—, pues ahora comprendemos mutuamente nuestro lenguaje, aunque un pájaro como yo no tenga el pico tallado de la misma forma que el de ustedes. Ha sido una suerte que aparecieran hoy. Mañana partiremos mamá cigüeña y los demás hacia el sur. Sí, pueden ustedes mirarme. Soy un antiguo amigo del país del Nilo, y mamá cigüeña también, aunque no sea capaz de expresarlo. Pero en su corazón, siempre creyó que la princesa cuidaría de sí misma. Los pequeños y yo trajimos hasta aquí los plumajes de cisne. ¡Oh, qué contento estoy y cómo celebro la oportunidad de encontrarme aún aquí! Cuando amanezca partiremos. Formamos entre todos un verdadero batallón. Nosotros volaremos delante; ustedes, detrás. No tendrán más que seguirnos, y así no se equivocarán de ruta. Los pequeños y yo estaremos al cuidado de ustedes.

—La flor de loto que yo debía llevar —dijo la princesa egipcia— va a mi lado con plumaje de cisne. Tengo conmigo a mi querida flor. Así, pues, todo está ya solucionado. ¡A nuestro país! ¡A nuestro país!

Pero Helga replicó que ella no podía abandonar el país sin haber visto antes a su madre adoptiva, la querida esposa del vikingo. Al pensamiento de Helga acudían los preciados recuerdos, las palabras tiernas y las lágrimas que la buena mujer había derramado, y hubiera podido decir sin temor a equivocarse que era a esa madre a la que más quería.

—Sí, debemos ir a la mansión del vikingo —asintió papá cigüeña—. Mamá cigüeña y mis hijos esperan allí. ¡Cómo van a abrir los ojos de asombro y a parlotear a más y mejor! Mamá cigüeña no habla mucho; sus palabras son breves y claras, y eso agrada más. Voy a lanzar ahora mismo mi grito para que sepan que llegamos.

Papá cigüeña emitió su grito, y los tres volaron hacia el castillo del vikingo.

Allí, todo el mundo estaba acostado aún y dormía profundamente. La mujer del vikingo no se había metido en la cama hasta muy tarde. Estaba demasiado inquieta por Helga, que había desaparecido hacía ya tres días con el sacerdote cristiano. Ella debía haberle ayudado a huir, porque era el caballo de Helga el que faltaba de la cuadra. ¿A causa de qué poder sobrenatural se había producido todo aquello? La esposa del vikingo pensaba en los milagros que se contaban del Cristo blanco y de las maravillas que se decían de los que le seguían. Sus pensamientos tomaron la forma de sueño: creía que aún estaba sentada en su lecho, reflexionando, y que la oscuridad exterior había aumentado. Se desencadenó la tormenta. Oyó cómo rugían las olas en el mar del Norte y en el Kattegat. La inmensa serpiente que ceñía a la tierra en el fondo del mar daba convulsos coletazos. Se parecía a la noche de los dioses, el Ragnarok, como llamaban los paganos a la última hora, en que todo debía perecer, hasta los grandes dioses. El cuerno de Gjaller resonaba, y los dioses pasaron a caballo sobre el arcoíris vestidos de acero, para librar su última batalla; ante ellos volaban las valquirias aladas, y el cortejo se terminaba con los espectros de los guerreros muertos. El aire, alrededor de ellos, estaba iluminado por los fuegos de la aurora boreal, pero las tinieblas triunfaban. Fue un momento terrible.

Muy cerca de la espantada esposa del vikingo se hallaba la pequeña Helga, bajo su terrible aspecto de sapo: También temblaba y se agarraba a su madre adoptiva, quien la puso sobre sus rodillas y la apretó contra su pecho, a pesar de su fealdad. El ambiente estaba cuajado de ruidos de espadas y mazas; las flechas silbaban, y hubiera podido decirse que una tormenta de granizos se desencadenaba a su alrededor. Había llegado el momento en que cielo y tierra iban a estallar, las estrellas caer, todo perecer en el fuego de Surtur; pero ella sabía que vendría una nueva era y surgiría un nuevo cielo; que el trigo ondearía donde el mar, ahora, rodaba sobre un estéril fondo de arena; que el Dios inefable reinaría, hacia el cual llegaría Baldur, el dulce, el bueno, libertado del reino de la muerte... Llegaba... La esposa del vikingo lo veía, conocía su rostro... Era el sacerdote cristiano.

—¡Cristo blanco! —gritó en voz alta, y al pronunciar este nombre besó la frente de su feo sapito.

Entonces se desprendió esta envoltura, y Helga apareció ante ella en toda su belleza, dulce como jamás lo había sido, los ojos radiantes; besó las manos de su madre, le agradeció todos los cuidados y el amor que le había demostrado en el transcurso de su tiempo de angustia y de prueba; le dio las gracias por las ideas que había depositado y suscitado en ella, así como el haber pronunciado el nombre, que ella repitió: «¡Cristo blanco!...». Y la pequeña Helga se elevó por los aires como un gran cisne, extendió sus alas con el mismo rumor que se oye cuando vuela una bandada de aves emigrantes.

A este ruido, la mujer del vikingo se despertó y oyó fuertes aletazos por la puerta exterior de la ventana... Sabía que era el momento elegido por las cigüeñas para emprender el vuelo hacia el sur, y era a ellas a quienes se oía. Quiso verlas una vez más para decirles adiós. Se levantó, salió a la galería, y sobre el tejado de la casa vecina vio una hilera de cigüeñas, y por todas partes, en el patio y sobre los grandes árboles, enormes bandadas de aves describían círculos; pero frente a ella, sobre el pretil del pozo donde Helga se sentaba con frecuencia y la asustaba con su turbulencia, estaban posados dos cisnes, cuyos pensativos ojos la miraban, y se acordó de su sueño, del que aún estaba consciente, como si hubiera sido pura realidad. Pensó en Helga transformada en cisne, pensó en el sacerdote cristiano y sintió de repente su corazón extrañamente lleno de gozo.

Los cisnes agitaron las alas e inclinaron sus cuellos, como si quisieran así dirigir su saludo, y la mujer del vikingo les tendió los brazos, como si hubiese comprendido su gesto. Sonrió entre lágrimas y quedó pensativa.

Entonces, todas las cigüeñas se elevaron en el espacio con grandes ruidos de sus grandes alas y de sus picos para emprender el viaje hacia el sur.

—No esperaremos a los cisnes —dijo mamá cigüeña—. Si quieren venir, que vengan. No podemos estar aquí hasta que a ellos se les antoje. Además, para mí es muy agradable viajar en familia, no como los pinzones y los combatientes, cuyos machos vuelan por una parte, y las hembras, por otra. ¡Esto no me convence! Y ¿qué significan esos aletazos de los cisnes?

—Cada cual vuela a su manera —dijo papá cigüeña—. Los cisnes lo hacen en línea oblicua; las grullas, en triángulos, y los pinzones, en línea curva, como las serpientes.

—No me hables de serpientes cuando vamos a volar tan alto —exclamó mamá cigüeña—. Eso produce en las crías deseos que no se pueden satisfacer.

—¿Esas de allá abajo son las montañas de que he oído hablar? —preguntó Helga bajo su plumaje de cisne.

—Son nubes de tormenta, que corren por debajo de nosotros —le contestó su madre.

—¿Qué son estas nubes que se elevan tanto? —preguntó Helga.

—Son montañas, con nieve eterna en sus cimas, lo que tú ves ahora —le contestó su madre, mientras volaban por encima de los Alpes, en dirección al azul Mediterráneo.

—¡África! ¡Egipto! —gritó, alegre, la hija del Nilo transmutada en cisne cuando percibió desde su altura, como una cinta amarillenta y sinuosa, su país natal.

Los pájaros lo vieron también y aceleraron el vuelo.

—Ya presiento la cuenca del Nilo y las ranas húmedas —dijo mamá cigüeña—. ¡Eso me produce un cosquilleo...! ¡Oh, comeréis muchas, y veréis a los marabús, a los ibis y a las grullas! Pertenecen todos a nuestra familia, pero están lejos de ser tan hermosos como nosotros. Juegan a los grandes señores, sobre todo el ibis. Cierto que es el ave preferida de los egipcios, pues hasta la momifican y la rellenan de plantas aromáticas. Yo prefiero que me atiborren de ranas vivas, y vosotros lo preferís también, y así será. Más vale barriga llena cuando está uno vivo, que la ostentación cuando está uno muerto. ¡Esta es mi opinión, que siempre es la buena!

—Han llegado las cigüeñas —se dijo en la suntuosa mansión de la orilla del Nilo, donde, en la amplia sala, yacía, tendido sobre muelles almohadones cubiertos de piel de leopardo, el real señor, que estaba entre la vida y la muerte, esperando la flor de loto cogida en las profundidades de la ciénaga del norte. Parientes y servidores le rodeaban.

Y en la sala entraron volando dos cisnes blancos que habían llegado con las cigüeñas. Dejaron caer sus brillantes envolturas de plumas, y dos encantadoras mujeres aparecieron, tan semejantes como dos gotas de agua; se inclinaron sobre el pálido y marchitado anciano, extendieron a su alrededor las largas cabelleras, y cuando la joven Helga se acercó a su abuelo, las mejillas del rey se sonrosaron, sus ojos empezaron a brillar y la vida volvió a sus rígidos miembros. El anciano se levantó, intrépido y rejuvenecido. Hija y nieta le tenían en sus brazos como para desearle un alegre buenos días después de un largo y penoso sueño.

La alegría reinaba en la Corte, y también en el nido de las cigüeñas; pero aquí se estaba contento, sobre todo por la buena comida que proporcionaba la gran cantidad de ranas. Y mientras los sabios se apresuraban a conocer la historia de las dos princesas y de la flor de la salud, que había sido un gran acontecimiento y una bendición para la casa y para el país, los papás cigüeñas la contaban a su modo a toda la familia; pero solo después que hubieron comido hasta hartarse, pues eso era mucho más importante que escuchar historias.

—Tú conseguirás por ello alguna prebenda, algún honor —murmuró mamá cigüeña—. No puede ser de otra forma.

—¡Oh! ¿Qué podrían darme? —preguntó papá cigüeña—. Además, ¿qué he hecho? ¡Nada!

—¡Has hecho más que los demás! Sin tu ayuda y la de los pequeños, jamás hubieran vuelto las dos princesas a Egipto, ni el viejo se hubiera curado. ¡Tendrás honores! Seguramente, te darán el título de doctor, y nuestros hijos nacerán con ese título, y también nuestros nietos. Por otra parte, tú tienes aspecto de médico egipcio..., a mis ojos.

Los sabios y los hombres prudentes desarrollaron la idea fundamental, como ellos la llamaban, que ha aparecido muchas veces en esta historia: «¡El amor engendra la vida!», que explicaban de diversa manera: «¡El cálido rayo de sol era la princesa de Egipto, que había bajado hasta la mansión del rey de la ciénaga, y de su unión había nacido la flor...!».

—¡No puedo repetir con exactitud las palabras! —dijo papá cigüeña, que había escuchado desde lo alto del tejado las disquisiciones de los sabios y quería contar en el nido lo que se había dicho—. Sus palabras eran complicadas. Todo era tan ingenioso, que inmediatamente recibieron diplomas y regalos, y hasta el cocinero ha recibido una alta distinción..., ¡seguramente, por la comida!

—Y a ti, ¿qué te han dado? —preguntó mamá cigüeña—. No han debido olvidar al personaje más importante, a ti. Los sabios no han hecho más que parlotear sobre el asunto. Pero tú..., tú... No te apures, que te llegará la vez.

Avanzada la noche, cuando la paz del sueño reinó en la mansión de nuevo feliz, alguien velaba aún allí, y ese alguien no era papá cigüeña, a pesar de que se sostenía sobre una pata en su nido y montaba la guardia mientras dormía. No. Era la joven Helga quien velaba, reclinada en su balcón y mirando el claro cielo, con las grandes y brillantes estrellas, de una nitidez tal, como ella no había visto jamás en el norte, y, sin embargo, eran las mismas. Pensaba en la esposa del vikingo, que vivía cerca de la landa pantanosa; en los ojos dulces de su madre adoptiva, en las lágrimas que había vertido sobre el pobre sapo, ahora en la magnificencia y contemplando el esplendor de las estrellas a la orilla del Nilo, en un delicioso ambiente primaveral. Soñaba con el amor encerrado en el corazón de la pagana, ese amor demostrado hacia una espantosa criatura, que, bajo su forma humana, no era más que un animal malvado, y bajo su forma animal era repulsivo de ver y de tocar. Miró las rutilantes estrellas y recordó cuán luminosa estaba la frente del sacerdote muerto cuando volaban juntos por encima de los bosques y de los pantanos; una música cantaba en su recuerdo las palabras que había escuchado cuando iban a caballo, y ella estaba como extasiada, palabras sobre la fuente y el origen del amor, el más grande amor que une a todos los seres.

Sí, ¿qué no había recibido, ganado o alcanzado? El pensamiento de la joven Helga englobaba, de noche, de día, la suma de su felicidad y quedaba absorta ante ella, como niño que se olvida fácilmente de quien le ha hecho el regalo. Estaba como perdida en la creciente beatitud que le podría llegar, que llegaría; había sido transportada por maravillosos acontecimientos a una alegría y a una felicidad siempre en crescendo, y se absorbía tan por completo en ella, que no pensaba en absoluto en el donador. ¡Era la intrepidez de la juventud que se daba campo libre! Sus ojos estaban radiantes; pero pronto su vano ensueño tuvo un rápido despertar. Del patio se elevó hasta ella una algarabía producida por dos avestruces que corrían describiendo apretados círculos. Era la primera vez que contemplaba a esta ave tan grande, tan pesada, cuyas alas parecían estar recortadas. Preguntó qué les había sucedido, y por primera vez oyó la leyenda que los egipcios contaban sobre el avestruz.

En otras épocas, su especie había sido de las más hermosas; sus alas, grandes y fuertes. Una tarde, las poderosas aves de la selva le dijeron:

—Hermano, ¿iremos mañana, si Dios quiere, hasta el río para beber?

Y el avestruz respondió.

—Iré, porque yo quiero.

Cuando llegó la aurora emprendieron el vuelo para elevarse, primero, hacia el sol, ojo de Dios; alto, cada vez más alto, el avestruz precedía a todos a gran distancia. Volaba con orgullo hacia la luz. Contaba con su fuerza y no con las del Creador. Él no decía: «¡Si Dios quiere!». Entonces, el ángel vengador descorrió el velo que cubre al astro en llamas y, en un instante, las alas del avestruz quedaron calcinadas y cayó pesadamente al suelo. Él y su especie no pueden, desde ese momento, volar; huye asustado y da vueltas en espacios estrechos. A nosotros, los hombres, nos recuerda que en cada uno de nuestros actos hemos de decir siempre: «¡Si Dios quiere!».

Helga, pensativa, inclinó la cabeza, miró al avestruz que corría y observó su temor y su tonto orgullo al contemplar su propia sombra en la pared blanca iluminada por el sol. Y la gravedad se implantó en su mente y en su corazón. Le habían dado una vida magnífica, de una felicidad siempre en aumento... ¿Qué sucedería, qué vendría después?... Todo lo mejor, quizá. ¡Si Dios quería!

Al comienzo de la primavera, cuando las cigüeñas iban de nuevo a partir para el norte, Helga cogió su brazalete de oro, grabó en él su nombre, hizo señas a papá cigüeña de que se acercase, se lo puso en el cuello y le suplicó que se lo llevase a la esposa del vikingo, que enseguida comprendería que su hija adoptiva estaba viva, era feliz y pensaba en ella.

«¡Pesa mucho! —se dijo papá cigüeña cuando tuvo el brazalete en el cuello—. Pero el oro y el honor no se arrojan al camino. En las alturas se darán cuenta que la cigüeña lleva la felicidad».

—Tú pones oro y yo pongo huevos —exclamó mamá cigüeña—. Pero tú no pondrás más que una vez, y yo lo hago todos los años. Pero no se reconocen nuestros méritos. ¡Es horrible!

—La conciencia se tiene para sí, madre —dijo papá cigüeña.

—Puedes cogerla de un clavo —le respondió mamá cigüeña—. Ni produce buen viento, ni da de comer.

Y emprendieron el vuelo.

El diminuto ruiseñor que cantaba en el tamarindo pronto se dirigiría también hacia el norte. Helga le había oído cantar con frecuencia en aquellas latitudes, en la ciénaga. Quería darle también un encargo. Conocía el lenguaje de los pájaros desde que voló con cigüeñas y golondrinas. El ruiseñor la comprendía; así, pues, le rogó que volase por los cañaverales de la península de Jylland, por el lugar donde se encontraba una tumba de piedras y ramajes, e invitase a todos los pájaros a que vigilasen la sepultura y cantaran allí canciones y más canciones.

Y el ruiseñor emprendió el vuelo.

Pasó el tiempo.

En otoño, el águila, posada en la pirámide, divisó una espléndida caravana de camellos ricamente cargados, con hombres armados y suntuosamente vestidos, montados sobre fogosos caballos árabes de un blanco deslumbrante como la plata, rojos ollares dilatados por el sofoco y espesas crines cayendo sobre sus finas patas. Un príncipe real de Arabia, encantador como debe de ser todo príncipe, se dirigía con su magnífica escolta a la soberbia mansión donde tenía su asentamiento el nido de cigüeñas, vacío en este momento, pues sus inquilinos se encontraban en el país nórdico, aunque su regreso estaba próximo... Y regresaron justamente el día en que la alegría y la felicidad se hallaban en su apogeo. Se celebraban grandes fiestas nupciales. La joven Helga era la novia, vestida de seda y alhajada con piedras preciosas; el novio era el joven príncipe de Arabia. Ambos se sentaban en el sitio de honor de la gran mesa, entre la madre y el abuelo.

Pero Helga no miraba el rostro viril de su esposo con su ensortijada barba negra, ni se fijaba en sus ardientes y oscuros ojos fijos en ella. La joven solo contemplaba la brillante estrella que titilaba en el cielo.

En este momento se oyó en el aire un gran aleteo. Las cigüeñas llegaban, y la vieja pareja, a pesar del viaje y de las ansias que tenían de descansar, voló inmediatamente hacia la balaustrada de la galería. Sabían la clase de fiesta que se celebraba, porque desde su entrada en el país se habían dado cuenta de que Helga los había mandado pintar en las paredes, porque formaban parte de su historia.

—¡Es una idea muy agradable! —exclamó papá cigüeña.

—Es bien poca cosa —murmuró mamá cigüeña—. No ha podido hacer menos.

Cuando Helga los vio se levantó de la mesa y salió a la galería para acariciarlos. Las dos viejas aves hicieron la reverencia inclinando sus cuellos, y las cigüeñas más jóvenes contemplaban y se sentían muy honradas.

Helga elevó los ojos hacia la titilante estrella cuyos rayos brillaban cada vez más, y entre la estrella y ella flotó una aparición, más pura aún que el aire, y visible, que llegó planeando hasta ella; era el sacerdote cristiano muerto. También él acudía a su alegre fiesta procedente del reino de los cielos.

—El brillo y el esplendor sobrepasan allí a todo lo que se conoce en la tierra —dijo.

Helga pidió permiso, dulcemente, con todo su corazón, como jamás había pedido nada, para echar una ojeada, aunque solo fuera de un minuto al reino de los cielos y ver al Padre Eterno.

Y él la elevó hasta el brillo y el esplendor, en medio de oleadas de armonía y de pensamientos. No estaban fuera de ella la luz y el sonido, sino dentro de su propio ser. Las palabras son pobres para expresar esta maravilla.

—Es preciso regresar enseguida. ¡Te esperan! —dijo el sacerdote.

—Aún una mirada más —suplicó Helga—. Un solo minuto.

—Debemos volver a la tierra, todos los invitados se van.

—¡Nada más que una mirada! ¡La última!...

Helga se encontró de nuevo en la galería...; pero todas las antorchas del interior de la casa estaban apagadas, las luces del salón de los novios habían desaparecido, desaparecidas también las cigüeñas. No había invitados, ni novio. Todo parecía como arrastrado por el viento en tres breves minutos.

La joven se sintió inquieta. Atravesó el enorme salón vacío, entró en la habitación vacía, donde dormían los soldados extranjeros, abrió la puerta lateral que conducía a su cámara nupcial, y cuando creía estar allí se encontró fuera, en el jardín... Tal disposición no era la que tenían aquellos lugares tres minutos antes. El cielo se tornaba rosa; la aurora se aproximaba.

¡Nada más que tres minutos en el cielo, y toda una noche terrestre se había esfumado como por encanto!

Entonces vio a las cigüeñas. Las llamó, habló su lenguaje, y papá cigüeña volvió la cabeza, escuchó y se acercó.

—Tú hablas nuestra lengua. ¿Qué deseas? ¿Por qué vienes aquí, extranjera?

—Soy Helga. ¡Helga! ¿No me reconoces? Hace tres minutos hablamos juntos en la galería.

—Te equivocas —replicó papá cigüeña—. Todo eso lo has soñado seguramente.

—¡No, no! —exclamó la joven.

Y le recordó el castillo del vikingo y la landa pantanosa, el viaje a Egipto... Papá cigüeña parpadeó.

—Esa es una vieja historia, del tiempo de la abuela de mi bisabuela. Sí; una princesa danesa estuvo aquí, en Egipto; pero desapareció la noche de sus bodas, hace cientos de años, y jamás se ha vuelto a saber de ella. Puedes leerlo tú misma en el monumento que se eleva aquí, y tú estás representada por una figura de mármol blanco.

Era verdad. Helga la vio, lo comprendió todo y cayó de rodillas.

El sol hizo su aparición, e igual que otras veces, cuando la figura de sapo desapareciera bajo sus rayos, del mismo bautismo de la luz surgió una belleza más límpida, más pura que el aire, un rayo de luz..., que se elevó hasta el Padre Eterno. El cuerpo terrenal se volvió polvo; una flor de loto seca yacía en el mismo lugar donde había estado Helga.

—Este es un nuevo final de la historia —dijo papá cigüeña—. No me lo esperaba; pero me gusta bastante.

—¿Qué dirán los pequeños? —preguntó mamá cigüeña.

—Tienes razón, y eso tiene mucha importancia —respondió papá cigüeña.

EL SOLDADITO DE PLOMO

Había una vez veinticinco soldaditos de plomo, todos hermanos, porque habían nacido de una vieja cuchara de plomo. Llevaban el fusil al hombro, la cabeza erguida, y el uniforme, rojo y azul, les sentaba a todos bastante bien. La primera frase que oyeron en este mundo, cuando levantaron la tapadera de la caja donde estaban metidos, fue:

—¡Soldaditos de plomo!

El grito lo había lanzado un niño, que aplaudía con toda su fuerza. Se los habían regalado por ser su cumpleaños, e inmediatamente se puso a alinearlos sobre la mesa.

Todos los soldaditos se parecían entre sí. Solo uno de ellos era diferente a los demás, porque carecía de una pierna. Al hacerlos, se había acabado el plomo, y el último quedó cojo. Se sostenía perfectamente sobre su única pierna, lo mismo que los otros sobre las dos, y es precisamente de él de quien vamos a contar su maravillosa historia.

En la mesa donde estaban alineados los soldaditos había otros muchos juguetes, pero lo que más llamaba la atención era un espléndido castillo de cartón. Por las ventanas podían verse los salones. En la parte de afuera, unos arbolitos rodeaban un espejo, que representaba el lago, en donde nadaban y se reflejaban bellos cisnes de cera. En conjunto era una maravilla; pero lo más hermoso de todo era una damisela que estaba en pie en la puerta del castillo. Era también de cartón; pero llevaba puesto un traje de blanco lino y una cinta azul en torno a su cuello, en mitad del cual se destacaba una brillante lentejuela, tan grande como su cara. La damisela tenía los dos brazos hacia arriba, porque era bailarina, y eleva tanto una de sus piernas que el soldadito de plomo no podía verla y creyó que era coja, como él.

«Esta damisela sería una esposa muy a propósito para mí —se dijo—. Pero debe ser de alta alcurnia, porque vive en un castillo, mientras que yo no tengo más que una caja de cartón, que nos pertenece a veinticinco, y ese no es un buen lugar para una dama. De todas formas, es necesario que haga amistad con ella».

Y se tendió cuan largo era tras la caja de rapé. Desde allí podía mirar a la delicada damita, que continuaba sobre una pierna, sin perder el equilibrio.

Cuando avanzó la noche, los otros soldaditos de plomo se metieron en la caja y los habitantes de la casa se fueron a dormir. Entonces, los juguetes se pusieron a jugar; es decir, a recibir visitas, a pelearse y a bailar. Los soldaditos de plomo hacían mucho ruido en la caja, porque querían divertirse también; pero no podían levantar la tapa. El cascanueces empezó a hacer cabriolas, y los trozos de tiza se divertían pintando tonterías en la pizarra. El jolgorio fue tal, que el canario se despertó y se puso a cantar, pero lo hacía en verso. Los dos únicos juguetes que no participaban de la algarabía fueron el soldadito de plomo y la bailarina. Ella permanecía erguida sobre la punta del pie, con los dos brazos al aire, y él no estaba menos firme sobre su única pierna, y ni un solo instante apartó los ojos de la damisela.

Cuando el reloj dio las doce campanadas de la medianoche, ¡clac!, se abrió la tapadera de la caja de rapé. No contenía ni una mota de tabaco, sino un muñequito negro: era un juguete de broma.

—Soldadito de plomo —dijo el muñequito—, ¿quieres apartar los ojos de la bailarina?

Pero el soldadito hizo como que no le había oído.

—Bueno, espera a mañana y ya verás —añadió el muñequito.

Cuando llegó el día siguiente y se presentaron los niños, el soldadito de plomo fue colocado en la ventana, y ya fuese el muñequito o la corriente de aire, el caso es que la ventana se abrió de repente, y el soldadito cayó de cabeza desde la altura de un tercer piso. Fue un viaje terriblemente rápido. Quedó clavado en el suelo, con la pierna para arriba y con la bayoneta metida entre dos adoquines.

La criada y el niño bajaron precipitadamente a buscarlo. Ya abajo, estuvieron a punto de aplastarlo; pero no le encontraron. Si el soldadito hubiera gritado: «¡Estoy aquí!», lo hubieran visto. Pero él no creyó conveniente gritar, porque estaba de uniforme.

Empezó a llover torrencialmente, lo que fue un serio contratiempo. Cuando cesó la lluvia se acercaron dos chicuelos de la calle.

—¡Mira! —exclamó uno—. Es un soldadito de plomo. Vamos a hacer que navegue.

Los pilluelos hicieron un barco con un periódico, colocaron al soldadito en el centro y lo echaron en el arroyuelo. Los dos pilletes corrían al lado del barco y aplaudían frenéticos. ¡Dios santo, qué olas tenía el arroyuelo y qué corriente! Es verdad que había llovido a cántaros.

El barquito de papel se balanceaba: subía, bajaba y, a veces, viraba con tanta rapidez, que el soldadito sentía palpitar su corazón. Pero continuaba firme. Compuso su aspecto y miró hacia delante, fusil al hombro.

De repente, el barquichuelo penetró en un túnel tan oscuro, que le recordaba su caja de cartón.

«¿Adónde iré a parar? —se preguntó—. Esto es cosa del muñequito guasón. Si al menos estuviese la damisela conmigo, no me importaría nada estar a oscuras».

En ese instante se presentó una enorme rata que vivía bajo el túnel del arroyuelo.

—¿Tienes pasaporte? —le preguntó la rata—. ¡Enséñame tu pasaporte!

Pero la corriente era cada vez más fuerte, y el soldadito de plomo podía percibir ya la luz delante de él, en el lugar en donde acababa el túnel; solo oyó un espantoso ruido, capaz de poner los pelos de punta al más valiente. Y no era para menos, porque en el lugar donde terminaba el túnel, el riachuelo se dirigía derecho hacia el gran canal. Era tan peligroso para el soldadito de plomo como para nosotros enfrentarnos con una cascada.

Se encontraba tan cerca ya, que no pudo detenerse, y el barco se precipitó en el canal. El pobre soldadito de plomo se mantuvo tan erguido como le fue posible, y nadie podía haber dicho que hubiese tenido miedo. El barco dio dos o tres vueltas y se llenó de agua hasta los bordes. Era inminente el naufragio. El soldadito de plomo estaba con el agua al cuello, y el barquito se hundía cada vez más. El papel se deshacía. El agua ocultó la cabeza del muñeco..., y pensó en la linda bailarina, a la que no vería más. A los oídos del soldadito llegó la canción:

¡Peligro, peligro, soldado!
¡Vas a morir!...

Al fin, se deshizo la nave de papel, y el soldado se hundió. Y un gran pez se lo tragó.

¡Vaya oscuridad que había allá adentro! Era aún peor que el túnel y, además, mucho más estrecho. Pero el soldadito de plomo era inconmovible. Durante todo el trayecto permaneció con su fusil al hombro.

El pez se agitó, moviéndose de una forma desordenada. Terminó por quedarse inmóvil y, al cabo, el soldadito se vio atravesado por un haz de luz que parecía un relámpago. Una vez más vio la claridad. Alguien gritaba:

—¡Un soldadito de plomo!

Al pez lo habían pescado, llevado al mercado, vendido y transportado a la cocina, donde la doméstica lo había abierto con un cuchillo. Cogió entre sus dedos al soldadito y lo llevó al salón, donde todo el mundo se afanaba por ver a un hombre tan notable, que había viajado dentro del estómago de un pescado. Pero el soldadito no estaba orgulloso de ello. Lo colocaron sobre la mesa, y..., ¡hay que ver lo que ocurre en este mundo!..., estaba de nuevo en el mismo salón de donde había caído a la calle, y vio a los mismos niños, y los mismos juguetes estaban sobre la mesa. Volvió a contemplar el magnífico castillo con la gentil bailarina. Aún estaba sobre la punta del pie y permanecía tan firme como él. El soldadito de plomo se impresionó tanto, que estuvo a punto de llorar; pero esto no era adecuado. La miró, y ella le devolvió la mirada; pero no se dijeron nada.

De repente, uno de los niños cogió al soldadito y lo arrojó a la estufa, sin que hubiera motivo para ello. Era otra trastada del muñequito de la caja de rapé, seguramente.

El soldadito sintió un calor enorme, pero no sabía si era a causa del fuego o del amor. Habían desaparecido sus colores, pero nadie podía decir si era a causa del viaje que había hecho o por el dolor. Miró a la bailarina, ella le miró, y el soldadito sintió que se fundía; pero permaneció inconmovible, fusil al hombro. Entonces se abrió una puerta, y el aire se apoderó de la bailarina, que voló como una sílfide hacia la estufa y cayó al lado del soldadito. Las llamas prendieron en ella y desapareció. Después, el soldadito quedó hecho una pasta, y a la mañana siguiente, cuando la criada quitó las cenizas, se encontró un corazoncito de plomo. De la bailarina solo quedaba la lentejuela, negra como el carbón.

EL GOLLETE DE LA BOTELLA

En la estrecha y tortuosa calle, entre otras míseras casas, había una alta y estrecha, construida de estacas, que se desconchaba por todas partes. Vivían en ella gentes muy pobres; pero, de todas las viviendas, la que presentaba el aspecto más miserable era la buhardilla, donde, en la parte exterior del ventanuco, se hallaba colgada una vieja jaula estropeada, cuyo bebedero era un gollete de botella puesto boca abajo y lleno de agua. En pie, ante la ventana abierta, estaba una mujer soltera y ya vieja que acababa de poner en la jaula pamplinas para la pequeña pardilla que saltaba de una caña a otra y cantaba hasta desgañitarse.

—Sí, bien puedes cantar —dijo el gollete de la botella.

Como es natural, él no lo decía de la misma forma que podríamos decirlo cualquiera de nosotros, porque un gollete de botella no sabe hablar; pero lo pensaba para sí como cuando nosotros nos hablamos hacia adentro.

—Sí, bien puedes cantar, tú, que tienes todos tus miembros completos. Si supieses, como yo, lo que es haber perdido su parte inferior, tener solamente el cuello y la boca, y con un tapón dentro, como es mi caso, no cantarías así. En fin, es bueno que existan personas dichosas. Yo no tengo ninguna razón para cantar, y, además, no puedo. Podía hacerlo en la época que era una botella entera y me rozaban con un tapón. Se me llamaba la verdadera alondra, ¡la gran alondra!... Pero luego, cuando fui con el peletero y su familia al bosque, y su hija se prometió..., ¡lo recuerdo como si fuera ayer!..., me ocurrieron muchas aventuras. Cuando lo pienso comprendo que así fue. He estado en el fuego y en el agua, dentro de la negra tierra y a mayor altura que la mayor parte de los seres humanos, y ahora me encuentro expuesto al aire y al sol, colgado en el exterior de una jaula. Valdría la pena que escucharais mi historia, pero no en voz alta, porque no puedo.

Y para sí contó, o pensó, su historia, que era curiosa, y el pajarillo cantó alegremente su canción, y abajo, en la calle, cada cual iba a pie o en coche pensando en sus asuntos o no pensando en nada; pero el gollete sí que pensaba en los suyos.

Recordaba el resplandeciente horno de fusión de la fábrica de vidrio en donde había sido soplado y donde nació a la vida. Se acordaba también de que estaba muy caliente y de que había mirado al mugiente horno, lugar de su nacimiento, y deseado con gran ansiedad regresar a él inmediatamente, pero que, poco a poco, a medida que se enfriaba, íbase encontrando muy bien en donde estaba. Fue colocado en una hilera con todo un regimiento de hermanos y hermanas, procedentes del mismo horno, aunque unos fueron soplados en forma de botella de champaña; otros, de botellas de cerveza... ¡Lo que significa ya una diferencia! Claro está que, en el mundo, una botella de cerveza puede contener el más costoso *lacryma Christi,* y una botella de champaña llenarse con tinta; pero se nota siempre cuál ha sido su destino al nacer. El modelo es testigo de ello y la nobleza es la nobleza, aun con tinta en el vientre.

Bien pronto todas las botellas fueron metidas en diferentes cajas; la nuestra también. Entonces no pensaba acabar sus días como gollete que sirviera de bebedero para un pájaro, cosa que, al fin y al cabo, es una situación honorable, pues por lo menos se es algo. No volvió a ver la luz del sol hasta que fue sacada de la caja con sus otras camaradas en la bodega de un tratante de vinos y enjuagada por primera vez. Aquello fue una sensación extraña. Tumbada inmediatamente, vacía y sin tapón, se sintió avergonzada. Algo le faltaba, aunque no sabía qué. Más tarde la llenaron con un vino excelente, tuvo su tapón y su sello, le pegaron una etiqueta en la que se leía «primera calidad» y fue como si hubiera recibido su primera nota de examen; desde luego, el vino era bueno, y lo mismo podía decirse de la botella. Cuando se es joven, se es poeta. Cantaba con alegría algo que aún no conocía: las verdes vertientes iluminadas de sol en donde crecía la viña y en donde muchachas alegres y jóvenes radiantes cantaban y se besaban. ¡Oh, qué hermoso es vivir! Todo eso cantaba ruidosamente en el interior de la botella, de la misma forma que los jóvenes poetas, frecuentemente, no conocen nada de lo que canta en su interior.

Una mañana la compraron. El aprendiz del peletero debía llevar una botella del mejor vino, y la colocaron en la cesta de las provisiones junto con un jamón, un queso y salchichas. También había allí mantequilla de la más fina y pan muy bueno. La propia hija del peletero lo empaquetó todo. Era joven, bonita, con ojos castaños y risueños y una sonrisa en los labios que expresaba tanto como sus ojos. Poseía unas manos muy bien modeladas, suaves y muy blancas; sin embargo, su cuello y su pecho eran aún más blancos. Se daba uno cuenta enseguida que era una de las muchachas más lindas de la ciudad, y, sin embargo, todavía no estaba prometida.

El cesto de las provisiones fue colocado sobre sus rodillas cuando la familia partió en coche hacia el bosque. El gollete de botella salía por entre los pliegues del blanco mantel. El tapón tenía un sello de cera roja y miraba a la joven en pleno rostro. También miraba al joven oficial de Marina que estaba sentado al lado de ella. Este oficial era un amigo de la infancia, hijo del pintor de retratos. Acababa de pasar con gran brillantez el examen para capitán, y debía partir al día siguiente en un navío hacia lejanos países extranjeros. De este viaje se había hablado mucho durante el empaquetamiento de las provisiones, y en el transcurso de la conversación, los ojos y la boca de la linda muchacha, hija del peletero, no indicaban precisamente que ella estuviera contenta.

Los dos jóvenes se pasearon por el bosque, charlaron... ¿De qué hablaron? La botella no lo oyó, porque estaba en el cesto. Allí estuvo durante un tiempo extrañamente largo hasta que la sacaron; pero, cuando al fin lo hicieron, se habían desarrollado felices acontecimientos. Todos los ojos sonreían. La hija del peletero reía también, solo que hablaba menos; pero sus mejillas estaban arreboladas como dos rosas rojas.

El padre cogió la botella y el sacacorchos. Es curioso la impresión que se experimenta al ser descorchada por primera vez. La botella no olvidó jamás en adelante ese instante solemne. Había sentido dentro de sí un gran chapoteo y, después, mientras vertían el vino, había hecho gluglú.

—¡A la salud de los novios! —dijo el padre.

Y los vasos fueron vaciados hasta el fondo. El joven oficial besó a su prometida.

—¡Felicidad y suerte! —exclamaron los dos ancianos.

El joven llenó otra vez los vasos.

—Regreso y boda dentro de un año —gritó.

Y cuando los vasos estuvieron vacíos de nuevo, cogió la botella y la alzó:

—Tú, por haber tomado parte en el día más feliz de mi vida, no servirás para nadie más.

Y la arrojo al aire. La hija del peletero no dudaba que jamás la volvería a ver volar. Sin embargo, aquello volvería a ocurrir. Por el momento, la botella cayó en mitad de los rosales silvestres del pequeño estanque. El gollete recordaba aún que había quedado allí, diciéndose:

—Yo les he dado vino y ellos me recompensan con agua estancada. Pero ha sido con buena intención.

Ella no podía ya ver a los novios ni a los viejos padres completamente felices; pero oyó durante mucho tiempo aún sus gritos de alegría y sus canciones. Más tarde, llegaron dos pilluelos que rebuscaron por entre los rosales, vieron la botella y la cogieron. Así encontró un nuevo domicilio.

A la casa del bosque donde vivían estos niños, su hermano mayor, que era marinero, había llegado la víspera para despedirse, pues iba a partir para un largo viaje. La madre estaba ocupada empaquetando varias cosas, que el padre debía llevar aquella tarde a la ciudad, en donde vería a su hijo por última vez antes de la marcha para decirle adiós. Una botella de aguardiente fuerte iba en el paquete. Los niños llegaron con aquella botella más grande que habían encontrado y que podía contener más cantidad del buen *schnap* para el dolor de vientre. Por tanto, la botella no fue llenada de vino rojo, como antes, sino de este brebaje amargo, que era bueno para el vientre. Y así fue la botella grande y no la pequeña la incluida en el paquete para el marinero. De nuevo iba de viaje, ahora con Peter Jensen y a bordo precisamente del navío en que iba el joven oficial; pero este no había visto la botella y, aunque la viera, no hubiera podido reconocerla ni decirse: «Es la que nosotros bebimos para celebrar el noviazgo y mi regreso».

Cierto que ella no contenía ya vino, sino algo de una calidad parecida, por lo que los camaradas de Peter Jensen, cuando este la sacaba, le llamaban siempre «el farmacéutico». El líquido contenido en la botella ofrecía el excelente remedio que curaba los dolores de vientre y hasta su última gota producía el bien. Aquella fue una época muy agradable, y la botella cantaba cuando la acariciaban con el tapón. Recibió el nombre de la gran alondra: «la alondra de Peter Jensen».

Pasó el tiempo, y ella permanecía en un rincón... No sabía si fue a la ida o al regreso —de este asunto no sabía mucho, porque jamás había descendido a tierra— cuando se desencadenó una tempestad; gigantescas olas, negras y pesadas, atravesaban el barco, haciéndolo elevarse y descender con una rapidez desconcertante. Se rompió el palo mayor, se abrió una vía de agua y las bombas no servían para nada. La noche era negra como boca de lobo. El barco se fue a pique, pero en el último minuto el joven oficial escribió en una hoja de papel: «En nombre de Jesús, nos hundimos». Añadió el nombre de su prometida, el suyo y el del navío, y lo introdujo en una botella vacía que encontró por allí, apretó fuertemente el tapón y la lanzó al furioso mar. No sabía que aquella botella era, precisamente, la que había servido para celebrar sus esponsales y expresar sus votos de alegría y de esperanza para su novia y para él. La botella bailaba ahora sobre las olas del mar con un mensaje de despedida y de muerte.

El barco se hundió, la tripulación pereció, la botella voló como un pájaro, porque ella llevaba en su interior un corazón y una carta de amor. Salió el sol, se ocultó el sol... Para la botella aquello fue un espectáculo parecido al de su nacimiento, cuando el horno mugía enrojecido. Y sintió vivos deseos de volar de nuevo hacia él. Permaneció mucho tiempo en el mar. Conoció bonanzas y tempestades. No tropezó con ninguna roca ni fue tragada por ningún tiburón. Durante años erró de un lado para otro, ya hacia el norte, ya hacia el sur, al azar de las corrientes. Ahora era completamente dueña de sí; pero también acaba uno por cansarse de esto.

El papel escrito, aquel último adiós del novio a su novia, solo hubiera causado pesar de haber llegado a las manos de a quien iba dirigido. Pero ¿dónde estaban las manos que habían lucido tan blancas cuando extendían el mantel sobre la hierba fresca del bosque el día de su compromiso con el marino? ¿Dónde se hallaba la hija del peletero? Sí, ¿dónde se encontraba el país y cuál era el país más próximo? La botella no sabía nada de esto... Erraba indefinidamente, y estaba cansada, porque no era para eso para lo que estaba destinada. Al fin tocó tierra, tierra extranjera. No entendía ni una palabra de lo que allí se hablaba, porque aquella no era la lengua que había oído siempre, y se pierde mucho cuando no se comprende un idioma.

Alguien tomó y examinó la botella; sacaron el billete que estaba dentro y le dieron vueltas y más vueltas, pero no comprendían lo que en él estaba escrito. No cabía duda de que la botella había sido arrojada por la borda y que era de esto de lo que trataba el papel, pero lo importante era saber lo que decía... La nota fue metida de nuevo en la botella, que colocaron en un gran armario situado en un gran salón de una magnífica casa.

Cada vez que llegaban extranjeros se sacaba la nota, le daban vueltas y más vueltas, de forma que la escritura, hecha a lápiz, se hacía cada vez más ilegible. Al fin, nadie pudo distinguir las letras. La botella permaneció aún un año en el armario, después la mandaron al desván, donde quedó oculta entre el polvo y las telarañas. Y pensó en los días felices en que ofrecía vino rojo en el verde bosque y danzaba sobre las olas, llevando en su interior un secreto, una carta, un suspiro de adiós.

Permaneció durante veinte años en el desván, y hubiera permanecido muchos más si la casa no hubiese sido reconstruida. El tejado fue demolido, se encontró la botella y se habló de ella; pero esta continuaba sin comprender el idioma, porque no se aprende una lengua cuando se está abandonado en un desván durante veinte años.

—Si hubiese permanecido en el salón de abajo —se decía—, lo hubiera aprendido.

La lavaron y la secaron, cosas que necesitaba mucho. Se sentía clara y transparente. Volvió a ser joven, a pesar de sus años; pero la nota que llevaba en su interior había desaparecido con el lavado.

La botella fue llenada con granos de semillas, cosa que no conocía. La taponaron y la envolvieron muy bien, con lo que no veía ni la luz de la vela ni la de la linterna, y menos la del sol o la de la luna. Sin embargo, pensaba, siempre es conveniente ver algo cuando se va de viaje; pero ella no veía nada. Al menos hacía algo que era muy importante: viajar... Y llegó a donde tenía que llegar y allí fue desembalada.

—¡Vaya molestias que se han tomado en el extranjero para empaquetarla! —dijeron—. ¡Y, después, para que se haya roto!

Pero no se había roto. La botella comprendió palabra por palabra lo que se hablaba. Era el mismo idioma que ella había oído hablar alrededor del horno de fusión y en casa del tratante de vinos, en el bosque y en el navío: la única y verdadera lengua que se puede comprender. Había vuelto a su país; la gente le daba la bienvenida, y de pura alegría estuvo a punto de saltar y caerse de las manos que la sostenían. Por eso, apenas se dio cuenta de que le habían quitado el tapón de corcho, sacudido y vaciado. Después la bajaron a la bodega, en donde la guardaron y la olvidaron. Pero estar en casa de uno, es lo mejor, aunque se esté en la bodega. Jamás se le ocurrió la idea de pensar sobre el tiempo que permaneció allí; pero fueron muchísimos años. Un día bajaron varias personas a tomar botellas, y nuestra protagonista fue entre ellas.

Afuera, en el jardín, se celebraba una gran fiesta. Lámparas encendidas colgaban formando guirnaldas; linternas de papel brillaban como grandes tulipanes transparentes. Era, además, una noche deliciosa. El aire era suave; el ambiente, claro; las estrellas brillaban y la luna aparecía en el horizonte como una gran bola gris azulada con solo un borde dorado: era cuarto creciente. Aquello resultaba delicioso de contemplar para quien tuviera buenos ojos.

Los senderos laterales se hallaban también iluminados, lo suficiente, al menos, para que se pudiera andar por ellos. Entre los verdes setos se hallaban dispuestas botellas con velas. Allí estaba también la botella que nosotros conocemos, la que debía terminar como gollete y bebedero de los pájaros. En aquel momento todo le parecía maravilloso. Se encontraba de nuevo entre árboles y plantas, tomaba parte en un jolgorio, escuchaba la música y las canciones, la barahúnda de las gentes, numerosas, sobre todo en la parte del jardín donde las lámparas lucían y las linternas de papel mostraban sus colores. Ella se hallaba en un sendero apartado, pero eso mismo era propicio a la reflexión. La botella sostenía su luz, servía para dar alegría a la fiesta, y eso estaba bien. Una hora como aquella hace olvidar veinte años de desván..., y siempre es bueno olvidar.

Muy cerca de ella pasó una pareja del brazo, como los novios del bosque, el oficial y la hija del peletero. La botella creyó revivir un tiempo pasado. Por el jardín se paseaban los invitados. Otras personas contemplaban y admiraban las iluminaciones. Entre ellas se encontraba una vieja solterona, sin familia, pero no sin amigos, quien tenía los mismos pensamientos que la botella. Esta anciana pensaba en el verde bosque y en una joven pareja de novios que le interesaba mucho, pues de aquella pareja ella era la mitad. Había sido la hora más feliz de su vida, cosa que jamás se olvida, por muy solterona y vieja que se sea. Pero no reconoció a la botella ni esta a ella. Así se separan los seres en este mundo..., hasta que vuelven a encontrarse de nuevo, como había sucedido a la botella y a la anciana solterona, en un mismo jardín y sin reconocerse.

Del jardín, la botella fue trasladada a casa del tratante en vinos. La llenaron de nuevo del líquido rojo y fue vendida a un aeronauta que, el domingo siguiente, tenía que elevarse en su globo. Las gentes acudieron en masa a contemplar el espectáculo. La botella vio todo esto desde la cesta en donde se encontraba con un conejo vivo que se hallaba muy deprimido, porque sabía que lo llevaban para hacerle bajar en paracaídas. La botella ignoraba lo de la subida y lo de la bajada. Vio que el globo se hinchaba y se hacía cada vez más grueso, y cuando ya no pudo hincharse más, empezó a subir, a subir, a moverse, después que fueron cortadas las cuerdas que lo sujetaban. Con el globo, flotaron en el aire el cesto, la botella y el conejo. La música tocaba ruidosamente y todo el mundo prorrumpió en vivas.

«Es curioso sentirse en el aire —se decía la botella—. Es una nueva clase de navegación. Aquí arriba no puede uno irse a pique».

Miles y miles de personas seguían con los ojos la ascensión del globo, y entre ellas la solterona. Se encontraba asomada a la ventana de su buhardilla, donde estaba colgada la jaula de la pequeña pardilla, que entonces no tenía aún bebedero de cristal y debía contentarse con una taza. En la misma ventana crecía un mirto que la anciana cuidaba con cariño. Estaba a un lado de la ventana, para que no se estropeara cuando la anciana se asomara. Vio con toda claridad cómo el aeronauta, desde el globo, arrojaba al conejo en paracaídas, bebía después a la salud de todo el mundo y lanzaba la botella al vacío. La solterona no se acordaba que ella había visto volar aquella botella por los aires el día que se había prometido, el día de la alegría en el bosque, en la época de su juventud.

La botella no tuvo tiempo de pensar en nada, tanta fue su sorpresa al encontrarse en el aire, en la cima de su existencia. Torres y tejados se hallaban por debajo de ella y las gentes parecían diminutas.

Descendió, más rápida que el conejo. Dio volteretas en el aire, sintiéndose muy joven y llena de una loca alegría. Llevaba en su interior la mitad del vino, que no duró allí mucho tiempo. ¡Qué viaje! El sol brillaba sobre ella; todo el mundo la miraba; el globo se hallaba lejos, y la botella también estuvo pronto muy lejos, cayó sobre uno de los tejados y el golpe fue tan espantoso que todos los trozos saltaron y rodaron hasta el patio, donde quedaron hechos añicos. Solo el gollete resistió la embestida. Había quedado como cortado por un diamante.

—Muy bien podría servir de bebedero para un pájaro —dijo el hombre del piso bajo.

Pero no tenía ni pájaro ni jaula, y hubiera sido excesivo procurárselos con el pretexto de que tenía un gollete de botella que podía servir de vaso. La anciana señorita de la buhardilla podía darle buen empleo, y así subió a lo alto el gollete de la botella. Le pusieron un tapón, y lo que siempre había sido su parte superior, quedó desde entonces convertida en parte inferior, cosas que ocurren frecuentemente en las transformaciones. Recibió en su interior el agua fresca y fue colocado en el exterior de la jaula para que bebiese el pajarillo que cantaba hasta desgañitarse.

—Sí, bien puedes cantar —decía el gollete de la botella.

Él era muy notable, pues había estado en el globo... y esto era todo lo que se sabía de su historia. Ahora tenía el oficio de bebedero de pájaro, podía oír el ir y venir de las gentes en la calle y escuchar las palabras que pronunciaba la solterona en el interior de la habitación, porque alguien se hallaba allí con ella. Sí, una visita, una amiga de su tiempo, y hablaban, hablaban..., pero no del gollete de la botella, sino del mirto que estaba en la ventana.

—No vas a gastarte dos *rixdales* en el ramo de flores de la boda de tu hija —decía la solterona—. Te daré uno muy bonito y lleno de flores. Mira lo encantadora que está esta planta. Es un esqueje del mirto que tú me diste el día siguiente de mi noviazgo, el que debía darme las flores que, al cabo de un año, formarían mi ramo de novia; pero ese día no llegó. Los ojos que me habrían dado la alegría y la felicidad en esta vida se cerraron para siempre. Aquella alma angelical duerme en el fondo del mar... El arbusto envejeció, y yo con él más todavía, y, cuando empezó a secarse, cogí la última rama en buen estado y la sembré, y se ha convertido en este gran arbusto que va a terminar sus días tomando parte en una boda. ¡Será el ramo de novia de tu hija!

Las lágrimas acudieron a los ojos de la solterona: hablaba de su amigo de la infancia, de su compromiso en el bosque; pensaba en el vino que había bebido, en el primer beso..., pero esto no lo decía. Era ya una vieja. Multitud de pensamientos acudían a su mente, pero no se figuraba que en su ventana tenía otro recuerdo de aquella época: el gollete de la botella que había hecho gluglú cuando se la descorchó para beberla. Y tampoco la había reconocido el gollete, porque no escuchó lo que ella contaba... y, sobre todo, porque solo pensaba en sí mismo.

EL PATITO FEO

¡Oh, qué tiempo más estupendo hacía en el campo! Era verano. El trigo estaba amarillo; la avena, verde; el heno estaba ya almacenado en los almiares y la cigüeña se sostenía sobre sus largas patas rojas y hablaba en egipcio, porque su madre le había enseñado ese idioma. Alrededor de los campos y de los prados se extendían grandes bosques, y en el centro de los bosques, profundos lagos. Sí, verdaderamente hacía un tiempo maravilloso en el campo. En pleno sol, se alzaba un antiguo castillo rodeado de profundo foso, y desde las murallas hasta el agua crecían bardanas de grandes hojas, tan altas, que los niños podían ocultarse en pie tras las más grandes. El lugar era tan silvestre como el bosque más enmarañado, y allí, precisamente, tenía su nido una pata. Estaba empollando a los polluelos que debían salir de los huevos, pero ya se estaba cansando, porque aquello duraba mucho tiempo. Además, nadie iba a verla. A los otros patos les gustaba más nadar en los fosos que permanecer bajo una hoja de bardana para charlar con la hembra.

Al fin, los huevos se abrieron uno tras otro y se oía: ¡Clac, clac! Todas las yemas de huevo se habían convertido en pollitos y sacaban la cabeza.

—¡Cuac, cuac! —exclamó la madre, y los polluelos se movían tanto como podían y miraban a todas partes, y la madre los dejaba mirar tanto como quisieran, puesto que la vegetación es buena para los ojos.

—¡Qué grande es el mundo! —decían los polluelos, porque, en verdad, eran dueños, ahora, de un espacio infinitamente mayor que el que ocupaban encerrados en los huevos.

—¿Os creéis que esto es el mundo entero? —les decía su madre—. Se extiende mucho más lejos, por la otra parte del jardín, hasta el campo del reverendo. Yo jamás he estado allí... Estáis muy bien aquí, ¿no es así? —y se levantó—. ¡Oh, aún no han salido todos! El huevo más grande aún está entero. ¿Cuánto tiempo va a durar esto todavía? ¡Ya está bien!

—¡Vaya! ¡Vaya! ¿Cómo va eso? —le dijo una pata vieja que llegó de visita.

—Dura demasiado. ¡Y por un huevo solo...! —dijo la pata acostada—. No se quiere romper. Pero ahora veréis a los otros. Son los polluelos más bonitos que he visto. Se parecen todos a su padre, ese sinvergüenza que no viene a verme.

—Déjame ver ese huevo que no quiere romperse —dijo la vieja—. Pero ¡si es un huevo de pava!, creedme. A mí también me engañaron de ese modo, y tuve grandes disgustos con los pequeños, porque temen al agua. No podía hacer que se decidieran a ir a ella. Los picoteaba y los graznaba, pero todo inútil... Dejadme verlo... Sí, sí, es un huevo de pava. Tenéis que despreocuparos de él y enseñar a nadar a los otros.

—Sin embargo, aún lo empollaré durante algún tiempo. Ya he estado tanto, que bien puedo continuar un poco más.

—Como queráis —dijo la anciana pata, y se fue.

Al fin, el huevo se rasgó. ¡Pip! ¡Pip!, dijo el pequeño al salir. Era grande y feo. La pata se le quedó mirando.

—Vaya un polluelo terriblemente gordo —dijo—. No se parece a ninguno de los otros. ¿Será un polluelo de pavo? Bueno, eso lo sabré bien pronto. Es preciso que vaya al agua, aun cuando tenga que empujarle a patadas.

Al día siguiente hizo una temperatura deliciosa. El sol brillaba sobre las bardanas verdes. La pata se acercó al borde del foso con toda su familia y, ¡paf!, saltó al agua.

—¡Cuac, cuac! —llamó.

Y todos sus patitos se arrojaron al agua uno tras otro. El agua los cubría, pero inmediatamente volvían a la superficie y nadaban con soltura. Sus patas se movían como era debido, y todos estaban allí; hasta el gordo y gris, tan feo, nadaba con los otros.

—No, no es un pavo —dijo la pata—. Sabe mover muy bien las patas y se tiene bien derecho. ¡Es mío también! Y, en suma, mirándolos bien, son todos muy lindos. ¡Cuac, cuac!... Venid conmigo ahora, que os voy a llevar al mundo y a presentaros en el corral de los patos. Pero no os separéis mucho de mí, para que no os pisoteen. Y, sobre todo, no os fiéis del gato.

Llegaron al corral de los patos. Había en él un escándalo espantoso, porque dos familias se disputaban una cabeza de anguila. Y, al final, fue el gato quien se la comió.

—Ved, así es como marchan las cosas del mundo —dijo la pata, y se frotó el pico, porque ella también hubiera deseado comerse aquella cabeza de anguila—. Moved bien las patas —continuó— y procurad inclinar bien el pico ante la anciana pata. Es la que posee el más alto rango de todos nosotros. Es de raza española, y por eso es gorda. Fijaos, además, que lleva una cinta roja atada a la pata. Esto es magnífico, porque es señal de alta distinción, la más alta distinción que una pata puede tener. Demuestra que su nobleza ha de ser reconocida por los hombres y por los animales. Vamos, graznad bien... No os metáis entre mis patas. Un polluelo bien educado marcha con ellas hacia fuera, como papá y mamá. ¡Está bien! Ahora inclinad la cabeza y decid: ¡Cuac, cuac!...

Y los pequeños obedecieron. Pero las otras patas que estaban allí cerca, los miraban y murmuraban:

—¡Mirad! ¡Ya tenemos otra familia! Como si no fuéramos ya lo bastante numerosos. ¡Mirad! ¡Mirad! ¡Vaya cabeza que tiene ese polluelo! A ese no lo queremos.

De pronto, una pata dio un salto y le mordió en el cuello.

—Dejadle tranquilo —dijo la madre—. No ha hecho ningún mal a nadie.

—No —replicó la pata que había mordido—, pero es demasiado grande y ridículo. Es preciso hacerle rabiar.

—Todos son muy lindos —dijo la anciana pata que tenía la pata adornada con una cinta—. Todos son muy lindos excepto ese. Me gustaría que pudiera hacerlo de nuevo.

—Eso no es posible, señora —contestó la madre—. No es lindo, pero tiene buen carácter y anda tan bien como los otros. Me atrevo a decir que, según mi opinión, embellecerá y disminuirá de tamaño a medida que pase el tiempo. Ha estado demasiado en el huevo, por eso no tiene el tamaño debido.

Y acarició su plumaje.

—Por otra parte —continuó— es pato, por lo que su fealdad no tiene gran importancia. Creo que será fuerte y que cumplirá bien.

—Los demás polluelos son muy bonitos —replicó la vieja y distinguida pata—. Pero, en fin, consideraos en vuestra casa, y si encontráis alguna cabeza de anguila, os permito que me la ofrezcáis.

Después de eso, todos se consideraron ya en su casa. Pero el pobre patito que rompió el huevo en último lugar y que era tan feo, se vio mordido, empujado de un lado para otro, insultado y ridiculizado, tanto por los patos como por las gallinas.

—Es muy grandote —decían todos.

El pavo, que había nacido ya con espolones y que, por tanto, se consideraba casi emperador, erizó sus plumas al verlo, echó a correr contra él y empezó a chillar hasta congestionarse. El pobre patito estaba aterrado y no sabía a qué lado volverse. Su desesperación era inmensa a causa de su fealdad y por ser el hazmerreír de todo el corral.

Así transcurrió el primer día y, en adelante, la cosa empeoró todavía más. El pobre patito se vio perseguido y acosado por todos, aun por sus hermanos y hermanas, que lo maltrataban. Y siempre decían:

—¡Ojalá te arañara el gato, mamarracho!

E incluso su madre murmuraba:

—¿Por qué no estarás lejos?

Los patos le daban mordiscos, las gallinas le picoteaban y la muchacha que daba de comer a las aves le apartaba con el pie.

Entonces huyó, volando sobre el seto, asustando a los pajarillos, que emprendieron el vuelo.

—Todo esto es porque soy muy feo —pensaba el patito, cerrando los ojos.

Pero seguía corriendo. De este modo llegó a un marjal muy grande, en donde vivían los patos salvajes. Y estaba tan cansado y desesperado, que se quedó allí durante toda la noche.

A la mañana siguiente, los patos salvajes acudieron volando, con objeto de examinar al recién llegado.

—¿Qué clase de bicho eres tú? —le preguntaron, a pesar de que el patito se había vuelto para saludarlos muy atentamente—. Eres espantosamente feo —añadieron los patos salvajes—. Pero, en fin, eso no nos importa, siempre que no pretendas ingresar en nuestra familia por medio de un matrimonio.

¡Pobre patito! Bueno estaba él para pensar en casarse. Todo lo que deseaba era tener permiso para permanecer entre los juncos y beber un poco del agua del marjal.

Se quedó allí por espacio de dos días completos. Luego llegaron dos ocas salvajes o, mejor dicho, dos ánsares, que apenas habían salido del huevo, por lo que eran muy presumidos.

—Oye, compañero —le dijeron— eres tan feo que nos hemos encaprichado de ti. ¿Quieres unirte a nosotros en nuestra expedición? Hay por aquí cerca otro marjal, en el que viven algunas encantadoras ocas. Todas son lindas damiselas que saben graznar. Eres lo bastante feo para hacer fortuna entre ellas.

Pero en aquel momento sonaron dos disparos y los dos ánsares cayeron muertos entre las cañas, tiñendo el agua con su sangre. Las escopetas dispararon de nuevo y de entre los juncos se levantaron bandadas de patos salvajes, en tanto que los perdigones hacían estragos en ellos.

Se trataba de una cacería y los tiradores habían rodeado el marjal. Algunos estaban sentados en las ramas de los árboles, que se extendían sobre el agua. El humo azul se levantaba en forma de nubecillas por entre los árboles y se extendía luego sobre el pantano.

Los perros iban de un lado para otro por el marjal y se arrojaban al agua para atrapar las piezas. Bajo sus pasos doblábanse los juncos y las cañas en todas direcciones. Aquello era en extremo alarmante para el pobre patito. Ocultó la cabeza bajo un ala y en aquel momento un perro terrible apareció ante él; le colgaba la lengua y sus ojos brillaban con expresión malvada. Abrió su inmensa boca a muy corta distancia del patito, mostró sus afilados dientes y... se arrojó al agua sin tocarlo.

—¡Gracias, Dios mío! —exclamó el patito—. Soy tan feo que ni el perro ha querido morderme.

Permaneció completamente inmóvil, en tanto que los perdigones atravesaban las matas, silbando, y un disparo tras otro desgarraba el aire. Después de muchas horas volvió a reinar la calma, pero ni aun entonces el pobre patito se atrevió a levantarse. Esperó algunas horas más antes de mirar a su alrededor. Luego, se alejó presuroso del marjal. Atravesó campos y prados, pero soplaba un viento tan fuerte que a duras penas podía avanzar.

Anochecía ya cuando llegó a una casita muy pobre. Mejor hubiera merecido el nombre de cabaña miserable, porque se hallaba en tal mal estado, que no se caía sin duda por no saber de qué lado hacerlo. Silbaba el viento con tal intensidad en torno del patito, que este se vio obligado a sentarse sobre su cola para resistirlo. El huracán adquiría cada vez mayor violencia. Entonces, el patito vio que la puerta de la vivienda solamente se sostenía con una sola bisagra, pero colgaba torcida, dejando una abertura por la que pudo penetrar en la casa. Vivía allí una vieja en compañía de su gato y de una gallina. Al primero lo llamaba Fistón, sabía arquear el lomo, ronronear de satisfacción y despedir chispas eléctricas cuando se le pasaba la mano a contrapelo. La gallina tenía las patas muy cortas y por esta razón recibía el nombre de Kykkeli Patas Cortas. Ponía muy buenos huevos y la anciana la quería tanto como si fuera su hija.

A la mañana siguiente fue descubierto el pobre patito, y el gato empezó a hacer ¡fu! Y la gallina a cacarear.

—¿Qué será eso? —se preguntó la vieja, mirando a su alrededor. Pero como veía poco y mal, se figuró que el patito sería un hermoso y gordo ejemplar de su especie, que se había escapado de algún corral—. Buen hallazgo —añadió—. Ahora tendré huevos de pato, en el supuesto de que no sea un macho. Vamos a averiguarlo.

Tuvo al patito a prueba durante tres semanas, pero el ave no puso ningún huevo. El gato era el amo de la casa y la gallina el ama. Uno y otro siempre decían: «Nosotros y el mundo», pues se figuraban representar la mitad del mundo, y no ciertamente la peor.

El patito creyó que podrían existir dos opiniones acerca del particular, pero la gallina no quiso ni siquiera prestarle atención.

—¿Sabes poner huevos? —le preguntó.

—No.

—¿Me harás, pues, el favor de callarte?

Y el gato decía:

—¿Sabes arquear el lomo, ronronear o despedir chispas?

—No.

—Pues, en tal caso, guárdate tus opiniones cuando hablen las personas de sentido común.

El patito se metió en un rincón para sumirse en su mal humor. Luego comenzó a pensar en el aire fresco y en la luz del sol, y sintió un incontenible deseo de flotar en el agua, hasta que, al fin, no pudo reprimir su anhelo y se lo comunicó a la gallina.

—¿Qué es lo que te pasa? —le preguntó esta última—. No tienes nada que hacer y por eso no piensas más que en tonterías. Pon algún huevo o empieza a ronronear y no volverás a acordarte de esas cosas.

—Pero nadar en el agua es delicioso —dijo el patito—. Y más delicioso todavía sentir el agua por encima de la cabeza, cuando se bucea hasta el fondo.

—¡Bonita diversión! —contestó la gallina—. Temo que te has vuelto loco. Pregúntale al gato acerca de eso. Es la persona más sensata que he conocido. Pregúntale si tiene deseo de flotar en el agua o de bucear en ella. Yo no digo nada de mí misma. Pregunta a nuestra ama. No hay en el mundo persona más sabia que ella. ¿Te parece que tiene el menor deseo de flotar en el agua o de bucear?

—Veo que no me comprenden ustedes —dijo el patito.

—Y si no te comprendemos nosotros, ¿quién te comprenderá? Supongo que no vas a considerarte más listo que el gato y la vieja, eso sin hablar de mí. No seas estúpido, pequeño, y da gracias a la suerte por el bien que se te ha hecho. ¿No has vivido en una casa cómoda y caliente, y con tal compañía que bien podías haber aprendido algo? Pero eres un tonto, cuyo trato no resulta nada agradable. Créeme, te quiero bien y te canto las verdades, que es el medio más seguro de demostrar amistad. Procura poner huevos, aprende a ronronear o a despedir chispas.

—Me parece que iré a recorrer el mundo —contestó el patito.

—Hazlo cuanto antes —replicó la gallina.

Y el patito se marchó. Nadó en el agua, buceó, pero todos los animales lo despreciaban a causa de su fealdad.

Llegó el otoño y las hojas de los árboles adquirieron tonos amarillentos o pardos; se apoderó el viento de ellas y las hizo danzar. El cielo se puso gris y las nubes aparecían cargadas de nieve y granizo. Un cuervo, posado en una tapia, graznaba de frío. Y el pobre patito estaba en tan mala situación, que solo al pensar en ella se siente un escalofrío.

Una tarde, cuando se ponía el sol en medio de los esplendores invernales, una bandada de hermosas y grandes aves apareció entre las matas. El patito no había visto nunca animales tan bellos. Tenían una blancura deslumbradora y cuellos largos y flexibles. Eran cisnes, y, profiriendo un grito peculiar, extendieron sus magníficas alas y emprendieron el vuelo hacia las tierras cálidas que había más allá del mar. Alcanzaron una altura extraordinaria y el patito se sintió agitado por una extraña intranquilidad, de manera que nadaba describiendo círculos y retorciendo el cuello como para seguir las evoluciones de aquellas magníficas aves. Luego profirió un grito tan agudo y raro, que al oírlo se asustó él mismo. No podía olvidar aquellas hermosas aves, aquellas aves dichosas, y en cuanto las hubo perdido de vista, buceó hasta el fondo del agua. Así, al volver a la superficie, se había calmado ya su agitación. Ignoraba qué aves eran aquellas y adónde iban, pero se sentía atraído hacia ellas mucho más que por cualquier otro de los animales que había visto. No los envidiaba, pues ni siquiera le pasaba por la imaginación que pudiera llegar a ser tal maravilla de belleza; él, que se hubiera dado por contento con que los patos, al menos, hubieran tolerado su presencia. ¡Pobre patito feo!

Fue el invierno tan intensamente frío, que el patito se vio obligado a agitar las patas a toda prisa, en el agua, a fin de impedir que se helase, pero cada noche el agujero en que nadaba era menor que el día anterior. Luego heló de un modo tan intenso, que crujió la superficie del hielo y el patito tenía que mover incesantemente las patas para que el hielo no lo aprisionara. Por fin estuvo tan fatigado, que ya no podía seguir moviéndose y quedó preso por el hielo.

A la mañana siguiente, muy temprano, apareció un campesino que le vio por casualidad. Se acercó al hielo, hizo a golpes un agujero en él, utilizando uno de sus zuecos, y llevó el patito a su casa para regalárselo a su mujer. Allí el animal revivió.

Los niños querían jugar con él, pero el patito se figuró que iban a maltratarlo y, en su espanto, se arrojó contra el pote de la leche y el líquido se derramó por todo el suelo. Chilló la dueña de la casa, elevando los brazos al techo, desesperada, en tanto que el patito, asustado, iba a caer en el barril de la mantequilla, luego a la artesa, que estaba llena de harina y, al fin, pudo salir. Ya os podéis imaginar cuál sería su aspecto. La dueña de la casa no cesaba de chillar y trataba de arrojarle unas tenazas. Los niños se atropellaban unos a otros, en sus esfuerzos por apoderarse del patito, y se reían y gritaban sin parar. Por suerte, la puerta estaba abierta, de manera que el patito acabó huyendo para ocultarse entre las matas y la nieve recién caída. Pero estaba agotado.

Sería muy triste contar todas las privaciones y miserias que le agobiaron durante el invierno, que fue muy duro... Cuando el sol empezó a calentar la tierra, el patito estaba en el marjal, echado entre los juncos. Las alondras cantaban... Era una primavera deliciosa.

El patito extendió las alas, batió con ellas dos o tres veces el aire y observó que lo hacía con mucho más vigor que antes. Emprendió el vuelo, y antes que se diera cuenta del lugar en que se encontraba, se vio en un gran jardín, en donde los manzanos estaban en flor. El ambiente se hallaba perfumado por las lilas, cuyas largas ramas colgaban por las desiguales orillas del río. ¡Oh, qué deliciosa era aquella primavera! Precisamente ante él vio tres hermosos cisnes blancos que, batiendo sus alas y andando muy ligeros, avanzaban hacia él procedentes de un bosquecillo. El patito reconoció a aquellas magníficas aves y se sintió sobrecogido por una extraña tristeza.

—Volaré hacia ellas, hacia esas aves regias, y, sin duda, me destrozarán, porque yo, tan feo, me atrevo a acercarme a ellas. Pero no me importa. Prefiero que me maten ellas a que me muerdan los patos, me piquen las gallinas, me pateen las mujeres que las cuidan o tenga que sufrir otro invierno tanta miseria.

Voló hacia el agua y nadó hacia los majestuosos cisnes. Ellos lo vieron y con las plumas erizadas acudieron a su encuentro.

—¡Matadme si queréis! —exclamó el pobre animal, e inclinó la cabeza sobre la superficie del agua, esperando la muerte...

Pero ¿qué vio reflejada en su transparencia? Pues su propia imagen. Pero ya no era un torpe, gris y feo pato, sino un magnífico cisne. Poco importa haber nacido en un corral, cuando se sale de un huevo de cisne.

Entonces se alegró de todas las miserias, tribulaciones y persecuciones de que había sido objeto. Así podía apreciar mucho mejor su buena fortuna y la cabeza que le había correspondido. Los enormes cisnes nadaban a su alrededor y lo acariciaban con sus picos.

Llegaron al jardín unos niños provistos de trigo y de pedacitos de pan, que arrojaron al agua. El más joven gritó:

—¡Hay un cisne nuevo!

—Sí, hay uno nuevo —exclamaron los demás satisfechos.

Empezaron a palmotear y a dar saltos de alegría. Luego fueron al encuentro de su papá y de su mamá. Arrojaron todo el pan al agua y afirmaron que el nuevo cisne era el más bonito y elegante.

—¡El nuevo es más hermoso! ¡Tan joven y tan lindo!

Y los viejos cisnes asintieron con su cabeza.

Se sentía tímido y avergonzado, y ocultó la cabeza debajo de un ala. No sabía qué pensar. Era muy feliz, pero no se sentía orgulloso, porque un buen corazón nunca se siente orgulloso. Pensó en las persecuciones y en las burlas que había sufrido y ahora oía decir que era el más hermoso de todos los cisnes. Las lilas inclinaban sus flores hacia el agua, ante él, el sol brillaba y calentaba. El cisne esponjó sus plumas y levantó el esbelto cuello, y entusiasmado gritó:

—¡Jamás soñé con tanta felicidad cuando solo era un patito feo!

BAJO EL SAUCE

El paisaje es muy árido en las afueras de Kjöge. La ciudad, es cierto, se halla a la orilla del mar, lo que siempre es bonito; pero podía serlo aún más. A su alrededor, todas las tierras son planas y se extienden lejos, hasta el bosque. Pero cuando se está bien instalado en un lugar siempre se le encuentra algo bello, algo que aun en el más delicioso rincón del mundo se podría echar de menos. Así podemos decir que en las proximidades de Kjöge, en donde algunos jardincillos pobres se extienden hasta el riachuelo que corre por la ribera, todo es encantador en verano. Vivían en aquel lugar dos niñitos llamados Knud y Johanne, que eran vecinos y jugaban arrastrándose uno y otro por tierra bajo los groselleros. En uno de aquellos jardines había un saúco, en el otro un sauce añoso, y a los niños les gustaba jugar sobre todo bajo este, cosa que les permitían, a pesar de que el árbol estaba muy cerca de la orilla y podían caer al agua; pero Nuestro Señor vela por los pequeños, sin lo cual todo iría mal. Por otra parte, eran muy prudentes. El muchacho tenía tanto miedo al agua que ni aun en el verano se decidía a meterse en ella cuando iba a la playa, mientras que todos los demás se divertían dentro del líquido elemento. Lo avergonzaban, pero soportaba las bromas. La pequeña Johanne soñó que estaba en una barca en mitad de la bahía de Kjöge y que Knud acudía a salvarla. El agua le llegaba hasta el cuello y después le cubría la cabeza. Cuando supo lo que la niña había soñado, no volvió a permitir que le dijeran que tenía miedo del agua y recordaba enseguida el sueño de Johanne. Estaba muy orgulloso de él, pero jamás se acercaba al agua.

Los padres de estos niños, que eran muy pobres, se reunían con frecuencia y Knud y Johanne jugaban en los jardines y en la carretera, que tenían a lo largo de las zanjas una hilera de sauces. No eran bellos con sus copas taladas, pero tampoco estaban allí para adorno, sino para dar sombra. Más hermoso era el añoso sauce del jardín bajo el cual se sentaban los niños frecuentemente.

Kjöge tiene una plaza muy grande y cuando se celebra mercado se forman calles enteras de tiendas con cintas de seda, zapatitos y toda clase de objetos. Se reúne mucha gente y, por lo general, llueve. El ambiente se halla perfumado con el olor de las blusas de los campesinos y del tan agradable de los panes de especias, con que se halla llena una de las tiendas. Pero lo más bonito de esta historia es que el hombre que los vendía vivía siempre durante la época del mercado en casa de los padres del pequeño Knud y, naturalmente, le regalaba un panecillo de especias, del cual Johanne recibía también un trozo. Sin embargo, aún más bonito que todo eso era que el vendedor sabía contar innumerables cuentos, sobre las cosas más inverosímiles, como los propios panes de especias. Una noche contó, por iniciativa propia, una historia que causó tal impresión a los dos niños que jamás la olvidaron, y lo mejor es que nosotros la oigamos también, puesto que no es muy larga.

«Había sobre una bandeja dos panes de especias —empezó el vendedor—. Uno tenía la forma de un hombre con sombrero; el otro, de una dama sin sombrero, pero con una lámina de oro sobre la cabeza. Era preciso mirarlos por el lado derecho, como es natural, y no por el revés. Una persona no debe mirarse por el revés, porque nunca está bien. El hombre poseía una almendra amarga a su izquierda: era el corazón; por el contrario, la dama solo era un pan de especias. Estaban sobre la bandeja como muestras y allí permanecieron durante mucho tiempo, por lo que terminaron amándose. Pero no se lo confesaron, que es lo que hace falta para que estas cosas tengan visos de seriedad.

"Es hombre; por tanto, le corresponde a él hablar primero", pensaba la dama.

Pero le hubiera gustado saber si su amor era correspondido.

Él, como todos los hombres, tenía en su mente un pensamiento más voraz. Soñó que era un golfillo de la calle, de carne y hueso; que poseía cuatro *skillings* y que compraba a la dama y se la comía.

Permanecieron sobre el mostrador días y semanas y terminaron por secarse y endurecerse. Ella tuvo pensamientos más delicados y más femeninos:

"Me basta haber estado en la bandeja a su lado", se dijo.

Y su talle crujió.

"Si ella hubiese conocido mi amor, hubiera vivido mucho más tiempo", se dijo él».

—Este es el cuento de los dos panecillos —dijo el vendedor de panes de especias—. Son admirables por sus vidas y por el mudo amor que no conduce jamás a nada. ¡Tomadlos! ¡Aquí los tenéis!

Y dio a Johanne el hombre, que estaba entero, y a Knud la dama partida. Pero estaban tan emocionados por la historia que no se les ocurrió comerse a los amantes.

Al día siguiente fueron con ellos al cementerio de Kjöge y se dirigieron a la pared de la iglesia cubierta de una magnífica hiedra que, tanto en invierno como en verano, la tapizaba con su rico verdor. Colocaron los panes de especias al sol sobre esta planta y contaron a un grupo de niños su historia y el mudo amor que no sirve para nada. Era el amor quien no valía nada, porque la historia era encantadora. Todos estaban conformes respecto a esto y miraban con interés a la pareja de panes. Entre ellos había un muchacho que, por maldad, se comió a la dama partida. Los niños lloraron esta desgracia, e inmediatamente —sin duda para que el pobre hombre no se encontrase solo en el mundo— se lo comieron también. Pero jamás olvidaron la historia.

Johanne y Knud siempre estaban juntos al lado del saúco y bajo el sauce. La niñita cantaba con voz argentina las más deliciosas canciones. Knud no estaba hecho para el canto, pero conocía todas las letras y esto siempre es algo. Los habitantes de Kjöge, hasta la misma quincallera, se detenían en su marcha para escuchar a Johanne.

—Tiene una voz maravillosa esta pequeña —decían.

Aquellos fueron días felices, que no duraron siempre. Los vecinos se separaron. La madre de la niña murió. El padre volvió a casarse en Copenhague, donde tenía un empleo. Era camarero de un restaurante, colocación que tiene muchas ventajas. Los vecinos los despidieron con lágrimas en los ojos y, sobre todo, los niños estaban desconsolados. Pero los viejos prometieron escribirse por lo menos una vez al año. Knud entró como aprendiz en un taller de zapatería, porque no se podía dejar a un muchacho tan mayor sin hacer nada. Y fue confirmado también.

¡Oh, cómo le hubiera gustado, en ese día tan solemne de la confirmación, haber ido a Copenhague y ver a la pequeña Johanne! Pero no fue ni podía ir, y eso que estaba solo a doce leguas de Kjöge. Knud había visto las torres de la capital, al otro lado de la bahía, los días que eran muy claros, y el día de la confirmación vio con nitidez la cruz de oro brillante sobre la iglesia de la Virgen.

¡Ah, cómo pensaba en Johanne! ¿Se acordaría ella de él? ¡Pues claro que sí!... Por Navidad llegó una carta de su padre dirigida a los padres de Knud. Todo marchaba bien por Copenhague y una gran fortuna parecía sonreír a Johanne, gracias a su linda voz. Se había colocado en un teatro, donde cantaba. Gracias a eso ganaba un poco de dinero, del cual mandaba un *rixdale* completo a sus queridos vecinos de Kjöge para que se divirtieran el día de Nochebuena. Debían beber a su salud, como ella había añadido de su propia letra en una posdata, en la que se leía: «¡Amistoso saludo a Knud!».

Lloraron todos y así se desahogaron, pero era de alegría su llanto. Knud había pensado en Johanne todos los días y ahora se daba cuenta de que la niña también había pensado en él, y cuanto más se aproximaba el momento en que se transformaría en un obrero, más claramente se le representaba que quería a Johanne, la cual terminaría siendo su esposa. Entonces, una sonrisa aparecía en sus labios y manejaba con mayor alegría la lezna mientras sujetaba el tirapié entre sus piernas. Se clavó la lezna en un dedo, pero eso no tenía importancia. Claro que él no iba a permanecer mudo como los dos panes de especias. ¡Esta historia encerraba una gran lección!

Al fin, fue obrero y arregló su mochila. Iba a ir a Copenhague por primera vez en su vida, pues ya tenía patrón. ¡Qué sorpresa se llevaría Johanne y qué contenta se iba a poner! Esta tenía entonces diecisiete años y él diecinueve. Quería comprar ya en Kjöge un anillo de oro para ella, pero pensó que lo encontraría mucho más bonito en la capital. Se despidió de sus padres y marchó en el otoño, con paso ligero, entre la lluvia y la bruma. Las hojas caían de los árboles. Mojado hasta los huesos llegó al gran Copenhague y se dirigió a casa de su patrón.

Quería visitar al padre de Johanne el domingo siguiente. El traje nuevo de obrero llegó de Kjöge, así como el nuevo sombrero, que le sentaba muy bien. Hasta entonces no había usado ninguno... Encontró la casa que buscaba y subió los numerosos pisos. Provocaba vértigo ver cómo las personas se apilaban unas sobre otras en esta ciudad tan complicada.

La habitación en donde entró era la de una familia bien acomodada. El padre de Johanne le recibió amablemente. Knud no conocía a la dueña de la casa; sin embargo, ella le estrechó la mano y le sirvió café.

—Johanne tendrá una gran alegría cuando te vea —dijo el padre—. Te has convertido en un hermoso muchacho... Y ella, ya la verás. Es una muchacha que me da todas las satisfacciones, y aún me dará más con la ayuda de Dios. Tiene su propia habitación, porque ella nos paga el alquiler.

El padre llamó muy cortésmente a la puerta de la habitación de su hija, como si fuera un extraño, y entraron... ¡Oh, qué hermosa era! Seguramente no había en Kjöge una habitación parecida a aquella. La reina no podía estar mejor alojada. Una alfombra cubría todo el suelo; grandes cortinas descendían hasta el piso; había un verdadero sillón de terciopelo. Aquí y allá, flores y cuadros, y un espejo tan grande como una puerta, por lo que existía el peligro de meterse por él sin que uno se diera cuenta. Knud vio todo eso de una rápida ojeada. No tenía ojos más que para Johanne, que era una espléndida muchacha, completamente diferente a como Knud se la había imaginado, pero ¡cuán encantadora! No existía una muchacha como ella en Kjöge. ¡Era exquisita! Pero con qué aire ausente miró a Knud, por lo menos en el primer instante. Después, corrió hacia él como para abrazarle, pero no lo hizo. Estaba muy contenta de ver a su amigo de la infancia. Las lágrimas le acudieron a los ojos, y tenía tanto que decir y tanto que preguntar sobre los padres de Knud, sobre el saúco y el sauce —que ella los llamaba padre saúco y madre sauce, como si fueran también personas...—. Y bien podían serlo, como los panes de especias. Y de los panes de especias habló también, de su mudo amor... Cómo habían permanecido sobre la bandeja y cómo se habían partido. Se rio con todas sus ganas..., pero la sangre se arremolinó en las mejillas de Knud y su corazón palpitó más fuerte que de costumbre... No, no se había convertido en una orgullosa. Y comprendió que había sido ella quien había insistido cerca de sus padres para que lo invitaran a pasar toda la tarde en su casa. Ella le sirvió el té y le ofreció una taza con sus propias manos. Inmediatamente, cogió un libro y se puso a leer en alta voz, y, en lo que leía, Knud creía escuchar las voces de su amor, porque aquello se parecía mucho a todos sus pensamientos. Más tarde, ella cantó una sencilla canción, pero que se transformó bajo su conjuro en toda una historia, que parecía desbordar su corazón. Sí, evidentemente, ella amaba a Knud. El muchacho vertió lágrimas que corrieron por sus mejillas. No podía contenerlas ni pudo decir una palabra. Le pareció que era muy tosco a su lado y, sin embargo, ella le estrechó la mano y le dijo:

—Tienes un gran corazón, Knud. No dejes de ser jamás como eres.

Fue una magnífica velada. ¡Y cualquiera dormía después de aquello! Knud no durmió. Mientras solicitaba permiso para retirarse, el padre de Johanne le había dicho:

—Bueno, supongo que no nos olvidarás. Espero que no pasará todo el invierno sin que vengas a vernos.

Por tanto, podía volver al domingo siguiente, y así pensaba hacerlo. Todas las tardes, una vez acabado su trabajo y encendidas las luces, Knud salía a pasear por la ciudad. Pasaba por la calle en donde vivía Johanne, levantaba la vista hacia su ventana, que casi siempre estaba iluminada. Una noche vio claramente su rostro en la cortina. ¡Qué noche tan encantadora! La mujer de su patrón no quería que saliese todas las tardes a pasear y movía descontenta la cabeza, pero el patrón decía:

—Déjalo, mujer; es joven.

Y se reía.

—Nos veremos el domingo —pensaba Knud— y le diré cuánto pienso en ella y que debe ser mi esposa. Cierto que no soy más que un pobre zapatero, pero ya me convertiré en maestro, trabajaré por mi cuenta y me haré un capital... ¡Sí, se lo diré! El amor mudo no conduce a nada. Me lo hicieron ver los panes de especias.

Llegó el domingo y Knud se presentó en casa de Johanne. Pero, ¡qué desgracia!, todos iban a salir. Se lo debían de haber prevenido. Johanne le estrechó la mano y le preguntó:

—¿Has ido al teatro? ¡Es preciso que vayas alguna vez! Canto el miércoles. Si tienes tiempo libre, te enviaré una entrada. Mi padre sabe dónde vive tu patrón.

Fue muy amable por su parte. En efecto, el miércoles a mediodía llegó un sobre cerrado que no contenía ni una palabra. Pero allí estaba la entrada, y aquella noche, por primera vez en su vida, Knud fue al teatro, y ¿qué vio...? ¡Oh, vio a Johanne, encantadora, deliciosa! Cierto que estaba casada con un extranjero, pero eso era solo en la comedia, una historia que ellos representaban, como bien sabía Knud, porque de otra forma, ella no hubiera pensado en enviarle una entrada para ver eso. Todo el mundo aplaudía y gritaba, y Knud gritó: «¡Hurra!, ¡hurra!».

Incluso el mismo rey sonrió a Johanne, como si ella le hubiese también cautivado. ¡Dios, cuán pequeño se sentía Knud; pero él la amaba profundamente y ella también sentía un gran afecto hacia el joven! El hombre debe decir la primera palabra: era el consejo de la dama del pan de especias. Esta historia estaba llena de enseñanzas.

Cuando llegó el domingo siguiente, Knud se dirigió a casa de Johanne. Sus sentimientos eran como los de un comulgante. La muchacha estaba sola y le recibió. No podía haber ocurrido nada mejor.

—Has hecho bien en venir —le dijo—. He estado a punto de enviarte a mi padre; pero tenía el presentimiento de que vendrías esta tarde. Tengo que comunicarte que me marcho el próximo viernes a Francia. Este viaje es necesario para que termine de consagrarme en mi arte.

Knud tuvo la impresión de que la habitación vacilaba, que su corazón iba a partirse en pedazos; pero sus ojos permanecieron sin lágrimas, aunque se notaba lo desolado que se había quedado ante la noticia. Johanne se dio cuenta y estuvo a punto de echarse a llorar.

—¡Alma leal y fiel! —exclamó.

Entonces la lengua de Knud se desató y le dijo cuánto la amaba y que era preciso que se convirtiera en su esposa. Una vez dicho esto, vio palidecer mortalmente a Johanne. La muchacha soltó su mano y dijo con tono grave y triste:

—No nos hagamos desgraciados los dos, Knud. Yo seré siempre para ti una buena hermana, con lo cual puedes contar..., pero no otra cosa —y con su mano acarició dulcemente la ardiente frente del joven—. Dios nos da fuerza para soportar todo, con tal que se le ame.

En este momento entró la madrastra.

—Knud no está muy contento de que me marche —dijo la muchacha—. ¡Ten valor! —le dio unos golpecitos en la espalda. Nadie hubiera sospechado que habían hablado de otra cosa diferente al viaje—. ¡Niñito! ¡Vamos, sé amable y entra en razón, como cuando estábamos bajo el sauce, como cuando éramos pequeños!

A Knud le parecía que había desaparecido un trozo de mundo. Su pensamiento no era más que un hilo desliado que el viento arrastra. Se quedó allí, sin saber si le habían invitado a que se quedara. Pero las dos mujeres eran buenas y amables, y Johanne le ofreció té y cantó. No era la antigua magnificencia; era un encanto maravilloso que oprimía el corazón. Al poco tiempo, se separaron. Knud no le tendió la mano, pero ella se la cogió y le dijo:

—¡Da la mano a tu hermana para decirle adiós, hermano mío, compañero de mis juegos de antaño!

Y sonreía, mientras las lágrimas corrían por sus mejillas. Y repitió:

—¡Hermano!

Eso no podía ser muy agradable... Tal fue su despedida.

La muchacha partió para Francia. Knud recorrió las fangosas calles de Copenhague... Los otros obreros del taller le preguntaban qué rumiaba para sí. ¿Por qué no iba con ellos a divertirse? Era joven también.

Fueron juntos a un ventorrillo, en donde había muchas muchachas bonitas, pero ninguna como Johanne, y en este lugar, en donde él esperaba olvidarla, se le apareció viva a su espíritu: «Dios da fuerza para soportar todo, con tal que se le ame», le había dicho ella. Se concentró y juntó las manos... Tocaban los violines y las muchachas bailaban a su alrededor. Fue espantoso. Se dio cuenta de que estaba en un sitio donde no hubiera podido llevar a Johanne, y, sin embargo, ella estaba allí con él, en su corazón... Salió, pues, y echó a correr por las calles. Pasó por delante de la casa donde ella vivía. Estaba a oscuras. Todo estaba oscuro, vacío y solitario. El mundo seguía su camino y Knud el suyo.

Llegó el invierno. Las aguas se helaron. Se hubiera podido decir que todo estaba preparado para un entierro.

Pero cuando volvió la primavera y el primer navío partió del puerto, Knud sintió un vivo afán de marcharse en él para recorrer el mundo, aunque no deseaba ir demasiado cerca de Francia.

Llenó su mochila y recorrió Alemania de ciudad en ciudad, alejándose cada vez más, sin deseos de reposar ni de parar. Solo cuando se encontró en la antigua y magnífica ciudad de Nuremberg sintió anhelo de quedarse.

Es esta una ciudad muy antigua y singular, como sacada de un viejo libro de láminas. Las calles se alinean como quieren; las casas no guardan un orden; poseen ventanas salientes sobre las aceras, con torrecillas, florituras y estatuas; de lo alto de los tejados, caprichosamente construidos, corren hasta el centro de las calles canalones en forma de dragones y de perros de cuerpos alargados.

En la plaza, mochila a la espalda, se encontraba Knud, cerca de una de las viejas fuentes donde se erguían, en medio de los saltos de agua, magníficos personajes de cobre, bíblicos e históricos... Una linda criada se acercaba en busca de agua. Dio de beber a Knud, y como llevaba también un brazado de rosas, le dio una, gesto que el muchacho le pareció de buen augurio.

De la muy próxima iglesia salían los sones del órgano que cantaba hasta sus oídos. Esta música le recordó su país y su iglesia, la iglesia de Kjöge, y se introdujo en la gran catedral. El sol brillaba a través de las vidrieras, entre las altas y esbeltas columnas. Concentró su pensamiento y una gran paz se apoderó de su ser.

Buscó y encontró un buen patrón en Nuremberg donde se quedó y aprendió el idioma.

Las antiguas tumbas, situadas alrededor de la ciudad, habían sido transformadas en pequeños jardines y huertas, pero subsisten los altos muros con sus gruesas torres. El cordelero tuerce su cuerda a lo largo de la galería construida en forma de arcada bajo el muro que da entrada a la ciudad, y aquí y allá, en los agujeros y en las grietas, crecen saúcos cuyas ramas cuelgan por encima de las bajas casitas. Era en una de estas casitas donde vivía el patrón en cuya tienda trabajaba Knud. El muchacho tenía su habitación en la buhardilla de la casa, por encima de cuyas ventanas colgaban las ramas del saúco.

Permaneció allí todo un verano y un invierno; pero, en la primavera, ya no pudo resistir más, porque el saúco estaba en flor y olía como el de su casa: era como si se encontrara en el jardín de Kjöge... Por tanto, abandonó a su patrón para buscar otro, en el interior de la ciudad, donde no hubiese saúcos.

Era muy cerca de uno de los antiguos puentes de piedra, frente a un molino que siempre estaba funcionando, donde se encontraba el nuevo taller. Además del brazo de agua del molino, corría, por entre las casas, una rápida corriente de agua, y todos los viejos y caducos balcones de las viviendas parecían querer arrojarse a ella... Allí no había el menor rastro de saúco ni existía una maceta con un poco de hierba; pero, enfrente, un viejo sauce parecía abrazado a la casa que allí se alzaba, para evitar que se la llevara la corriente. Extendía sus ramas por encima del río, exactamente igual que el sauce del jardín de Kjöge.

Verdaderamente, había pasado de mamá-saúco a papá-sauce, y a la vista de este árbol, sobre todo las noches de luna, se sentía:

¡Al claro de luna,
danés de corazón!

Pero no era el claro de luna quien producía este efecto, sino el viejo sauce.

No pudo soportar eso, y ¿por qué? ¡Preguntadle al saúco en flor...! Y, diciendo adiós a su patrón y a Nuremberg, se marchó de la ciudad.

A nadie hablaba de Johanne. Guardaba para sí su dolor, y se daba cuenta ahora de que la historia de los panes de especias tenía un gran sentido. Comprendía por qué el hombre tenía una almendra amarga a su izquierda. Él también sentía un gusto amargo, y Johanne, siempre dulce y sonriente, era toda ella pan de especias. Le parecía que la correa de su mochila le apretaba demasiado y que apenas podía respirar. La aflojó, pero no le sirvió de nada. El mundo solo estaba a medias a su alrededor; la otra mitad, la que le molestaba, la llevaba en su interior.

Solo cuando contempló las altas montañas le pareció el mundo más grande; sus pensamientos se exteriorizaron y las lágrimas acudieron a sus ojos. Los Alpes le parecieron las alas replegadas del mundo. Si la tierra las desplegara, mostraría en sus grandes alas los sombríos bosques, las rugientes aguas, las nubes y la nieve. Y suspiraba:

—El día del Juicio Final, la tierra abrirá sus grandes alas y volará hacia Dios, y al contacto con sus claros rayos estallarán como una burbuja. ¡Oh! ¿Por qué no habrá llegado ese día ya?

Recorrió tranquilamente el país, que le pareció un verdadero vergel. En los balcones de madera de las casas, las muchachas que hacían calceta le saludaban con inclinaciones de cabeza. Las cimas de las montañas se abrazaban al sol rojo del atardecer, y cuando contemplaba los verdes lagos, entre los sombríos árboles, pensaba en la orilla de la bahía de Kjöge. Experimentaba tristeza, pero no dolor.

En un lugar donde el Rin, como una larga ola, rueda, se precipita, se despeña y se transforma en nubes luminosas de un blanco de nieve, como si aquello fuera la creación de las nubes —el arcoíris se muestra por encima como una cinta continua—, pensó en el molino de Kjöge, donde el agua bramaba y se desparramaba.

Hubiera permanecido muy a gusto en la tranquila ciudad renana, pero había demasiados saúcos y sauces... y huyó más lejos, atravesando las altas y poderosas montañas, cruzando gargantas rocosas y caminos que parecían colgados de las laderas de las montañas como nidos de golondrinas. El agua rugía en las profundidades; las nubes se extendían por debajo de él. Anduvo sobre las rosas de los Alpes, los cardos y la nieve hacia un cálido sol de verano. Después dijo adiós a los países nórdicos y llegó al país de los castaños, de las viñas y de los campos de maíz. Las montañas formaban una pared entre él y todos los recuerdos, y eso era lo que le hacía falta.

Ante él se alzaba una enorme y magnífica ciudad que se llamaba Milán. Allí encontró un patrón alemán que le dio trabajo. Era un honrado matrimonio anciano quien le recogió. Tomaron afecto al tranquilo obrero que hablaba poco, pero trabajaba más que nadie y se mostraba piadoso y buen cristiano. Y parecía que Dios había levantado el peso que le oprimía el corazón.

Su mayor placer era subir, algunas veces, a la imponente iglesia de mármol. Le parecía hecha de nieve de su país. Estaba adornada con multitud de estatuas, de puntiagudas torres y de pórticos adornados con flores. Las blancas estatuas, que se alzaban en todos los rincones, en cada punta y en cada arcada, le sonreían... Tenía sobre su cabeza el azulado cielo; bajo sus pies, la ciudad y la ancha planicie verde de la Lombardía, y hacia el norte las altas montañas de nieves eternas... Y entonces pensaba en la iglesia de Kjöge, en cuyos muros rojos trepaba la hiedra; pero pensaba en ella sin pena. Quería que lo enterraran aquí, tras las montañas.

Llevaba viviendo en esta ciudad un año. Había salido de su país hacía tres. Su patrón le condujo un día no al circo a ver las *écuyères,* sino a la gran ópera, porque era un teatro digno de verse... Cortinas de seda colgaban en los siete pisos, y desde el suelo hasta el techo, es decir, desde el patio de butacas hasta el paraíso, se hallaban sentadas las más elegantes damas, con ramos de flores en las manos, como si estuviesen en un baile, y los caballeros vestían de etiqueta, muchos de ellos con joyas de plata y oro. El patio de butacas estaba tan iluminado que parecía alumbrado por el propio sol, y la música llegaba hasta ellos deliciosamente. Era más magnífico que el teatro de Copenhague, donde trabajaba Johanne; sin embargo... Pero, de pronto, el telón se alzó y fue como un sortilegio. Allí, en mitad del escenario, estaba Johanne, vestida de seda y oro, con corona de oro en la cabeza. Cantó como solo un ángel de Dios podría hacerlo. Daba las notas más agudas y sonreía como solo Johanne sabía hacerlo. Ella miró hacia donde estaba Knud. El pobre Knud agarró la mano de su patrón y gritó:

—¡Johanne!

Pero no se oyó el grito. Los músicos tocaban demasiado fuerte. El patrón hizo un gesto con la cabeza, y dijo:

—Pues sí, se llama Johanne.

Cogió un programa donde estaba impreso su nombre completo.

No, no era un sueño, y todo el mundo se sentía transportado por aquella voz. Le arrojaron flores y coronas, y cada vez que ella salía de escena, volvían a llamarla. No hacía más que entrar y salir de las tablas.

Fuera, en la calle, la multitud rodeó su coche y tiró de él. Knud estaba en la primera fila y era de los más entusiasmados. Cuando llegaron a casa de la muchacha, magníficamente iluminada, Knud se precipitó a la portezuela del coche y la abrió. Johanne se apeó; su cara resplandecía de luz y miró a Knud directamente, pero no lo reconoció. Un señor, que llevaba en el pecho una condecoración, le ofreció el brazo... Se decía que eran prometidos.

Knud regresó a su casa e hizo su mochila. Quería regresar al saúco y al sauce de Kjöge. Era necesario que lo hiciese... ¡Ay, el sauce!

Le rogaron que se quedara. Ninguna palabra pudo detenerlo. Le dijeron que muy pronto llegaría el invierno, que la nieve cubría ya las montañas; pero por el surco que abría el coche, que avanzaba lentamente —pues le era preciso abrirse camino—, Knud podía marchar, la mochila a su espalda, apoyado en su bastón.

Y se dirigió hacia las montañas, las escaló y descendió; agotado, aún no veía ciudad ni casa. Las estrellas lucieron en el cielo; sus pies vacilaron, la cabeza le dio vueltas. Las estrellas lucieron también en el fondo del valle. Hubiera podido decirse que el cielo se extendía también a sus pies. Se sintió enfermo. Las estrellas de abajo se hacían cada vez más numerosas y siempre más claras. Se movían de un lado para otro. Era una pequeña ciudad que encendía sus luces, y cuando Knud se dio cuenta de ello, hizo acopio de sus últimas fuerzas y alcanzó una posada.

Permaneció en ella todo el día siguiente, porque su cuerpo necesitaba descanso y cuidados. En el valle la nieve se deshelaba y se fundía. Una mañana llegó un organista de Barbaria, que interpretó un aire danés, y Knud no pudo aguantar más...

Anduvo muchos días, numerosos días, a paso rápido, como si tuviese necesidad de llegar a su país antes que todo el mundo hubiese muerto allí; pero a nadie habló de su pena; nadie podía creer que llevaba en su corazón el más profundo de los dolores, dolor que no es de este mundo, dolor que no tiene nada de agradable, que no es para confesárselo a los amigos, y menos él, que carecía de ellos.

Recorría el país como un extranjero, siempre en ruta hacia el norte. La única carta del país que sus padres le habían escrito, hacía ya años, decía: «Tú no eres un danés de verdad, como todos nosotros. Nosotros lo somos de los pies a la cabeza. ¡Tú solo amas a los países extranjeros!». Sus padres podían escribir tal cosa... ¡Sí, ellos le conocían bien!

Una tarde marchaba por la gran carretera. Comenzaba a hacer frío. El campo cada vez se veía más desnudo. Al borde de la carretera se alzaba un gran sauce. ¡Tenía un aspecto tan familiar, tan danés! Knud se sentó bajo el sauce. Estaba cansado, inclinó la cabeza y sus ojos se cerraron para dormir; pero tuvo la impresión de que el sauce extendía hacia él sus ramas. El árbol tenía aspecto de un imponente anciano. Era el propio papá-sauce que lo tomaba en sus brazos y le llevaba, hijo fatigado, al país danés y lo depositaba sobre la pálida ribera, cerca de Kjöge, en el jardín de su infancia. Sí, era el mismo sauce de Kjöge que había salido al mundo para buscarlo y encontrarlo. Y allí lo había encontrado y llevado con él al jardincillo situado a la orilla del río. Johanne estaba allí también, con todo su esplendor, con su corona de oro en la cabeza, tal y como la había visto la última vez, y le saludaba:

—¡Bienvenido seas!

Ante ellos se alzaban dos seres extraños, pero que tenían aspecto mucho más humano que en la juventud de Knud; también estaban cambiados: eran los panes de especias, el hombre y la mujer. Estaban de cara y tenían un aspecto excelente.

—¡Gracias! —dijeron los dos a Knud—. Tú has desatado nuestra lengua; tú nos has enseñado que es preciso expresar el pensamiento, sin lo cual no se consigue nada. Y nosotros lo hemos conseguido. ¡Somos novios!

Cogidos de la mano se alejaron por las calles de Kjöge. También tenían buen aspecto vistos de espaldas. Fueron directamente a la iglesia de Kjöge, y Knud y Johanne los siguieron. También iban cogidos de la mano. La iglesia continuaba teniendo sobre su roja pared el encantador verdor de la hiedra, y la gran puerta de la iglesia se abrió de par en par, sonó el órgano y el hombre y la dama se dirigieron hacia el altar:

—A tal señor, tal honor —dijeron los esposos de pan de especias.

Se pusieron a un lado y a otro de Knud y Johanne, quienes se arrodillaron. Johanne inclinó la cabeza hacia Knud y las lágrimas perlaron sus ojos. Eran lágrimas de hielo que hacía fundir, alrededor de su corazón, el gran amor de su camarada; esas lágrimas cayeron sobre las ardientes mejillas de Knud..., y este se despertó. Se hallaba sentado bajo el viejo sauce del país extranjero, una tarde de mucho frío. De las nubes caía un granizo glacial que le azotaba el rostro.

—He gozado de la hora más deliciosa de mi vida —dijo—, y era un sueño... ¡Dios mío, déjame soñar más!

Cerró los ojos, se durmió, soñó...

Hacia la madrugada empezó a caer la nieve, que cubrió los pies de Knud. Dormía. Los campesinos se dirigían a la iglesia... Y encontraron a un artesano muerto de frío... bajo el sauce.

LA PASTORA Y EL DESHOLLINADOR

¿Habéis visto alguna vez un armario muy viejo, ennegrecido por los años y tallado con flores y hojas? Uno de tal clase se encontraba en un salón y había pertenecido a la bisabuela. Desde lo alto hasta la pared de abajo tenía tallados rosas y tulipanes, y entre las espirales se veían cabecitas de ciervos con sus astas. En el centro del armario estaba esculpido un hombre de cuerpo entero que daba risa verle, porque su aspecto era de lo más divertido. Tenía patas de macho cabrío, cuernos en la frente y una barba muy larga. Los niños de la casa lo llamaban siempre «el mayor general comandante en jefe de los pies de macho cabrío», el cual es un nombre bastante largo para decirlo de un tirón, y no existían en el mundo muchas personas que ostentasen tal título. El tallarlo había sido un trabajo verdaderamente magnífico. En fin, allí estaba, y siempre miraba hacia la mesa colocada bajo el espejo, en donde se erguía una encantadora pastorcilla de porcelana. Sus zapatitos eran dorados; su vestido, gentilmente sujeto con una rosa roja, y se tocaba con un sombrero de oro. En la mano llevaba un cayado de pastor. ¡Era de una exquisita delicadeza! Muy cerca de ella había un deshollinador, negro como el carbón, pero también de porcelana. Estaba tan limpio y pulcro como el que más; pero era un deshollinador, es decir, eso era lo que representaba. El fabricante de porcelanas hubiera podido haber hecho de él un príncipe, de haberlo querido.

Se erguía sobre la consola muy gentilmente con su escalera, y su rostro era blanco y rosado como el de una muchacha, y eso era un defecto, pues él debía haber estado manchado un poco de negro. Estaba situado al lado de la pastora. Los habían colocado allí a los dos y, como estaban juntos, habían terminado por hacerse novios. Eran muy a propósito el uno para el otro, pues ambos eran jóvenes, de la misma porcelana y de la misma fragilidad.

Cerca de ellos se encontraba un muñeco tres veces más grande: era un viejo chino que podía mover la cabeza. También era de porcelana, y pretendía ser el abuelo de la pastora, pero no podía probarlo. Afirmaba que tenía autoridad sobre ella, y al «mayor general comandante en jefe de los pies de macho cabrío», que había solicitado la mano de la pastorcilla, le había hecho signos de asentimiento con la cabeza.

—Tendrás en él un buen marido —le decía el viejo chino—, un marido que, estoy seguro, es de caoba. Hará de ti una «mayor general comandante en jefe de los pies de macho cabrío». Tiene todo el armario lleno de plata, y no hablemos de lo que habrá en los cajones secretos.

—Yo no quiero ir al armario oscuro —contestaba la pastorcilla—. He oído decir que, dentro de él, hay once mujeres de porcelana.

—Bueno, tú serás la doce —dijo el chino—. Esta noche, tan pronto como cruja el viejo armario, celebraréis la boda. Tan cierto como soy un chino viejo.

Movió la cabeza y se durmió.

La pastorcilla se echó a llorar y miró a su querido deshollinador de porcelana, que era el dueño de su corazón.

—Creo —dijo— que voy a suplicarte que te vengas conmigo por el ancho mundo, ya que es imposible que permanezcamos aquí.

—Yo quiero todo lo que tú quieras —le contestó el deshollinador—. Marchémonos enseguida. Con mi oficio tengo suficiente para mantenerte.

—¡Si estuviéramos en la parte baja de la consola...! —dijo la pastora—. No seré feliz hasta que estemos lejos de aquí.

Él la consoló y le indicó dónde tenía que apoyar su piececito: sobre los adornos tallados y las hojas que se veían a lo largo de la pata de la mesa. Él se ayudó también de su escalera, y bien pronto se encontraron sobre el pulimentado suelo; pero cuando dirigieron la vista hacia el viejo armario, notaron una gran agitación. Todos los ciervos tallados alargaban sus cabezas hacia adelante, afilaban sus cuernos y volvían el cuello; «el mayor general comandante en jefe de los pies de macho cabrío» saltó en el aire y gritó al viejo chino:

—¡Que se marchan! ¡Que se marchan!

Se asustaron un poco y rápidamente saltaron dentro del cajón de la mesa de trabajo.

Allí había dos o tres juegos de cartas que no estaban completos y un pequeño teatro de muñecos, que estaba montado de la mejor forma posible. Se estaba representando una comedia, y todas las Damas, Rombos, Corazones, Tréboles y Picas se hallaban sentados en la primera fila y se abanicaban con sus tulipanes. Detrás de ellos estaban los *valets,* mostrando sus cabezas arriba y abajo, como en el juego de naipes. La comedia representaba dos seres que no debían de pertenecer el uno al otro, y la pastorcilla lloró por su parte, ya que esta historia era como la suya propia.

—¡No puedo soportar eso! —exclamó—. Es de todo punto preciso que salga del cajón.

Pero cuando se encontraron en el suelo y miraron hacia la consola, vieron que el viejo chino se había despertado e, inclinado su cuerpo, se lanzaba hacia ellos como un fardo.

—¡Corramos, que viene el chino! —gritó la pastorcilla.

Pero estaba tan desolada, que cayó de rodillas.

—Tengo una idea —dijo el deshollinador—. Si escaláramos el gran jarrón de porcelana de China, que está en aquel rincón, podríamos ocultarnos entre las rosas y la lavanda y echarle sal en los ojos cuando se aproximara.

—Eso no puede ser —dijo ella—. Además, yo sé que el viejo chino y el jarrón han sido novios, y cuando se ha estado unido de esa forma, siempre queda algo de simpatía. No; no nos queda otra cosa que hacer que marcharnos a recorrer el mundo.

—¿Verdaderamente tienes valor de venir conmigo por el mundo? —preguntó el deshollinador—. ¿Has reflexionado lo grande que es y que jamás podremos volver aquí?

—He pensado en ello —contestó la pastora.

El deshollinador la miró fijamente y dijo:

—Mi camino pasa por la chimenea. ¿De verdad te sientes con valor para subir conmigo a la estufa, atravesar el hogar y el tubo? Una vez hecho esto, llegaremos a la chimenea, y allí me encontraré a mis anchas. Subiremos tan alto, que no podrán alcanzarnos, y ya en la parte más alta hay un agujero que se abre sobre el vasto mundo.

Él la condujo a la puerta de la estufa.

—Está muy negro —dijo la pastora; pero le siguió a través del hogar y del tubo, donde todo era como negra noche.

—Ya estamos en la chimenea —dijo el deshollinador—. ¡Mira, mira! ¡Allá arriba brilla una soberbia estrella!

Sí, era una estrella del cielo, que brillaba como si quisiera mostrarles el camino que habían de seguir. Escalaron la chimenea. Era espantoso. ¡Y tan alto, tan alto...! Pero el deshollinador la ayudaba, la sostenía y le mostraba los mejores sitios donde podía posar sus piececitos de porcelana, y llegaron, al fin, a la cima de la chimenea, en donde se sentaron porque estaban fatigados, y con razón.

El cielo, con todas sus estrellas, estaba encima de ellos, y todos los tejados de la ciudad por debajo. Miraron a su alrededor, y sus ojos se posaron en la lejanía. La pobre pastorcilla no había imaginado nunca que aquello fuera tan enorme. Inclinó la cabeza sobre el pecho del deshollinador y lloró tanto, que el oro de su cinturón se destiñó.

—¡Es demasiado! —exclamó—. No puedo soportarlo. El mundo es enorme. ¡Oh, cómo me gustaría estar de nuevo sobre la consola, delante del espejo! ¡No volveré a ser feliz hasta que me encuentre allí! Yo te he acompañado hasta el inmenso mundo; ahora bien puedes devolverme a nuestra casa, si es que me quieres un poquito.

El deshollinador le expuso sus razones; le habló del viejo chino y del «mayor general comandante en jefe de los pies de macho cabrío»; pero ella sollozaba tan fuerte y se abrazaba con tal afán al deshollinador, que este no tuvo más remedio que complacerla, aun considerándolo una locura.

Con mucho trabajo volvieron a recorrer el camino, descendiendo por la chimenea. Se metieron por el tubo, atravesaron el hogar, lo cual no era nada divertido, y se encontraron en la oscura estufa. Una vez allí, escucharon tras la puerta para saber lo que pasaba en el salón. No se oía ningún ruido. Echaron una ojeada... ¡Ay, en mitad del pulimentado suelo yacía el viejo chino! Se había caído de la consola, cuando había querido perseguirlos, y estaba roto en tres pedazos. Su tronco estaba partido en dos trozos, y la cabeza había rodado hasta un rincón. «El mayor general comandante en jefe de los pies de macho cabrío», continuaba en el lugar de siempre, soñador.

—Es terrible —exclamó la pastorcita—. El viejo abuelo partido en pedazos. ¡Y ha sido por nuestra culpa! No podré sobrevivir a esta desgracia.

Y se retorcía sus manitas.

—Se le puede componer —dijo el deshollinador—. Ya verás cómo se le puede componer... ¡Tranquilízate! No hay más que coger el cuello, encolarlo y unirlo al tronco. Quedará como nuevo y podrá decirnos aún muchas cosas desagradables.

—¿Tú crees? —preguntó la pastora.

Y escalaron la consola y se colocaron en sus respectivos sitios.

—Bueno, ya estamos otra vez aquí —dijo el deshollinador—. Para esto, hubiéramos podido evitarnos tantas molestias.

—Si al menos el viejo chino pudiera ser reconstruido... —dijo la pastora—. ¿Costará muy caro?

Lo compusieron, sí. La familia encoló al viejo chino; le sujetaron bien la cabeza al tronco y quedó como nuevo. Pero no podía mover ya la cabeza.

—Os habéis vuelto muy orgulloso desde que os partisteis en pedazos —le dijo «el mayor general comandante en jefe de los pies de macho cabrío»——. ¡Me parece que eso no fue para tanto! Me casaré con la pastorcilla, ¿sí o no?

La pastorcilla y el deshollinador miraron con emoción al viejo chino. Tenían miedo de verle hacer un signo afirmativo con la cabeza. Pero no podía. Le era muy penoso confesar a un extraño que tenía encolada la cabeza y que jamás volvería a moverla. Los amantes de porcelana permanecieron, pues, juntos para siempre y se amaron hasta el día en que, a su vez, se rompieron en trozos.

¿CUÁL FUE LA MÁS DICHOSA?

—¡Qué rosas tan lindas! —exclamó el rayo de sol—. Y todos sus capullos cuando abran serán rosas tan hermosas como ellas. ¡Son mis hijos! ¡Mis besos les han dado vida!

—¡Son hijos míos! —exclamó el rocío—. ¡Yo los he nutrido con mis lágrimas!

—También me considero yo su madre —dijo el seto de rosales—. Vosotros no sois sino padrinos que habéis hecho regalos de bautismo según vuestro medios y vuestra voluntad.

—¡Qué rosas tan lindas son mis hijas! —exclamaron los tres.

Y desearon a cada flor la mayor suerte; pero solo una podía ser la más feliz, la más afortunada, y otra la más desgraciada. Pero ¿cuál?

—Yo lo sabré —dijo el viento—. Yo corro por todas partes, penetro por cualquier abertura y sé cuanto pasa dentro y fuera de los edificios.

Cada rosa abierta comprendió sus palabras; cada capullo por abrir las adivinó.

Una enternecida y desconsolada mamá, vestida de luto, entró en el jardín y cogió una de las rosas, fresca y redonda, que estaba a medio abrir, porque le pareció la más bella de todas. Llevó la flor a la silenciosa y apacible habitación donde, pocos días antes, su alegre hijita jugaba y retozaba. Ahora yacía, como una estatua de mármol, dormida en el negro ataúd. La mamá besó a la muerta; luego puso sus labios en la rosa a medio abrir y la depositó sobre el pecho de la niña, como si la frescura de la flor y el beso maternal pudiesen hacer el milagro de que el corazón latiera de nuevo.

La rosa pareció hincharse; cada pétalo tembló con un pensamiento de felicidad.

—¡Qué senda de amor me han destinado! Vengo a ser como el niño de un ser humano; recibo el beso de una mamá y sus palabras de bendición, y marcho al reino de lo desconocido, soñando sobre el pecho de la muerte. Seguramente soy la más dichosa de todas mis hermanas.

La anciana escardadora llegó al jardín en donde estaba el seto de rosales. Contempló también su esplendor y fijó su atención sobre la rosa más grande, completamente abierta. Una gota de rocío y un día caluroso más bastarían para que sus pétalos cayesen a tierra. La mujer lo comprendió, dándose cuenta de que la flor había alcanzado su belleza y que ahora debía ser útil para algo. La tomó, pues, y la puso dentro de un periódico para unirla a otras rosas deshojadas que tenía en su casa, con las cuales se mezclaría para convertirse en perfume. Para ello se la reuniría con las florecillas azules, llamadas lavanda, y se la embalsamaría con sal. El embalsamamiento solo está reservado a las flores y a los reyes.

«Soy la más afortunada —se dijo la rosa cuando la escogió la escardadora—. Seré la más dichosa. Me embalsamarán».

Dos jóvenes se paseaban por el jardín. Uno era pintor; poeta, el otro. Cada uno cogió una rosa, a cual más encantadora.

El pintor plasmó en el lienzo la imagen de la rosa florida, que creyó mirarse en un espejo.

—Así mi rosa vivirá generaciones tras generaciones, mientras millones y millones de rosas se ajarán y morirán —dijo el pintor.

—¡Soy la más afortunada! —dijo la rosa—. ¡He ganado la mayor felicidad!

El poeta contempló su rosa, escribió sobre ella un poema, todo un misterio, todo cuanto leía en sus pétalos: *El libro de imágenes del amor.* ¡Fue un poema inmortal!

«¡Me ha hecho inmortal! —exclamó la rosa—. ¡Soy la más dichosa!».

En este magnífico seto de rosas había una, sin embargo, que estaba casi oculta por las demás; por azar, felizmente tal vez, tenía un defecto: estaba colocada de través en su tallo y los pétalos de un lado no correspondían exactamente a los del otro. En el centro mismo de la flor crecía una hojita verde esmirriada. ¡Esto puede ocurrirle a cualquier rosa!

—¡Pobre niña! —exclamó el viento, y le acarició la mejilla.

La rosa creyó que era un saludo, un homenaje. Ella creía estar hecha un poco de distinta manera a las otras rosas, puesto que una hojilla verde crecía en su corazón, cosa que ella consideraba como muy distinguido. Una mariposa se posó en ella y besó sus pétalos.

Era un pretendiente.

La rosa dejó que volara de nuevo.

Llegó un enorme saltamontes, que se posó en otra rosa; se rascó la tibia para demostrarle su afecto, pues en los saltamontes esto es una señal de cariño. La rosa sobre la que estaba no lo compendió; pero la rosa de gran distinción, la de la hojilla verde y esmirriada, sí lo entendió, porque el saltamontes la miraba con ojos que decían:

«¡Podría comerte de puro cariño!».

Y este es límite extremo que el amor puede alcanzar: ¡que uno se funda en el otro! Pero la rosa no quería fundirse con su saltador.

El ruiseñor cantaba en la noche estrellada.

«¡Canta únicamente para mí! —exclamó la rosa que tenía un defecto o una excepción—. ¿Por qué soy en todo más distinguida que mis hermanas? ¿Por qué me han concedido esta propiedad que hace de mí la más dichosa, la más afortunada?».

Al jardín llegaron dos señores que fumaban puros. Hablaban de rosas y de tabaco. Las rosas no soportan el humo del tabaco, cambian de color, verdean. Era preciso comprobarlo. Pero no tuvieron corazón para arrancar una de las más hermosas, sino que arrancaron la que tenía un defecto.

«¡Qué honor! —dijo esta—. ¡Soy inmensamente feliz! ¡La más feliz de todas!».

Y verdeó a conciencia con el humo del tabaco.

Una rosa, casi un capullo aún, tal vez la más bella del rosal, tuvo un sitio de honor en el ramo que el jardinero llevó a su joven amo, y partió con él en carroza. Era flor de belleza en medio de otras lindas flores y follajes. Llegó a una fiesta magnífica y se encontró entre caballeros y damas sentados, agradablemente iluminados por mil lámparas.

La música sonaba en las oleadas de luz del teatro, y cuando, en medio de una tempestad de aplausos, apareció la joven bailarina de moda en el escenario, los ramos volaron a sus pies como lluvia de flores. El ramo donde se hallaba la exquisita flor como joya allí colocada, cayó a los pies de la bailarina, y la flor experimentó una indecible dicha al ver que había sido arrojada a la gloria y al esplendor; pero, en el momento de tocar al suelo, se puso también a bailar: saltó, rodó y se desprendió de su tallo. No llegó a las manos de la aclamada bailarina; rodó tras los bastidores, donde la recogió un tramoyista, que se dio cuenta de lo hermosa que era y lo bien que olía, pero no tenía tallo.

Se la metió pues, en el bolsillo, y cuando, por la noche, llegó a casa, colocó la flor en un vaso y allí permaneció en agua toda la noche. A la mañana siguiente muy temprano fue llevada a la abuelita que, vieja e impedida, estaba sentada en un sillón. Miró a la linda flor tronchada, encantada de verla y olerla.

—No has venido a la mesa de una dama rica y elegante, sino a casa de una pobre vieja. Pero eres como un rosal entero. ¡Maravillosa!

La abuela contempló la flor con alegría infantil, y pensó, sin duda, en los tiempos lejanos de su juventud.

El viento dijo:

—En el cristal de la ventana había un agujero y por él me colé fácilmente. He visto cómo brillaban de juventud los ojos de la anciana; he contemplado a la maravillosa rosa tronchada. ¡La más dichosa de todas! ¡Lo sé! ¡Puedo asegurarlo!

Cada rosa del seto tenía su historia. Cada rosa creía y se imaginaba que era la más dichosa, y la fe produce la felicidad. Pero esta última rosa, según ella pensaba, era la más feliz, la más afortunada.

—¡He sobrevivido a todas! Soy la última, la única, la hija más querida de mi madre.

—¡Y yo soy su madre! —dijo el seto de rosales.

—¡Lo soy yo! —exclamó el rayo de sol.

—¡Y yo! —decían el tiempo y el viento.

—Cada uno ha contribuido un poco a su formación —dijo el viento— y volverá a contribuir.

Y diseminó los pétalos por encima del seto, en el que habían caído gotas de rocío y brillaba el sol.

—Yo también he contribuido —continuó diciendo el viento—. Conozco la historia de todas las rosas y la difundiré por el mundo entero. Decidme, pues: ¿cuál ha sido la más dichosa de todas? Sí, vosotros podéis decirlo; yo ya he dicho bastante.

LA LLAVE DEL PORTAL

Cada llave tiene su historia, y hay muchas llaves por el mundo; la llave del chambelán, la llave del reloj, las llaves de san Pedro...

Nosotros podríamos contar la historia de todas las llaves; pero, ahora, solo vamos a contar la historia de la llave del portal.

Procedía de casa del cerrajero; pero hubiera podido creerse que procedía de casa del herrero, tanto el hombre la había pulido, limado y redondeado. Era demasiado grande para el bolsillo del pantalón. Había que llevarla en el del abrigo. Con frecuencia se encontraba allí, sumida en la oscuridad; pero su lugar habitual era la pared, colgada de un clavo, junto al retrato del chambelán cuando era niño, en el que tenía aspecto de una bola con papada.

Se dice con frecuencia que cada uno de nosotros demuestra, en su carácter y en su forma de comportarse, la influencia del signo del zodiaco bajo el cual se ha nacido: Tauro, Virgo, Escorpión..., como los llama el almanaque. La esposa del chambelán aseguraba que su marido había nacido bajo el signo de la carretilla, porque siempre necesitaba que se le empujase.

Su padre le había empujado a la oficina; su madre, al casamiento, y su mujer, al puesto de chambelán; pero esto ella no lo decía, porque era una mujer ecuánime, llena de sentido común, que se callaba cuando era preciso y hablaba y empujaba cuando las circunstancias lo exigían.

Tenía buena edad; había conseguido la talla adecuada, según él mismo aseguraba; poseía don de gentes; había leído mucho y, sobre todo, entendía de llaves, que es lo que a nosotros nos interesa. Siempre de buen humor, apreciaba a todo el mundo y hablaba con facilidad. Cuando iba por la ciudad no encontraba el momento de regresar a casa, si no estaba con él su mujer para empujarle. Tenía que hablar con cada conocido que se encontraba, y eran tantos, que la comida se retrasaba por su culpa.

Desde la ventana, su mujer le acechaba.

—¡Ya viene! Pon la olla al fuego —gritaba a la criada—. Quita la olla, que se ha parado a hablar con otro, y va a estar la comida demasiado cocida... ¡Ya ha echado a andar!... Pon otra vez la olla...

Pero no avanzaba gran cosa.

Podía estar bajo la ventana y hacer un signo a su mujer de que subía; pero si un conocido pasaba en aquel momento, él no podía contenerse de decirle algunas palabras. Si, mientras hablaba con este, llegaba otra persona conocida, le tendía la mano, mientras con la otra cogía por la solapa al primero, y llamaba a un tercero que pasaba por allí cerca.

Era un ejercicio de paciencia para su mujer.

—¡Oh, el chambelán! —exclamaba esta—. No hay duda de que ha nacido bajo el signo de la carretilla. No puede avanzar si no se le empuja.

A este le gustaba mucho ir a las librerías para ojear las nuevas publicaciones; se llevaba a casa los libros y los diarios.

Era una especie de periódico viviente: estaba al tanto de los noviazgos, de las bodas y de las defunciones; de los chismes, de los libros y de la ciudad, y, al pasar, lanzaba misteriosas indicaciones para demostrar que se hallaba al corriente de un hecho cuando aún nadie sabía nada. Pero este conocimiento le provenía de la llave del portal.

Casados muy jóvenes, el chambelán y su esposa habitaban su propia casa y tenían la misma llave del portal; pero sin conocer entonces las propiedades particulares de la tal llave, que descubrieron más adelante.

Eran los tiempos de Frederik VI. Copenhague no tenía entonces gas, sino lámparas de aceite. No existía ni el Tívoli ni el Casino. No había tranvías ni trenes. Las distracciones eran pocas en comparación con las de hoy. El domingo se daba una vuelta por las afueras de la ciudad, yendo hasta el cementerio de la Asistencia, en donde se leían las inscripciones de las tumbas, se sentaba sobre la hierba, se comía lo que se llevaba en el cesto de la merienda y se bebía de la botella de vino; o bien, se iba a Frederiksberg, en donde tocaba la banda militar delante de palacio y se podía ver a la familia real pasear en barca por los numerosos y estrechos canales. El anciano rey llevaba el timón de la barca, saludando en unión de la reina a todas las personas, sin distinción de rango. Acudían las familias adineradas de la ciudad para merendar allí. Podían conseguir agua caliente para el té en una casa de labranza situada en el campo exterior del jardín real, pero necesitaban llevar la tetera.

El chambelán y su mujer acudieron un domingo de sol por la tarde. La criada iba delante de ellos con la tetera y un cesto con viandas y aguardiente de Spendrup.

—¡Coge la llave del portal! —dijo la mujer del chambelán—. Para que podamos entrar a la vuelta. Ya sabes que aquí cierran al caer la tarde y el cordón de la campanilla se rompió esta mañana. ¡Volveremos tarde! Después de pasear un rato por Frederiksberg iremos al teatro de Casorti, cerca del puente del Oeste, para ver la pantomima *Arlequín, presidente de los apaleadores*, el cual baja en una nube. Vale dos marcos la entrada.

Fueron, pues, a Frederiksberg, oyeron la música, vieron las barcas, en donde ondeaban las banderas; contemplaron al anciano rey y se solazaron con los cisnes blancos. Después de beberse una buena taza de té, se apresuraron a volver; pero no llegaron a tiempo al teatro.

Había terminado ya la danza en la cuerda; el baile de los zancos, también, y la pantomima había empezado. Llegaban tarde, como siempre, y la culpa era del chambelán, que se detuvo por el camino, a cada paso, para hablar con sus conocidos. También en el teatro se encontró con buenos amigos y, después de la representación, su mujer y él se vieron obligados a acompañar a una familia al Puente para beber un vaso de ponche. Solo permanecerían allí diez minutos, dijo el chambelán; diez minutos que se convirtieron, como es natural, en una hora entera.

Se habló sin parar. Un barón sueco, o tal vez alemán —el chambelán no lo sabía exactamente—, estuvo muy interesante hablando del arte de la llave, y el chambelán no olvidó en su vida lo que el barón le había enseñado. ¡Era extraordinario! Sabía la forma de que la llave contestara a todas las preguntas que le hacía, aun las más secretas.

La llave del portal del chambelán era muy a propósito para esto, porque tenía los dientes largos y pesados y podía balancearse perfectamente. El barón metió el dedo índice de su mano derecha por el anillo de la llave, y esta colgó libremente. Daba la vuelta, y si no la daba, el barón se las ingeniaba para que la diera sin parecerlo. Cada movimiento era una letra a partir de la «A», y se recorría el alfabeto hasta donde se quería. Cuando se encontraba la primera letra, la llave daba la vuelta en sentido contrario; luego se buscaba la letra siguiente, y así sucesivamente, obteniéndose palabras, frases enteras y, al fin, la respuesta deseada. Todo esto era falso, pero era una diversión. Este fue el primer pensamiento del chambelán y sus pensamientos fueron absorbidos enteramente por la llave.

—¡Escucha! —le gritó la mujer—. La puerta del Oeste se cierra a medianoche. No llegaremos a tiempo. No nos queda más que un cuarto de hora.

Tuvieron que apresurarse. Muchas personas que querían volver a la ciudad los pasaron muy pronto. Al fin, se aproximaron al último cuerpo de guardia. Sonaron las doce campanadas de medianoche y la puerta se cerró con gran ruido. Buen número de personas se encontraban fuera, entre ellas el chambelán y su esposa con la criada, la tetera y el cesto de la merienda vacío. Algunos estaban espantados; otros despechados. Cada cual tomaba la cosa a su manera. ¿Qué se le iba a hacer?

Afortunadamente, hacía poco que se había decidido que una de las puertas de la ciudad, la del norte, no se cerrara en toda la noche. Los peatones podían entrar por ella pasando por el cuerpo de guardia.

El camino hasta llegar a ella era bastante largo; pero el tiempo era bueno; el cielo, claro con estrellas fijas y errantes. Las ranas croaban en las balsas. La gente se puso a cantar, y una canción vino detrás de otra. El chambelán ni cantaba ni miraba a las estrellas ni a sus propias piernas. Se cayó cuan largo era al borde de la cuneta. Hubiérase creído que estaba borracho, pero no a causa del ponche. Lo que le daba vueltas en la cabeza era la llave.

Al fin alcanzaron el cuerpo de guardia de la puerta del norte. Atravesaron el puente y entraron en la ciudad.

—¡Oh, qué contenta estoy! —exclamó la mujer del chambelán—. ¡Ahí está nuestro portal!

—Pero, ¿dónde está la llave? —preguntó el chambelán.

No estaba en el bolsillo de atrás ni en los de los lados.

—¡Dios misericordioso! —exclamó la mujer—. ¿No tienes la llave? La has perdido durante los juegos que con ella ha realizado el barón. ¿Cómo vamos a entrar? Ya sabes que el cordón de la campanilla está roto desde esta mañana. El sereno no tiene llave de la casa. ¡Es desesperante!

La criada se puso a sollozar. El único que mostraba sangre fría era el chambelán.

—Vamos a llamar a la casa del carnicero —dijo—. Se levantarán y entraremos.

Llamaron una, dos veces...

—¡Petersen! —gritó, dando con el puño del paraguas en los cristales.

La hija del carnicero oyó los gritos y el padre abrió la puerta de su tienda, exclamando:

—¡Sereno!...

Y antes de que el carnicero viera, reconociera e introdujera a la familia del chambelán en su casa, el sereno tocó el pito, que fue respondido por los gritos de los serenos de las calles adyacentes. Los vecinos se asomaron a sus ventanas.

—¿En dónde se ha declarado fuego? ¿Qué sucede? —preguntaban.

Y aún continuaban haciendo preguntas cuando ya el chambelán se encontraba en su sala, se quitaba el abrigo... y la llave del portal estaba allí, no en el bolsillo, sino en el forro; se había deslizado por un agujero, agujero que no tenía porqué haber estado ahí.

A partir de aquella noche, la llave adquirió una enorme importancia, no solo cuando salían por la noche, sino también cuando se quedaban en casa y el chambelán mostraba su habilidad haciéndole contestar a sus preguntas.

Él pensaba la respuesta más sensata y hacía que la llave la diera y, al final, él mismo se la creía. Pero este no era el caso del joven farmacéutico, pariente próximo de su mujer.

El farmacéutico tenía la cabeza bien sentada, con un buen sentido crítico. Universitario, había hecho críticas de libros y de obras teatrales, pero siempre anónimamente. Era lo que se llama un espíritu selecto; pero no creía en absoluto en los espíritus, sobre todo en los espíritus de la llave.

—Yo creo, yo creo, mi querido chambelán —decía—; yo creo en la llave del portal y en todos los espíritus de llave tan firmemente como creo en la nueva ciencia que empieza a propagarse: la danza de las mesas y los espíritus de los muebles viejos y nuevos. ¿No habéis oído hablar de eso? Yo, sí. Y he dudado. Ya sabéis que soy un escéptico; pero me he convertido cuando he leído en un periódico extranjero, muy digno de crédito, una terrible historia. Imaginaos, chambelán... Os voy a contar la historia tal como la he leído: Dos niños inteligentes habían observado cómo sus padres invocaban a los espíritus de una mesa grande. Los pequeños estaban solos y quisieron probar si podían animar a una cómoda antigua. La vida acudió a ella, el espíritu de la cómoda se despertó; pero no toleró las órdenes de los niños. Se irguió, la cómoda crujió, se sacó los cajones y, con sus patas, cogió a los niños y los acostó a cada uno en un cajón; hecho lo cual, salió con ellos por la puerta abierta, bajó las escaleras y anduvo hasta el canal, adonde se tiró de cabeza, ahogando a los dos pequeños. Los cadáveres de los niños fueron enterrados en tierra sagrada y la cómoda llevada ante el tribunal, condenada por infanticidio y quemada viva en la plaza principal. ¡Yo he leído esto! —dijo el farmacéutico—; lo he leído en un periódico extranjero. No he sido yo quien lo ha inventado. ¡Que me lleve la llave si esto no es cierto!

El chambelán consideró tal discurso como una broma de mal gusto. Jamás podrían hablar de la llave entre ellos. El farmacéutico no entendía nada de llaves.

El chambelán progresó en el conocimiento de la llave. Era su diversión y su criterio.

Una noche, el chambelán iba a meterse en la cama, y ya estaba medio desnudo cuando oyó llamar a la puerta del pasillo. Era el carnicero. Venía también a medio vestir; pero era, según dijo, a causa de una idea que le había surgido de repente, una idea que temía guardar para él durante toda la noche.

—Se trata de mi hija Lotte-Lane. Es una muchacha muy linda. Ha hecho ya la primera comunión y me gustaría mucho verla bien casada.

El chambelán, sonriendo, le contestó:

—Aún no estoy viudo. Y no tengo hijos que ofrecerle.

—Vos me comprendéis bien, chambelán —dijo el carnicero—. Mi hija sabe tocar el piano, cantar... Se la debe oír en todos los pisos de la casa. Vos no sabéis cuántas cosas sabe hacer: sabe hablar e imitar a las personas. Está hecha para el teatro, y esto es un buen camino para las muchachitas de buena familia, pues se pueden casar con un conde. Pero en esto no pensamos ni Lotte-Lene ni yo. Sabe cantar, tocar el piano. El otro día fui a la escuela de canto con ella y cantó. Su voz no es la voz aguardentosa de mujer ni el grito del canario en las notas más agudas, como se exige ahora a las cantantes, y, por tanto, la he apartado de este sendero. Pues bien, me he dicho: si no puede ser cantante, puede ser actriz, porque la palabra no le falta. He hablado hoy con el director de escena de un teatro. «¿Ha leído?», me ha preguntado. «En absoluto», le he contestado. «La lectura es indispensable para una actriz». Yo he pensado que leer puede leer todo lo que quiera; no tiene más que ir a la biblioteca y alquilar cuanto en ella haya. Pero mientras me desnudaba para acostarme, me ha surgido la idea. ¿Para qué alquilar libros, si se pueden pedir prestados? Vos tenéis muchos libros, señor chambelán; dejádselos leer. En ellos adquirirá gran conocimiento..., y gratis.

—Lotte-Lane es una muchacha encantadora —dijo el chambelán—. ¡Una preciosa muchacha! Tendrá para leer cuantos libros quiera. Pero ¿posee lo que se llama don, talento, espíritu genial? Y, sobre todo, lo que más importa, ¿tiene la suerte a su favor?

—Ha ganado dos veces a la lotería que se celebra en el mercado. Una vez ganó un armario y otra, seis pares de sábanas. A esto llamo yo tener suerte.

—Interrogaré a la llave —dijo el chambelán.

Se colocó la llave en su índice derecho y la hizo dar vueltas para obtener letra por letra.

La llave dijo:

«Victoria y suerte».

Y el futuro de Lotte-Lane se decidió así.

Inmediatamente, el chambelán le prestó dos libros: *Dyveke* y *Trato con las gentes,* ambos de Knugge.

A partir de aquello se inició una fuerte amistad entre Lotte-Lane y la familia del chambelán. Subía a su casa y el chambelán la consideraba una muchacha juiciosa. Lotte-Lane creía en él y en la llave. La esposa del chambelán encontraba una inocencia infantil en la ingenuidad con que en todo momento mostraba la joven su gran ignorancia. Los dos esposos, cada cual a su manera, la querían mucho, y ella a ellos.

—¡Se está tan bien aquí arriba! —decía Lotte-Lane.

Había un olor, un verdadero perfume, a manzanas en el pasillo, en donde la mujer del chambelán había colocado en fila todo un barril de manzanas de Graasten. En todas las habitaciones olía intensamente a rosas y a lavanda.

—¡Es delicioso! —decía Lotte-Lane.

Y sus ojos se deleitaban contemplando las hermosas flores que siempre tenía la mujer del chambelán. Aun en invierno florecían las lilas y las ramas de cerezo. Las ramas, cortadas sin hojas, las ponía en agua y no tardaban con el calor del salón en dar hojas y flores.

—Se hubiera creído que toda vida había desaparecido de estas ramas; pero ¡ved esta resurrección!

—¡Jamás lo hubiera creído! —decía Lotte-Lane—. ¡La Naturaleza es verdaderamente maravillosa!

El chambelán le enseñó su «libro de la llave», donde estaban anotadas las respuestas curiosas dadas por la llave. Hasta el caso de media tarta de manzanas que había desaparecido del armario, precisamente la tarde que la asistenta había recibido la visita de su novio.

El chambelán había preguntado a la llave:

—¿Quién se ha comido la tarta de manzanas, el gato o el novio de la criada?

Y la llave había respondió:

—¡El novio!

El chambelán estaba convencido de ello antes de preguntar a la llave, y la criada confesó. La maldita llave lo sabía todo.

—¿No es curioso? —preguntaba el chambelán—. ¡Oh! ¡Esta llave! ¡Esta llave!... —Y de Lotte-Lane dijo—: «Victoria y suerte...». ¡Lo veremos!... ¡Yo respondo de ello!

—¡Qué amable! —respondió la muchacha.

La mujer del chambelán no tenía la misma confianza, pero no expresaba sus dudas cuando su marido estaba presente. Había confesado a Lotte-Lane que cuando su marido era joven tenía una gran afición al teatro. Con poco que se le hubiera empujado entonces se habría hecho actor; pero la familia no lo había consentido. Quería salir a escena, y con ese fin escribió una comedia.

—Este es un gran secreto que te confío, pequeña. La comedia no era mala. Pero cuando se representó en el teatro Real la silbaron. No se ha vuelto a hablar más de ella, lo cual me hace inmensamente feliz. Soy su mujer y le conozco. Hoy tú quieres seguir la misma senda... Te ayudaré cuanto me sea posible; pero no creo que esto tenga éxito. ¡Yo no creo en la llave!

Lotte-Lane sí creía, y esta fe la ponía de acuerdo con el chambelán. Sus corazones se comprendían muy bien.

La muchacha, además, tenía diversas cualidades buenas que la mujer del chambelán apreciaba mucho. Lotte-Lane sabía preparar engrudo con patatas, hacer guantes de seda con medias de seda viejas, recubrir de seda sus zapatos de baile, a pesar de tener dinero suficiente para comprar todo nuevo. Ella tenía, como decía el carnicero, *skillings* en el cajón de su mesa y acciones en su caja de caudales. La mujer del chambelán pensaba que era, efectivamente, un buen partido para el farmacéutico, pero no lo decía ni se lo hacía decir a la llave. El farmacéutico se establecería muy pronto y tendría su farmacia en una de las ciudades más grandes de la nación.

Lotte-Lane no cesaba de leer *Dyveke* y *Trato con las gentes,* de Knugge. Tuvo en su poder durante dos años estos libros, por lo que acabó sabiéndose de memoria uno de ellos, *Dyveke.* Se sabía todos los papeles, pero no quería interpretar más que uno: el de *Dyveke,* y no en la capital, donde todo es envidia y no se la apreciaba. Quería comenzar su carrera de artista, como decía el chambelán, en una de las grandes capitales de provincia del país.

Por azar, esto tuvo lugar precisamente en la ciudad donde el farmacéutico se había establecido como el más joven, si no el único farmacéutico.

Llegó la gran noche, llena de esperanzas. Lotte-Lane iba a representar, a ganar «victoria y fortuna», como la llave había anunciado. El chambelán no estaba allí; se hallaba en cama y su mujer le cuidaba. Le eran precisos paños calientes y camomila. Los primeros, para el exterior de su cuerpo; lo segundo, para el interior.

El matrimonio no asistió a la representación de *Dyveke;* pero el farmacéutico, sí. Y le dio cuenta de la misma a su prima en una carta:

«La gorguera de Dyveke fue lo mejor de todo. Si yo hubiese tenido la llave del portal del chambelán en mi bolsillo la hubiese sacado para silbar con ella. Se lo merecía Dyveke, se lo merecía la llave por haber mentido tan ignominiosamente al asegurar victoria y suerte».

El chambelán leyó la carta y dijo que todo eso era maldad, odio por la llave, que recaía sobre aquella joven e inocente criatura.

Y cuando se levantó del lecho, ya restablecido, escribió una breve e irónica misiva al farmacéutico, quien respondió como si él no hubiese visto en toda la epístola más que broma y buen humor.

Le daba las gracias por esta carta, como lo hacía por toda contribución ulterior sobre las manifestaciones de las virtudes y de la importancia incomparable de la llave. Luego confiaba al chambelán que, apartado de sus ocupaciones como farmacéutico, escribía una gran novela, en la que todos los personajes eran llaves: la «llave del portal» era, como es natural, la protagonista, habiendo tomado como modelo la del chambelán, dotada de una vista profética y de un don de adivinación. Todas las demás llaves debían girar a su alrededor: la llave vieja del chambelán, que conocía el esplendor y los festines de la Corte; la llave del reloj, pequeña, menuda y distinguida, que valía cuatro *skillings* en la quincallería; la llave del coro de la iglesia, a la que se consideraba con rango eclesiástico y que, habiendo pasado una vez una noche en la iglesia puesta en su cerradura, había visto a los espíritus; la llave de la despensa, la llave del granero, la de la bodega..., todas figuran en la novela y se inclinan ante la llave del portal, girando a su alrededor. Los rayos del sol dan a esta un fulgor plateado; el viento, soplo del mundo, penetra en ella y la hace silbar. Es la llave que está por encima de todas las llaves. Ha sido la llave del portal del chambelán; pero ahora es la llave que abre el cielo, la llave del papa, ¡la infalible!

—¡Maldad! —exclamó el chambelán—. ¡Maldad formidable!

El farmacéutico y él no volvieron a verse jamás... Sí, en el entierro de la mujer del chambelán.

Ella murió primero.

La casa estaba de luto. Ella faltaba. Hasta las ramas de cerezo cortadas, que habían dado nuevos brotes y flores, se vistieron de luto y se secaron. Estaban olvidadas. Nadie se ocupaba de ellas.

El chambelán y el farmacéutico marcharon, codo con codo, tras el féretro, como parientes más próximos de la muerta. Este no era momento de pelearse ni estaban dispuestos a ello.

Lotte-Lane puso una cinta de crespón negro en el sombrero del chambelán. Hacía tiempo que había vuelto a la casa, sin victoria y sin suerte en su carrera artística. Pero eso tenía que suceder. Lotte-Lane tenía marcado su porvenir. Lo había dicho la llave; lo había dicho el chambelán.

La muchacha subió a casa del viudo. Hablaron de la muerta; la lloraron juntos. Lotte-Lane era dulce. Hablaban de arte. La joven era entendida.

—¡La vida de teatro es encantadora! —decía— ¡Pero existen tantos celos y envidias!... Seguiré mi propia vida. Primero, yo; el arte, después.

Knigge había dicho la verdad en su capítulo sobre los actores. La muchacha se daba cuenta de ello. La llave no había dicho la verdad, pero de esto no hablaba nunca al chambelán, pues le quería bien.

Además, la llave del portal fue, durante todo el año de luto, el consuelo y la distracción del chambelán. Este le preguntaba y ella le contestaba.

Y, cuando pasado el año, como una tarde llena de emoción Lotte-Lane y él se interrogaron con los ojos, el chambelán preguntó a la llave:

—¿Me casaré?... ¿Con quién?

No había nadie para empujar la llave; así, pues, la empujó, y la llave contestó:

—Con Lotte-Lane.

Y esta, porque lo quiso la llave, se convirtió en la esposa del chambelán.

«¡Victoria y suerte!».

Sí. Estas fueron las palabras que la llave había pronunciado mucho tiempo atrás.

PEDRO EL AFORTUNADO

I

En la calle más elegante se alzaba una magnífica casa solariega. Toda una muralla estaba salpicada de trozos de cristales que brillaban al sol y a la luz de la luna como si fuesen diamantes. Ello era señal de riqueza y señorío, y eso era lo que habitaba dentro. Se decía que el comerciante era un hombre capaz de poner dos barriles de oro en medio de la sala, ponerlos fácilmente, como hucha de ahorro llena de monedas de oro, ante la puerta de la estancia en que su hijito acababa de nacer.

El niño acababa de llegar a la rica mansión. La alegría cundió desde el sótano a la buhardilla, aunque aquí arriba la alegría fue mayor dos horas después. El factor y su mujer habitaban la buhardilla, adonde también acababa de llegar un niñito, dado por Nuestro Señor, transportado por la cigüeña y traído al mundo por su madre. También aquí se hallaba delante de la puerta, casualmente, un cubo, no lleno precisamente de monedas de oro, sino de basuras.

El rico comerciante era un hombre bueno y de gran corazón. Su mujer, elegante y distinguida, era piadosa y amable y buena con los pobres. Todos participaban de su alegría en el nacimiento de su hijito, que crecería, prosperaría y se haría rico como su padre.

Al pequeño le pusieron de nombre Félix, que significa en latín «afortunado», y, en verdad, lo era, y sus padres, aún más.

El factor, una persona amable y bondadosa, y su mujer, honesta y trabajadora, eran apreciados de todos cuantos los conocían. Ambos se consideraban también felices con su hijito y le pusieron de nombre Pedro.

El niño del principal y el de la buhardilla recibieron igual número de besos de sus padres y la misma cantidad de sol de Nuestro Señor, a pesar de que estaban colocados muy distintamente: el uno, abajo; el otro, arriba. Pedro era el que vivía más alto, en la misma buhardilla, y tenía a su propia madre como ama de cría. El pequeño Félix tenía, en cambio, a una extraña, inteligente y buena ama, según rezaba su cartilla de trabajo. El niño rico tuvo un magnífico cochecito y era sacado a paseo por la emperifollada ama. El niño de la buhardilla era llevado en brazos por su propia madre, tanto si ella vestía sus galas dominicales como su ropa de trabajo. Era igualmente alegre.

Los dos empezaron enseguida a distinguir, los dos crecieron, los dos podían señalar con su mano lo altos que eran y decir alguna que otra palabra en su lengua materna. Igualmente guapos, igualmente golosos e igualmente mimados los dos. Cuando crecieron, ambos se entusiasmaron con la carroza del comerciante. Félix obtuvo permiso para sentarse con el ama, junto al cochero, y mirar a los caballos, haciéndose la idea de que era él quien conducía. Pedro obtuvo permiso para sentarse a la ventana de la buhardilla y ver cómo los señores salían de paseo en su carroza, y cuando se habían ido colocaba dos sillas, una delante de la otra, en medio de la habitación y conducía él mismo. Él era el verdadero cochero, y eso era siempre algo más que imaginarse que uno lo era. Se habían fijado ya el uno en el otro, pero tenían unos dos años cuando se dirigieron la palabra por primera vez. Félix iba ricamente vestido de terciopelo y seda, solo hasta las rodillas, a la moda inglesa. El pobre niño se iba a helar de frío, decía la familia de la buhardilla. Pedro tenía pantalones que le llegaban también hasta la rodilla, pero un día se hizo un desgarrón en una rodillera, y se vio así con tanta ventilación y con tan poca ropa como el elegante pequeñín del comerciante. Este, con su madre, iba a salir; Pedro venía con la suya y entraban en aquel momento.

—Dale a Pedrito la mano —dijo la mujer del comerciante—. Vosotros podéis hablaros.

Y uno dijo: «Pedro». Y el otro dijo: «Félix». Y no se dijeron más en esta ocasión.

La rica señora mimaba a su hijo; pero quien especialmente mimaba a Pedro era su tía. Tenía la vista débil y, sin embargo, podía ver en él mucho más que su padre y su madre; sí, más que ninguna otra persona.

—Esta preciosa criatura —decía— llegará a algo en el mundo. Ha nacido con potestad[3] en su mano. Puedo verle con mi débil vista y veo cómo reluce. Y besaba al pequeño en su manecita.

Sus padres no podían ver nada, Pedro tampoco; pero a medida que iba creciendo en aptitudes, empezaba él también a creer en su suerte.

---

[3] La esfera de autoridad atributo de la realeza, característica de los emperadores bizantinos. *(N. del T.)*

—Es una historia, un cuento, lo que dice la tía —decían los padres.

Sí, la tía sabía contar cuentos, y Pedro no se cansaba jamás de oír siempre lo mismo. Le había enseñado un salmo y a decir su Padrenuestro, que él sabía no como una letanía, sino como palabras que encierran su contenido. Ella le había explicado cada una de las súplicas que contiene. Especialmente recordaba lo que su tía le había explicado sobre la petición: «El pan nuestro de cada día dánosle hoy». Es decir, que para unos tenía que ser pan blanco, y para otros, pan negro. Unos podían tener una gran casa en la que habitaba mucha gente; mientras otros, de inferior condición, podían también vivir alegres en la pequeña habitación de la buhardilla. Eso es para cada uno «su pan cotidiano».

Pedro tenía a diario un buen pan y maravillosos días, pero no siempre iba a ser así. Llegaron los duros años de la guerra, y jóvenes y viejos hubieron de alistarse. El padre de Pedro estaba entre los llamados a filas, y pronto llegó la noticia de que había sido de los primeros en caer en la lucha contra el enemigo vencido.

Fue este un duro golpe para la familia de la pequeña habitación de la buhardilla. La madre lloraba, la tía y Pedro lloraban, y cada vez que algún vecino llegaba se hablaba del padre, y todos lloraban. La viuda obtuvo el privilegio, durante el primer año, de no tener que pagar alquiler, y más adelante solo tendría que pagar una módica suma. La tía vivía con la madre, que se ganaba el sustento lavando para varios «galantes solterones», como ella decía. Pedro no tenía penas ni echaba nada de menos. Comía y bebía abundantemente, y su tía le contaba historias tan extrañas y maravillosas, que un día le propuso ir los dos juntos, un domingo, por el mundo adelante y volver a casa como príncipe y princesa, con corona de oro.

—Soy muy vieja para eso —dijo la tía—. Tienes que aprender antes muchas cosas, crecer y hacerte fuerte y seguir siendo bueno y amable, como hasta ahora.

Pedro cabalgaba por la sala en su caballo de madera, de los que tenía dos, mientras que el hijo del comerciante tenía un verdadero caballo vivo, sobre el que Félix cabalgaba por el jardín e incluso salía con su padre y un jinete real. La primera media hora, Pedro no hizo caso de sus caballos y no quiso montar en ellos, no eran verdaderos, y después le preguntó a su madre por qué no tenía él un caballo de verdad, como el pequeño Félix, y su madre le dijo:

—Félix vive en el bajo, cerca de los establos; pero tú vives en la buhardilla. Aquí no es posible tener más caballos que los que tú tienes, así que juega con ellos.

Y Pedro cabalgó hasta el arcón, la enorme montaña que encerraba inmensos tesoros: los trajes de fiesta de Pedro y de su madre, y las monedas de plata que ella guardaba para el alquiler. Cabalgaba hasta la estufa, que él llamaba el ojo negro, que dormía todo el verano; pero cuando llegaba el invierno era muy útil para calentar la habitación y hacer la comida.

Pedro tenía un padrino, que venía todos los domingos de invierno y hacía con ellos una comida caliente. Le habían ido las cosas mal —decían la madre y la tía—. Había empezado como cochero; después de beber un poco se había dormido en su coche, y eso no les estaba permitido ni a los soldados ni a los cocheros. Había conducido carrozas y carros, con frecuencia, de gente rica; pero ahora conducía el carro de la basura e iba de puerta en puerta haciendo sonar la campanilla: ¡rin, rin!, y de todas las casas llegaban chicas y mujeres con los cubos llenos y los vaciaban en el carro con enorme estrépito y entre una barahúnda de ceniza y polvo.

Un día salía Pedro a la calle. Su madre se había ido a la ciudad. Pedro estaba en el portal cuando pasó el padrino con su carro.

—¿Quieres conducir conmigo? —preguntó.

Naturalmente que Pedro quería, pero solo hasta la esquina.

Sus ojos brillaron cuando se vio sentado junto al padrino, empuñando el látigo. Pedro conducía caballos de verdad, vivos; conducía hasta la esquina. En eso llegó su madre, que le miró sorprendida; no era nada agradable ver a su hijito en un carro de basuras. Le hizo bajar enseguida, pero dio las gracias al padrino. Ya en casa, le prohibió a Pedro que volviese a hacer tal viaje.

Un día volvió a bajar al portal. No había ningún padrino que pudiese tentarle para dar un paseo, pero había otras tentaciones. Tres o cuatro niños jugaban en el arroyo, escarbando para ver si encontraban algo. A veces hallaban un botón o una moneda de cobre; pero lo más corriente era que se cortasen con un vidrio de botella o se pinchasen con un alfiler, que era lo que ocurría ahora. Pedro podía jugar con ellos, y escarbando en el arroyo encontró una moneda de plata.

Otro día se hallaba de nuevo escarbando con los otros niños, que solo se arañaron los dedos, mientras él encontró un anillo de oro, y enseñó su hallazgo con ojos relucientes, mientras los otros le echaron de su compañía, llamándole Pedro el afortunado. Ya no le darían más permiso para jugar con ellos a escarbar en el arroyo.

Detrás de la casa del comerciante había un solar que había que rellenar para construir. Aquí condujeron toda clase de escombros y basuras, que yacían por doquier en montones. El padrino era quien los traía, pero Pedro no podía conducir con él. Los golfillos rebuscaban en las basuras, escarbando con un hierro y con las manos. De cuando en cuando encontraban algo que merecía la pena guardar.

Y aquí llegó Pedro.

En cuanto le vieron le gritaron: «¡Pedro el afortunado, lárgate!». Y cuando se acercó le arrojaron dos bolas de tierra. Una de ellas dio contra su zueco y se deshizo. Algo blanco brillaba en el suelo. Pedro lo cogió y vio que era un corazón de ámbar. Corrió a casa con él. Los otros no se habían dado cuenta de que, incluso cuando le rechazaban, era un niño con suerte.

La moneda de plata que había hallado pasó a su hucha. El anillo y el corazón de ámbar fueron llevados a la señora del comerciante, porque la madre de Pedro quería saber si estos hallazgos podían tener interés para la policía.

¡Cómo brillaron los ojos de la señora del comerciante, al ver el anillo, su propio anillo de prometida que había permanecido escondido en el arroyo! Pedro tuvo una buena recompensa, que pasó a su hucha.

—El corazón de ámbar no valía nada —dijo la señora—, y Pedro podía quedarse con él de buena gana.

Por la noche el corazón de ámbar estaba sobre la cómoda, y la tía estaba en cama.

—¿Qué es aquello que parece que arde? —dijo—. Es como si hubieran encendido una lucecita.

Se levantó y fue a verlo. Era el pequeño corazón de ámbar. Sí, la tía con su débil vista veía mucho más que todos los demás. Y ella sabía lo que pensaba. Y al día siguiente cogió un hilo fino y fuerte, lo pasó por el pequeño orificio de la parte superior del corazón de ámbar y se lo puso a su sobrinito al cuello.

—No debes quitártelo nunca, como no sea para ponerle otro hilo. Ni debes tampoco enseñárselo a los otros niños, porque te lo quitarán y te dolerá el estómago.

Esta era la única enfermedad que el pequeño Pedro conocía por entonces.

También tenía una extraña cualidad aquel corazón. Su tía le enseñó a frotarlo con la mano y a poner una pajita cerca de él. Entonces era como si la paja tuviese vida y saltaba hacia el corazón y no quería separarse de él.

II

El hijo del comerciante tuvo un maestro particular que le enseñaba a él solo y paseaba solo con él. Pedro tenía también que aprender algo. Fue a la escuela con un montón de chiquillos. Jugaban juntos, y eso era más divertido que estar siempre a solas con su profesor. Pedro no hubiera querido cambiar.

Era Pedro el afortunado, pero su padrino era también un tío con suerte, aunque no se llamaba Pedro. Ganó en la lotería doscientos *rixdales* en un billete que tenía con otros once. Se compró enseguida mejores ropas, que le sentaban bien.

La suerte no se presentaba nunca sola. El padrino abandonó el carro de la basura y se dedicó al teatro.

—¿Cómo? —dijo la tía—. ¿Al teatro? ¿Y qué hace?

—Es tramoyista.

Había sido un gran progreso. Se convirtió en otra persona y se aficionó a la comedia, que por lo demás veía siempre desde arriba o de lado. Lo más precioso era el *ballet,* pero también era lo que costaba más trabajo y lo más peligroso en caso de incendio. Se bailaba en el cielo y en la tierra. Pedro tendría que ver muchas cosas, y el padrino prometió llevarlo consigo y colocarlo en un sitio desde donde pudiese ver toda una tarde en que se hiciese ensayo general —que así se llama— para un nuevo *ballet,* en el que todos estarían vestidos y maquillados como en la noche en que el público pagaría por tal maravilla.

Era un *ballet* bíblico: *Sansón.* Los filisteos bailaban a su alrededor, y él derribó el edificio sobre ellos y sobre sí mismo. Pero allí estaban los bomberos con sus mangueras por si llegaba a ocurrir algo.

Pedro nunca había visto una comedia, ni mucho menos un *ballet.* Se puso su traje de domingo y acompañó a su padrino al teatro.

Era como una enorme buhardilla con muchas cortinas y biombos, largas vigas en el suelo, luces y lámparas. Era como un coro de iglesia con recovecos y rincones y suelo muy inclinado.

Aquí se sentó Pedro, y le dijeron que ahí tenía que quedarse hasta que todo hubiera acabado y le viniesen a buscar. Tenía tres rebanadas de pan con mantequilla. No tendría que pasar hambre.

Cada vez había más luz. En esto llegaron como salidos de la tierra infinidad de músicos con flautas y violines. Llegaron hasta el lugar donde Pedro se sentaba gentes vestidas como en la calle, pero también caballeros con cascos, hermosísimas señoras e incluso ángeles blancos con alas en la espalda. Se sentaron aquí y allá en el suelo y sobre los respaldos de los bancos para ver mejor. Eran todos bailarines del *ballet,* pero Pedro no lo sabía y creía que pertenecían a los cuentos que la tía contaba. También llegó una mujer, la más hermosa, con casco y lanza. Veía por encima de todos los demás y estaba sentada entre un ángel y un gigante. Sí, ¡cuántas cosas había que ver, y eso que el *ballet* ni siquiera había empezado!

De pronto se hizo el silencio. Un hombre vestido de negro agitaba una varita mágica ante todos los músicos y estos empezaron a tocar y todo un muro se elevó en el aire. Se veía un jardín donde el sol brillaba y todo el mundo bailaba y saltaba. ¡Jamás había soñado Pedro tal maravilla! Soldados desfilando, una guerra, un banquete y el héroe Sansón y su novia. Pero ella era tan mala como hermosa. Le traicionó. Los filisteos le quitaron los ojos, y él tenía que mover la piedra de molino y servirles de burla en el enorme salón. Pero entonces se abrazó a las enormes columnas que sostenían el techo y lo hundió con toda la casa. Todo tembló, y subieron al cielo magníficas llamaradas rojas y verdes.

Pedro podía haber pasado así toda su vida, aunque se le hubiese acabado el pan, como de hecho se le había acabado.

¡Vaya si tenía que contar cuando llegó a casa! No había forma de hacerle acostar.

Se sostenía sobre una pierna y ponía la otra sobre la mesa, como la novia de Sansón y las otras jóvenes habían hecho; dio vueltas al sillón de la tía y volcó dos sillas y un cojín sobre él para enseñar cómo se había hundido el salón. Lo explicaba todo con la música, como debía ser, ya que no hay diálogos en el *ballet*. Cantaba alto y fuerte con palabras o sin palabras sin ilación, como una ópera. Lo más interesante de todo era, sin embargo, su maravillosa y nítida voz, pero nadie habló de ella.

Antes, Pedro quería ser despensero para poder estar cerca de las ciruelas y del azúcar. Ahora sabía que había algo más importante, que era «entrar en la historia de Sansón y bailar en el *ballet*».

—¡Tantos niños pobres habían emprendido ese camino —decía la tía— y se habían convertido en personas honorables y elegantes!...

Sin embargo, ninguna niña de su familia tendría permiso para hacer lo mismo, pero un niño era algo más sólido.

Pedro no había visto caer a una sola de las niñas hasta que la casa entera cayó. Y entonces también cayeron todos.

III

Pedro quería y sería bailarín de *ballet*.

—No me deja en paz —decía su madre.

Finalmente, la tía prometió llevarle un día a ver al director del *ballet,* que era un hombre muy amable y tenía su propia casa como el comerciante. ¿Llegaría Pedro algún día a tenerla también? Nada hay imposible para Nuestro Señor. Pedro tenía la potestad en la mano. La suerte estaba en sus manos, quizá también en sus piernas.

Pedro llegó a casa del director y lo reconoció enseguida: era Sansón. Sus ojos tenían no poco que ver con lo de los filisteos. Era solo una comedia, él lo sabía, y Sansón le miró con ojos alegres y cariñosos y le dijo que se pusiese firme y le enseñase el tobillo. Pedro le enseñó todo el pie y la pierna también.

—Y lo admitieron en el *ballet* —dijo la tía.

Fue fácil arreglarlo todo con el maestro de *ballet,* pero además la madre y la tía habían hecho también otras gestiones, hablado con gentes sensatas, y en primer lugar con la mujer del comerciante, que encontraba que este era un bonito camino para un muchacho inteligente y bueno, sin porvenir, como Pedro. Después habían hablado con la señorita Frandsen. Pertenecía al *ballet,* ella había sido en los jóvenes días de la tía la más hermosa bailarina del teatro; bailaba como diosa y como princesa, había sido aclamada y vitoreada al entrar y salir, pero envejeció como todo envejece y no tuvo más los primeros papeles, sino que tenía que bailar detrás de las jóvenes hasta que, finalmente, se retiró de la danza y se dedicó al maquillaje; maquillaba a otras como diosas y como princesas.

—Así es —dijo la señorita Frandsen—. El camino del teatro es maravilloso, pero lleno de espinas, y en él crece la cizaña.

Esta palabra no pudo comprenderla Pedro por el momento, pero más tarde tuvo ocasión de ello.

—Está empeñado en dedicarse al *ballet* —dijo la madre.

—Es un muchacho cristiano y honrado —dijo la tía.

—Bien formado —dijo la señorita Frandsen—. Buena moral y bellas formas; esa fue mi época brillante.

Y Pedro entró en la escuela de *ballet* y recibió trajes de verano y ligeras zapatillas de *ballet* de finas suelas. Todas las bailarinas viejas le besaron y decían que era un niño como para comérselo.

Tenía que estirarse, extender las piernas, sostenerse en la barra para no caer, mientras aprendía a estirar sus piernas: primero, la derecha; después, la izquierda. No era tan difícil para él como para los demás. El director le dio unos golpecitos amistosos y le dijo que entraría enseguida a formar parte del *ballet.* Sería hijo de un rey y lo elevarían sobre un escudo y le pondrían una corona. Se hizo el ensayo en la escuela y se probó también en el teatro.

La madre y la tía debían ir a ver a Pedro en toda su gloria, y le vieron y lloraron las dos, a pesar de que aquello era tan alegre. Pedro, en toda su gloria y esplendor, no las había visto, pero sí a la familia del comerciante, que se sentaba en el palco más próximo al escenario. El pequeño Félix estaba con ellos con sus mejores ropas. Llevaba guantes abotonados como las personas mayores. Y toda la tarde usaba sus gemelos de teatro, como las personas mayores, a pesar de que podía ver bien. Él vio a Pedro. Pedro lo vio, y Pedro era un príncipe con corona de oro. Aquella tarde los dos niños se sentían más cerca uno del otro.

Varios días después, cuando volvieron a encontrarse en el jardín de su casa, Félix se acercó a Pedro y dijo que le había visto cuando era príncipe. Que él sabía muy bien que ya no lo era, pero había llevado las vestiduras reales y la corona.

—Y las volveré a llevar el domingo —dijo Pedro.

Félix no lo vio, pero pensó en ello toda la tarde. Hubiera querido estar en el lugar de Pedro. No tenía la experiencia de la señorita Frandsen para saber que el camino del teatro está lleno de espinas y en él crece la cizaña. El mismo Pedro tampoco lo sabía todavía, pero ya lo aprendería.

Sus camaradas, los niños del *ballet,* no eran tan buenos como debían, a pesar de que con frecuencia vestían de ángeles con alas y todo. Había una niñita, Malle Knallerup, que siempre, cuando Pedro iba vestido de paje y ella también, le pisaba con malicia y le estropeaba las medias. Había un niño malo que siempre le pinchaba con un alfiler y un día se comió por equivocación el bocadillo de Pedro; pero eso era imposible, porque Pedro tenía mortadela en su bocadillo y el otro niño tenía solo pan: no era posible equivocarse.

No vamos a contar todas las molestias que Pedro tuvo que pasar en dos años y eso que lo peor aún estaba por venir. Se preparó un *ballet: El vampiro.* En él los bailarines más niños estaban vestidos como murciélagos, llevaban trajes grises estrechamente ceñidos al cuerpo y de sus hombros salían grandes alas de terciopelo. Los pequeños tenían que caminar de puntillas, como si fuesen tan ligeros que pudiesen volar, y habían de hacer evoluciones por la escena. Pedro lo hacía especialmente bien, pero sus ropas, viejas y muy estrechas, no resistieron sus movimientos, de forma que cuando él hacía sus evoluciones ante los ojos de todo el mundo se rasgaron desde el cuello hasta allí donde empiezan las piernas y dejaron al descubierto su blanca camiseta.

Todo el mundo reía; Pedro se dio cuenta de ello y sabía que era por él, pero seguía girando y girando, y cada vez era peor: la gente reía más estrepitosamente. Los otros vampiros reían también, y lo que más terrible le pareció fue que el público aplaudía y gritaba: «¡Bravo!».

—Va por el vampiro roto —dijeron los pequeños bailarines.

Y desde entonces le llamaron siempre «el roto».

Pedro lloró. La señorita Frandsen le consolaba diciendo:

—Eso es la cizaña.

Ahora Pedro sabía lo que era cizaña.

Además de la escuela de baile, había también otra escuela junto al teatro, donde los pequeños artistas aprendían la escritura, el cálculo, la historia y la geografía, y tenían también un profesor de religión, porque no basta con saber bailar: hay otras cosas más en el mundo que romper zapatillas de *ballet*. Aquí también era Pedro el mejor. Sí, el primero. Y era alabado. Pero sus compañeros le llamaban todavía «el roto». Era, naturalmente, de broma, pero al fin Pedro no pudo soportarlo más y un día se peleó con uno de los otros muchachos y le puso un ojo morado, que hubo de ser bien empolvado cuando aquella noche tuvo que actuar en el *ballet*. Pedro fue reñido por el maestro de baile y sobre todo por la señora de la limpieza, pues era su hijo el que había sido golpeado por él.

IV

La cabeza del pequeño Pedro estaba llena de ideas, y un domingo, cuando se hallaba vestido con su traje nuevo, se fue sin decir palabra a su madre y a su tía, no a casa de la señorita Frandsen, que solía darle buenos consejos, sino a casa del maestro de cámara. Creía que este hombre era el más importante fuera del *ballet*. Se acercó a él, decidido, y dijo:

—Estoy en la escuela de baile, pero hay tantas habladurías que yo quisiera más bien dedicarme al teatro o al canto, como usted guste.

—¿Tienes voz? —preguntó el maestro y le miró con ojos dulces—. Creo que te conozco. ¿Dónde te he visto antes? ¿No eres tú el de las vestiduras rotas?

Y se rio. Pero Pedro se puso rojo como la sangre. Parecía que no volvía a ser «Pedro el afortunado», como su tía le había bautizado. Bajaba la vista y miraba sus pies y deseaba no haber venido.

—Cántame algo —le dijo el maestro—. ¡Ánimo, muchacho!

Y le cogió la barbilla, y Pedro se fijó en sus ojos tranquilos y cantó una canción que había oído en el teatro en la ópera *Roberto*: «Piedad para mí».

—Es difícil, pero no te sale mal —dijo el maestro—. Tienes una excelente voz, con tal que no se rasgue también.

Y se rio y llamó a su mujer. Ella también tenía que oír a Pedro y asentía con la cabeza diciendo algo en una lengua extranjera. En esto entró el maestro cantor del teatro. Era a él a quien Pedro debía haberse dirigido, pero ahora llegaba él por sí mismo, casualmente, como suele decirse. Oyó también «Piedad para mí», pero no se rio ni tenía unos ojos tan dulces como el maestro de cámara y su señora. Sin embargo, quedó acordado que Pedro recibiría lecciones de canto.

—Ahora ya está bien encaminado —dijo la señorita Frandsen—. Se llega más lejos con la voz que con las piernas. Si yo hubiese tenido voz, hubiera sido una gran cantante y ahora tal vez sería baronesa.

—O esposa de un encuadernador —dijo la madre—. Si usted hubiese sido rica, se habría casado con un encuadernador.

Esta alusión no podemos nosotros comprenderla, pero la señorita Frandsen sí la comprendió.

Pedro tuvo que cantar para ella y cantar para la familia del comerciante cuando este se hubo enterado de su nueva carrera teatral.

Lo llamaron una tarde en la que había reunión allí abajo. Y cantó varias canciones, entre ellas «Piedad para mí».

Todos los asistentes aplaudieron y Félix también, aunque le había oído ya antes cantar, cuando a la puerta del establo había repetido maravillosamente todo el *ballet* de *Sansón*.

—¡Pero si en un *ballet* no se canta! —dijo la señora.

—Sí, pero así lo hacía Pedro —dijo Félix.

Cantó y habló, imitó el sonido de los tambores y de las trompetas. Era una chiquillada, pero intercalaba en ella trozos de melodías conocidas, aunque no perteneciesen al *ballet*. Todos se divertían muchísimo y se deshacían en risas y alabanzas. La señora del comerciante dio a Pedro un gran trozo de tarta y una moneda de plata.

¡Qué feliz era el muchacho! Hasta que reconoció a un señor que algo apartado lo miraba seriamente. Tenía algo duro y airado en sus ojos oscuros, no reía nunca, no decía una sola palabra amistosa. Y aquel señor era el maestro de canto del teatro.

Al mediodía siguiente Pedro iría a verlo, y allí estaba nuestro hombre, serio y rígido como siempre.

—¿Qué te pasó ayer? —le dijo—. ¿No comprendes que te estabas poniendo en ridículo? No lo vuelvas a hacer más y no te apresures a cantar para todo el mundo ni en público ni en privado. Vete. Hoy no tendremos lecciones.

Pedro se fue profundamente contrariado. Había disgustado al maestro. Por el contrario, el maestro se hallaba mucho mejor dispuesto hacia él que nunca: tal vez hubiese un pequeño genio de la música en aquel muchachito. En todos los disparates que había improvisado y ensartado había algo que se salía de lo corriente. Tenía aptitudes para la música, y la voz era pura y sonora. ¡Quién sabe si la suerte de nuestro pequeño amigo estaba ya hecha!

Y empezaron las lecciones de canto. Pedro era hábil y aplicado. ¡Cuánto tuvo que aprender y practicar! Su madre luchaba y se afanaba por hacer frente a todo para que el hijo estuviese limpio y bien vestido en casa de los señores con los que ahora trataba.

«Siempre cantaba alegremente, de forma que no hacía falta tener el canario en casa», decía la madre. Los domingos solía cantar un salmo con la tía. Daba gusto oír su fina voz elevarse con la de ella. Esto es mucho más bello que oírle cantar tonterías. Ella se refería a cuando él cantaba como un pajarillo, jugaba con su voz, entonaba lo que le salía del pecho y dejaba escaparse las notas. ¡Qué de notas había en su pequeña garganta y cuántas resonancias en su pequeño pecho! Sí, era capaz de imitar a toda una orquesta. Su voz era la flauta y el trombón, el violín y el cuerno. Cantaba con los pájaros, pero más bella es la voz humana, aun la de un niño cuando canta como Pedro.

Pero aquel invierno, precisamente cuando tenía que prepararse para su confirmación, se resfrió. El pajarillo que anidaba en su pecho dijo su último pío y su voz se rasgó como antaño sus ropas de vampiro.

—No es ninguna desgracia —dijeron la madre y la tía—. Así no cantará más tonterías y podrá pensar más seriamente en sus deberes cristianos.

—Su voz se ha estropeado por exceso de ejercicio —dijo el maestro.

Pedro ya no podía cantar. ¿Cuánto tiempo duraría esto? Un año o tal vez dos. Tal vez no volviese más la voz. Era una gran pérdida.

—Piensa ahora solo en tu confirmación —decían su madre y su tía.

—Practica la música —decía el maestro—. Pero guárdate de cantar.

Y él pensó en su confirmación y estudió sus lecciones de música. En su interior había notas y cantos. Puso en notas melodías enteras, cantos sin palabras y, finalmente, puso también las palabras.

—¡Si eres poeta, Pedrito! —dijo la señora del comerciante al ver el texto y la música.

También el comerciante recibió dedicada una composición sin palabras. Y lo mismo Félix y también la señorita Frandsen, que lo guardó en su diario junto con versos y música de dos antiguos tenientes, ahora generales de la reserva. El libro era regalo de «un amigo» que también lo había encuadernado.

Y Pedro hizo su confirmación. Félix le regaló un reloj de plata. Era el primer reloj que Pedro poseía. Le pareció que con ello era un hombre, no necesitaba preguntar la hora a los demás. Félix subió a la buhardilla, le felicitó y le entregó el reloj. Él mismo haría su confirmación en el otoño, y se dieron la mano los dos niños nacidos el mismo día y en la misma casa. Y Félix probó la tarta que fue cocinada en la buhardilla con motivo de la confirmación.

—Es un gran día de serios pensamientos —dijo la tía.

—Sí, muy serios —dijo la madre—. ¡Si padre viviese y viese ahora a Pedro!

El domingo siguiente irían los tres a comulgar.

Cuando volvieron de la iglesia encontraron un recado del maestro de canto, que quería ver a Pedro. Este fue a verle.

Allí le esperaban alegres noticias y, sin embargo, serias. Debía abandonar por completo el canto durante un año. Su voz debía descansar como un campo, que diría un campesino; pero en este tiempo debía aprender algo, no en la capital, donde cada noche sucumbía a la tentación de acudir al teatro, sino a treinta millas de su casa, como pupilo de un maestro que tenía a otros dos jóvenes en calidad de pensionistas, que así se llaman. Aprendería lenguas y letras que le habían de ser de provecho. El coste total al cabo del año sería de trescientos *rixdales,* que pagaba «un bienhechor que ocultaba su nombre».

—Es el comerciante —dijeron la madre y la tía.

Llegó el día de la partida. Se lloraron muchas lágrimas y hubo besos y bendiciones. Y Pedro partió en ferrocarril, treinta millas por el ancho mundo.

Era Pentecostés. El sol lucía; el bosque estaba fresco y verde; el tren atravesaba bosques, campos y aldeas que se sucedían, pasaba junto a casas señoriales; el ganado pastaba en los prados. Pasaron una estación y luego otra, una ciudad tras otra. En cada parada, multitud de gente recibiendo y despidiendo a los suyos; bulliciosas conversaciones fuera y dentro de los vagones. En el departamento de Pedro llevaba la batuta y la dirección una viuda vestida de uniforme. Hablaba de su tumba, su féretro y su cadáver, es decir, el de su hijito. Había sido tan enfermizo que no hubiera sido ninguna alegría el que hubiese vivido. Era un gran alivio para ella y para su corderito, que ya dormía tranquilo.

—No escatimé nada en flores el día del entierro —dijo—, ¡y figúrense ustedes que murió en invierno, cuando más escasean y están más caras! Todos los domingos acudía yo a mi tumba y colocaba una corona con un gran lazo de seda blanco. Las jovencitas robaban enseguida el lazo para adornar su trajes de baile, ¡era tentador! Y un domingo llegué yo, como de costumbre, al cementerio. Sabía que mi tumba estaba en la avenida principal, a la izquierda; pero cuando yo llegué estaba mi tumba a la derecha. «¿Qué ha ocurrido? —pregunté al sepulturero—. ¿No estaba mi tumba a la izquierda?». «Sí, pero ya no está —respondió el hombre—. El cadáver de la señora está allí, pero la lápida ha sido trasladada a la derecha, pues el espacio de la izquierda pertenece a otro feligrés». «¡Pero yo quería tener mi cadáver en mi tumba! —dije yo, y creo que tenía derecho a ello—. ¿O es que voy a adornar una falsa lápida, mientras mi cadáver yace sin ninguna señal en el otro lado? No lo consentiré». «Pues hable la señora con el párroco...». Es una persona encantadora el párroco. Dio permiso para que mi cadáver pasase a la derecha. Ello costaría cinco *rixdales*. Se los di, besándole la mano, y me quedé con mi vieja tumba. «Pero ¿puedo estar segura de que es mi féretro y mi cadáver lo que ustedes trasladan?». «Desde luego, señora». Y entonces le di un marco por el traslado. Pero ya que todo ello me había costado tanto dinero, quise rematarlo adornando la tumba y dispuse que colocasen un monumento con una inscripción. Pero imagínense ustedes que cuando ya lo tenía hecho habían puesto una mariposa dorada como remate. «¡Pero si eso es un frivolidad! —dije yo—. Yo no la quiero en mi tumba». «No es frivolidad, señora; es inmortalidad». En mi vida he oído tal cosa. ¿Alguno de ustedes en este departamento ha oído alguna vez que la mariposa no sea símbolo de frivolidad? Yo me callé. No me gusta hablar mucho. No quise discutir. Cogí el monumento, me lo llevé a casa y lo puse en el comedor. Y allí estuvo hasta que llegó a casa mi inquilino, un estudiante de muchos libros. Me aseguró que era inmortalidad, y volví con él a la tumba.

Y tras toda esta charla llegó Pedro a la estación en que debía detenerse para convertirse en una persona tan inteligente como el estudiante de muchos libros.

V

Herr Gabriel, el honorable hombre de letras, de quien Pedro iba a ser pupilo, estaba en la estación para recibirlo. *Herr* Gabriel era un hombre huesudo y esquelético, de grandes ojos brillantes y salientes que daban la impresión de que si estornudase echarían a volar de su cabeza. Iba guiado por tres hijos suyos, todos pequeños. Uno de ellos se caía con frecuencia y los otros se encaramaron sobre los pies de Pedro para verle más cerca. Además, le seguían dos muchachos mayores, el mayor de unos catorce años, blancucho, pecoso, lleno de granos.

—El joven Madsen, bachiller dentro de tres años, si es que estudia; Primus, hijo del párroco.

Este último era el más joven. Tenía una cabeza que parecía un grano de trigo.

—Los dos son pupilos míos, estudiantes —dijo *herr* Gabriel.

A sus propios hijos los llamaba «los cachivaches».

—Trine, coge la maleta del recién llegado y ponla en la carretilla; la comida nos espera en casa.

—¡Pavo relleno! —dijeron los pupilos.

—¡Pavo relleno! —dijeron «los cachivaches».

Y uno volvía a caer tropezando con sus propias piernas.

—¡César, fíjate en tus pies! —exclamó *herr* Gabriel.

Y entraron en la ciudad y salieron de la ciudad. Ante un enorme palomar, junto a la carretera, medio derruido y oculto por jazmines, se hallaba la señora Gabriel, con más «cachivaches»: dos niñas.

—¡El nuevo estudiante! —dijo *herr* Gabriel.

—Sed bienvenido —dijo la señora Gabriel, una mujer joven y rolliza, roja y blanca, de cabellos rizados y untados de pomada—. ¡Qué crecido sois! —dijo a Pedro—. Sois casi una persona mayor. Yo creí que erais como Primus o el joven Madsen. Gabriel, ángel mío, que buena idea has tenido de arreglar la puerta. Tú conoces mi modo de pensar.

—¡Tonterías! —dijo *herr* Gabriel.

Y entraron en la sala. Sobre la mesa, una novela con una rebanada con mantequilla. Diríase que era una señal, pues estaba colocada sobre las páginas del libro abierto.

—Voy a haceros los honores de la casa.

Y con sus cinco hijos y los dos pupilos se llevó a Pedro a la cocina, le enseñó el pasillo y una pequeña habitación con ventanas al jardín, que sería su cuarto de estudio y dormitorio, y que daba a la de la señora Gabriel, que dormía con sus cinco hijos y estaba separado de ella por una puerta intermedia que aquel día, en honor a la decencia y por temor de habladurías que a nadie favorecen, había sido inutilizada con clavos por *herr* Gabriel.

—Aquí estaréis como en vuestra propia casa. Tenemos también un teatro en la ciudad. El boticario es director de la compañía privada, y contratamos compañías ambulantes. Pero vamos a tomar el pavo —y acompañó a Pedro al comedor, donde colgaban ropas húmedas—. Supongo que no os importará. Es solo limpieza, a la que de seguro estaréis acostumbrado.

Y Pedro se sentó a comer su pavo, mientras los niños de la casa —no los dos pupilos, que ya se habían retirado— ofrecían una representación dramática en honor del recién llegado y para su propio gusto.

Hacía poco tiempo una compañía ambulante había representado en la ciudad *Los bandidos,* de Schiller. Los dos niños mayores se entusiasmaron con la obra y representaron, una vez en casa, toda la pieza, todos los papeles, a pesar de que de ellos solo recordaban una frase: «Los sueños provienen del estómago». Pero eso era lo que decían todos, cada uno a su manera y con las más diferentes entonaciones. Amalia, con sus ojos vueltos al cielo y su mirada soñadora, decía: «Los sueños provienen del estómago», y ocultaba su rostro entre sus manos. Carlos Moor subía a las tablas y decía con voz de héroe, varonil: «Los sueños provienen del estómago», y en esto irrumpía la caterva de los niños y niñas; todos eran los bandidos y se mataban unos a otros, gritando: «Los sueños provienen del estómago».

Esto era *Los bandidos,* de Schiller. Esta representación y el pavo relleno fue lo que obtuvo Pedro como bienvenida a la casa de *herr* Gabriel. Fue a su pequeña habitación, cuyas ventanas con vidrios quemados del sol daban al jardín. Se sentó y miró hacia fuera. *Herr* Gabriel paseaba sumergido en la lectura de un libro. Se acercó y miró adentro. Sus ojos parecían fijos en Pedro, que le saludó con una reverencia. *Herr* Gabriel abrió su boca todo lo que pudo, sacó la lengua y la movió hacia todas partes, e incluso también hacia el asustado Pedro, que no podía comprender tal conducta. Luego se marchó *herr* Gabriel, pero se volvió de nuevo y volvió a sacar la lengua de la boca.

¿Por qué lo hacía? No pensaba en Pedro ni en que las ventanas fuesen transparentes. Veía solamente que desde fuera uno podía ver su imagen en ella, y como padecía del estómago, quería simplemente ver su lengua. Pero Pedro carecía de tales aptitudes.

Ya tarde, se retiró *herr* Gabriel a su habitación, y Pedro estaba en la suya. Oyó voces, voces de mujer en el dormitorio de la señora Gabriel.

—¡Voy a decirle a Gabriel quiénes sois vosotras!

—Y nosotras vamos a decirle a Gabriel quién es la señora.

—¡Que me da un ataque! —gritó ella.

—¿Quién quiere ver cómo le da a la señora un ataque? ¡Cuatro chelines!

Entonces se oyó la voz de la señora, más baja, pero todavía perceptible:

—¿Qué va a pensar el joven de ahí oyendo tales tonterías dentro de nuestra casa?

Y los gritos se apagaron por un momento, para volverse a hacer más fuertes poco después.

—¡*Puntum finalis!* —gritó la señora—. Id a preparar el ponche.

Y todo quedó tranquilo. La puerta de la otra habitación se abrió, las niñas se fueron y la señora golpeó con los nudillos a la puerta de Pedro.

—Joven, ya iréis comprendiendo lo que es ser madre. Dad gracias al cielo que no tenéis hijas. Si quiero paz, tengo que darles ponche. De buena gana os daría también un vaso. Se duerme mejor después. «Pero nadie puede salir al pasillo después de las diez», dice mi Gabriel. Pero tendréis, sin embargo, vuestro ponche. La puerta tiene un ventanuco con barrotes. Yo quitaré los barrotes, introduciré una jarra por el ventanuco y os escanciaré el ponche en vuestro vaso. Todo esto entre nosotros; ni mi Gabriel debe saberlo; no debéis cansarlo con charlatanerías caseras.

Y Pedro tuvo su ponche. Y se hizo la paz en la habitación de la señora Gabriel, paz y tranquilidad en toda la casa. Pedro se acostó, pensó en su madre y en su tía, rezó sus oraciones y se durmió.

«Lo que uno sueña la primera noche en una casa extraña, tiene su significado», había dicho la tía. Pedro soñó que cogía su corazón de ámbar, que llevaba siempre consigo; lo colocaba en una maceta y se convertía en un enorme árbol que atravesaba el techo y el tejado y de cuyas ramas pendían cientos de corazones de plata y oro. La maceta se rompió y allí no había ningún corazón de ámbar. Todo se había convertido en tierra. Todo había desaparecido, todo.

Y Pedro se despertó. Tenía todavía su corazón de ámbar y estaba caliente junto a su propio corazón caliente.

VI

A la mañana siguiente, empezó temprano la primera lección de francés con *herr* Gabriel.

A la hora del desayuno solo estaban los pupilos, los niños y la señora. Ella volvía a tomar café entonces, porque ya lo había tomado antes en la cama. Es sano cuando una es propensa a los ataques. Preguntó a Pedro qué era lo que había aprendido aquel día.

—Francés —respondió este.

—Es un idioma elegante —dijo ella—. Es el idioma de los diplomáticos y de la gente distinguida; yo no lo he aprendido cuando joven, pero cuando se vive con un hombre instruido, se aprende de él, como si se hubiese recibido con la leche materna. Así he adquirido yo todas las palabras necesarias. Creo que me comprometería a verme en medio de cualquier reunión social.

Una palabra extranjera, un sustantivo, había adquirido la señora por su matrimonio con un hombre instruido. La habían bautizado Mette, según una rica madrina de quien pensaba heredar. Recibió el nombre, pero no la herencia. *Herr* Gabriel rebautizó a Mette como Meta, que en latín significa lo mismo. Para la boda, toda su ropa de lana y de lienzo fue bordada con las iniciales «M. G.» (Meta Gabriel). Pero el joven Madsen, que era un gracioso, interpretaba las letras «M. G.»

como «muy bueno» (en danés, *Meget godt),* y había puesto con tinta china un signo de interrogación en los manteles, toallas y sábanas.

—¿No simpatizáis con la señora? —preguntó Pedro, cuando el joven Madsen le contó su chiste—. Ella es muy amable, y *herr* Gabriel, muy culto.

—Ella es un saco de mentiras —dijo el joven Madsen—, y *herr* Gabriel, un miserable. Me gustaría que yo fuese cabo y él recluta. ¡Cómo me iba a reír!

Y había algo de sarcástico en la expresión del joven Madsen. Sus labios se contraían y todo su rostro parecía una sola peca.

Eran palabras terribles, y Pedro se alarmó al oírlas, y, sin embargo, tenía el joven Madsen la más clara razón del mundo en su argumentación: era una bellaquería que los padres y los maestros obligasen a una persona a perder los mejores años de su juventud aprendiendo gramática, nombres y cifras que a nadie interesan, en lugar de dejarles disfrutar de su libertad, respirar como Dios manda o salir al monte con una bolsa en bandolera como un buen cazador.

—Pues no, siéntese usted en un banco y contemple soñoliento su libro. Eso es lo que quiere *herr* Gabriel, y luego le llaman a uno torpe y le ponen a uno un «mediano». Y sus padres reciben carta. Por eso es *herr* Gabriel un miserable.

—También pega a veces —dijo el pequeño Primus.

Y parecía en todo de acuerdo con el joven Madsen. A Pedro no le agradó oír tales cosas.

Pero a Pedro no le pegaron, «era ya mayorcito», como decía la señora, ni le llamaron torpe, porque no lo era. Tendría clases especiales para él solo. Y rápidamente adelantó a Madsen y a Primus.

—Tiene disposición —dijo *herr* Gabriel.

—Y se ve que ha estado en la escuela de baile —dijo la señora.

—Tenemos que meterlo en nuestra compañía dramática —dijo el boticario, que vivía más para el teatro del pueblo que para su botica.

Malas lenguas le aplicaron el viejo chiste de que había sido mordido por un actor rabioso y por eso estaba loco por el teatro.

—El joven estudiante ha nacido para representar el papel de amante —dijo el boticario—; en dos años puede convertirse en Romeo. E incluso creo que bien maquillado y con un pequeño bigote podría debutar este invierno.

La hija del boticario, «gran talento dramático», en decir de su padre; «verdadera belleza», en boca de su madre, sería Julieta. La señora Gabriel haría de ama, y el boticario, que era el director y organizador, haría el papel de boticario, que era corto, pero muy gracioso. Todos acordaron solicitar el permiso de *herr* Gabriel para que Pedro hiciese de Romeo.

Lo que había que hacer era ganarse primero a la señora Gabriel, y eso sabía hacerlo bien el boticario.

—Habéis nacido para ama —decía él, sin creer decir nada ofensivo—. Es el mejor papel de la obra —añadió—; es el papel del humor; sin él la obra no podría vencer su tristeza. Nadie sino vos, señora Gabriel, tiene la viveza y el alma que aquí hace falta.

Era completamente cierto, creía ella; pero su marido no concedería nunca al joven estudiante el corto tiempo que necesitaría para convertirse en Romeo. Prometió, sin embargo «engatusarlo», como ella decía. El boticario empezó enseguida a estudiar su papel. Especialmente pensaba en la máscara. Quería parecer por completo un esqueleto, la miseria y la pobreza, y, sin embargo, un buen hombre, tarea bien difícil. Pero mucho más difícil era todavía para la señora Gabriel «engatusar» a su marido, que no podía decir al protector de Pedro, que pagaba sus estudios y su manutención, que le había dejado actuar en el teatro.

—No podemos realmente ignorar que Pedro tiene grandes ganas de ello. Pero no puede ser —dijo.

—Lo conseguiré —decía la señora—. Dejadlo simplemente de mi cuenta —lo mejor hubiera sido un ponche, pero *herr* Gabriel no era aficionado a la bebida. Los cónyuges son con frecuencia distintos, y este era el caso, sin ofender a la señora.

—Un vaso y nada más —decía—. Eso levanta el ánimo y hace a los hombres contentos, como debemos serlo; tal es la voluntad de Nuestro Señor.

Pedro haría de Romeo. La señora había ganado.

Los ensayos se hacían en casa del boticario. Tomaban chocolate con «geniecillos», es decir, pequeñas tostadas. Costaban en la panadería un chelín la docena, y como eran tan pequeños y tantos, se las llamaba así en broma.

Es fácil hacerse el gracioso. Y, sin embargo, él solía también dar nombres a todas las cosas. A la casa del boticario la llamaban el «Arca de Noé con los puros y los impuros», y eso solo por la caridad para con los animales que formaban allí parte de la familia. La señora tenía una gatita preciosa y mimada llamada *Graciosa*. Dormía en la ventana, en su falda, en el costurero, o corría sobre la mesa puesta. La señora tenía un gallinero y un patito con patos, papagayos y canarios. El loro chillaba más que nadie. En la sala había dos perros, *Flik* y *Flok*. Pero no eran unos perros cualesquiera, sino que dormían en sofá y con edredón de plumas.

El ensayo comenzó y solo se interrumpió un momento cuando los perros, en puro alarde de amistad, estropearon el nuevo traje de la señora Gabriel. El gato causó también un pequeño disturbio empeñándose en dar la pata a Julieta, colocarse sobre su cabeza y acariciarla con el rabo. El desdichado discurso de Julieta se repartía entre el gato y Romeo. Cada palabra que Pedro decía era exactamente la que él quería y debía decir a la hija del boticario. ¡Qué hermosa y encantadora era! Una hija de la Naturaleza que, como la señora Gabriel decía, encajaba perfectamente en su papel. Y Pedro se sentía en su propio elemento.

Y el instinto o algo más movía al gato. Se ponía sobre los hombros de Pedro, como símbolo de la simpatía entre Romeo y Julieta.

A cada ensayo la naturalidad se hacía mayor, más íntima; el gato, más confiado, y el loro y los canarios, más chillones, mientras *Flik* y *Flok* corrían a sus anchas por la estancia.

La tarde del estreno llegó, y Pedro se vio hecho todo un Romeo. Besó a Julieta en la boca.

—Muy natural —dijo la señora Gabriel.

—¡Vergonzoso! —dijo el alcalde señor Svendsen, el ciudadano más rico del pueblo y también el más grueso; gotas de sudor perlaban su frente por el calor de la estancia y el de su interior; sus ojos miraron a Pedro sin misericordia—. ¡Semejante cachorro! —dijo, un «cachorro» tan largo que se podía partir por el medio y hacer de él dos.

Maravilloso éxito y un enemigo. No era mal balance. Sí, Pedro era un hombre de suerte.

Cansado y agotado por las emociones y éxitos de aquella tarde, llegó a la pequeña habitación de su casa. Era más de medianoche. La señora Gabriel llamó a su puerta.

—Romeo, ¿quieres ponche?

Y le pasó la jarra a través del ventanuco, y Pedro —Romeo— puso su vaso bajo ella.

—Buenas noches, señora Gabriel.

Pero Pedro no pudo dormir. Todo lo que él había dicho, y especialmente lo que Julieta había dicho, daba vueltas en su cabeza, y cuando, finalmente, se durmió, soñó con una boda, la de la señorita Frandsen. ¡Qué de cosas raras le ocurren a uno en sueños!

VII

—Y ahora os quitáis el teatro de la cabeza —dijo *herr* Gabriel a la mañana siguiente— y apretaremos en los estudios.

Pedro casi llegó a pensar como el joven Madsen: «¡Encerrarse en la más maravillosa edad, sentado ante un libro!». Pero cuando se hallaba sentado ante sus libros llegaban a su pensamiento tantas cosas buenas y nuevas que Pedro se sentía feliz con ellas. Leía sobre las grandes figuras de la Humanidad y sus hazañas. Muchas habían sido hijos de hombres pobres. El caudillo Temístocles, hijo de un alfarero; Shakespeare, un pobre aprendiz de tejedor que de joven guardaba los caballos a la puerta del teatro, del que más tarde sería el mayor genio de todos los países y de todas las épocas. Oyó hablar de las competiciones de Wartburg, en donde los poetas luchaban por presentar los mejores versos, una competición como las antiguas de los poetas griegos con ocasión de las grandes fiestas populares de las que tan bien hablaba *herr* Gabriel. Sófocles, ya en su edad madura, había escrito una de sus mejores tragedias y ganado el premio frente a todos los demás. Y en medio de su honor y de su victoria estalló su corazón de alegría. ¡Qué dicha morir en medio del júbilo de la victoria! ¿Podría caber mayor felicidad? Los pensamientos y los sueños llenaban la cabeza de nuestro joven amigo, pero no tenía a nadie en quien confiar. No lo comprenderían ni el joven Madsen, ni Primus, ni tampoco la señora Gabriel, que era ya, todo humor, la madre angustiada dispuesta a anegarse en un mar de lágrimas. Sus dos hijitas la miraban asombradas, y ni ellas ni Pedro podían comprender qué motivaba en ella tan profunda pena y preocupación.

—¡Pobrecillas! —decía ella entonces—. Es su porvenir lo que preocupa a mi corazón de madre. Los niños se defenderán bien. César cae, pero vuelve a levantarse. Los dos mayores chapotean en los charcos, serán marinos y harán un buen matrimonio; pero mis hijitas, ¿qué será de su futuro? Llegarán a una edad en la que el corazón siente, y estoy seguro de que aquellos a quienes ellas den sus preferencias no serán del todo del gusto de Gabriel, que querrá darlas a alguien a quien ellas no puedan soportar y serán muy desgraciadas. En ellas pienso yo, como madre, y de ahí mi pena y preocupación. ¡Pobrecitas hijas! ¡Seréis tan desgraciadas!...

Y lloraba.

Las niñitas la miraban; Pedro la miraba, visiblemente conmovido; no sabía qué responder y se retiraba a su pequeña habitación, se sentaba al viejo clavicordio, del que arrancaba notas, fantasías que brotaban de lo profundo de su corazón.

Y muy de mañana comenzaba despejado sus estudios, y cumplía su deber, que para ello pagaban por él. Era un muchacho consciente y sensato. En su diario anotaba lo que había estudiado y aprendido cada día, y a qué hora de la noche se había puesto al clavicordio a tocar siempre suavemente para no despertar a la señora Gabriel, y nunca, excepto el domingo, día de descanso, anotaba: «Pensé en Julia. Estuve en casa del boticario. Me encontré al boticario. Escribí a mamá y a la tía». Pedro seguía siendo Romeo y, además, buen hijo.

—Extraordinariamente aplicado —decía *herr* Gabriel—; tomad ejemplo, joven Madsen, o seréis suspendido.

«¡Miserable!», decía Madsen para sus adentros.

Primus, el hijo del párroco, padecía la enfermedad del sueño.

—Es una enfermedad —decía la mujer del párroco—. Y no hay que ser duro con él.

La casa del párroco, señorial y rica, distaba dos millas de allí.

—Ese hombre morirá de obispo —decía la señora Gabriel—. Tiene buenas relaciones en la corte, y su esposa es una señora muy honorable que se sabe de memoria toda la heráldica.

Era por Pentecostés. Había pasado un año desde que Pedro había llegado a la casa de *herr* Gabriel. Había aprendido mucho, pero no había recobrado su voz. ¿La recuperaría alguna vez?

La familia de Gabriel fue invitada a casa del párroco para un gran banquete y un baile que duraría hasta la madrugada. Llegaron muchos huéspedes de la ciudad y de las casas señoriales de los contornos. También la familia del boticario había sido invitada, y Romeo vería a su Julieta. ¡Quién sabe si hasta bailaría con ella el primer baile!

Era una magnífica casa pintada de blanco y sin estiércol en el jardín, con un palomar verde por donde trepaba la hiedra. La señora de la casa era una dama alta, bien formada. *Herr* Gabriel la llamaba Glaukopis Atena, «la de los ojos azules». No «la de los ojos de vaca», como Juno, pensaba Pedro. Había en sus modales una suavidad distinguida, como un esfuerzo por sobreponerse a una naturaleza enfermiza. Debía tener también, como Primus, la enfermedad del sueño. Vestía un traje de seda color azul con un peinado de bucles a la derecha, que se sujetaba con un gran broche de medallón con el retrato de su abuela la generala, y a la izquierda, un racimo de uvas de porcelana blanca.

El párroco tenía el rostro simpático y encendido, con una dentadura blanquísima digna de atacar a un costillar de ciervo asado. Su conversación consistía siempre en anécdotas. Podía habérselas con cualquier persona, pero nadie había sido capaz de sostener con él un diálogo.

También el alcalde se encontraba allí, y entre los forasteros de ricas familias se hallaba también Félix, el hijo del comerciante. Había hecho ya su confirmación y se había convertido en un joven de lo más elegante en modales y atuendo. Se decía de él que era millonario. La señora Gabriel no se atrevía a dirigirle la palabra.

Pedro se alegró de ver a Félix, que le saludó muy amablemente y le traía recuerdos de los suyos. Todos leían en casa las cartas que Pedro escribía a su madre y su tía.

Y empezó el baile. La hija del boticario debía bailar su primer baile con el alcalde, promesa que había sido arrancada en su casa por el alcalde y su madre. El segundo baile era para Pedro, pero Félix se acercó, la cogió de la mano y, sin más que una inclinación de cabeza, dijo:

—Vos permitiréis que yo baile ahora con ella. La señorita accederá si vos lo permitís.

Pedro se puso serio, no dijo nada, y Félix bailó con la hija del boticario, la más hermosa del baile. También bailó con ella la pieza siguiente.

—El último baile me corresponderá a mí —dijo Pedro, pálido.

—Sí, el último —respondió ella con la más deliciosa de sus sonrisas.

—¿No querréis quitarme la pareja? —dijo Félix que se hallaba cerca de ellos—. Eso no es amistad; dos viejos amigos de la ciudad que somos. ¡Decís que os alegráis de verme y me priváis del placer de llevar a la mesa a la señorita —y cogió a Pedro por la cintura y apoyó en broma su frente contra la suya—. ¿Concedido, verdad? ¡Concedido!

—¡No! —dijo Pedro, y sus ojos brillaron de cólera.

Y Félix puso graciosamente sus brazos en jarras, como una rana que va a saltar:

—¡Estáis en vuestro perfecto derecho, jovencito! ¡Yo haría lo mismo si me hubiesen prometido el último baile, jovencito!

Y se retiró con una galante inclinación a la señorita, pero no mucho después, cuando Pedro se hallaba en un rincón y jugaba con su pajarita, llegó Félix, le cogió por el cuello y con una mirada penetrante le dijo:

—Sed compresivo —dijo—. Mi madre y la vuestra, y vuestra tía, dirán que os parecéis a ellas. Me voy mañana y me sentaría muy mal no bailar la última pieza con la señorita. ¡Mi mejor amigo, mi único amigo!

Y Pedro, tratándose de su único amigo, no podía negarse. Él mismo acompañó a Félix hasta donde estaba la joven.

Despuntaba el alba cuando los huéspedes, al día siguiente, abandonaron la casa del párroco. La familia Gabriel iba en una carroza, y todos dormían, excepto Pedro y la señora.

Esta hablaba del joven comerciante, hijo de un hombre tan rico y amigo de Pedro, pues ella les había oído brindar: «¡Salud, amigo! Por tu madre y tu tía». Había algo tan negligente y elegante en sus modales que se veía enseguida que era un muchacho rico. Un hijo de condes. No todos podemos decir lo mismo. Y tenemos que bajar la cabeza.

Pedro no dijo nada, pero aquello le sentó muy mal y no pudo olvidarlo en todo el día, hasta el punto de que aquella noche, ya acostado, no podía conciliar el sueño y algo repetía dentro de él: «¡Hay que bajar la cabeza! ¡Hay que ceder!». Y eso era lo que él había hecho: ceder ante el muchacho rico porque él había nacido pobre y dependiente de la gracia de los ricos. ¿Son acaso mejor que nosotros? ¿Y por qué han sido creados mejor que nosotros?

Algo impuro se revolvía dentro de él, algo de lo que su tía se habría asustado. Y él pensaba en ella. «¡Pobre tía! ¡Tú también has nacido pobre! ¡Dios sabrá por qué lo hizo!». Y sintió la cólera en su pecho, junto con el sentimiento de que estaba pecando de pensamiento y palabra contra el buen Dios. Y lloró por haber perdido su infantil inocencia sin darse cuenta de que en ese momento la conservaba íntegra y pura. ¡Afortunado Pedro!

A la mañana siguiente recibió carta de su tía. Escribía como podía mezclando letras grandes y pequeñas de forma desordenada, pero con todo el cariño de su corazón en lo grande y en lo pequeño para cuanto se refería a Pedro:

«Querido, bonito y bendito muchacho: pienso en ti, tengo ganas de verte, y lo mismo tu madre. Ella está bien, pero tiene mucho trabajo. Félix, el hijo del comerciante, estuvo ayer con nosotras y nos trajo tus saludos. Nos contó que habíais estado en el baile del párroco y que tú habías sido todo un caballero. Así serás siempre, para alegría de tu tía y de tu trabajadora madre. Ella te contará algo de la señorita Frandsen».

Y seguía una posdata de su madre:

«La señorita Fradsen, la solterona, se va a casar. El encuadernador Hof trabaja ahora en la corte con una gran placa: "Encuadernador Hof, de la Casa Real". Y ella se convertirá en la señora Hof. ¡Los viejos amores son inconmovibles, hijo mío! —*Tu madre...*».

Otra posdata:

«La tía te ha hecho seis pares de calcetines de lana, que recibirás a su debido tiempo. Con ellos te envía tu libreto *Pan con jamón*. Sé que en casa de *herr* Gabriel no comes nunca carne porque la señora tiene miedo de que yo no sepa escribir "triquinosis". Tú no le hagas caso y come. —*Tu madre*».

Pedro leyó la carta y se alegró. Félix era una buena persona. Y, sin embargo, había sido injusto con él. En casa del párroco no se habían despedido.

«Félix es mejor que yo», pensó Pedro.

VIII

En una vida tranquila los días se suceden, los meses pasan rápidos. Pedro estaba ya en el segundo año de su estancia en casa de *herr* Gabriel, que con obstinación y firmeza —que la señora llamaba terquedad— no volvió a permitir que Pedro pisase las tablas.

Él mismo había recibido del maestro de canto, que mensualmente pagaba sus honorarios por pensión y enseñanzas, la seria recomendación de no pensar más en el teatro mientras estuviese allí. Y él lo aceptaba así, aunque su pensamiento con frecuencia volaba hacia el teatro de la capital, y pensaba en el escenario que él debía haber pisado, como un gran cantante. Ahora ya no tenía voz, ni la volvería a tener seguramente, lo cual sentía profundamente. ¿Quién podría consolarle? Ni *herr* Gabriel ni la señora. Solamente Nuestro Señor, que le consolaba de muchas maneras. Y Pedro, siempre afortunado, recibió su consuelo en sueños.

Una noche soñó que era Pentecostés y que se hallaba fuera, en el maravilloso bosque de pinos, donde los rayos del sol penetraban por entre las ramas y el bosque entero estaba lleno de anémonas y primaveras, y el cuco empezó a cantar: ¡Cu, cu! «¡Cuántos años viviré?», preguntaba Pedro, porque eso siempre se le pregunta al cuco, cuando se le oye cantar por primera vez en el año. El cuco respondía: ¡Cu, cu! Pero nada más. Y se callaba.

—Viviré todavía un año —decía Pedro—. Es verdaderamente demasiado poco. Por favor, continúa cantando.

Y el cuco continuaba: ¡Cu, cu!, ¡Cu, cu! Y no terminaba nunca. Cantaba sin cesar y el mismo Pedro se puso a cantar con él tan animadamente como si fuese un cuco, y su canto se hizo más fuerte y más claro. Todos los pájaros del bosque cantaban y Pedro cantaba con ellos, pero mucho mejor. Volvía a tener su maravillosa voz infantil y cantaba jubilosamente. Su corazón experimentaba una inmensa alegría, y se despertó seguro de que su pecho aún encerraba resonancias, de que su voz yacía aún dentro y de que, alguna mañana clara de Pentecostés, volvería a renacer en toda su frescura. Y se volvió a dormir alegre con esta esperanza.

Pero ni el día siguiente, ni la semana, ni el mes le trajeron ninguna esperanza de recuperar su voz.

Todas las noticias que podía obtener de representaciones teatrales en la capital eran un verdadero alimento de su espíritu, verdadero pan para su alma. A falta de pan, buenas son tortas, y se contentaba con las más pobres noticias.

El comerciante en telas era vecino de los Gabriel. La señora, una matrona altamente honorable, vivaracha y risueña, pero sin idea ni noción del teatro, había estado en la capital por primera vez y se había entusiasmado con todo lo que en ella había visto, incluso los habitantes. Estos habían reído cuanto ella había dicho —aseguraba— y era perfectamente comprensible.

—¿Ha estado usted en el teatro? —preguntó Pedro.

—¡Claro que sí! —respondió la mujer del comerciante en telas—. ¡Y qué a gustito me encontraba allí! ¡Tendríais que haberme visto sentada y confortablemente instalada!

—Pero ¿qué habéis visto? ¿Qué obra?

—Os lo diré —respondió ella—. Os contaré toda la comedia. Estuve allí dos veces. La primera noche era diálogo. Llegó ella, la princesa: *bla, bla, bla,* ¡cómo hablaba! Y luego llegó más gente: *bla, bla, bla.* Y luego cayó la señora. Y vuelta a empezar. El príncipe: *bla, bla, bla, blu, blu, blu,* y la señora volvió a caer. Cayó cinco veces aquella tarde. Y la otra noche que estuve allí todo era cantado: *bla, bla, bla,* y caía la señora. A mi lado estaba sentada una buena señora campesina. Nunca había estado en el teatro y creyó que ya había terminado, pero yo, que ya lo conocía, le dije que cuando yo había estado por primera vez, la señora había caído cinco veces. Pero la noche de los cantos cayó solo tres. Bien, ya tenéis las dos comedias tal como yo las vi.

Sí, eran tragedias lo que ella había visto, siempre caía la señora. Y esto quería decir simplemente lo siguiente: en el gran teatro había un telón que subía y bajaba en los entreactos y en el que estaba pintada una gran figura femenina, una musa con las máscaras de la tragedia y de la comedia. Esa era la señora que caía. Y esa había sido la verdadera comedia. Lo que las gentes decían y cantaban era para la mujer del mercader de telas, simplemente, *bla, bla, bla.* Pero ello era un placer, incluso para Pedro, y no menos para la señora Gabriel, que oía semejante interpretación de las obras escuchándola con una cara de asombro en la que se reflejaba la superioridad de lo espiritual, exactamente como cuando en el papel de ama había intervenido en Romeo y Julieta —diría el boticario.

Y este «y cayó la señora», imitado por Pedro, se convirtió en una frase graciosa que se repetía siempre en la casa cada vez que un niño, una espumadera o cualquier objeto se caía al suelo.

—Tal ha sido el origen de los refranes y de los proverbios —decía *herr* Gabriel que todo lo salpicaba con ribetes docentes.

El día de Nochevieja, al dar las doce, toda la familia Gabriel y los pupilos se hallaban de pie alrededor de la mesa sosteniendo su vaso de ponche —el único que *herr* Gabriel bebía en todo el año, porque el ponche es como el fuego para los estómagos delicados—. Bebieron el brindis del Año Nuevo y contaron las doce campanadas, y a la última gritaron todos a coro: «¡Y cayó la señora!».

El nuevo año pasó. Por Pentecostés llevaba Pedro ya dos años en la casa.

IX

Habían pasado dos años, pero la voz no volvería. ¿Qué reservaría el futuro a nuestro joven amigo?

«Siempre podría dar clases en una escuela», pensaba *herr* Gabriel. Era un modo de vida, aunque no daba para casarse. Tampoco era del gusto de Pedro, ya que la hija del boticario ocupaba un gran lugar en su corazón.

—¡Hacerse maestro! —decía la señora Gabriel—. ¡Un joven culto! Os convertiréis en el más fastidioso ser de la tierra, como mi Gabriel. Habéis nacido para el teatro. Convertíos en el mejor actor del mundo. ¡Eso sí que es otra cosa que ser maestro!

¡Actor! Sí, esa era la meta.

Eso escribía él en una carta al maestro de canto, hablándole de sus deseos y esperanzas. Deseaba ardientemente volver a la capital, donde vivían su madre y su tía, a quienes no había visto en dos largos años. La distancia era solo de treinta millas. En seis horas, con el rápido, se podía llegar allí. ¿Por qué no se habían visto en aquel tiempo? Eso es fácil de decir. Pedro había prometido, cuando partió, quedarse en donde ahora estaba, sin pensar en visitas. Su madre tenía bastante que hacer lavando y planchando. Sin embargo, había pensado varias veces en hacer el gran viaje. A pesar de que le costaría mucho dinero, aunque ello nunca llegó a realizarse. La tía le tenía pánico al ferrocarril. Era tentar a Dios. Nadie sería capaz de obligarla tampoco a ir en barco, era demasiado vieja y no volvería a hacer otro viaje hasta que se fuese con Nuestro Señor.

Eso había dicho ella en mayo, pero en junio recorrió la anciana señora, completamente sola, las treinta millas que la separaban de una ciudad extraña y de unas gentes extrañas para ver a Pedro. Había ocurrido un contratiempo, el más triste para la madre y la tía.

El cuco había cantado indefinidamente su *cucú* cuando Pedro le preguntó por segunda vez cuántos años viviría. Su salud y su humor eran excelentes. En su porvenir brillaba el sol. Había recibido una alegre carta de su paternal amigo el maestro de canto. Pedro debía volver. Había que ver qué podía hacerse por él, qué carrera iba a seguir ahora que había perdido su voz.

—Interpretad el papel de Romeo —decía la señora Gabriel—. Sois ya bastante crecido y más a tono para ello. No hará falta que os maquilléis.

—Sí, haced de Romeo —decían el boticario y su hija.

Y muchos pensamientos llenaban su corazón y su cabeza. Pero... «Nadie puede saber qué ocurrirá mañana...».

Miró al jardín y salió al campo. Era de noche y había luna. Sus mejillas ardían y su sangre hervía. El aire era deliciosamente refrescante. Sobre el pantano se cernía una niebla cada vez más baja que le hizo pensar en las danzas de los elfos. Y le vino a la memoria el viejo romance del caballero Olaf, que partió en busca de huéspedes para su boda y fue detenido por las hadas que lo mezclaron en sus danzas y juegos y causaron su muerte. Era un romance, una vieja leyenda, a la que la niebla y la luz de la luna sobre el pantano prestaban aquella noche evocadoras formas.

Pedro se vio sentado de repente, como en sueños; su mirada perdida en el vacío. Los arbustos parecieron cobrar formas humanas y algunas de animales que permanecían inmóviles, mientras la niebla se elevaba como un fascinante velo aéreo. Tal lo había visto Pedro en el *ballet* del teatro, cuando los elfos danzaban envueltos en velos y gasas. Pero esto era mucho más maravilloso, mucho más encantador. Jamás el teatro podría representar tal escena, un cielo tan alto y tan claro, una luz de luna tan brillante.

Y de entre la niebla destacaba nítida una figura de mujer, que se convirtió en tres y las tres en muchas bellísimas jóvenes que danzaban cogidas de la mano. El aire las traía hacia donde Pedro estaba y ellas le hacían gestos con la cabeza y le hablaban. Era como si oyese campanillas de plata, revoloteando en el bosque sobre él y cerrándose en un círculo. Sin pensar, se puso a bailar con ellas, pero no su danza. Giraba más bien como en aquella inolvidable danza de vampiros, pero no pensaba en ello. En realidad no pensaba ya más, totalmente abrumado por las maravillas que veía en torno a él.

El pantano era un lago profundo, azul negro, de acantos, que brillaban con todos los colores imaginarios, bailaban sobre el agua y lo llevaban envuelto en un velo hacia la otra costa, donde el túmulo de los héroes había perdido su capa de musgo, convirtiéndose en un palacio de nubes, pero nubes de mármol. Árboles floridos de oro y piedras preciosas crecían junto a los poderosos bloques de mármol, cada flor era un pájaro de brillantes colores que cantaba con una voz humana. Era como un coro de miles y miles de alegres voces de niños. ¿Eran voces celestes o la voz de los elfos?

Los muros del palacio se movieron acercándose unos a otros, encerrándole en medio. Dentro estaba él y el mundo de los humanos yacía fuera. Y sintió entonces una angustia, una opresión como nunca antes. No encontraba una salida y del suelo, del techo, de todos los muros le sonreían bellísimos rostros de muchachas. Parecían vivas y, sin embargo, pensaba: «¿No estarán solamente pintadas?». Quería hablarles, pero su lengua no tenía palabras, su voz había desaparecido, ni un sonido salía de sus labios, y sintiéndose desgraciado, como nunca, se arrojó a tierra.

Una de las hadas avanzó hacia él. Debía quererle bien, a su manera, pues había tomado la figura que a él era más cara. Se parecía a la hija del boticario. Estaba a punto de creer que fuese ella. Pero de repente se dio cuenta de que su espalda era hueca, solo una hermosa apariencia, vacía, sin nada dentro.

—Una hora aquí son cien años fuera —dijo ella—, y tú ya has estado una hora entera. Todos los que tú conoces y amas han muerto; quédate con nosotras. Sí, tienes que quedarte, o los muros te aplastarán y la sangre saltará de tu frente.

Y los muros se movieron y el aire parecía un horno ardiendo. Y recobró la voz.

—¡Dios mío, Dios mío!, ¿me has abandonado? —gritó con profundo dolor de su alma.

La tía estaba a su lado, le tenía en sus brazos, le besaba en la frente, le besaba en la boca.

—Querido, querido mío —decía—. Nuestro Señor no te abandona, no abandona a nadie, ni aun al mayor pecador. ¡A Él sea el honor y la gloria por toda la eternidad!

Y cogió su salterio, el mismo en el que Pedro había cantado tantos domingos. ¡Cómo sonaba su voz! ¡Qué bien la oía! Todos los elfos reclinaron la cabeza como para descansar. Pedro cantaba con su tía, como solía hacerlo los domingos. ¡Qué poderosa y fuerte y, sin embargo, tierna, era su voz! Los muros del palacio se convirtieron en nubes de niebla. La tía salió con él, y caminaban por el verde césped, donde las luciérnagas lucían y la luna brillaba. Pero sus pies estaban cansados. No podía moverlos, y se desvaneció. Le parecía hallarse en el más blando lecho; descansó bien y despertó a los sones de un salmo.

La tía estaba junto a él, junto a la cama, en la pequeña habitación de la casa de *herr* Gabriel. La fiebre había pasado, la salud y la vida volvían.

Había estado entre la vida y la muerte. Le habían hallado desvanecido aquella noche en el bosque, presa de poderosa fiebre. El doctor creía que no podría vencerla, que moriría, y por ello se escribió a su madre. Ella y la tía querían y debían ir a verle. Las dos no podían hacerlo, la vieja tía tomó el ferrocarril.

—Solo lo hice por Pedro —dijo—. Lo hice en el nombre de Dios; de otro modo hubiera creído que cabalgaba con el Maligno en una escoba la noche de san Juan.

X

Con el corazón ligero y alegre emprendió el viaje de regreso. La tía daba gracias sinceramente a Nuestro Señor. Pedro iba a vivir más que ella. Llevaba una excelente compañía: el boticario y su hija. Hablaban de Pedro, le querían como si fuese de la familia. «Será un gran actor —decía el boticario—. Y ahora que había recobrado su voz tenía millones en su garganta».

¡Qué felicidad para la tía oír tales palabras! Las vivía, las creía, y de pronto se encontraron en la estación de la capital, donde les esperaba la madre de Pedro.

—¡Gracias sean dadas a Dios por el ferrocarril! —dijo la tía—, y también porque ya he olvidado dónde me encontraba. Y eso se lo debo a estas excelentes personas —y estrechó las manos del boticario y su hija—. El ferrocarril es un bendito invento cuando se llega a soportarlo. ¡El hombre está en las manos de Dios!

Y habló entonces de su querido niño, que estaba fuera de todo peligro y vivía con una excelente familia que tenía dos niñas y un hijo ya mayorcito. Estaba considerado como un hijo de la casa y vivía en compañía de dos hijos de familia distinguida, uno de ellos hijo de un párroco. La tía se había hospedado en Correos, lo cual era ciertamente un gasto extraordinario, pero la señora Gabriel terminó invitándola. Había estado en la casa cinco días. Eran todos unos ángeles, especialmente la señora, que habían insistido en que bebiese ponche, maravillosamente preparado, pero muy fuerte.

Dentro de un mes Pedro estaría, con la ayuda de Dios, completamente restablecido y regresaría a la capital.

—Se habrá convertido seguramente en una persona distinguida y educada —dijo la madre—. No querrá vivir en esta buhardilla. Estoy contenta de que el maestro de canto le haya invitado a su casa, y sin embargo... —y la madre lloraba—. ¡Es terrible ser tan pobre que ni siquiera nuestro hijo se pueda encontrar bien en su propia casa!

—No le digas eso a Pedro —dijo la tía—. Tú no conoces sus sentimientos como yo.

—Por muy fino que sea podrá comer y beber en casa y no pasará hambre mientras yo pueda utilizar mis manos. La señora Hof ha dicho que puede comer con ella dos veces por semana ahora que goza de una buena posición. Ella sabe lo que es grandeza y lo que es miseria. Ella misma me ha contado que una tarde, en el palco del teatro reservado a las viejas bailarinas, se había encontrado mal. Durante todo el día no había probado más que agua y un panecillo. Estaba enferma de hambre y se hallaba extenuada. «¡Agua! ¡Agua!», gritaron las otras. «¡Pasteles!», pidió ella. «¡Pasteles!». Ese era un alimento para ella, y no agua. Ahora, en cambio, tiene un buen comedor con excelente mesa.

Pedro se hallaba todavía a treinta millas de distancia, pero era feliz pensando en su regreso a la ciudad, al teatro y a todos los viejos recuerdos que ahora comenzaba a estimar en todo su valor. Su corazón cantaba. Todo era sol, la alegría de la juventud, la hora de la esperanza. Cada día se sentía más fuerte y de mejor humor y tenía mejor color. Pero la señora Gabriel se sentía muy conmovida a medida que se acercaba la hora de la partida.

—Os esperan grandeza y tentaciones, pues sois gentil, y esto lo habéis aprendido en nuestra casa. Vuestra naturaleza es como la mía, y eso os ayudará en las tentaciones. No hay que ser susceptible ni arrogante. No hacer como aquella reina Dagmar que sentía escrúpulos de trabajar en día de precepto en un traje de seda para ella. Hay que aspirar a más. Jamás me lamentaría yo, como una Lucrecia. ¿Por qué se suicidó? Era inocente y honesta. Lo sabía y lo sabía también toda la ciudad. Cuál fuese su desgracia no lo diré ahora, pero vos con vuestra edad sin duda lo comprenderéis. ¡Ponerse a gritar empuñando su daga! Eso no estuvo bien, yo no lo hubiera hecho ni vos tampoco. Nosotros somos personas normales, como todo el mundo debe serlo alguna vez, y vos continuaréis vuestra carrera artística. Me alegrará oír hablar de vos en los periódicos. Tal vez algún día vendréis a nuestra pequeña ciudad, actuaréis quizá como Romeo, pero yo ya no seré el ama. Ocuparé mi palco y me deleitaré viéndoos.

La señora tuvo mucho que lavar y planchar la última semana para que Pedro llegase a casa con su ropa limpia, como cuando llegó. Le puso un nuevo cordón a su corazón de ámbar. Hubiera sido lo único que le gustaría conservar como recuerdo, pero Pedro no se lo dio.

Herr Gabriel le regaló un diccionario francés que Pedro había utilizado para sus lecciones y que estaba repleto de anotaciones marginales de puño y letra de su maestro. La señora le dio rosas y amorcillos. Las rosas se marchitarían, pero los amorcillos aguantarían todo el invierno puestos en un lugar seco. Y le escribió una cita de Goethe como despedida: *Umpang mit Frauen ist das Element guter Sitter*. Ella lo traducía así: «El trato con las señoras es la base de una buena educación».

—Era un gran hombre —dijo—. Lástima que haya escrito *Fausto,* porque yo no lo comprendo. Eso dice también Gabriel.

El joven Madsen regaló a Pedro un aceptable dibujo hecho por él de *herr* Gabriel colgado de una horca con un vergajo en la mano y la inscripción: «Primeros pasos de un gran actor por los caminos de la sabiduría». Primus, el hijo del párroco, le regaló un par de zapatillas nuevas que la propia mujer del párroco había hecho; pero tan grandes, que Primus aquel año no pudo usarlas. En las suelas había escrito con tinta: «Recuerdo de tu desconsolado amigo».

Toda la familia Gabriel acompañó a Pedro a la estación.

—Que no se diga que no se os despide bien —dijo la señora en la estación.

Y le besó.

—No me avergüenzo —dijo—, pues lo que se hace a la luz del día es que se puede hacer.

La máquina silbó. El joven Madsen y Primus gritaron «¡Hurra!», coreados por «los cachivaches». La señora se secaba los ojos y agitaba su pañuelo. *Herr* Gabriel dijo solo por toda despedida:

—Vale.

Aldeas y caseríos pasaron rápidamente. ¿Habría en ellas gentes tan felices como Pedro? Él pensaba en esto. Bendecía su suerte, pensaba en la potestad invisible que la tía había visto en su mano cuando él era niño. Pensaba en su afortunado hallazgo en el arroyo y, sobre todo, en su voz recobrada y en los conocimientos que ahora poseía. Se había convertido en otro hombre. Su corazón cantaba de alegría. Le costó un gran dominio de sí mismo no ponerse a cantar en voz alta.

Se veían ya las torres de la ciudad y más tarde se divisaron los edificios. El tren llegaba a la estación. La madre y la tía le estaban esperando, y también alguien más, la señora Hof, bien «encuadernada», la mujer del encuadernador real Hof, de soltera Fradsen. No olvidaba ni en la suerte ni en la desgracia a sus amigos. Y le besó también como la madre y la tía.

—Hof no ha podido venir —dijo—. Está preparando la encuadernación de las obras completas de la biblioteca de su majestad. Eres hombre de suerte, y yo también. Ahora tengo a mi Hof, mi estufa y mi mecedora. Comerás con nosotros dos veces a la semana. ¡Ya verás qué vida! Es todo un *ballet*.

La madre y la tía apenas tuvieron ocasión de hablar con Pedro, pero le miraban con ojos brillantes de felicidad. Luego él tuvo que irse en carroza a su nuevo hogar, a casa del maestro de canto. Ellas reían y lloraban.

—¡Es encantador! Conserva el mismo rostro de cuando se fue y lo conservará también en su carrera teatral.

La carroza se detuvo a la puerta de la casa del maestro, que le esperaba a la puerta. Su anciano mayordomo acompañó a Pedro a sus habitaciones, de cuyas paredes colgaban retratos de compositores. Sobre la estufa había un reluciente busto de yeso.

El anciano, de pobres entendederas, pero la felicidad en persona, le mostró los cajones de la cómoda, las perchas para colgar la ropa, y se ofreció para limpiar sus botas. Y en esto llegó el maestro y apretó fuertemente la mano de Pedro, dándole la bienvenida.

—Esta es la ocasión —dijo—, aprovéchala. Puedes utilizar mi piano que está en la sala. Mañana veremos qué tal va esa voz. Y este es nuestro castellano, nuestro mayordomo —y saludó al buen hombre—. Todo está en orden. Incluso Carlos María Weber se ha vuelto blanco sobre la estufa con motivo de tu llegada. Estaba horriblemente sucio. Pero ¡si aquel no es Weber! Es Mozart. ¿Cómo ha venido aquí?

—Es el señor Weber —dijo el mayordomo—. Yo mismo lo llevé a limpiar y lo he recogido esta mañana.

—¡Pero esto es un busto de Mozart y no de Weber!

—Perdón, señor —dijo el mayordomo—; es el viejo Weber, solo que limpio. El señor no lo conoce porque ha sido blanqueado.

Hubo que reclamarlo del taller, pero entonces se enteró de que Weber se había hecho pedazos y le habían dado a Mozart a cambio. Allí había otro sobre una estufa.

El primer día no se debía cantar ni tocar, pero cuando nuestro joven amigo entró en la sala y vio la ópera *José* abierta sobre el piano, cantó «Mis catorce abriles», con maravillosa voz. Había en ella algo de íntimo, algo de inocente a pesar de su fuerza y potencia. Al maestro se le llenaron los ojos de lágrimas al oírle.

—Así tiene que ser —dijo—. Y aún será todavía mejor. Cerremos el piano por hoy; debes irte a descansar.

—Tengo que volver a ver a mi madre y a mi tía, se lo he prometido. Y partió apresuradamente.

El sol, muriente, brillaba sobre el jardín de sus juegos infantiles. Era como un palacio de diamantes. La madre y la tía vivían en la alta buhardilla. Había que subir muchas escaleras, pero él las subió rápido, tres peldaños de cada salto, y estaba ya a la puerta, siendo recibido con besos y abrazos.

El interior de la pequeña estancia era limpio y agradable. Allí estaba la estufa, el viejo oso y el arcón que ocultaba los tesoros de su época infantil. De las paredes pendían tres conocidos cuadros: el retrato del rey, el de Nuestro Señor y la silueta de su padre recortada en papel negro.

—Se le parecía enteramente de perfil —decía la madre—. Pero se hubiera parecido más si el papel fuese blanco y rojo, porque así era él. Un hombre encantador.

Y Pedro era su vivo retrato.

Había mucho que hablar y mucho que contar. Cenarían carne de cerdo, y la señora Hof había prometido volver a visitarlos aquella noche.

—Pero ¿cómo se les ha ocurrido al viejo Hof y la señorita Frandsen casarse ahora? —preguntó Pedro.

—Ya tenían intención de hacerlo hace muchos años —dijo su madre—. Tú sabes que estaba casado, y se dice que lo hizo para dar celos a la señorita Frandsen, que le rechazaba en su época de esplendor. Alcanzó una posición gracias a su mujer. Pero ella era demasiado vieja, ¡figúrate que hasta usaba muletas! Pero no se moría, que era lo que él esperaba. No me extrañaría que él, como aquel personaje del cuento, sacase a paseo a su vieja todos los domingos a tomar el sol para ver si Nuestro Señor la veía y se le ocurría llamarla.

—Y la señorita Frandsen, compuesta y sin novio, esperaba —dijo la tía—. Jamás creía que lo conseguiría. Pero el año pasado se murió la señora Hof y Frandsen se convirtió en la señora de la casa.

En esto entró la señora Hof.

—Hablábamos de vos —dijo la tía—, de vuestra constancia y su premio.

—Sí —dijo la señora Hof—, no llegó en mi juventud, pero uno es siempre joven mientras tenga sus miembros enteros, dice mi Hof. ¡Tiene un corazón maravilloso! «Somos buenas y viejas obras» —dice él—, ambas en un solo tomo y con cantos dorados. ¡Qué feliz soy con mi Hof y mi estufa! Una estufa de porcelana. Se carga por las noches y conserva el calor todo el día siguiente. Es un placer. Es como el *ballet La isla de Circe*. ¿Se acuerdan de cuando yo era Circe?

—¡Sí, estabais maravillosa! —dijo la tía—. ¡Cómo cambian las personas!

Esto no lo decía con mala intención, ni tampoco se lo tomaron así. Y entonces llegó la carne de cerdo y el té.

Al día siguiente Pedro hizo su visita a la familia del comerciante. La señora le recibió, estrechó su mano y le ofreció asiento junto a ella. En su conversación Pedro le dio las gracias. Creía que el comerciante era su oculto benefactor. La señora no lo sabía.

—Pero parece cosa de él —dijo ella—. No merece la pena hablar de ello.

El comerciante estuvo a punto de indignarse cuando Pedro mencionó el asunto.

—¡Os equivocáis plenamente! —dijo, cortando la conversación.

Y se fue.

Félix era ya bachiller y estudiaría la carrera diplomática.

—Mi marido dice que es una locura —explicó la señora—. Yo no quiero opinar. La Providencia decidirá.

Félix no se dejó ver. Tenía clases con su maestro de esgrima.

Pedro contó en casa que había dado las gracias al comerciante y que este no quiso aceptarlas.

—¿Quién te ha dicho que él era lo que tú llamas tu bienhechor? —preguntó el maestro de canto.

—Mi madre y mi tía —respondió Pedro.

—¡Ah! Entonces debe ser así.

—¡Vos sabéis la verdad! —dijo Pedro.

—Sí, la sé. Pero de mí no sabrás nada. Daremos una hora de clase cada mañana.

XI

Una vez a la semana había un concierto de música. Los oídos, el alma y el pensamiento se llenaban de las soberbias notas de Beethoven y Mozart. Hacía mucho tiempo que Pedro no había oído música buena y bien interpretada. Era como si un beso de fuego recorriese su columna vertebral y todos sus nervios, y las lágrimas brotaban de sus ojos. Cada tarde de música en casa era una tarde de fiesta que dejaba en él una huella más profunda que cualquier ópera de teatro, donde siempre algo falla o sale defectuoso. De pronto, las palabras pierden su ilación, se introducen en el canto igualmente comprensibles para un chino como para un groenlandés, o falla la interpretación por deficiencia de aptitudes dramáticas o cuando la tónica desciende en algunas partes hasta convertirse en notas falsas. A veces también la inexactitud de las decoraciones y de los trajes. Todo esto no pasa con la música de cámara. La composición musical se eleva en su libre esplendor y las paredes cubiertas de costosos tapices en la sala de conciertos introducían a Pedro en el mundo de la música al que su maestro le había empujado.

En el enorme salón de audiciones una noche fue interpretada por una excelente orquesta la *Sinfonía pastoral,* de Beethoven. Especialmente el andante, la escena junto al río, conmovió profundamente a nuestro joven amigo, que se creía transportado en medio de la viva naturaleza del fresco bosque. La alondra y el ruiseñor cantaban. El cuco cantaba. ¡Qué esplendor de la Naturaleza! ¡Qué riqueza de sonidos! Desde aquel momento sintió en sí mismo que era esta música plástica donde la Naturaleza se reflejaba y donde resonaban los impulsos del corazón humano, la que más hondas raíces tenía en él. Beethoven y Haydn se convirtieron en sus compositores favoritos.

Con su maestro hablaba de estas sensaciones con frecuencia y con cada conversación se acercaban más el uno al otro. ¡Qué instruido era aquel hombre! Su ciencia era inagotable como el pozo de Mímir. Pedro le escuchaba dócilmente y al igual que cuando niño oía los cuentos e historias de su tía, aprendía ahora lo que cantaban en notas el bosque y el mar, lo que cantaban los antiguos túmulos, lo que cada pájaro canta y cada flor exhala en aroma al aire sin ruidos.

La hora de canto cada mañana era una verdadera hora de placer para maestro y discípulo. La más pequeña pieza se cantaba con gran lozanía, sentimiento, inocencia, sobre todo la *Oda del vagabundo,* de Schubert. La melodía era perfecta, pero también las palabras tomaban sentido juntas, se alzaban y esclarecían unas a otras, como debía ser. Pedro era un increíble cantante dramático, y su arte se superaba cada mes, cada semana, día a día.

Sano y feliz, sin nostalgias ni penas, crecía nuestro joven amigo. La vida era espléndida y maravillosa, con un porvenir lleno de éxitos. Los hombres todavía no le habían decepcionado. Poseía la inocencia de un niño y la constancia de un hombre. Por doquier veía solo ojos dulces y amables acogidas. Día a día sus relaciones con el maestro se hacían más íntimas, más confiadas y los dos eran como dos hermanos, y el más joven poseía un corazón con toda la ingenuidad y el ardor de los corazones jóvenes. Y esto lo comprendía e interpretaba a su modo el más viejo.

Toda la persona del maestro se hallaba penetrada de un ardor meridional, se sentía enseguida a su lado como si aquel hombre pudiese odiar y amar mucho, aunque probablemente predominaba lo último.

Había heredado de su padre muerto una fortuna y gozaba de una posición en la que no necesitaba depender de un empleo que no le satisficiese. Solía hacer infinidad de buenas obras sin dejar que le diesen las gracias por ello.

—Si algo bueno he hecho —decía entonces— ha sido porque podía y porque debía y ello era mi deber.

Su viejo mayordomo, el castellano —como él le llamaba en broma—, hablaba a media voz cuando expresaba su opinión sobre el señor de la casa:

—Sé bien lo que trabaja y labora año tras año y día tras día. Y eso que no sé más que la mitad. El rey debía condecorarle. Pero él no lo soportaría. Se indignaría muchísimo, si es que yo le conozco, si se premiase su honradez. Es feliz, mucho más que todos nosotros, con su fe. Es un hombre según la Escritura.

Y el viejo recalcaba las cosas como si a Pedro pudiesen caberle dudas sobre lo que decía.

Sentía y comprendía que el maestro era un verdadero cristiano por sus buenas obras y un ejemplo para cualquiera. Sin embargo, aquel hombre no iba nunca a la iglesia. Y cuando Pedro, en cierta ocasión, dijo que al domingo siguiente iría a comulgar con su madre y su tía y preguntó a su maestro si él no lo hacía nunca, fue la respuesta:

—No.

Parecía como si hubiera querido decir algo más, como si tuviese algo que confiar a Pedro, pero no dijo nada.

Por la noche leía en voz alta de un periódico un par de obras buenas con los nombres de sus autores, y entonces fue más explícito acerca de su opinión sobre las buenas obras y su recompensa.

—No hay que pensar en ella, ya llegará. La recompensa de las buenas obras es como el dátil, dice el Talmud, que madura en silencio y se hace dulce.

—¿El Talmud? —preguntó Pedro—. ¿Qué clase de libro es ese?

—Un libro —fue la respuesta— del que procede más de una semilla de pensamientos cristianos.

—¿Y quién ha escrito ese libro?

—Sabios de la más remota antigüedad. Sabios de las más diferentes razas y religiones. En él se condensa mucha sabiduría en pocas palabras, como en los proverbios de Salomón. ¡Qué de verdades fundamentales! En él se aprende que los hombres en toda la tierra y en todos los milenios siempre han sido lo mismo: tu amigo tiene un amigo y el amigo de su amigo es tu amigo. «Sé prudente en tus palabras», se dice en él. He aquí una máxima para todas las épocas. «Nadie puede saltar sobre su propia sombra», también se dice en él, y «cruza el charco mientras estás calzado». Deberías leer ese libro. Encontrarás en él más preciosos tesoros de cultura que entre las vetas de la tierra. Para mí, como judío, es una herencia de mis padres.

—¡Judío! —dijo Pedro—. ¿Sois judío?

—¿No lo sabías? ¡Qué extraño que nosotros hasta este día no hayamos hablado de ello!

La madre y la tía tampoco lo sabían, jamás habían pensado en ello, pero siempre habían estado seguras de que el maestro era un hombre incomparablemente honrado. Había sido un designio de Dios que Pedro se hubiese cruzado en su camino. Nuestro Señor debería concederle su gracia. Y su madre le dio además una noticia que había sabido solamente hacía pocos días y que sigilosamente le había sido confiada por la mujer del comerciante. Al maestro no le gustaría que se supiese. Había sido él quien había pagado la estancia y estudios en casa de *herr* Gabriel. Desde la noche en que había oído a Pedro «cantar» el *ballet Sansón* en casa del comerciante había sido en secreto su único y constante amigo y benefactor.

XII

La señora Hof esperaba a Pedro y este llegó.

—Conocerás a mi Hof —dijo ella—. Y conocerás mi «rincón de estufa». No me lo imaginaba yo cuando bailaba *Cire* o *El elfo de las rosas* en Provenza. Ahora no son muchos los que piensan en aquel *ballet* y en la joven Frandsen. *Sic transit gloria...* en la luna[4] —decían los latinos—, según mi Hof dice graciosamente, cuando yo hablo de mi época gloriosa. Le gusta mucho decir chistes inocentes.

El «rincón de estufa» era un saloncito acogedor, de techo bajo, alfombrado y con retratos dignos de un encuadernador. Grabados que representaban a Gutenberg y Franklin; junto con Shakespeare, Cervantes, Molière y los dos poetas ciegos, Homero y Osián. En la parte más baja colgaba un cuadro con marco de cristal, una bailarina recortada en papel con sombrero de paja y traje de muselina, y su pierna derecha levantada al cielo. Debajo, un verso:

¿Quién gana los corazones con su danza?
¿Quién lleva la corona de la inocencia?
¡La joven Emilia Frandsen!

---

[4] Juego de palabras intraducible, del adagio *Sic transit gloria mundi* («así pasa la gloria del mundo»), Andersen cambia la última palabra *mundi* por *myndi,* el viejo danés *mund* («luna»). *(N. del T.)*

Era un verso de Hof, que sabía versificar bien y con gracia. La figura la había recortado él mismo y le había puesto marco antes de casarse con su primera mujer. Había permanecido muchos años en un cajón y ahora colgaba en la galería del poeta, «mi rincón de estufa», como la señora Hof llamaba a su saloncito. Y aquí fueron presentados Pedro y Hof.

—¿No es un hombre maravilloso? —decía ella—. Para mí es el más maravilloso.

—Sí, los domingos, cuando estoy «encuadernado» en mi traje de gala —dijo el señor Hof.

—Tú eres maravilloso sin «encuadernación» —dijo ella, y le hizo una inclinación de cabeza.

Tenía el vago presentimiento de que su conducta era un poco infantil para su edad.

—Los viejos amores no mueren nunca —dijo el señor Hof—. Las ortigas en las casas viejas tienen hondas raíces.

—Es como el ave Fénix —dijo la señora Hof—: uno vuelve a rejuvenecer. Aquí está mi paraíso, a ninguna otra parte iría a buscarlo, excepto en mi visita de una hora a tu madre y tu tía.

—Y a tu hermana —dijo el señor Hof.

—No, Hof, ángel mío, aquello no es ya un paraíso. Te diré Pedro. Son gentes que viven en la miseria y en el desorden. Y uno no sabe de qué hablar en aquella casa. No se puede decir la palabra «moro», porque la hija mayor está prometida con alguien que tiene sangre negra. No se puede decir «jorobado», porque uno de los niños lo es. No se puede hablar de «desfalco», porque mi cuñado ha estado en ese caso. Ni siquiera se puede hablar de ir al campo; es una fea palabra, porque Campo se llamaba quien «plantó» a la pequeña. Y a mí no me gusta estar sentada sin abrir la boca. Si no puedo hablar me confino en mí misma y me quedo en mi «rincón de estufa». Si no fuese pecado, como dicen, pediría a Nuestro Señor que nos concediese una vida tan larga como durase mi «rincón de estufa». Aquí se respira un verdadero ambiente. Aquí está mi paraíso y es Hof quien me lo ha dado.

—¡Mi piquito de oro! —dijo él.

—¡Mi corazón de oro! —dijo ella[5].

Dijo él y ella le acarició la barbilla.

—Este verso lo ha improvisado. Habría que imprimirlo.

—Sí, y encuadernarlo.

Así se divertían los dos viejos.

---

[5] Juego de palabras entre *Culdkvoern* (pico de oro, molino literal) y *Culdkorn* (polvo, grano de oro). (*N. del T.*)

Pasó un año antes que Pedro empezase a estudiar un papel. Había escogido José, pero lo alternaba con el de Jorge Brown en la ópera *La dama blanca*. Aprendió enseguida el texto y la música, y partiendo de la novela de Walter Scott que había creado el tema, reprodujo clara y fielmente la figura del joven y alegre oficial que visita las montañas de su tierra natal y llega a la ciudad de sus padres sin conocerla. Una antigua canción despierta en él los recuerdos de su niñez, la suerte le acompaña y termina conquistando ciudad y prometida.

Esta lectura se convirtió en algo vívido, en un capítulo de su propia historia, y la melodiosa música contribuía por completo a crear esta sensación. Entretanto, pasó mucho, mucho tiempo antes que empezaran los primeros ensayos. No corría prisa su debut, decía el maestro. Pero finalmente llegó. No era solamente un cantante, era un actor, y toda su personalidad estribaba fundamentalmente en el papel. El coro y la orquesta le dedicaron los primeros grandes aplausos. Con la mayor expectación esperaban todos la noche del estreno.

—Se puede ser un gran actor en casa y en bata —le dijo un amigo bienintencionado—, ser una gran figura a la luz del día, pero mediano ante las candilejas de un local lleno. Ya veremos.

Pedro no sentía el menor miedo, sino simplemente un inmenso deseo de que llegase la noche decisiva. El maestro, en cambio, tenía verdadera fiebre. La madre de Pedro no tuvo valor de asistir al teatro, se hubiera puesto enferma de ansiedad por su hijo querido.

La tía estaba enferma y debía quedarse en casa, había dicho el doctor, pero su gran amiga, la señorita Hof, había prometido traer noticias del resultado aquella misma noche. Ella iría al teatro aunque tuvieran que llevarla en camilla.

¡Qué larga se hizo aquella noche! ¡Qué lentas, interminables, aquellas tres o cuatro horas! La tía cantó un salmo y pidió con la madre al buen Dios por el éxito del pequeño Pedro, porque fuese aquella noche también «Pedro el Afortunado». Las manecillas del reloj se movían lentamente.

—Ahora empieza Pedro —decían ellas—. Ahora está por la mitad. Ya habrá terminado.

La madre y la tía se miraron sin volver a pronunciar palabra.

De la calle llegó un ruido de coches. Gente que llegaba del teatro. Las dos mujeres se asomaron a la ventana. Varias personas pasaban por la calle hablando en alta voz. Volvían del teatro. Ellas lo sabían. ¿Qué alegría tan grande o qué inmensa decepción podrían comunicar a las que habitaban en la buhardilla de la casa del comerciante?

Finalmente, oyeron que alguien subía la escalera. La señora Hof se precipitó en el interior seguida de su marido. Se abalanzó a abrazar a la madre y a la tía sin decir palabra. Lloraba y sollozaba.

—¡Dios mío! —dijeron la madre y la tía—. ¿Qué tal le ha ido a Pedro?

—¡Dejadme llorar! —dijo la señora Hof.

¡Se hallaba tan conmovida, tan emocionada!

—¡No puedo soportarlo! ¡Ay!, vosotras, criaturas dichosas, tampoco hubierais podido soportarlo.

Y en eso dio rienda suelta a sus lágrimas.

—¿Le han silbado? —gritó la madre.

—¡No, no! —dijo la señora Hof—. Vosotras debíais... ¡Oh, y que yo haya vivido esto!

Entonces la madre y la tía se echaron a llorar.

—¡Repórtate, Emilia! —dijo el señor Hof—. ¡Pedro ha vencido! ¡Triunfado! Parecía que el teatro iba a hundirse de tantos aplausos. Todavía se puede notar en mis manos. Una tormenta de aplausos desde los palcos hasta las últimas localidades. Toda la familia real aplaudía. Fue también lo que se llama un día señalado en los anales del teatro. Es más que un talento. Es un genio.

—¡Eso, un genio! —dijo la señora Hof—. Esas son mis palabras. ¡Que Dios te bendiga, Hof, porque tú las has dicho! ¡Criaturas felices! ¡Jamás hubiera creído que se pudiese cantar ni representar un papel así, y eso que he vivido toda la historia del teatro! Y volvió a llorar. La madre y la tía reían mientras las lágrimas brillaban aún en sus mejillas.

—Ahora podréis dormir tranquilas —dijo el señor Hof—. Vámonos, Emilia. Buenas noches, buenas noches.

Abandonaron la buhardilla y a las dos felices mujeres, que no estuvieron mucho tiempo solas. La puerta se abrió y Pedro, que había prometido su visita al mediodía siguiente, entró en el cuarto. Sabía bien con qué impaciencia las dos ancianas pensaban en él, qué duda podía atormentarlas todavía, y al pasar con su maestro por delante de su casa vio que había aún luz en al buhardilla y quiso subir a verlas.

—¡Estupendo! ¡Maravilloso! ¡Magnífico! ¡Todo ha salido bien! —dijo alegremente, besando a su madre y a su tía.

El maestro asentía con la cabeza, el rostro reluciente de dicha, mientras les estrechaba las manos.

—Y ahora a casa, a descansar —dijo, dando por terminada la visita.

—¡Dios del cielo! ¡Cuán misericordioso y bueno eres! —decían las dos pobres mujeres.

Y hablaron largo tiempo aquella noche de Pedro. En toda la ciudad se hablaba de él, del joven, apuesto y maravilloso cantante. Hasta aquí había llegado «Pedro el Afortunado».

XIII

Los periódicos de la mañana publicaron enseguida a los cuatro vientos la crítica de aquel debut más que corriente y los críticos se reservaban el derecho de ser aún más explícitos en el siguiente número.

El comerciante invitó a un gran banquete a Pedro y al maestro. Era una distinción, un honor y reconocimiento al interés que él y su señora habían puesto en aquel joven nacido en su casa en el mismo día y año que su propio hijo.

El comerciante pronunció un brillante brindis por el maestro, aquel hombre que había hallado y tallado la «piedra preciosa», nombre que uno de los más importantes periódicos daba a Pedro.

Félix, sentado a su lado, era la locuacidad y la benevolencia en persona. Terminada la comida trajo sus puros, que eran mejores que los del comerciante.

—Sabe elegir —decía este—. Y tiene un padre rico.

Pedro no fumaba. Era un gran defecto que posiblemente se corregiría.

—Tenemos que ser amigos —dijo Félix—. Seréis el galán de la ciudad. Todas las jóvenes y las viejas os han dispensado una acogida apoteósica. Sois un ser afortunado. Os envidio especialmente por poder entrar y salir del teatro entre todas las bailarinas.

Pedro no creía que nadie tuviese que envidiarlo por eso.

Tuvo una carta de la señora Gabriel. Se hallaba entusiasmada por la maravillosa crítica que los periódicos hacían de su debut y los pronósticos de una gran carrera artística en el futuro. En compañía de las niñas había brindado por él con ponche. *Herr* Gabriel había tomado parte también en este homenaje y estaba seguro de que él había pronunciado las palabras extranjeras mejor que ningún otro. El boticario corría por toda la ciudad, anunciando que él había sido quien había descubierto, en su pequeño teatro, a este talento, que ahora era conocido en la capital. La hija del boticario se arrepentía ahora, decía la señora Gabriel, cuando él podía hacer la corte a baronesas y condesas. La hija del boticario había sido muy apresurada y estaba prometida hacía un mes con el obeso alcalde. Se habían publicado ya las amonestaciones y el 10 de aquel mes sería la boda.

Era precisamente día 10 cuando Pedro recibió esta carta. Sintió un fuerte dolor en su corazón. En aquel instante vio perfectamente claro lo que entre todas las emociones de su alma había sido su constante pensamiento: que la quería más que a nada en este mundo. Sus ojos se llenaron de lágrimas. Arrugó la carta entre sus manos. Era el primer gran dolor, desde que, con su madre y su tía, había oído la noticia de que su padre había caído en la guerra. Le parecía que toda su alegría había desaparecido, que su porvenir era vacío y triste. El sol no lucía más en sus frescas mejillas. El sol se había apagado en su corazón.

—¡Qué aspecto tan triste tiene! —decían la madre y la tía—. Es su preocupación por el teatro.

No era el mismo de antes. Lo veían las dos y lo veía también el maestro.

—¿Qué ocurre? —dijo este—. ¿Puedo saber qué es lo que te pasa?

Sus mejillas enrojecieron, y sus lágrimas corrieron libremente mientras le contaba su pena y su pérdida.

—¡La quería tanto! —dijo—. Ahora, cuando ya es demasiado tarde, me doy cuenta de que esto era así.

—¡Pobre amigo desconsolado! Te comprendo muy bien. Que solo yo te vea llorar y haz todo lo posible por tener esto presente: todo lo que ocurre en el mundo sucede porque es lo mejor para nosotros. También yo he conocido y conozco lo que tú experimentas ahora. También yo como tú me enamoré una vez de una joven. Inteligente, bella, admirable. Sería mi mujer, yo podría ofrecerle una posición y ella me quería. Pero había una condición para la boda. La ponían sus padres, la ponía ella: tendría que hacerme cristiano.

—Y vos ¿no lo quisisteis?

—No pude. No se puede saltar de una religión a otra con la conciencia tranquila sin pecar o contra la que se deja o contra la que se acepta.

—Vos no tenéis fe —dijo Pedro.

—Tengo al Dios de mis padres. Él es mi apoyo y la luz de mis pasos.

Por un momento permanecieron los dos en silencio. Las manos se deslizaron por el teclado y el maestro interpretó una antigua canción. Ninguno cantó la melodía. Cada uno le daba a sus propios pensamientos.

No volvió a leer la carta de la señora Gabriel. Apenas sospechaba esta el dolor que había causado.

Pocos días después recibió una carta de *herr* Gabriel, quien también le felicitaba y le hacía un encargo que era realmente el motivo de la carta. Quería que Pedro le comprase una pequeña porcelana: Amos e Himeneo. «Aquí en el pueblo ya no la hay, pero se encuentra fácilmente en la capital. Te envío el dinero. Envíamelo lo más pronto posible, pues es un regalo para el alcalde, a cuya boda he asistido con mi señora». Y entre otras cosas le decía también a Pedro: «El joven Madsen no será nunca bachiller. Ha abandonado la casa después de pintar las paredes con insultos contra la familia. No será nunca un hombre de provecho el joven Madsen. *Sunt pueri, pueri, pueri, puerilia tractant,* que quiere decir: los muchachos son muchachos y se complacen en hacer trastadas. Te lo traduzco porque tú no has estudiado latín».

Así terminaba la carta de *herr* Gabriel.

XIV

Con frecuencia, cuando Pedro se hallaba ante el piano sentía que las notas bullían en su pecho y su cabeza. Notas que se transformaban en melodías que a veces se hacían palabras inseparables del canto. De esta forma compuso varias pequeñas obras, rítmicas y llenas de emoción. Las cantaba en voz baja, como si, temerosas de expresarse, se perdiesen en la soledad:

Todo pasa como el viento.
Nada hay inamovible.
Pronto se marchitan las rosas de las mejillas,
la sonrisa y también las lágrimas.

¿Por qué afligirse?
¡Fuera penas y tristezas!
Todo cae como las hojas:
el tiempo y los hombres también.

Todo es perecedero:
Tu juventud, tu esperanza y tu amigo.
Todo se va como el viento
para no volver más.

—¿De dónde has sacado esa canción y esa música? —preguntó el maestro, que casualmente la vio escrita.

—Son cosas sencillas, como todas estas otras que no llegarán a esparcirse por el mundo.

—La melancolía da también sus flores —dijo el maestro—. Pero la melancolía no debe dominar. Icemos la vela y pongamos proa al próximo debut. ¿Qué te parece *Hamlet*, el triste joven príncipe de Dinamarca?

—Conozco la tragedia de Shakespeare —dijo Pedro—; pero no la ópera de Thomas.

—La ópera se llama *Ofelia* —dijo el maestro—. Shakespeare en la tragedia hace que la reina nos cuente la muerte de Ofelia, que es el punto culminante de la interpretación musical. Vemos con los ojos y escuchamos en notas el conocido relato de la reina:

«Inclinado a orillas de un arroyo, se eleva un sauce que refleja un plateado follaje en las ondas cristalinas. Allí se dirigió adornada con caprichosas guirnaldas de ranúnculos, ortigas, velloritas y esas largas flores purpúreas a las cuales nuestros licenciosos pastores dan un nombre grosero, pero que nuestras castas doncellas llaman dedos de difunto. Allí trepaba por el pendiente ramaje para colgar su corona silvestre cuando una pérfida rama se desgajó y junto con sus agrestes trofeos vino a caer en el gimiente arroyo. A su alrededor se extendieron sus ropas y, como una náyade, la sostuvieron a flote durante un breve rato. Mientras, cantaba estrofas de antiguas tonadas, como inconsciente de su propia desgracia, o como una criatura dotada por la Naturaleza para vivir en su propio elemento. Mas no podía esto prolongarse mucho, y los vestidos, cargados con el peso de su bebida, arrastraron pronto a la infeliz a una muerte cenagosa en medio de sus dulces cantos»[6].

—Esto es lo que nos presenta la ópera. A Ofelia que llega jugando, danzando y cantando la vieja canción popular del Nixo, que atrae a los hombres al río y mientras canta arrastra flores y se oyen de lo profundo de las aguas los ecos de sus notas. Se oye un coro seductor llegar del agua profunda. Ella lo escucha, ríe, se acerca a la orilla, se agarra de los colgantes sauces y se inclina para coger los blancos acantos, suavemente resbala con ellos, descansa cantando las anchas hojas, se mece en ellas y es arrastrada por la corriente hacia el fondo, hundiéndose como las hojas arrancadas de su tallo, a la luz de la luna, circundada por la canción del genio de las aguas.

En torno a esta escena apoteósica es como si *Hamlet*, su madre, sus amantes y el asesinado rey que clama venganza hubiesen sido dispuestos solamente para adornar esta maravillosa escena.

No se nos presenta al *Hamlet* de Shakespeare, al igual que en la ópera *Fausto* tampoco se nos da el *Fausto* de Goethe. Lo especulativo no es buen material para la música. Es el asunto amoroso en ambas tragedias lo que puede elevarse a la categoría de composición musical.

---

[6] *Hamlet*, traducción de Astrana Marín. Aguilar. *(N. del T.)*

Y la ópera *Hamlet* fue representada. La actriz que encarnó el papel de Ofelia estuvo seductora. La escena de la muerte fue de un gran efecto. Pero *Hamlet* mismo obtuvo aquella noche una atractiva grandeza, una plenitud, con la encarnación de su carácter, que crecía en cada escena en que él aparecía. La amplitud de la voz del cantante cautivó a todos por la lozanía de sus notas altas y bajas y porque con igual éxito podía interpretar a *Hamlet* y a Jorge Brown.

Los trozos cantados en la mayor parte de las óperas italianas son como una dura prueba donde el cantante vuelca su alma y su destreza para hacer surgir en brillantes y ascendentes tonos las figuras que el argumento presenta. Allí donde estas se revelan soberbias es donde las notas penetran el pensamiento y el personaje, y esto lo han comprendido Gounod y Thomas.

La figura de *Hamlet* en la ópera cobró aquella noche carne y sangre hasta elevarse a personaje principal en la composición. Fue inolvidable la escena nocturna en el bastión donde *Hamlet* vio por primera vez el espíritu de su padre. La escena en el palacio, ante el improvisado escenario, donde él vierte las gotas venenosas de sus palabras. El terrible encuentro con su madre, cuando el espíritu del padre se alza ante el hijo clamando venganza, y finalmente, ¡qué potencia en su canto y qué notas a la muerte de Ofelia! Ella había sido, y era todavía, la encantadora flor de loto de las aguas profundas y oscuras, cuyas olas cautivaban tan poderosamente el alma de los espectadores. Pero *Hamlet* fue aquella tarde la figura principal. Su triunfo fue apoteósico.

—¿De dónde le vendrán a este hombre tales aptitudes? —dijo la señora del rico comerciante.

Y pensaba en los padres y en la tía de Pedro, que vivían en la buhardilla. Su padre había sido un factor, honrado y valiente, que cayó como soldado en el campo del honor. Su madre lava. Su infancia fue oscura, educado en una escuela pública, a pesar de que en dos años con un maestro provinciano haya adquirido superiores conocimientos.

—Es el genio —dijo el comerciante—. El genio que nace por la gracia de Dios.

—Seguro —dijo la señora, y juntó sus manos dirigiéndose a Pedro—. ¿Comprendéis vos con corazón humilde lo que os ha sido concedido? El cielo ha sido con vos increíblemente misericordioso. Todo se os ha dado. Vos mismo no sabéis qué impresionante es vuestro *Hamlet*. Apenas podréis comprenderlo. Yo he oído que muchos grandes compositores ignoraban la grandeza de lo que habían producido y que eran los filósofos los encargados de revelársela. ¿Cómo habéis conseguido vuestro *Hamlet*?

—He estudiado su carácter, he leído parte de lo que se ha escrito sobre la obra de Shakespeare, y en la escena he vivido completamente el personaje y los acontecimientos. Yo pongo mi parte y Nuestro Señor da el resto.

—¡Nuestro Señor! —dijo ella, abriendo desmesuradamente los ojos—. No empleéis para esto su nombre. Él os ha dado condiciones, pero no creáis que Él tenga que ver con el teatro o con la ópera.

—Seguro que sí —respondió Pedro entusiasmado—. El teatro es también como un púlpito para hablar a los hombres y allí se le escucha, con frecuencia, con más atención que en la iglesia.

Ella meneó la cabeza:

—Dios está en todo lo bueno y lo bello. Pero ¡líbrenos Él de tomar su nombre en vano! Es ciertamente una gracia ser un gran artista, pero aún es mejor ser buen cristiano.

Félix jamás se atrevía a nombrar juntos el teatro y la iglesia, y ella se alegraba de ello.

—Te has pasado de la raya con mamá —dijo Félix riendo.

—Nada más lejos de mi intención.

—No te preocupes más de ello. Dios te devolverá su gracia cuando el próximo domingo vayas a la iglesia. Ponte cerca de mamá y mira a la derecha. Allí en su reclinatorio verás un pequeño rostro digno de verse. La maravillosa hija de la baronesa viuda. Es un buen consejo. Y te daré otro. No puedes vivir donde ahora. Busca un alojamiento mejor con unas escaleras en regla. O si no quieres separarte de tu maestro, haz que él viva mejor. Él tiene fortuna y tu disfrutas de buenos ingresos. Debes dar también una fiesta, una fiesta nocturna. Yo mismo podría darla también y la daré, pero tu tendrás que invitar a un par de bailarinas. Eres un afortunado, pero ¡por el mismo cielo que creo que aún no has aprendido a ser joven!

Claro que Pedro lo comprendía a su manera. Con su joven y ardiente corazón amaba el arte, que era su novia y correspondía a su amor elevándolo hacia el sol y la alegría. La aflicción que le había abatido desapareció pronto, y ojos dulces le miraban. Todos participaban sinceramente de su gloria. El corazón de ámbar, que todavía llevaba en su pecho, del que una vez su tía lo había colgado, era ciertamente un talismán. Así lo creía él, porque no estaba completamente libre de superstición o, mejor diríamos, de una infantil ingenuidad. Todas las naturalezas geniales tienen alguna superstición, todos creen en su estrella. La tía le había descubierto la fuerza que latía en el ámbar que atraía todo a sí. Su sueño le había mostrado cómo del corazón de ámbar salía un árbol que sobrepasaba techos y tejados y daba como frutos cientos de corazones de plata y oro. Lo cual significaba que en su corazón, en su cálido corazón, había una fuerza de artista con la que había ganado y ganaría a miles y miles.

Era innegable que, a pesar de sus diferencias, existía entre él y Félix cierta simpatía.

Pedro creía que la diferencia entre ellos consistía en que Félix, como hijo de un hombre rico, había crecido rodeado de tentaciones y le gustaba y apetecía disfrutar de ellas. Él, por el contrario, había tenido más suerte siendo hijo de pobres.

Los dos niños de la casa tenían, sin embargo, grandes ambiciones. Félix pensaba en convertirse pronto en gentilhombre de cámara, que es el primer paso para tesorero real. Tendría entonces una llave de oro. Pedro, siempre más afortunado, tenía ya, aunque invisible, la llave de oro del genio que abre todos los tesoros de la tierra y de los corazones.

XV

Era todavía invierno; los canalones cantaban. Las nubes soltaban copos de nieve. Mas por doquier que los rayos del sol se abrían paso anunciaban la primavera. Aromas y sones llenaban un joven pecho, que se expresaba en plásticas notas y se volcaba en palabras:

Yace aún la tierra en su manto de nieve;
gratos son los juegos de hielo;
de los árboles penden arabescos de escarcha
y mañana volverá a amanecer.
El sol disipa las espesas nubes;
la primavera llega a la ciudad;
el sauce arroja su lanudo manto.
¡Cantad, oh músicos!
¡Haced coro, pajarillos!
Se ha ido el invierno.

¡Oh el beso del rayo de sol!
¡Venid!, ¡arranquemos violetas y campánulas!
Es como si el bosque contuviese el aliento
mientras en una noche las hojas se abren.
El cuco canta y tú lo comprendes.
Sí, vivirás muchos años.
El mundo es joven. Sé joven con los jóvenes.

Deja que tu corazón y tu lengua
canten la primavera alegre y feliz.
La juventud no muere.

La juventud no muere,
la vida es una perpetua sorpresa.
Sol y tormenta, alegría y dolor,
son como un mundo en nuestros corazones,
que no muere cual estrella fugaz.
El hombre es la imagen de Dios.
Dios y la Naturaleza eternamente jóvenes.
¡Primavera, enséñanos a cantar!
Y canten también todos los pajarillos.
¡La juventud no muere!

—Es una verdadera composición —dijo el maestro—, buena para coro y orquesta, seguramente la mejor de todas tus pequeñas composiciones. Deberías realmente aprender los bajos, a pesar de que no es tu vocación ser compositor.

Jóvenes amigos de la música incluyeron esta composición en un gran programa, donde logró llamar la atención, sin causar demasiada sensación. El camino de nuestro joven amigo era bien claro para él. Su grandeza y significación estribaban no solo en las gratas resonancias de su voz, sino en sus significativas cualidades dramáticas, bien reveladas, como Jorge Brown, o como *Hamlet*. Prefería, decididamente, la ópera propiamente dicha al canto. Iba contra su sentido sano y natural este pasar del canto al diálogo y otra vez al canto.

—Es —decía— como si de una escalera de mármol se pasase a una de madera, y luego, otra vez, a la de mármol. Toda la composición debe vivir y respirar en notas.

La «música futura» (que así se llama a la nueva tendencia de la ópera, de la que, principalmente, Wagner es iniciador), tuvo un defensor y admirador en nuestro joven amigo. Creía que en ella los cantores estaban perfectamente dibujados. La declamación, llena de pensamientos y toda la acción, cobraba un progreso dramático, sin la detención que representaban melodías ociosas que distraían la mente.

Sin embargo, hay algo afectado e innatural en esas arias intercaladas.

—Sí, intercaladas —dijo el maestro—; pero cuando los grandes maestros las utilizan ocupan y deben ocupar una gran parte en la composición. Y si estas piezas líricas han de incluirse en alguna parte, debe ser, sobre todo, en la ópera.

Y se refirió al aria de Don Octavio, en *Don Juan,* «Lágrimas, dejad de correr», que es como un maravilloso lago interior, en cuya orilla descansásemos, sintiéndonos penetrados de las notas del bosque.

—Me inclino ante la gloria de las nuevas tendencias musicales, pero no bailo, como tú ante ese becerro de oro. Ni creo que lo digas tampoco en serio, de todo corazón, o si lo dices, no lo ves todavía muy claro.

—Quisiera actuar en una ópera de Wagner —dijo nuestro joven amigo—. Ya que no en palabras, expresaré en canto y con mi actuación lo que mi corazón quiere decir.

La elección recayó en *Lohengrin,* el joven y atractivo caballero que, en su bote, arrastrado por un cisne, navega por el Escalda para luchar por Elsa de Brabante. ¡Quién hubiera cantado o interpretado como él la primera canción del encuentro, el diálogo en la alcoba de la novia y la despedida, cuando la blanca paloma del Santo Grial volaba sobre el joven caballero que llegó, venció y... desapareció!

Aquella tarde (si ello fuese posible) se había dado todavía un paso más en la grandiosa carrera artística de nuestro joven amigo, y el maestro había dado un paso más para conocer la música del futuro.

—Con condiciones —dijo él.

XVI

En la gran exposición anual de pintura se encontraron un día Pedro y Félix ante el retrato de una bella y joven dama, la hija de la baronesa viuda (como todo el mundo la llamaba), y cuyos salones eran centro de reunión de la sociedad distinguida y de cuantas personas tenían significación en las artes y las ciencias. La joven baronesa era una encantadora e inocente criatura de dieciséis años. El retrato se le parecía y era de considerable valor artístico.

—Si entras en la habitación de al lado —dijo Félix—, encontrarás a la joven belleza en persona, en compañía de su madre.

Estas se hallaban absortas en la contemplación de uno de los cuadros más característicos, que representaba un paisaje por el que cabalgaban, en un mismo caballo, una pareja de recién casados. La figura principal era, sin embargo, un joven monje, que contemplaba a los dos felices caminantes. Se veía un rasgo triste y soñador en el rostro del joven. Se podían leer en él sus pensamientos, su propia vida: una meta fallada, la más gloriosa pérdida. No había conocido la felicidad en el amor humano.

La baronesa viuda vio a Félix, que respetuosamente saludó a las dos. Pedro hizo lo mismo. La baronesa viuda le reconoció enseguida, y después de haber hablado con Félix dirigió a Pedro algunas palabras cariñosas, mientras estrechaba su mano.

—Mi hija y yo pertenecemos al número de vuestros admiradores.

¡Qué hermosa estaba la joven en aquel instante! Lo miraba con sus claros y dulces ojos, como absorta en sus propios pensamientos, contemplándole.

—En nuestra casa —dijo la baronesa viuda— recibimos a muchos de los más grandes artistas. Nosotras, las personas vulgares, anhelamos un poco el aire del espíritu. Sed bienvenido de corazón. Nuestro joven diplomático —y señalaba a Félix— os ha acompañado por primera vez. En adelante, espero que vos mismo encontraréis el camino.

Y le sonrió. La joven le tendió su mano con naturalidad y afecto, como si se hubiesen conocido desde hacía mucho tiempo.

Avanzado el otoño, una tarde fría de llovizna, llegaron los dos jóvenes, los dos nacidos en la casa del rico comerciante. Hacía un tiempo como para ir en carroza y no a pie. Pero el hijo del rico comerciante y el primer cantante de la escena caminaban bien envueltos en sus abrigos, sus chanclos en los pies y sombrero en la cabeza.

Era un placer llegar de la humedad exterior a la sala amueblada con lujo y distinción. En el vestíbulo, ante las escaleras alfombradas, un suelo adornado de flores, entre arbustos y palmeras. Un pequeño surtidor retozaba en su taza, rodeado de altas palmeras.

El enorme salón estaba soberbiamente iluminado, y la mayor parte de los invitados habían llegado ya. Pronto empezó a hacerse difícil el tránsito. Acompañado de un mosaico sonoro de conversaciones, uno pisaba una cola de seda aquí, unos perifollos allá. La conversación era, sin embargo, la menos interesante de todo aquel esplendor.

Si Pedro hubiera sido una persona vanidosa, que no lo era, hubiera creído, a juzgar por la calurosa acogida de la señora de la casa y de su maravillosa hija, que aquella fiesta se daba en su honor. Señoras viejas y jóvenes, e incluso señores, le hacían objeto de sus atenciones.

Hubo música. Un joven autor leyó un magnífico poema. Se cantó y se tuvo la suficiente discreción para no exigir del laureado cantante que hiciese lo mismo. La señora de la casa era la más distinguida anfitriona, espiritual y atenta, en el rico salón.

Era su iniciación en el gran mundo, y nuestro amigo se había convertido enseguida en uno de los predilectos en el estrecho círculo de la familia.

El maestro movía su cabeza y reía.

—¡Qué joven eres, querido amigo! —dijo—. ¡Y que pueda alegrarte reunirte con esas personas! Puede que, individualmente, sean excelentes; pero nos consideran desde un punto de vista burgués. Para algunos de ellos es solo un motivo de ostentación, una vanidad, y para otros, una especie de barniz o adorno el admitir en su círculo a los artistas y a los héroes de un momento. Estos pertenecen al salón, como las flores a los jarrones. Lo adornan, y cuando no sirven se tiran.

—¡Cuán amargo e injusto sois! —dijo Pedro—. No conocéis a esas personas, ni queréis conocerlas.

—No —respondió el maestro—. Mi sitio no está allí. Ni el tuyo, tampoco. Y ellos lo piensan y lo saben todos. Te aplauden y te admiran como se aplaude y admira a un caballo de carreras que puede alcanzar la victoria. Perteneces a otra raza distinta de la de ellos. Te abandonarán tan pronto dejes de estar en forma. ¿No lo comprendes? No eres lo suficientemente digno. Eres vanidoso, como lo demuestras asistiendo a esas reuniones de aristócratas.

—Estoy seguro de que hablaríais y juzgaríais de otro modo —dijo Pedro— si conocieseis a la baronesa viuda y a un par de mis nuevos amigos.

—No me importa conocerlos —dijo el maestro.

* * *

—¿Cuándo se harán públicas vuestras relaciones? —preguntó un día Félix—. ¿Es la madre o la hija? —y se rio—. No aceptéis a la hija, porque os enfrentaréis con toda la juventud de la nobleza. Además, yo sería también vuestro más encarnizado enemigo.

—¿Qué queréis decir? —preguntó Pedro—. Sois el favorito, podéis entrar y salir cuando queráis. Tendréis dinero con la madre y perteneceréis a una buena familia. ¡Dejaos de chanzas! ¡No tiene la menor gracia lo que estáis diciendo!

—Tampoco tiene por qué tenerla —dijo Félix—. Hablo con la más absoluta seriedad. Ya que vos no permitiréis que su alteza sea dos veces desconsolada, dos veces viuda.

—¡Os ruego que no mezcléis a la baronesa en esta conversación! —dijo Pedro—. ¡Burlaos, si queréis, de mí, de mí solo, y yo sabré cómo responderos!

—Nadie creería que os casabais por interés —dijo Félix—. No es, precisamente, muy fea. Y no solo de espíritu vive el hombre.

—Os creía con más corrección y sentido —dijo Pedro—. ¡Atreveros a hablar así de una dama a quien respetáis y en cuya casa sois admitido! ¡No lo soportaré por más tiempo!

—¿Qué queréis entonces? —preguntó Félix—. ¿Batiros?

—Sé que vos habéis aprendido esgrima, y yo no. Pero la aprenderé. Y abandonó a Félix.

Dos días más tarde volvieron a encontrarse los dos jóvenes de la casa. El hijo del principal y el hijo de la buhardilla. Félix le habló a Pedro como si nunca hubiese habido entre ellos un altercado, y este le respondió correctamente, pero con laconismo.

—¿Qué os ha pasado? —dijo Félix—. La última vez estuvimos los dos algo provocativos. Pero no ha sido nada, y por ello no vamos a indignarnos. No me gusta ser pesado. Hay que olvidar y perdonar.

—¿Podéis perdonar vos mismo la manera en que habéis hablado de una dama a quien ambos debemos respeto?

—¡Si hablaba en serio! —dijo Félix—. En el mundo distinguido hay que saber hablar también con segundas intenciones. No hay nada malo en ello. Es como la sal que ameniza «el pescado soso de la existencia diaria», como dijo el poeta. Todos tenemos algo de malicia. También vos, un poco, amigo mío, podéis herir con vuestros pruritos de inocencia.

Luego se los vio pasar por las calles asidos del brazo. Félix sabía bien que más de una joven y bella dama, que de ordinario solía pasar sin fijarse en él, ahora lo miraba, cuando iba con el ídolo de la escena. Las candilejas arrojan siempre un brillo de belleza sobre los héroes y galanes del teatro. También existe ese brillo cuando el actor se deja ver en la calle, a la luz del día, aunque es más frecuente que allí desaparezca. La mayoría de los actores escénicos se asemejan al cisne. Hay que verlos en su elemento, no en la calle, en un paseo vulgar. Existen, sin embargo, excepciones, y nuestro joven amigo era una de ellas. Su personalidad fuera de la escena no desmerecía jamás de la imagen que él había creado de Jorge Brown, *Hamlet* o Lohengrin. Eran aquellas imágenes de la poesía y de la música, que más de un joven corazón identificaba con el propio actor y lo convertía en su ideal. Él sabía que era así, y experimentaba en ello cierto placer. Era feliz con su arte y con los medios de que disfrutaba para ponerlo en práctica. Y, sin embargo, a veces, pasaba como una sombra sobre su rostro alegre y juvenil, y del piano arrancaba unas notas, a las que correspondían tales palabras:

Todo desaparece, todo:
juventud, esperanza y tu amigo;
todo se va como el viento
para no volver más.

—¡Qué nostálgico! —decía la baronesa viuda—. ¡Si vos poseéis la plenitud de la suerte! No conozco a nadie tan afortunado como vos.

—«No llaméis feliz a nadie antes que alcance su tumba», ha dicho el sabio Solón —repetía Pedro. Y sonreía en medio de su serenidad—. Sería una injusticia, una ingratitud, si mi corazón no se sintiese contento. Yo lo estoy. Estoy agradecido por cuanto se me ha confiado. Pero mi estimación de ello es distinta a la de las otras personas. Mi arte es como un maravilloso fuego de artificio, que sube y se apaga. La obra del autor escénico es perecedera. Las estrellas fijas pueden olvidarse al paso de los momentáneos meteoros. Pero cuando estos pasan no queda de ellos más huella que viejos grabados. Las nuevas generaciones no conocen, ni pueden hacerse idea, de lo que conmovió en escena a sus antepasados. La juventud, quizá, se alegre, íntima y ruidosamente, del esplendor del cobre, del mismo modo que los antiguos lo hacían por el esplendor del oro puro. Mucho más afortunado que el actor dramático lo es el poeta, el escultor, el pintor o el compositor. Tal vez, sus vidas sean difíciles. Tal vez no alcancen el reconocimiento, la fama. Mientras, el intérprete de sus obras vive rodeado de admiración y sumergido en la soberbia del ídolo. Aunque la multitud admire las nubes de colores vivos y olvide el sol, las nubes pasan, y el sol vuelve a lucir y brillar para nuevas generaciones.

Se sentó al piano y se sintió más fantástico y poderosamente inspirado que nunca.

—¡Asombroso! ¡Increíble! —exclamó la baronesa viuda—. ¡Es como si hubiese oído la historia de toda una vida! ¡Vos sabéis poner en notas la melodía exultante del corazón!

—Me hacíais pensar en *Las mil y una noches* —dijo la joven—; en la lámpara de Aladino.

Y lo miraba con ojos inocentes, inundados de lágrimas.

—¡Aladino! —repitió él.

Aquella tarde marcaba una encrucijada en su vida. Una nueva época iba a empezar.

¿Qué le había ocurrido este año? Sus frescos colores abandonaron sus mejillas, sus ojos brillaban mucho más que antes. Padecía muchas noches insomnio. Pero no vivía en orgías ni dilapidaciones, como tantos otros grandes artistas. Cada vez hablaba menos y cada vez estaba más alegre.

—¿Qué es lo que te trae tan abstraído? —dijo su amigo el maestro—. No me confías todo.

—Pienso en lo dichoso que soy —respondió—. Pienso en el niño pobre. Pienso en Aladino.

XVII

Después de todas las privaciones que como niño pobre había soportado, Pedro llevaba ahora una vida digna y confortable. Era tan rico, que, como Félix decía, podía organizar una verdadera bacanal en honor de todos sus amigos. Y él pensaba en sus amigos. En los dos más queridos. Su madre y su tía. Tendría que dar una fiesta para ellas y para él.

Era una maravillosa primavera, y las dos ancianas irían con él a dar un paseo en carroza y visitar una pequeña villa en las afueras de la ciudad, que el maestro había comprado recientemente. Cuando iba a subir al coche llegó una señora pobremente vestida, como de unos treinta años. Traía una recomendación firmada por la señora Hof.

—¿No me conocéis? —preguntó la señora—. Me llamaban «cabecita rubia». Mis bucles han desaparecido. ¡Han desaparecido tantas cosas! Pero aún quedan buenas personas. Los dos trabajamos juntos en el *ballet*. Vos habéis tenido mejor suerte que yo. Sois un hombre poderoso. Yo ya me he divorciado dos veces y ya no estoy en el teatro.

Su carta de recomendación hablaba de que necesitaría una máquina de coser.

—¿En qué *ballet* hemos trabajado juntos? —preguntó Pedro.

—En *El tirano en Padua* —respondió ella—. Los dos actuábamos de pajes, con trajes de terciopelo azul. ¿No os acordáis de la pequeña Malle Knallerup? Yo no iba muy lejos de vos en la fila.

—Y me dabais puntapiés en las espinillas —dijo Pedro riendo.

—¿De veras? —decía ella—. Entonces es que daba los pasos demasiado largos. Sin embargo, más largos los habéis dado vos. Habéis aprendido a usar los pies y la cabeza.

Y le miraba con rostro conmovido, coqueteando con él, segura de haberle dicho un cumplido muy espiritual. Pedro era magnánimo.

—Tendrá su máquina de coser —le prometió.

La pequeña Malle era también una de las que principalmente había contribuido a que abandonase el *ballet,* haciendo posible que emprendiese un camino más ambicioso.

Pronto se encontró ante la casa del comerciante y subió a buscar a su madre y su tía. Estas vestían sus mejores galas y, casualmente, tenían visita de la señora Hof, a la que inmediatamente se invitó también al paseo, con lo que tuvo que sostener una lucha consigo misma, que terminó enviando una nota al señor Hof, participándole que había aceptado la invitación.

—¡Todo el mundo saluda a Pedro! —decía ella.

—¡Qué magnífico paseo! —dijo la madre.

—Y ¡qué maravillosa carroza! —añadió la tía.

Cerca de la ciudad, junto al parque real, se hallaba una pequeña y acogedora casita, rodeada de vides, rosas, setos y frutales. Allí se detuvo el coche. Aquella era la villa. Fueron recibidos por una anciana criada, conocida de la madre y de la tía, que con frecuencia les había ayudado a lavar y planchar.

Visitaron el jardín, y después la casa. Además, había algo maravilloso: un pequeño invernadero, con preciosas flores, que se hallaban en comunicación directa con la sala, mediante una puerta corrediza.

—Es como un bastidor —dijo la señora Hof—. Es de fácil manejo, y aquí se encuentra uno como en una jaula rodeada de plantas. Es un verdadero invernadero.

La alcoba era también preciosa, a su manera. Largas y espesas cortinas cubrían las ventanas. Mullidas alfombras y dos butacones muy cómodos, que la madre y la tía debían probar.

—Casi se queda uno dormido de sentarse en ellos —dijo la madre.

—Es como si no se tuviese peso —dijo la señora Hof—. Sí, aquí podréis vosotros, hombres de música, vivir con comodidades, olvidándoos de las preocupaciones del teatro. Yo también las he conocido. Creo que todavía puedo soñar e imaginarme que hago bastidores y que Hof hace bastidores también conmigo. ¿No es maravilloso? Dos almas y un solo pensamiento.

—Aquí hay mejor ventilación y más espacio que en las dos habitaciones de la buhardilla —dijo Pedro. Y los ojos le brillaban.

—Así es —dijo la madre—. Y, sin embargo, también se está bien en casa. Allí te he criado, hijo mío, y allí he vivido con tu padre.

—Pero esto es mejor —dijo la tía—. Esto es una verdadera mansión señorial. Os deseo toda clase de paz y dicha en esta casa a ti y a ese hombre incomparable, tu maestro.

—Y yo te lo deseo a ti, tía, y a ti, madre. Vosotras dos viviréis siempre aquí y no tendréis que subir tantas escaleras y tan estrechas como en la ciudad. Tendréis una persona que os ayude y me veréis con tanta frecuencia como en la ciudad. ¿No estáis alegres? ¿No estáis contentas?

—¿Qué es lo que dices, hijo? —preguntó la madre.

—La casa, el jardín, todo es tuyo, madre; tuyo, tía. Yo he luchado para poder proporcionároslo. Mi amigo el maestro me ha ayudado para que todo estuviese en regla.

—¿Qué es lo que dices, hijo? —exclamó su madre—. ¿Quieres darnos esta mansión? Ya sé que lo harías —dijo—, si pudieses.

—Lo digo en serio —dijo él—. La casa es tuya y de la tía.

Y besó a ambas, que estallaron en lágrimas. Lo mismo hizo la señora Hof.

—Este es el instante más feliz de mi vida —dijo Pedro, abrazando a las tres.

Y volvieron a recorrer toda la casa, ya que era suya. En lugar de la repisa del tejado, con cinco o seis macetas, tenían ahora un magnífico invernadero. En lugar de la despensa, una magnífica habitación, y la cocina era una pequeña y cálida sala.

—Ya tenéis también vuestro «rincón de estufa», como yo —dijo la señora Hof—. Este es regio. Habéis alcanzado todo cuanto los hombres pueden desear en este mundo, y tú también, mi laureado amigo.

—No todo —dijo Pedro.

—Ya llegará también la mujercita —dijo la señora Hof—. Ya lo veo venir, la presiento; pero me callaré. ¡Oh tú criada dichosa! ¿No es todo esto como un *ballet?*

Reía con lágrimas en los ojos, igual que la madre y la tía.

XVIII

Escribir texto y música de una ópera y ser, además, su intérprete en la escena era una meta ambiciosa y feliz. Como Wagner, nuestro joven amigo tenía una cualidad: la de poder construir la composición dramática. Pero ¿tendría también, como él, la plenitud de la intuición musical para crear una obra famosa?

Ánimo y desánimo alternaban.

No podía abandonar su constante idea. Días y años le dominaban como un cuadro fantástico. Ahora era una posibilidad. Una meta. Muchas de sus fantasías al piano habían sido saludadas como pájaros de aquella costa de la posibilidad. Sus pequeñas romanzas, su característico canto de primavera, presagiaban aquella tierra, aún oculta, de las notas. La baronesa viuda veía en ellas un signo, como Colón en las frescas ramas arrastradas por la corriente antes de divisar tierra en el horizonte.

Y aquí había tierra a la vista. El hijo de la suerte la alcanzaría. Una palabra lanzada al azar había sido la semilla. La joven, bella e inocente, la había pronunciado: *Aladino.*

Nuestro joven amigo era, como Aladino, un ser afortunado. Lo veía claro. Con inteligencia y arte leyó y releyó el precioso relato oriental. Poco a poco fue cobrando este forma dramática; las escenas se sucedían con palabras y música, y a medida que la obra crecía, el pensamiento musical se hacía más rico. Al final de la composición era como si la fuente de las notas hubiera sido descubierta en su principio, y la rica y lozana cascada surgía impetuosa. De nuevo recompuso su trabajo, y un mes después se alzaba con brillantes personajes la nueva obra: *Aladino.*

Nadie conocía esta ópera. Nadie había oído siquiera unas notas de ella. Ni siquiera el más íntimo de sus amigos, el maestro. Nadie en el teatro, cuando una tarde el joven cantante, con su voz y su maravillosa actuación, cautivó al público, podía imaginarse que aquel joven que así vivía y animaba su papel viviese aún una vida más íntima; es más, se perdiese durante horas en una poderosa creación de notas que surgían de su propia alma.

El maestro no había oído ni una sola nota de la ópera *Aladino,* hasta que música y texto estuvieron listos sobre su mesa para la lectura. ¿Cuál sería su opinión? Seguro que sería justa. El joven compositor se movía entre la más viva esperanza y el pensamiento de una posible decepción.

Pasaron dos días, sin que entre ellos se pronunciase palabra de la ópera. Finalmente, el maestro se presentó ante él con la partitura en la mano. Se hallaba profundamente serio, como quiera que hubiese que interpretarse tal seriedad.

—No me lo esperaba —dijo—. Ni lo hubiera creído en ti. Sí; me atrevo a decir que, en mi juicio, aún no está del todo claro. Hay algún que otro defecto de instrumentación, fácil de corregir. Hay algunas cosas atrevidas y nuevas, que pueden aceptarse con sus consabidas excepciones. Así como en Wagner se nota la influencia de Carlos María Weber, se nota en ti la transpiración de Haydn. Lo nuevo en lo que tú has hecho está todavía poco claro para mí. Estamos demasiado cerca el uno del otro para que yo pueda juzgarlo rectamente. Y no quiero juzgarlo. Quiero solo abrazarte —exclamó con desbordante alegría—. ¡Y que tú hayas podido hacer esto! —y le estrechaba entre sus brazos—. ¡Dichoso tú!

Enseguida se corrió la voz por toda la ciudad, por medio de periódicos y los «informadores oficiosos», de que una nueva ópera iba a ser presentada por el joven y celebrado actor escénico.

—Es como un sastre insensato que de los restos de su mesa de trabajo no sabría ni confeccionar un traje de niño —dijeron algunos.

—¡Escribir un texto, componer la música y cantarlo él mismo! —decía la gente—. He aquí a un genio en tres etapas.

—Han sido dos a hacerlo, él y su maestro —decían otros—. Va a cundir la alarma en la compañía cuando vean el ensayo. Por ellos sabremos algo.

Y se empezó a estudiar la ópera. Los colaboradores no querían dar su opinión. «Que no se diga que el juicio ha salido del teatro», pensaban. Y todos ponían cara seria, que no reflejaba ninguna esperanza.

—Hay muchos cuernos en la pieza —dijo un joven músico, que también era compositor—. ¡Con tal que no se clave uno en la cintura!

—Es genial, sonoro, lleno de melodías y de carácter —se dijo también.

—Mañana a estas horas estará alzado el patíbulo —dijo Pedro—. Tal vez la obra esté ya juzgada.

—Unos dicen que es una obra maestra —dijo el maestro—; otros, que es solo aceptable.

—Y ¿cuál es la verdad?

—La verdad —dijo el maestro—. ¡Y me lo preguntas a mí! Fíjate en las estrellas. Dime cuál es su posición exacta. Mira aquella. Cierra un ojo, ¿la ves? Obsérvala ahora con el otro ojo. La estrella se ha movido, ha ocupado otro lugar. Si los ojos de una misma persona pueden ver cosas diferentes, ¿cuáles no serán las diferencias en una multitud?

—Pase lo que pase —dijo nuestro joven amigo—, quiero saber mi puesto en el mundo. Saber de lo que soy capaz o rendirme.

Y llegó la tarde de la representación.

Un actor celebrado iba a crecer o a humillarse en su gigantesca y ambiciosa lucha. Apoteosis o fracaso. Fue un acontecimiento en la ciudad. La gente formó cola durante toda la noche anterior para conseguir entradas. El teatro estaba abarrotado. Las damas acudieron con grandes ramos de flores. ¿Volverían con ellos a casa, o los arrojarían a los pies del vencedor?

La baronesa viuda y su joven y hermosa hija ocupaban un palco cerca de la orquesta. Había en el público una agitación, un murmullo y una expectación, que se convirtieron en religioso silencio cuando el director de la orquesta ocupó su lugar y comenzó la obertura.

¿Quién no recuerda la composición de Henselt *Si l'oiseau j'étais*? Comienza con un alegre trino de pájaros. Aquí había algo parecido. Alegres y juguetones niños, voces infantiles. Sus cantos se mezclaban con el de los pájaros. Era el juego de la inocencia y la alegría infantil, el alma de Aladino. Y en esto estallaba la tormenta. Noradin ejercía su poder. Un relámpago se hizo, y el rayo dividió la montaña. Notas tiernas, seductoras, un eco de la cueva encantada, donde la lámpara yacía encendida en su precioso lecho, rodeada del poderoso aleteo del espíritu. Y en las notas del cuerno, un salmo dulce y suave, como salido de la boca de un niño. Un cuerno solitario se dejó oír, y luego otro, y cada vez más, produciendo las mismas notas, alzándose, finalmente, en un estruendo, como el de la trompeta del Juicio Final. La lámpara estaba en las manos de Aladino. Y se sucedió un océano de grandiosas armonías, como producidas por guerreros del espíritu o el creador de las notas.

El telón subió entre una tempestad de aplausos, que se dejaban oír por sobre las primeras notas de la orquesta. Un muchacho algo mayor y, sin embargo, inocente, Aladino, corría entre los otros muchachos. La tía hubiera dicho enseguida: «Es Pedro, igual a cuando jugaba y corría entre la estufa y el arcón de la buhardilla». Era como si no hubiese envejecido nada desde entonces.

¡Cómo cantaba con fe y unción la súplica que Noradin le había encargado para cuando bajase a buscar la lámpara! Era la propia melodía y el modo de cantarla lo que arrebataban de tal manera a los espectadores. El júbilo era incontenible.

Deseaban interrumpirle, pero no se atrevían. Hubiera sido profanar la expresión con que la pieza había sido cantada. El telón cayó. El primer acto había terminado.

Nadie hizo el menor comentario, todo el mundo se hallaba rebosante de alegría, absorto en el gozo de sus propias sensaciones.

De la orquesta salieron un par de acordes y volvió a subir el telón. Sones como en la *Armida,* de Gluck, y *La flauta mágica,* de Mozart; una melodía cautivadora, mientras la escena se reanudaba con Aladino en el jardín maravilloso. Una música mullida y suave surgía de las flores y de las piedras, de las fuentes y de las grietas, y las diferentes melodías se fundían en una única y gran armonía. Una brisa, como un murmullo de espíritus, resonó en el coro, lejana primero, más cerca después, subiendo de tono, para volver a desaparecer. Y como llevado por esta armonía se alzó el monólogo de Aladino. Era lo que se llama una gran aria; pero tal en carácter y situación, que se convirtió necesariamente en una parte dramática del todo. Su voz atractiva y sonora, sus íntimas y cordiales notas, penetraron a todos, arrastrándolos al éxtasis, que llegó al máximo cuando tomó la lámpara de la suerte, acompañado del coro de espíritus.

Los ramos de flores llovieron sobre la escena. Una alfombra de flores vivas se extendía a sus pies.

¡Qué instante en la vida del joven artista! Sin duda, el más alto, el más grande. Presentía que jamás alcanzaría otro mayor. Una corona de laurel rozó su pecho y cayó a sus pies. Vio de qué mano venía. Se fijó en la joven del palco más próximo a la escena. La joven baronesa, en pie, como un genio de la belleza y traspasada por un triunfo.

Sintió un fuego en su interior. Su corazón ardía como nunca antes; se inclinó, asió la corona, la apretó contra su pecho y cayó al suelo en aquel instante... ¿Desvanecido? ¿Muerto? ¿Qué había pasado?... El telón cayó.

—¡Muerto! —resonó en el teatro.

Muerto en la alegría de la victoria, como Sófocles en los juegos olímpicos; como Thorvaldsen en el teatro, escuchando la sinfonía de Beethoven. Una vena de su corazón había estallado, y como un relámpago acabaron así sus días, sin dolor, en la apoteosis del júbilo terreno y en el cumplimiento de su misión. ¡Él, el afortunado entre millones de seres!

EL FAROL VIEJO

¿Conocéis la historia del farol viejo? No es que sea muy divertida, pero se la puede oír una vez. Érase un farol viejo y honrado que había prestado su servicio durante largos, muy largos años, y que iba a ser arrumbado. Era la última noche que estaba en su poste y que alumbraba la calle, y su humor era muy parecido al de una vieja corista de *ballet* que bailase por última vez y supiese que desde el día siguiente permanecería para siempre en su buhardilla. El farol sentía un gran terror hacia esa mañana, porque sabía que ese día iría por primera vez a la alcaldía para ser examinado por los «treinta y seis hombres» de la ciudad, que juzgarían si podía servir aún o ya no. Y entonces se decidiría si era enviado a un puente para alumbrarlo, o a una fábrica en el campo, o tal vez lo enviarían a casa de un fundidor para que fuese derretido. En este caso, podría convertirse en no sabía qué; pero lo más doloroso para él era el no saber si conservaría el recuerdo de haber sido farol.

Cualquiera que fuese su suerte, sería separado del sereno y de su mujer, que él consideraba como de su familia. Lo habían hecho farol al mismo tiempo que a este hombre le nombraban vigilante nocturno. La mujer, cuando pasaba ante el farol, tenía la mirada altiva. Ella no lo miraba más que por las noches, jamás durante el día. Ahora, por el contrario, desde hacía algunos años, desde que los tres —el farol, el vigilante y su mujer— habían envejecido, la mujer cuidaba de él, limpiaba la lámpara y le ponía aceite. Eran unas personas muy agradables este matrimonio. Jamás habían robado una gota de aceite al farol.

Era su última noche en la calle. Mañana iría a la alcaldía. Estos dos tristes pensamientos obsesionaban al farol, y podéis imaginaros cómo luciría. Pero también otros pensamientos ocupaban su cabeza, porque había visto mucho, había brillado mucho, tal vez tanto como los «treinta y seis hombres»; pero no hablaba de ellos, por ser un farol viejo y honrado, y no quería ofender a nadie, mucho menos a sus superiores.

Estaba lleno de recuerdos, y por momentos su llama subía y se animaba. Pudiera haberse dicho que pensaba:

«Sí, se acordarán de mí. Aquel hermoso joven... ¡Oh, han pasado muchos años desde entonces! Vino con una carta, escrita en papel rosa, un bello papel con filos dorados, y la letra era una preciosidad, una escritura de dama. La leyó dos veces y la besó. Levantó hacia mí sus ojos, que expresaban: "¡Soy el más feliz de los hombres!". Solo él y yo supimos lo que decía la primera carta de su novia... Me acuerdo también de otros ojos. ¡Es curioso cómo el pensamiento salta de un tema a otro! Hubo aquí, en la calle, un magnífico entierro. Una mujer, joven y bella, estaba en su ataúd, sobre un coche forrado de terciopelo negro, lleno de coronas y flores y con tantas antorchas encendidas, que oscurecían mi luz. Toda la acera estaba repleta de gentes que seguían al cortejo; pero cuando las antorchas estuvieron fuera de mi vista y miré alrededor, una persona, apoyada en mi poste, lloraba. Jamás olvidaré los ojos implorantes que se volvían hacia mí».

Una multitud de pensamientos acudían así al viejo farol, que lucía aquella noche por última vez. El centinela, cuando lo relevan, conoce al menos a su sucesor y puede decirle algunas palabras; pero el farol no conocía al suyo. Sin embargo, él hubiera podido darle algunas indicaciones sobre el moho y la lluvia, sobre la parte de acera alumbrada por los rayos de la luna y sobre la dirección del viento.

A la orilla del arroyo se habían presentado tres personajes al farol, creyendo que era él quien confería el empleo; uno de ellos era una cabeza de arenque, que, por brillar en la oscuridad, pensaba que podría subirse al poste y así ahorrar el aceite. El segundo era un trozo de madera podrida que también brillaba y, según decía, mucho mejor que un pescado salado; además, era el último trozo de un árbol que había sido la gloria y el orgullo del bosque. El tercero era un gusano de luz. El farol no comprendía de dónde había venido. Cierto que lucía, pero la madera podrida y la cabeza de arenque juraban que era solo en ciertas épocas y que, por consiguiente, no podía tomarse en consideración.

El viejo farol dijo que ninguno de ellos alumbraba lo suficiente para el trabajo, pero ninguno lo creyó, y cuando se dieron cuenta de que el farol no confería por sí mismo el empleo, dijeron que se alegraban de ello, ya que este estaba, en verdad, demasiado decrépito para poder elegir.

En este momento llegó el viento procedente del rincón de la calle. Sopló a través de los cristales del viejo farol y dijo:

—¿Cómo? Acabo de enterarme de que te vas mañana. ¿Esta es, pues, la última noche que te encontraré aquí? ¡Vaya! Voy a hacerte un regalo. Voy a soplar dentro de tu caja craneana de forma que puedas acordarte de todo cuanto has visto y oído, y también, cuando se lea o se encuentre algo en tu presencia, tendrás la cabeza tan lúcida, que te acordarás de todo.

—Bien. Eso es magnífico —exclamó el farol viejo—. ¡Muchas gracias! ¡Con tal de que no me fundan!

—No lo harán todavía —dijo el viento—. Y ahora soplo para reforzar tu memoria. Con algunos regalos parecidos a este podrás pasar una vejez muy agradable.

—¡Siempre que no me fundan! —repitió el farol—. Y en tal caso, ¿puedes garantizarme también la memoria?

—Viejo farol, sé razonable —dijo el viento, y sopló.

En ese momento apareció la luna.

—¿Qué vais a darle? —le preguntó el viento.

—Yo no doy nada —contestó la luna—. Estoy en cuarto menguante, y los faroles nunca me han dado nada cuando me encuentro en esta fase. En cambio, yo sí les he dado siempre.

Y la luna se ocultó tras las nubes. No quería que la molestasen. Entonces, una gota de agua cayó sobre el cristal. Era como una gotera. Dijo que procedía de las nubes grises y que era también un regalo, quizá el mejor de todos.

—Penetraré en ti y podrás, la noche que lo desees, transformarte en moho, desprenderte y convertirte en polvo.

Pero el farol consideró eso un mal regalo, y el viento también.

—¿No hay nada mejor? ¿No hay nada mejor? —sopló lo más fuerte que pudo.

Una estrella errante cayó y trazó una larga línea luminosa.

—¿Qué sucede? —gritó la cabeza de arenque—. ¿No ha caído una estrella? Me parece que ha entrado en el farol... Si tan altos personajes buscan este empleo ya podemos irnos con viento fresco.

Y eso fue lo que hizo, y los otros con ella. El viejo farol alumbró de repente con una fuerza muy especial.

—Era un regalo encantador —dijo—. Las brillantes estrellas, que siempre me han cautivado y que brillan con un fulgor mayor del que yo he podido jamás lograr, a pesar de todos mis esfuerzos, me han prestado atención, pobre y viejo farol, y me han enviado una de ellas con un regalo, que consiste en que todo cuanto recuerdo y veo pueda ser visto por aquellos a quienes amo. Y este es el verdadero placer, porque lo que no se puede compartir con otros es solo alegría a medias.

—He aquí un pensamiento muy digno de estima —dijo el viento—. Pero, sin duda, no sabes que para ello necesitas una vela de cera. Si en ti no alumbra una vela, nadie verá nada en ti. Las estrellas no han reflexionado sobre esto. Ellas se imaginan que todo cuanto luce contiene, por lo menos, una vela de cera. Pero me siento fatigado —terminó el viento—. Me voy a dormir.

Y el viento se acostó.

Al día siguiente... ¡Bah! Podemos pasarnos por alto el día siguiente. A la noche siguiente, el farol estaba sobre una butaca. Y ¿dónde?... En casa del anciano vigilante nocturno. Este había pedido a los «treinta y seis hombres» conservar el viejo farol en recompensa por sus prolongados y leales servicios. Se rieron de él y de su petición, pero se lo dieron. Y el viejo farol está ahora, sobre una butaca, muy cerquita de la estufa encendida, y se diría que, así, se ha vuelto más grande, porque ocupa casi toda la butaca. Los ancianos están ya sentados para cenar. Miran cariñosamente al farol viejo, al que con mucho gusto le hubieran hecho un sitio en la mesa. Vivían, como ya se sabe, en un sótano, a dos metros bajo tierra. Era preciso pasar por un vestíbulo enladrillado para llegar a su sala; pero estaban bien, pues había cortinas en la puerta. Allí todo estaba ordenado y limpio, al igual que las cortinas del lecho y de las ventanitas, en cuyos alféizares había dos hermosas macetas con flores; Cristian el marinero las había traído de las Indias Orientales u Occidentales. Eran dos elefantes a los que les faltaba el lomo; pero, en su lugar, habían puesto tierra, en la que crecían, en uno, que era el huerto de los viejos, la cebolla, y en el otro, un gran geranio florido, que era su jardín. De la pared colgaba una gran lámina de color, que representaba «El Congreso de Viena», en la que estaban reunidos todos los reyes y los emperadores. Un reloj de Bornholm, con grandes pesas de plomo, hacía tic, tac. Siempre iba adelantado; pero eso era preferible a ir atrasado, según la opinión de los ancianos.

Así, pues, cenaban, y el viejo farol permanecía sobre la butaca, muy cerca de la estufa encendida. Le parecía que el mundo estaba al revés... Pero cuando el anciano vigilante nocturno lo miraba y hablaba de su vida en común, pasada bajo la lluvia y la humedad, o durante las cortas noches de verano, y cuando la nieve revoloteaba y le hacía guarecerse en el sótano, todos los recuerdos acudían al viejo farol y lo veía todo como si estuviese allí mismo. Verdaderamente, el viento había esclarecido bien sus ideas.

Los ancianos eran hábiles y trabajadores. No perdían un momento. Los domingos, después de comer, el viejo cogía un libro cualquiera, preferentemente una descripción de viajes, y leía en voz alta las páginas que se referían a África y describían los grandes bosques y los elefantes salvajes que los recorrían. Y la anciana escuchaba y miraba de reojo a sus elefantes de tierra, que eran macetas de flores.

—Casi puedo representarme todo eso —decía.

Y el farol hubiese deseado vivamente que le colocasen una vela de cera que alumbrase, a fin de poder ver todo aquello bajo su imaginación de farol: los enormes árboles; las ramas enlazadas las unas con las otras; los negros, desnudos, a caballo, y las manadas de elefantes con sus grandes patas, que trituraban los juncos y los arbolillos.

—¿Para qué me sirve todo mi talento, si no tengo vela? —suspiraba el farol—. No tengo más que aceite y mecha, y eso no es suficiente.

Un día llegó al sótano un paquete con cabos de vela. Los trozos más grandes sirvieron para alumbrar, utilizando la anciana los más pequeños para encerar el hilo cuando cosía. La vela de cera estaba allí, pero nadie tuvo la feliz idea de poner una de ellas dentro del farol.

—Estoy aquí con mi extraordinario talento —dijo el farol—. Lo tengo todo dentro de mí, pero no puedo compartirlo con ellos. No saben que puedo convertir las paredes en magníficas tapicerías, en hermosos bosques, en todo lo que pudieran desear... ¡No lo saben!

El farol había sido colocado, limpio y bruñido, en un rincón de la sala donde todo el mundo que entraba lo veía. Es cierto que las gentes decían que era un «horror», pero los ancianos no hacían caso de eso. Querían mucho al farol.

Un día, que era precisamente el aniversario del anciano sereno, la anciana se acercó al farol, le sonrió dulcemente y le dijo:

—Voy a encenderte, en su honor.

Y el farol se regodeó de satisfacción dentro de su capuchón de hierro, porque pensaba: «¡Al fin, se han dado cuenta!».

Pero le pusieron aceite y no vela. Alumbró durante toda la noche; pero él sabía, se había dado cuenta ya de que el regalo ofrecido por las estrellas, el mejor de todos los regalos, era un tesoro perdido para esta vida. Entonces soñó —porque cuando se poseen talentos parecidos, bien se puede soñar— que los ancianos habían muerto, que él había llegado por sus propios medios a casa del fundidor y había sido fundido. Estaba tan inquieto como cuando debía ir a la alcaldía para ser examinado por los «treinta y seis hombres», y aunque tuviese el poder de convertirse en moho y polvo cuando quisiera, no lo hacía, y entraba en el horno de fundición y se transformaba en un magnífico candelabro, en el que ponían una vela de cera. Tenía la forma de un ángel que llevaba en la mano un ramo de flores, en el centro del cual colocaba la vela. Y el candelabro fue colocado sobre una mesa verde. La habitación era agradable, con muchos libros y hermosos cuadros. Era la casa de un poeta, y todo lo que pensaba y escribía se desarrollaba a su alrededor. La habitación se convertía en profundos y sombríos bosques, en prados soleados donde la cigüeña avanzaba con gravedad, en el puente de un navío que dominaba el tumultuoso mar.

—¡Qué talento tengo! —dijo el farol viejo, despertándose—. ¡Casi me gustaría que me fundieran!... Pero no. Esto no debe suceder mientras vivan mis viejos. Me quieren tal como soy. Para ellos soy su hijo, y me han dado aceite y me han bruñido. Y me encuentro aquí tan bien como en el «Congreso», que tiene una posición muy distinguida.

Desde entonces, su serenidad se hizo mayor, cosa que el viejo farol se merecía muy bien.

LA VIEJA CAMPANA DE IGLESIA

Escrito para «El álbum de Schiller»

En el país alemán del Wurtenberg, donde las acacias florecen deliciosamente a todo lo largo de la carretera, y los perales y manzanos, en otoño, se doblan bajo la abundancia de frutos maduros, existe un pueblecito llamado Marbach. Es de lo más modesto, pero graciosamente situado a la orilla del río Neckar, cuyo rápido curso pasa por delante de las ciudades, de los antiguos burgos y de las colinas llenas de viñedos, antes de mezclar sus aguas con las del soberbio Rin.

El año iba avanzando; de las viñas colgaban hojas rojas. Caían aguaceros y el viento frío aumentaba. No era la época más agradable para los pobres. Los días eran grises, oscuros, y en el interior de las casas la oscuridad era aún mayor. En general, eran casas antiguas y pequeñas. Una de ellas tenía un frontispicio sobre la calle, ventanas bajas, aspecto humilde y pobre, y la familia que la habitaba también lo era; pero, al mismo tiempo, honrada y trabajadora. Además, el temor de Dios se hallaba albergado en su corazón. Nuestro Señor iba muy pronto a concederle un nuevo infante. Llegó el momento, y la madre se encontraba en el duro, pero feliz trance, cuando llegó hasta ella, procedente de la torre de la iglesia, el sonido profundo y solemne de la campana. Fue un momento maravilloso, y el alma de la mujer, que rezaba, se inundó de recogimiento y de fe. Sus pensamientos se elevaron desde el fondo de su corazón hacia Dios, y en el mismo instante puso en el mundo a su hijo, y se sintió infinitamente feliz. La campana de la torre parecía tocar para que la ciudad y el campo se dieran cuenta de la alegría que experimentaba. Dos claros ojos de niño la miraban, y los cabellos del bebé brillaban como el oro. El pequeño vino al mundo al son de campanas en un sombrío día de noviembre; sus padres le besaron, y en su Biblia escribieron: «El 10 de noviembre de 1795, Dios nos ha concedido un hijo», y más tarde añadieron que había recibido en el bautismo los nombres de «Johan Christoph Friederich».

¿Qué sería de ese bebé? ¿Qué sería del modesto niño nacido en el pequeño Marbach? Nadie lo sabía entonces, ni aun la vieja campana, por muy alto que hubiese volteado el día que tocó para el que debía, más adelante, cantar el más exquisito de los cantos sobre *La campana*.

El niño creció, y el mundo creció con él. Sus padres se mudaron a otra ciudad; pero en el pequeño Marbach quedaron amigos queridos, por lo que madre e hijo hacían allí frecuentes visitas. El pequeño solo tenía seis años y ya conocía la Biblia y los salmos piadosos. Con frecuencia, por las tardes, sentado en su silla de mimbre, escuchaba a su padre leer las fábulas de Gellert y La Mesiada. Tanto él como su hermana (de más edad) habían vertido cálidas lágrimas al escuchar la historia de Aquel que, por nuestra salvación, había muerto en la Cruz.

El pueblo apenas había cambiado cuando hicieron su primera visita. Por otra parte, hacía poco tiempo que lo habían dejado. Las casas conservaban sus puntiagudos tejados, sus inclinadas paredes y sus ventanas bajas. Al cementerio se le habían añadido nuevas sepulturas, y apoyada contra la tapia y sobre la hierba se veía a la vieja campana. Otra nueva la sustituía.

Madre e hijo entraron en el cementerio y se pararon ante la vieja campana. La madre contó a su hijo que la campana había prestado servicio durante varios siglos, que había repicado en los bautismos, las bodas y entierros. Su voz había anunciado la alegría de las fiestas y el horror de los incendios. Sí, toda la vida humana se hallaba representada en el canto de la campana. El niño no olvidó jamás lo que su madre le había contado. Las palabras cantaron en su pecho hasta el momento en que, ya hombre, compuso una melodía sobre ellas. Y la madre le contó también cómo esta vieja campana de iglesia le había proporcionado con su sonido reconfortamiento y alegría en sus horas de angustia, cómo había sonado y cantado cuando él nació. El niño miró casi con agradecimiento la vieja y enorme campana, se inclinó y la besó, a pesar de su vejez, de su fealdad y de su resquebrajadura, que se destacaban en medio de la hierba y de las ortigas.

Permaneció para siempre en el recuerdo del niño, que creció en medio de la pobreza. Alto y delgado, de cabellos rojizos, rostro cubierto de pecas... Sí, así era. Pero poseía unos hermosos ojos, claros y transparentes como el agua tranquila de un lago. ¿Qué fue de él? Todo marchó bien para el muchacho. Por una buena recomendación fue admitido en la escuela militar, en el curso donde solo tienen cabida las personas pudientes y de la aristocracia. Esto era un honor y una suerte. Llevaba polainas, cuello almidonado y peluca empolvada. Adquirió buena educación a las voces de mando de: «¡Alto! ¡De frente! ¡Marchen!». De todo esto saldría, seguramente, algo.

La vieja campana de iglesia, conservada y olvidada, iba a ser fundida en el crisol. ¿Qué sería de ella? ¿En qué se convertiría? Era imposible saberlo. ¿Y cómo saber también lo que saldría de la campana que sonaba en el pecho del muchacho? Porque allí había un metal que vibraba y que debía resonar en el mundo entero. Y cuanto más rigor existía tras las tapias de la escuela, cuanto más ensordecedores se hacían los gritos de mando: «¡Alto! ¡De frente! ¡Marchen!», más fuerte sonaba este metal en el pecho del jovenzuelo, que hizo oír en su círculo de camaradas, y el sonido traspasó las fronteras de su país. Pero no era para esto para lo que se le había educado, vestido y alimentado. Él llevaba un número en el engranaje, formaba parte del gran mecanismo al cual todos deben contribuir con vistas a ventajas manifiestas. ¡Qué mal nos comprendemos nosotros mismos! ¿Por qué, pues, los otros, aun los mejores, van a comprendernos mejor? Precisamente es bajo presión como se forma la piedra preciosa. La presión estaba allí. ¿Iría el mundo a conocer, con ayuda del tiempo, la piedra preciosa?

Había gran solemnidad en la capital del reino. Miles de lámparas lucían por todas partes y se lanzaban cohetes. El recuerdo de esta pompa vive aún, gracias a aquel que, con lágrimas dolorosas, buscaba ganarse secretamente un suelo extranjero. Debía abandonar su patria, su madre, todos aquellos seres que le eran queridos, o ensombrecerse en la corriente de los destinos anónimos.

¡La vieja campana estaba en su sitio, al abrigo del muro de la iglesia de Marbach! El viento volaba sobre ella y hubiera podido darle noticias de aquel en cuyo nacimiento tocó; hubiera podido contarle cuánto frío había soplado sobre el joven cuando, agotado de fatiga, se había desplomado en el bosque del país vecino, en donde toda su riqueza y su esperanza se cifraban en algunas páginas escritas sobre Fiesco. El viento hubiera podido hablar de sus únicos protectores, artistas todos, que se deslizaban fuera de la estancia durante la lectura para ir a jugar a los bolos. El viento hubiera podido hablar del pálido fugitivo que vivió semanas y meses en esta pobre posada, cuyo patrón gritaba y bebía, donde reinaba la alegría grosera, mientras el exilado recibía el ideal. ¡Días penosos, días tristes! Pero el corazón debe sufrir y sentir lo que ha de cantar.

Días negros, noches frías pasaron para la vieja campana. Ella no los sentía. Mas la campana que se albergaba en el corazón del joven padecía su miseria. ¿Qué fue del joven? ¿Qué fue de la vieja campana? Pues bien, la campana marchó lejos, más lejos de lo que hubiera podido oírse desde la torre de su iglesia; en cuanto al joven, la campana de su corazón sonó más lejos de donde sus pasos podían llegar ni sus ojos ver. Sonó y suena todavía más allá del Océano, ¡sobre la tierra entera!

¡Escuchad, primero, la historia de la campana!

Abandonó Marbach, vendida como cobre viejo, para ser fundida en Baviera. ¿Cómo y cuándo llegó allí? Si la campana pudiese contarlo, lo haría; pero no tiene gran importancia. Lo cierto es que llegó a la capital de Baviera. Muchos años habían transcurrido desde el día en que se derrumbó la torre. Iba a ser fundida, a contribuir a la formación de un monumento: la estatua de una gloria nacional. ¡Escuchad bien lo sucedido! Lo que ocurre en este mundo es verdaderamente curioso y encantador.

En Dinamarca, en una de las verdes islas donde crece la baya y se alzan tantas tumbas de héroes, vivía un muchacho muy pobre que, calzado con zuecos, había llevado en un viejo canasto la comida a su padre, que talaba árboles en el bosque. El niño pobre se había convertido en el orgullo del país. Esculpía maravillas en mármol, maravillas que asombraban a todo el país, y fue a él, precisamente, a quien cupo el honor de realizar la gloriosa tarea de modelar en arcilla una figura llena de grandeza y belleza, que iba a ser fundida en bronce: la estatua de aquel cuyo padre inscribió su nombre de Johan Christoph Friederich en la Biblia.

El metal incandescente se vertió en el molde. La vieja campana de iglesia (nadie pudo pensar en su lugar de origen ni en su voz extinta) se vertió en el molde y formó la cabeza y el busto de la estatua, tal como hoy se ve en Stuttgart, ante el antiguo castillo, en el lugar por donde tantas veces pasó en carne y hueso el representado en ella, penando y luchando, sufriendo la presión del mundo, él, el muchachito de Marbach, el alumno de la escuela de Carl, el grande, el inmortal poeta de Alemania que cantó al libertador de Suiza y a la Virgen francesa del divino valor.

Fue durante un día de sol. Las banderas flotaban en las torres y en los tejados de la real Stuttgart. Las campanas de las iglesias tocaban a fiesta y a alegría. Solo una campana no dejaba oír su voz. El reflejo del sol brillaba en el rostro y en el busto del protagonista de la fiesta. Hacía justamente cien años que la vieja campana de iglesia había tocado en Marbach, con sones de alegría y de reconfortamiento, en honor de la madre dolorida que daba a luz a su hijo, pobre en la casa pobre, más tarde opulento, cuyos tesoros son un bienestar para el mundo: el poeta de la mujer de noble corazón, el cantor de lo que es grande y espléndido, Johan Christoph Friederich Schiller.

EL MUÑECO DE NIEVE

—Cuando hace un frío tan delicioso como el de ahora, crujo con fuerza —decía el hombre de nieve—. ¡Cómo anima el viento con su mordedura! Y aquel, con sus grandes ojos fijos, cómo mira —era el sol, a punto de ocultarse, del que hablaba—. No hará que me resquebraje. Sabré guardar bien mis pedazos.

Hablaba de dos grandes tejas triangulares que le servían de ojos. La boca era un pedazo de rastrillo viejo, que hacía las veces de dientes.

Había nacido entre grandes aplausos de los muchachos y había sido saludado por el sonido de las campanillas y los trallazos de los látigos de los trineos.

El sol desapareció. Se elevó en el cielo la luna llena, redonda y grande, clara y magnífica, en el aire azulado.

—¡Vaya! Ahora lo tenemos por el otro lado —exclamó el muñeco de nieve; creía que era el sol el que reaparecía—. Yo le he quitado la costumbre de lanzar dardos con sus ojos. Ahora puede permanecer ahí y alumbrarme, para que yo pueda verme a mí mismo. ¡Si yo supiera qué debía hacer para moverme! ¡Me gustaría tanto ir de un lado a otro! Si pudiera, me gustaría deslizarme por el hielo, como he visto hacer a los niños. Pero no sé correr.

—¡Guau, guau! —ladró el viejo perro atado con cadena; estaba un poco ronco, lo estaba desde la época en que siendo perro de salón dormía bajo la estufa—. El sol te enseñará a correr. He visto cómo lo hacía con tu predecesor el año pasado y con su predecesor a la vez. ¡Guau, guau! Todos han desaparecido.

—No te comprendo, camarada —dijo el muñeco de nieve—. ¿Eso que está allá arriba me enseñará a correr? —se refería a la luna—. Sí, es cierto. Corre. Me he dado cuenta cuando lo miraba fijamente. Ahora va para ese otro lado.

—Tú no sabes nada —dijo el perro de la cadena—, porque acabas de ser construido y modelado. Lo que ves ahora, se llama la luna; lo que se ha ocultado, es el sol, que volverá mañana por la mañana y te enseñará a correr hacia el foso por el terraplén abajo. Muy pronto tendremos cambio de tiempo. Lo noto por las punzadas que me dan en la pata izquierda de atrás. El tiempo va a cambiar.

—Yo no entiendo bien eso, pero me da la impresión de que cuanto has dicho es algo desagradable. El que abría grandes ojos y se ha marchado, el sol, como lo llamas, no es amigo mío, según me parece.

—¡Guau, guau! —ladró el perro encadenado.

Dio tres vueltas a su alrededor y se acostó en su caseta para dormir.

El tiempo cambió, en efecto. Una niebla espesa y húmeda se extendió a la mañana siguiente por toda la región. Al amanecer se levantó un poco de aire glacial, lo que era estupendo para el hielo; pero ¡qué espectáculo cuando se elevó el sol! Todos los árboles y arbustos estaban cubiertos de escarcha. Se hubiera podido decir que era un bosque de corales blancos, en el que todas las ramas aparecían sobrecargadas de flores de una blancura maravillosa. La infinidad de ramillas, que la abundancia de hojas impedían ver en verano, se mostraban ahora. Era como un encaje, y de una albura tal, que un fulgor blanco parecía surgir de cada rama. El sauce llorón se mecía acunado por el viento. Estaba lleno de vida, como los árboles en pleno estío. ¡Era un esplendor sin igual! Y cuando el sol asomó sus rayos, ¡oh!, ¡qué centelleo! Como si todo estuviese espolvoreado con polvos de brillante y sobre la capa de nieve luciesen grandes diamantes. O bien pudiera creerse que ardían innumerables lucecitas, más blancas aún que la blanca nieve.

—¡No tiene igual este esplendor! —exclamó una muchachita, que paseaba por el jardín con un joven, deteniéndose, precisamente, junto al muñeco de nieve, a mirar los magníficos árboles—. En verano no se goza de un espectáculo tan bello.

Y sus ojos brillaron.

—Ni de un tipo tan gallardo como este tampoco —dijo el joven, señalando al muñeco de nieve—. ¡Es admirable!

La muchacha se rio, saludó con la cabeza al muñeco y, a continuación, se puso a bailar con su amigo por la nieve, que crujió bajo sus pies como si anduviesen sobre almidón.

—¿Quiénes son esos dos? —preguntó el muñeco de nieve al perro de la garita—. Tú eres más antiguo que yo en la casa. ¿Los conoces?

—¡Claro que los conozco! —respondió el perro—. Ella me acaricia y él me da huesos. En recompensa, yo no les muerdo.

—Pero ¿qué hacen aquí? —insistió el muñeco de nieve.

—¡Son noooovios! —respondió el perro encadenado—. Van a vivir en una perrera y a comer huesos juntos.

—¿Son tan importantes como tú o como yo? —preguntó el muñeco de nieve.

—Forman parte de los dueños de la casa —replicó el perro—. Cuando, como tú, se ha nacido ayer, se sabe muy poco de todo esto. Yo me doy cuenta de lo que pasa escuchando las conversaciones. Tengo edad y estoy al corriente de todo. Conozco a cuantos viven en la casa. Hubo una época en que yo no estaba aquí, en la perrera, expuesto al frío y atado con cadena. ¡Guau, guau!

—¡El frío es delicioso! —dijo el muñeco de nieve—. ¡Cuenta, cuenta! Pero no es necesario que hagas chirriar la cadena, porque me produce dentera.

—¡Guau, guau! —ladró el perro guardián—. Yo he sido perrillo muy mono, pequeño y gentil, según decían. En esa época dormía en un sillón de terciopelo dentro de la casa y me subía a las faldas de los amos. Me besaban el hocico y me limpiaban las patitas con un pañuelo bordado. Me llamaban «lindo», «nene»; pero pronto me hice demasiado grande para ellos. Entonces me regalaron al ama de llaves y bajé al sótano. Desde donde tú estás puedes ver el interior de la casa, la habitación donde yo era el amo, porque lo era en los dominios del ama de llaves. No hay duda de que era un lugar más húmedo que el de arriba, pero mucho más agradable. Allí no me veía acosado y golpeado por los niños. También estaba mejor alimentado que antes, ¡y comía mucho más! Tenía mi almohadón y una estufa para mí, que en esta época es lo más delicioso del mundo. En cuanto estaba encendida yo me deslizaba bajo ella y desaparecía. ¡Oh, aún sueño con esa estufa! ¡Guau, guau!

—¿Tan hermosa es una estufa? —preguntó el muñeco de nieve—. ¿Se parece a mí?

—¡Todo lo contrario! Es negra como el carbón, tiene un cuello largo y un horno de cobre. Come madera y el fuego le sale por la boca. Estar a su lado, muy junto a ella, o debajo, es un inmenso placer. Desde donde estás puedes verla por la ventana.

El muñeco de nieve miró y, en efecto, vio un objeto negro, muy pulimentado, con un horno de cobre. El fuego brillaba en su parte baja. El muñeco de nieve experimentó una sensación muy especial que no sabía explicar. Era un sentimiento que desconocía; pero que los hombres conocen cuando no son de nieve.

—Y ¿por qué la has abandonado? —preguntó al perro; creía que la estufa era un ser del género femenino—. ¿Cómo has podido dejar un sitio parecido?

—Me han obligado —respondió el can—. Me han echado fuera y me han puesto la cadena. Mordí al señorito más joven porque me quitó el hueso que roía. ¡Hueso por hueso!... Pero me lo tomaron a mal, y desde entonces estoy encadenado y he perdido mi voz. Fíjate lo ronco que estoy. ¡Guau, guau! Este fue el final.

El muñeco de nieve no le escuchaba ya. No dejaba de mirar al sótano del ama de llaves, donde se hallaba la habitación con la estufa, que se sostenía sobre sus cuatro patas y parecía tan grande como el mismo muñeco de nieve.

—Esa estufa me hace pensar —dijo—. ¿No entraré nunca allí? Se trata de un deseo inocente, y nuestros inocentes deseos deben realizarse. Es mi mayor deseo, mi único deseo, y sería casi una injusticia si no se realizara. Es preciso que entre, que me apoye en ella. ¿Deberé romper la ventana?

—No entrarás jamás —le dijo el perro encadenado—, y si te acercaras a la estufa, terminarías para siempre, morirías. ¡Guau, guau!

—Creo que me estoy acabando —dijo el muñeco de nieve—. Me parece que me parto en dos.

Durante todo el día el muñeco de nieve no apartó la vista de la habitación que se veía a través de la ventana. Al crepúsculo, aún se hizo más seductora. Estaba iluminada por la estufa con una dulzura, con una suavidad, que no tenía la luna, ni tampoco el sol. Solo la estufa puede alumbrar así cuando está encendida. Si se abría la puertecilla del hogar, la llama salía, porque era su costumbre. Flameaba, roja, en el blanco rostro del muñeco de nieve. El resplandor le corría hasta por el pecho.

—Yo no puedo poseer eso —dijo—. ¡Qué bien le sienta sacar la lengua!

La noche fue muy larga, pero no para el muñeco de nieve, que estaba tan embargado en sus encantadores pensamientos que crujían al helarse.

Hacia la mañana, las ventanas del sótano aparecieron llenas de escarcha. Poseían las flores de nieve más encantadoras que puede pedir un muñeco de nieve, pero ocultaban a la estufa. Los cristales no querían deshelarse, y el muñeco de nieve no podía contemplarla. La nieve crujía, los dientes castañeteaban. Era un tiempo que debía agradarle, mas no estaba contento. Hubiera podido y debido sentirse feliz, y no lo era. Le faltaba la estufa.

—Es una enfermedad muy triste para un muñeco de nieve —dijo el perro encadenado—. También yo he padecido un poco esa enfermedad; pero la he vencido, ¡Guau, guau!... Y ahora va a cambiar el tiempo.

Y, en efecto, el tiempo cambió. Vino el deshielo.

El hielo mermó; el muñeco de nieve mermó también. No dijo nada, no se lamentó, y esa era la mejor señal.

Una mañana apareció fundido. Una especie de palo de escoba clavado en el hielo se veía en el lugar donde el muñeco de nieve había estado. Los niños lo habían construido alrededor de eso.

—Ahora me explico sus sentimientos —se dijo el perro encadenado—. El muñeco de nieve ha tenido un rascador de estufa en su cuerpo, y era este rascador el que se agitaba dentro de él. Ahora ya desapareció. ¡Guau, guau!

El invierno también desapareció.

—¡Guau, guau! —ladró el perro encadenado, y las niñas de la casa cantaron:

Crece el lirio fresco, lindo y seductor,
y el saúco nos muestra sus flores de olor;
el cuco y la alondra cantan sin cesar,
pues la primavera empieza a llegar.
¡Oh cuco, oh alondra! Yo canto feliz.
El sol con sus rayos alumbra el jardín.

Y nadie pensaba ya en el muñeco de nieve.

LA CAMPANILLA DE LAS NIEVES

Era invierno. La temperatura, fría. El aire cortaba. Pero en el interior de las casas se estaba bien y caliente. La flor se hallaba guarecida en su cebolla, bajo la tierra y la nieve.

Un día llovió. Las gotas de agua atravesaron la capa de nieve, penetraron en la tierra, tocaron a la cebolla y anunciaron el mundo luminoso del exterior. Muy pronto el rayo de sol se abrió paso suavemente a través de la nieve, llegó hasta la cebolla y la cosquilleó.

—¡Entrad! —invitó la cebolla.

—No puedo —contestó el rayo de sol—. No tengo bastante fuerza para abrir. La tendré en verano.

—¿Cuándo llegará el verano? —preguntó la flor, y repitió la pregunta cada vez que un rayo de sol se filtraba hasta ella.

El verano estaba aún lejos. La nieve era dueña y señora de la tierra. Todas las noches el lago se helaba.

—¡Qué largo! ¡Qué largo! —exclamaba la flor—. Siento picores. Necesito estirarme, necesito abrirme, necesito salir. ¡Quiero saludar al sol! ¡Qué magnífico será ese día!

La flor se estiró dentro de la cebolla y dio contra la delgada envoltura que el agua del exterior había humedecido, que la tierra y la nieve habían abrigado, que el rayo de sol había cosquilleado. Creció, bajo la nieve, con un botón blanco verdoso en su tallo verde, con pequeños y gruesos pétalos que parecían querer protegerle. La nieve estaba fría, pero irradiaba luz y era fácil de atravesar. Los rayos de sol llegaban con más fuerza que antes.

—¡Sed bienvenida! —cantaba cada rayo.

Y la flor surgió, por encima de la nieve, a un mundo luminoso. Los rayos del sol la acariciaron y la besaron, de forma que la flor se abrió completamente blanca como la nieve y adornada con rayas verdes. Inclinó la cabeza llena de alegría y de humildad.

—¡Encantadora flor! —cantaron los rayos de sol—. ¡Cuán fresca y pura eres! ¡Eres la primera, eres la única! ¡Eres nuestro amor! Suenas a verano, al delicioso verano, que se extiende por campos y ciudades. ¡La nieve se fundirá, los fríos vientos desaparecerán! ¡Nosotros dominaremos! ¡Todo reverdecerá! Y tú tendrás compañía: lilas, citisos y rosas. Pero eres la primera, ¡tan elegante y pura!

¡Qué inmenso placer! Hubiérase dicho que el aire cantaba, que los rayos de luz penetraban en sus pétalos y en su tallo; la flor estaba allí, menuda y fácil de tronchar, aunque vigorosa en su juvenil belleza. Allí estaba vestida de blanco con rayas verdes, brillando al sol. Sin embargo, el verano aún estaba lejos, las nubes ocultaban el sol y los fuertes vientos soplaban sobre la flor.

—Has nacido un poco demasiado pronto —dijeron el viento y el huracán—. Nosotros somos aún los dueños del poder. Es preciso que lo sufras y te resignes a ello. Debiste permanecer bajo tierra y no salir y abrirte. Tu momento aún no ha llegado.

¡El frío era intenso! Siguieron días sin rayos de sol. Para una flor tan frágil como la campanilla, aquel tiempo era asesino. Pero poseía más fortaleza de la que creía. Era muy sólida la alegre fe que tenía en el sol próximo a llegar anunciado por el ardiente deseo que sentía de él y confirmado por la cálida luz, y resistía, vestida de blanco, con confiada esperanza, en medio de la nieve, inclinando la cabeza cuando los copos caían, densos y pesados, mientras los vientos glaciales le acariciaban con sus manos de témpano.

—¡Vas a romperte! —le decían estos—. Te secarás, te helarás. ¿Por qué has querido salir? ¿Por qué te has dejado tentar? ¡El rayo de sol te ha embaucado! ¡Es fácil engañarte, campanilla, con un simulacro de verano![7]

—«¡Ilusión de verano!» —repitió el viento en la gélida mañana.

—«¡Ilusión de verano!» —gritaron los niños que bajaron al jardín—. ¡Mirad! ¡Aquí hay una, grande y linda, la primera, la única!

Estas palabras causaron mucho bien a la flor; fueron para ella como ardientes rayos de sol. Era tal su alegría que no se dio cuenta de que la habían arrancado del tallo. Se hallaba en la mano de un niño y unos cálidos labios la besaban. La llevaron a una habitación de agradable temperatura; ojos dulces la miraron y la pusieron en un vaso con agua. Aquello fortificaba, vivificaba. La flor se creyó transportada de repente a pleno verano.

---

[7] El nombre danés de esta flor, *Sommergjaekke,* significa «ilusión de verano». *(N. del T.)*

La hija de los dueños de la casa era una muchachita muy simpática, que ya había hecho su primera comunión. Tenía un amiguito, que también había recibido ya la comunión, que trabajaba para ganarse la vida.

—Será mi campanilla, mi «ilusión de verano» —dijo la niña.

Y cogió la preciosa flor, la colocó en un trozo de papel perfumado, en el que estaban escritos unos versos, versos que hablaban de la flor y que empezaban por campanilla de las nieves y terminaban por campanilla de las nieves; «mi amiguito sé tú, mi ilusión de invierno», que se habían conocido aquel verano. Sí, todo eso lo decía la poesía, la cual fue enviada por carta, con la flor. Todo era oscuro a su alrededor, como cuando estaba dentro de la cebolla. La flor viajó en un pequeño saco postal, cerrado y precintado. Esto no era nada agradable. Pero también tuvo su fin.

Una vez terminado el viaje, la carta llegó a manos del querido amiguito, que la abrió y la leyó. Se puso muy contento, besó la flor y la guardó, envuelta en su papel, en un cajón que contenía cartas encantadoras, pero sin flor. La campanilla era la primera, la única, como ya habían dicho los rayos de sol, y para ella era una satisfacción cuando pensaba en eso.

Tuvo mucho tiempo para pensar en eso, y pensó durante el verano y durante el largo invierno, y ya era otra vez verano cuando salió del cajón. Pero, entonces, el joven no estaba contento. Cogió bruscamente los papeles y arrojó al suelo los versos. La flor cayó en la alfombra. Estaba seca y aplastada, pero eso no era razón para que la tiraran al suelo. Sin embargo, allí estaba mejor que en el fuego, donde las cartas y versos se habían convertido en llamas. ¿Qué había sucedido? Lo que ocurre frecuentemente. La flor se había burlado de él, era una broma. La joven se había burlado de él, esto no era una broma. En junio había elegido otro novio.

Durante la mañana el sol lució sobre la campanilla de las nieves aplastada, que parecía pintada en el suelo. La criada, al barrer, la recogió y la puso dentro de uno de los libros que estaban sobre la mesa, creyendo que se había caído al hacer la limpieza de la biblioteca. Y la flor se encontró en medio de versos, versos impresos, que son de más alta categoría que los manuscritos, por lo menos cuestan más dinero.

Pasaron muchos años. El libro continuaba en el estante de la biblioteca. Un día lo sacaron, lo abrieron y lo leyeron. Se trataba de un libro excelente: los poemas y canciones del poeta danés Ambrosio Stub, que vale la pena conocer.

Y el lector volvió la página.

—¡Vaya! Hay aquí una flor —dijo—. ¡Una campanilla de las nieves! Sin duda está aquí puesta con toda intención.

¡Pobre Ambrosio Stub! Él también fue una campanilla de las nieves, un poeta adelantado de la poesía. También él nació demasiado pronto para su época y por eso sufrió chaparrones y malos vientos. Frecuentó a los castellanos de Fionia y fue como la flor en el vaso de agua, como la flor en la carta en verso. ¡Campanilla de las nieves, farsa de invierno, broma y bufonada, y, sin embargo, el primero, el único, el poeta danés jugoso y joven! ¡Vamos, quédate como señal en el libro, campanilla de las nieves! ¡Ahí has sido puesta con toda intención!

La campanilla de las nieves volvió, pues, al libro y se sintió honrada y divertida al saber que serviría de señal en este encantador libro de canciones, y porque el que lo había escrito había sido también campanilla de las nieves, engaño de verano, risa de las gentes en invierno. La flor, por otra parte, comprendía esto a su modo, lo mismo que nos pasa a todos.

Tal es el cuento de la campanilla de las nieves.

LA CAMPANA

Por la tarde, en las estrechas calles de la gran ciudad, cuando el sol iniciaba su ocaso y las nubes brillaban como el oro por entre los tubos de las chimeneas, se oía de cuando en cuando un ruido extraño; parecía como el tañer de una campana de iglesia, pero solo se le oía un instante, porque el rodar de los coches y el ajetreo de las personas venía a perturbalo todo.

—Ya suena la campana de la tarde —decían—. Va a llegar la noche.

Los que circulaban por las afueras de la ciudad, donde las casas están más espaciadas, separadas por jardincillos y pequeños campos, veían el cielo del atardecer aún más bello, y oían el sonido de la campana mucho más fuerte. Era como un ruido procedente de una iglesia situada al fondo de la apacible y olorosa floresta. Y las personas miraban hacia ese lado y adquirían un aspecto de gravedad...

Pasó mucho tiempo, y todo el mundo se preguntaba:

—¿Es que hay una iglesia allá, en el bosque? Esta campana tiene un sonido muy especial, magnífico. ¿No sería mejor que llegáramos hasta allí y la viéramos de cerca?

Y los ricos partieron en coche; los pobres a pie. Pero el camino les pareció muy largo, y cuando llegaron a un grupo de sauces que crecían en la linde de los bosques, se sentaron y elevaron los ojos hacia las largas ramas. Se creyeron en plena floresta. El pastelero de la ciudad plantó allí su tienda, y vino otro después que levantó otra tienda y colocó una campana en lo alto de ella. Esta campana estaba embreada, a fin de que no se deteriorase a causa de la lluvia, y además no tenía badajo. Y cuando las gentes regresaron a sus casas, dijeron que la excursión había sido muy romántica, lo que significaba que había sido un plato de muy buen gusto para todos. Tres personas afirmaron que habían atravesado el bosque hasta el otro extremo y siempre habían oído el sonido de la campana, pero este parecía provenir, escuchando desde allí, de la ciudad. Uno de ellos compuso una canción sobre el caso y dijo que la campana sonaba como la voz de una madre que habla a su inteligente y querido hijito. El sonido de la campana era la más agradable de las melodías.

El emperador de la nación se interesó también por este sonido y prometió solemnemente que quien descubriera de dónde provenía recibiría el título de «campanero del mundo», aunque no tuviese campana.

Entonces, numerosas personas se dirigieron al bosque para obtener este magnífico puesto, pero solo una de ellas pudo dar una ligera explicación. Nadie había penetrado lo suficiente, ni él tampoco; pero dijo, sin embargo, que el sonido de la campana procedía de un gigantesco búho que habitaba en un árbol hueco. Era un búho inteligente que golpeaba continuamente su cabeza contra el árbol, pero no podía precisar todavía si el ruido provenía de la cabeza o del tronco hueco. Por tanto, fue nombrado campanero del mundo, y todos los años escribía un pequeño tratado sobre el búho. Pero no se sabía nada más.

Llegó el día de la confirmación. El sacerdote había hablado muy bien, con mucho entusiasmo. Los confirmados estaban emocionados. Para ellos se trataba de un día muy importante, porque los niños se convertían en hombres y el alma infantil parecía transferirse a un ser más razonable. Era un magnífico día de sol. Los confirmados salieron de la ciudad. Del bosque llegaba, extrañamente sonora, la voz de la gran campana misteriosa. Concibieron de pronto un enorme deseo de ir a la floresta. Todos estuvieron conformes excepto tres: una muchacha, que tenía que regresar a su casa para probarse su traje de baile, ya que era precisamente a causa de este vestido y de este baile por lo que ella había sido confirmada esta vez, pues sin él hubiera aplazado la ceremonia; el segundo era un muchacho pobre, que había pedido el traje y los zapatos para la confirmación al hijo de su amo y tenía que devolverlos a una hora determinada, y el tercero, dijo que él no iba jamás a un sitio nuevo sin que le acompañaran sus padres, que él había sido siempre un niño bueno y que continuaría siéndolo aún después de la confirmación, y que, por tanto, no tenían por qué burlarse de él... Sin embargo, no pudo evitar que así lo hicieran los otros.

Así, pues, faltaron aquellos tres. Los demás partieron a buen paso. El sol brillaba, los pájaros cantaban y los confirmados, cogidos de la mano, les hacían coro, ya que ellos no tenían aún una situación social: eran todos confirmados ante Nuestro Señor.

Sin embargo, muy pronto, dos de los más pequeños se sintieron cansados y se volvieron a la ciudad; dos niñitas se sentaron y trenzaron coronas, no avanzando más; y cuando los demás llegaron a los sauces donde estaba establecido el pastelero, dijeron:

—Bueno, ya hemos llegado. La campana no existe. Solo es algo que está en nuestra imaginación.

En este instante, de lo más profundo del bosque, se oyó el sonido de la campana, tan dulce y solemne, que cuatro o cinco jóvenes decidieron continuar avanzando un poco más dentro del bosque. Este era muy espeso, enmarañado y penoso de atravesar; las muguetes y las anémonas crecían demasiado altas, las lianas y las zarzas formaban largas guirnaldas suspendidas de árbol a árbol, el ruiseñor cantaba y los rayos de sol jugaban por entre las matas. ¡Oh, aquello era delicioso! Pero no era senda para las niñas, que no querían destrozar sus trajes. Existían allí gruesos bloques de piedras cubiertos de musgo de todos los colores. Se veía brotar el agua del fresco manantial, que decía en un murmullo: ¡Cluc, cluc, cluc!...

—¿Será acaso esto la campana? —preguntó uno de los jóvenes, el cual se tiró a tierra para escuchar—. Conviene averiguarlo.

Se quedó allí y dejó que los otros se alejaran.

Llegaron a una casa construida de corteza de árbol y troncos, sobre la que se inclinaba un enorme manzano silvestre, como si quisiera arrojar toda su riqueza sobre el tejado, en donde florecían las rosas. Las largas ramas caían sobre el aguilón, y de este aguilón pendía una campanita. ¿Sería ella la que se oía? Sí, todos estuvieron de acuerdo menos uno. Este afirmaba que la campana era demasiado pequeña para que se la pudiese oír desde tan lejos y que se necesitaban otros sonidos para emocionar tanto a un corazón humano. El que hablaba era hijo del rey, por lo que los otros dijeron:

—Un ser de tal categoría quiere ser siempre más inteligente.

Por tanto, le dejaron marchar solo, y a medida que avanzaba, su pecho se llenaba más y más de la soledad del bosque; sin embargo, aún oía la pequeña campana que tanto satisfacía a los otros, y por momentos, cuando el viento soplaba de la tienda del pastelero, oía también a los que cantaban mientras tomaban el té; pero los sonidos profundos de la campana sonaban más fuerte; pronto hubo como un acompañamiento de órgano. El ruido procedía de la izquierda, del lado del corazón.

Hubo un murmullo de hojas en la maleza, y un muchachito surgió ante el hijo del rey, un muchacho con zuecos y con un vestido tan corto, que las mangas casi no le llegaban a los puños. Se reconocieron mutuamente. El muchacho era precisamente aquel de los confirmados que no había podido marchar con todos porque tenía que regresar a su casa para devolver el traje y los zapatos prestados al hijo de su amo. Eso había hecho, y después, con los zuecos y las harapientas ropas, había partido solo, porque el sonido de la campana era tan intenso y tan grave, que no podía resistirlo.

—Pues bien, podemos continuar nuestra marcha juntos —dijo el hijo del rey.

Pero el confirmado pobre estaba todo confuso; se tiró de las mangas demasiado cortas de su chaqueta y dijo que sentía no poder caminar demasiado deprisa; además, creía que era preciso ir hacia la derecha para buscar la campana, ya que todo lo que procedía de ese lado era magnífico y soberbio.

—Entonces, no nos encontraremos más —dijo el hijo del rey, saludando con un gesto de su cabeza al muchacho pobre, que se metió por la parte más espesa del bosque, donde las espinas desgarraban sus ropas, su cara, sus manos y sus pies, que estaban teñidas en sangre.

El hijo del rey tuvo pronto algunas desgarraduras también, pero el sol brillaba en su camino, y es a él a quien vamos a seguir, porque era un muchacho muy osado.

—Yo quiero encontrar la campana —dijo—. Lo preciso, aunque tenga que llegar hasta el fin del mundo.

Los monos, que estaban en los árboles, le enseñaban los dientes:

—¿Vamos a destrozarle?... ¿Vamos a destrozarle? —decían—. Es hijo de un rey.

Pero él proseguía imperturbable su camino, introduciéndose más y más en el bosque, donde crecían las flores más maravillosas; allí había lirios estrellados con estambres rojo sangre, tulipanes azul cielo, que brillaban al viento, y manzanos con manzanas que tenían aspecto de gruesas y relucientes pompas de jabón. Ya podéis imaginaros cómo brillaban aquellos árboles a la luz del sol. Aquí y allá, en los más encantadores prados, donde sobre la hierba jugaban y correteaban cervatillos y cervatillas, crecían magníficos robles y hayas, y si la corteza de alguno de estos árboles estaba agrietada, la hierba y el musgo crecían en la fisura. Había también vastas extensiones de bosques con apacibles lagos, donde nadaban los cisnes y agitaban sus alas. El hijo del rey se detenía con frecuencia y escuchaba. Algunas veces creía que el sonido de la campana provenía de alguno de aquellos profundos lagos, pero se daba cuenta inmediatamente de que aquello no era posible, ya que el sonido llegaba de profundidades aún más lejanas de la floresta.

Y el sol empezó a declinar. El aire se aplacó, y todo se hizo más tranquilo y silencioso en el bosque. El hijo del rey cayó de rodillas y cantó su plegaria de la tarde y dijo:

—Jamás encontraré lo que busco. El sol desciende en el horizonte. Llega la noche, la sombría noche. Sin embargo, aún puedo contemplar el redondo disco solar enrojecido antes que se oculte por completo en las profundidades de la tierra. Me subiré sobre las rocas para verlo. Está a una altura mayor que los más altos árboles.

Y, agarrándose al musgo y a las raíces, trepó por las húmedas piedras, en donde se retorcían las serpientes de agua, y los sapos parecían croar al verle... Al fin, llegó a lo alto antes que el sol se ocultara, y visto desde ese sitio era de una grandeza deslumbradora. ¡Oh, cuánto esplendor! El mar, el inmenso y soberbio mar, que mandaba rodando hacia la costa sus ondulantes olas, se extendía ante él, y el sol era como un gran altar brillante, allí donde el cielo y la tierra se encuentran, fundiéndose en colores de fuego. El bosque cantaba, el mar cantaba y su corazón cantaba con ellos. Toda la Naturaleza era una enorme iglesia, en la que los árboles y las inmóviles nubes eran las columnas que la sustentaban, las flores y la hierba, la capa de terciopelo bordado, y el propio cielo, la gran cúpula. En la altura, los colores púrpuras desaparecieron cuando el sol se extinguió, pero millones de estrellas se encendieron, millones de lámparas de brillantes lucieron y titilaron entonces, y el hijo del rey tendió sus brazos hacia el cielo, hacia el mar, hacia el bosque..., y en ese momento, por la derecha, apareció, despacio, el muchacho pobre de los zuecos. Había llegado hasta allí, siguiendo su camino, tan rápidamente como el hijo del rey. Corrieron el uno hacia el otro y se estrecharon la mano en la gran iglesia de la Naturaleza y de la Poesía. Y por encima de sus cabezas repicaba la santa campana invisible, y espíritus bienaventurados revoloteaban alrededor de ella bailando al son de una alegre ¡aleluya!

LA ROSA MÁS BELLA DEL MUNDO

Érase una vez una poderosa reina que cultivaba en su jardín las flores más bellas de todas las estaciones del año y de todos los países de la tierra. Sin embargo, era a las rosas a las que amaba por encima de todas. Poseía de las más diversas especies, desde el rosal silvestre de pétalos verdes, que huelen a manzana, hasta la más espléndida rosa de Provenza. Crecían junto a los muros del castillo, rodeaban las columnas y las chambranas de las ventanas, entraban por los corredores y subían hasta el techo de todos los salones. Todas ellas poseían olor, forma y color diferentes.

Pero el dolor y la tristeza habitaban en el castillo. La reina se hallaba en su lecho, enferma, y los médicos aseguraban que iba a morir.

—Sin embargo, existe una oportunidad de salvación para la reina —dijo el más sabio de ellos—. Traedle la rosa más bella del mundo, la que es expresión del amor más noble y más puro. Si aparece ante sus ojos antes de que se apaguen, no morirá.

Jóvenes y ancianos llegaron de todas partes con rosas, las más bellas de todos los jardines, pero ninguna era la que buscaban. Era en el jardín del amor en donde había que arrancar la flor. Pero ¿qué rosa era la expresión del amor más puro y más noble?

Los poetas cantaron la rosa más bella del mundo, dándole cada uno un nombre. Se enviaron mensajes por todas partes a los corazones que palpitaban de amor; a gentes de toda condición y de cualquier edad.

—Nadie ha nombrado aún la flor —dijo el sabio—. Nadie ha señalado el lugar donde crece con todo su esplandor. No son las rosas del féretro de Romeo y Julieta, ni las de la tumba de Valborg, a pesar de que ellas poseen un perfume de leyenda y de canción; no son las rosas nacidas de las lanzas sangrientas de Winkelried, de la sangre que brota santamente del pecho del héroe muerto por la patria, aunque no exista muerte más dulce que esa, ni rosa más roja que la sangre vertida entonces. Ni tampoco la flor maravillosa que el hombre ha cultivado durante años, en sus largas noches de insomnio, por la cual, solitario, da su vida ardiente: ¡la rosa mágica de la ciencia!

—¡Yo sé dónde florece! —dijo una madre feliz que llegó con su niño a la cabecera de la reina—. Sé dónde se encuentra la rosa más bella del mundo. ¡La rosa que es la expresión del más noble y más puro amor, florece en las rojizas mejillas de mi hijito cuando, fortalecido por el sueño, abre los ojos y me sonríe con todo su amor!

—Esa rosa es bella, pero no la más bella —dijo el sabio.

—Sí; mucho más bella —dijo una de las mujeres—, yo la he visto. Ninguna rosa florece más santa ni más sublime, pero era pálida como los pétalos de la rosa de té. Yo la he visto en las mejillas de la reina. Se había despojado de su corona real y marchaba, en medio de la larga noche, dolorida, con su niño enfermo; lloraba sobre él, le besaba y dirigía a Dios la plegaria de una madre en su hora de mayor angustia.

—Santa y maravillosa por su poder es la rosa blanca del dolor, pero no es esa.

—No; la rosa más bella del mundo la he visto yo delante del altar del Señor —dijo el anciano y piadoso arzobispo—. La he visto, brillante como el rostro de un ángel. Las muchachitas se acercaban a recibir la comunión, a renovar sus votos bautismales, y sus frescas mejillas de rosas enrojecían y palidecían. Una jovencita que estaba allí elevaba los ojos hacia su Dios con una perfecta pureza de alma y con amor. ¡Era la expresión del amor más puro y más sublime!

—Bendito sea ese amor —dijo el sabio—, pero ninguno de vosotros habéis nombrado todavía la rosa más bella del mundo.

Entonces entró en la cámara un niño, el hijito de la reina. Sus ojos estaban llenos de lágrimas, que corrían por sus mejillas. Llevaba un gran libro abierto, encuadernado en terciopelo y con grandes broches de plata.

—Madre —dijo el pequeño—. Escucha, ¡oh!, lo que yo he leído.

Y el niño, sentado cerca del lecho, leyó en el libro la historia del que se condenó a sí mismo a morir en la cruz para salvar a todos los hombres de las generaciones futuras.

—No existe mayor amor.

Y un débil resplandor rosado apareció en las mejillas de la reina; sus ojos se agrandaron y brillaron, pues de las hojas del libro había visto elevarse la rosa más bella del mundo, imagen de aquella que surgió de la sangre de Cristo sobre el madero de la cruz.

—¡Ya la veo! —exclamó—. ¡Quien contemple esa rosa no morirá jamás, porque es la más bella de la tierra!

EL ÚLTIMO SUEÑO DE LA VIEJA ENCINA

En un bosque situado a la orilla del mar, en la parte más alta del acantilado, se alzaba una encina muy vieja, que tenía exactamente trescientos sesenta y cinco años, período que, a pesar de ser tan largo, tenía para el árbol un valor aproximado al que tiene para el hombre el mismo número de días. Nosotros estamos despiertos durante el día; dormidos por la noche, y es entonces cuando soñamos. Para el árbol todo ocurre de otra manera. Permanece despierto durante tres estaciones y solo duerme cuando llega el invierno. El invierno es la época del sueño; el invierno es su noche, después de la larga jornada que recibe los nombres de primavera, verano y otoño.

A lo largo de los calurosos días del estío, la efímera había danzado por encima de su copa, había vivido, volado, se había sentido feliz, y si esta personilla se posaba un instante, en pacífica beatitud, sobre una de las grandes hojas verdes de la encina, el árbol decía siempre:

—¡Pobrecita! Toda su vida es solo un día, ¡tan corta! ¡Es triste!

—¿Triste? —respondía siempre la efímera—. ¿Qué quieres decir con eso? Todo es tan claro, tan cálido, tan encantador... ¡Y yo estoy tan contenta!

—Pero nada más que un día, y todo acabó.

—¿Acabar? —preguntó la efímera—. ¿Y qué es acabar? ¿Has acabado tú también?

—No, yo viviré tal vez miles de millones de tus días, y mi día incluye todas las estaciones del año. Es tan largo, que tú no puedes calcularlo.

—No, porque no te comprendo. Tú posees millones de mis días, pero yo poseo millones de instantes de alegría y de felicidad. ¿Es que cesa todo este esplendor del mundo cuando tú mueres?

—No —replicó el árbol—. Continúa, sí; y dura un tiempo infinitamente más largo del que yo puedo imaginar.

—Pues bien: entonces estamos en el mismo caso, excepto que no tenemos la misma forma de contar.

Y la efímera bailó y se elevó en el aire, muy orgullosa de sus blancas y delicadas alas y de su fino aterciopelado, encantada del aire tibio que perfumaba el campo de tréboles y las flores del escaramujo, los saúcos y las madreselvas silvestres del seto, sin contar las muguetas, las primaveras y las hierbabuenas. Los efluvios eran tan penetrantes que la efímera se sentía un poco mareada. El día era largo y delicioso, lleno de alegría y de sensaciones exquisitas, y cuando el sol descendía, la mosquita se sentía siempre agradablemente fatigada de tanto placer. Sus alas no querían ya sostenerla; se tendía muy suavemente sobre la hierba, movía la cabeza con dulzura y se dormía. Era la muerte.

—¡Pobre efímera! —exclamaba la encina—. En verdad que es una vida muy corta.

Todos los días se repetían las mismas danzas, las mismas reflexiones y respuestas, el mismo sopor de la muerte. Se repetía durante generaciones de efímeras, todas las cuales se sentían satisfechas y contentas. La encina permaneció despierta su mañana de primavera, su mediodía de verano y su tarde de otoño. El momento de su sueño se aproximaba: el invierno estaba a punto de llegar.

Ya los huracanes cantaban:

—¡Buenas noches, buenas noches! ¡Ha caído una hoja! ¡Ha caído una hoja! ¡La recogeremos! ¡La recogeremos! ¡Prepárate a dormir! Nuestras canciones te acunarán; nuestras sacudidas te dormirán. Nuestras caricias agradan a tus viejas ramas, que crujen de placer. ¡Duerme, duerme bien! Es tu noche trescientas sesenta y cinco. En realidad, no eres más que un bebé de un año. ¡Duerme tranquila! La nube esparce la nieve. Todo está blanco como un sudario, buena colcha para tus pies. ¡Duerme en paz y que tus sueños sean agradables!

Y la encina fue despojada de todas sus hojas para que descansara durante el largo invierno, y soñó, soñó mucho, siempre sobre algún recuerdo, al igual que sueñan los hombres.

En tiempos remotos, ella también había sido pequeña y su cuna fue una bellota; según el cálculo de los hombres ya iba por el cuarto siglo; era el árbol más grande y más espléndido de todo el bosque, su copa dominaba la de los demás y se le veía desde lejos, en pleno mar, sirviendo de referencia a los barcos. ¡Ignoraba cuántos ojos le buscaban! Las palomas torcaces construían sus nidos en su alta y verde copa; el cuco cantaba allí, y en otoño, cuando las hojas tenían aspecto de placas de cobre machacadas, los pájaros migradores iban a posarse en ellas antes de emprender el vuelo por encima del mar; pero ahora estábamos en pleno invierno, el árbol estaba sin hojas y se podían ver los nudos y las tortuosidades de las ramas. Cuervos y chovas se posaban en ellas siguiendo un turno, y hablaban de los tiempos difíciles que se avecinaban. ¡Se pasaba tanto para encontrar de qué vivir en el invierno!...

Nos hallábamos justamente en los días santos de la Navidad cuando el árbol tuvo su sueño más delicioso. Escuchémoslo:

El árbol tenía la clara percepción de que se estaba en plena fiesta; le parecía oír el tañido de todas las campanas de los alrededores y, además, tenía la sensación de hallarse en plena jornada estival, encantadora, dulce y cálida. Lozana y verde, erguía su imponente copa. Los rayos de sol jugaban entre su fronda y sus ramas. El aire estaba saturado de perfume de hierbas y de plantas. Las mariposas multicolores se perseguían y las efímeras danzaban como si no existiese otra cosa que su placer y su danza. Todo cuanto el árbol había visto a través de los años pasaba ante él como una cabalgata de día de fiesta. Contempló a caballeros y a damas de otras épocas, montados a caballo, con penachos en los sombreros y halcones en las manos, atravesando el bosque, mientras resonaba el cuerno de caza y los perros ladraban. Vio a los soldados enemigos, dotados de brillantes armas y de abigarrados vestidos, portadores de lanzas y alabardas, plantar y deshacer sus tiendas de campaña. Admiró las llamas del fuego encendido por la guardia; oyó sus canciones y observó cómo dormían bajo sus ramas. Vio a los amantes citarse ante él las noches de luna y grabar las iniciales de sus nombres en la corteza gris verdosa. Cítaras y arpas eolianas habían sido colgadas de sus ramas, en tiempos remotísimos, por alegres compañeros de viaje, y descolgadas de nuevo para dejar oír sus agradables melodías. Las palomas torcaces arrullaron como si quisieran contar el efecto que eso producía al árbol y el cuco cantó también cuántos veranos debía vivir.

Ocurrió, entonces, como si una nueva corriente de vida se deslizara de abajo a arriba, desde las más profundas raíces a las ramas más altas, hasta la punta de las hojas. El árbol sintió que se estiraba y en sus raíces percibió cuán viva y cálida estaba la tierra; se dio cuenta de que sus fuerzas aumentaban y que crecía más y más. Su tronco estaba cada vez más alto y su copa se hacía más frondosa, se extendía, se elevaba... y, a medida que el árbol aumentaba de tamaño, su bienestar aumentaba también, al mismo tiempo que su inefable deseo de alcanzar siempre mayor altura, hasta llegar al brillante y ardiente sol.

Ya había sobrepasado las nubes, parecidas a un grupo de pájaros migradores o de cisnes blancos, que pasaban por debajo de él.

Y cada una de las hojas veía, como si tuviera ojos. Las estrellas se hicieron visibles a plena luz del día, grandes, deslumbrantes; todas brillaban como pares de ojos dulces y radiantes. Recordaban a tiernos ojos del pasado, ojos de niños, ojos de amantes, que se habían encontrado bajo el árbol.

Gozó un instante de exquisita alegría y, sin embargo, esta felicidad llevaba en sí un pesar, un deseo de ver a todos los otros árboles del bosque, que se extendían a sus pies; a todas las hierbas, plantas y flores elevarse también, gozar de este esplendor y de esta delicia. La magnífica encina, en el sueño de su magnificencia, no era completamente feliz si no podía tener a todos con ella, grandes y pequeños, y este sentimiento palpitaba en su ramas y en sus hojas, tan fuerte y tan profundo como en un pecho humano.

La copa del árbol se agitó como para buscar lo que le faltaba. Miró hacia abajo y, entonces, percibió el perfume de las reinas de los bosques, más penetrante que el de las madreselvas y el de las violetas, y creyó que podría oír al cuco responderle.

Sí. A través de las nubes surgieron las copas de los árboles del bosque. La encina vio, por debajo de ella, cómo crecían los otros árboles y se elevaban. Hierbas y plantas brotaron; varias se arrancaron con sus raíces y volaron más ligeras. El abedul fue el más rápido; como un relámpago blanco, su esbelto tronco subió crujiendo y sus ramas se agitaron como una gasa o una bandera verde. Todo el mundo del bosque, incluso la caña de plumas marrones, se elevó también y los pájaros siguieron el movimiento ascendente y cantaron, y en la brizna de hierba, que volteaba al azar como una larga cinta de seda verde, se hallaba posado el saltamontes, batiendo palmas con sus patas. Los abejorros y las abejas zumbaban; todos los pájaros cantaban. En el cielo no había más que canto y alegría.

—También deberían estar aquí la florecilla azul que crece al borde del agua, la campánula roja y la pequeña margarita —dijo la encina.

Sí, la encina quería tenerlas a todas.

—¡Aquí estamos! ¡Aquí estamos! —respondieron a coro.

—Pero las hermosas reinas de los bosques del verano pasado... no están; ni tampoco aquellas deliciosas muguetas del año anterior... ni el manzano silvestre, con lo precioso que era... ni ninguna de las flores que, al correr de los años, ¡de tantos años!, han cubierto de alegría el bosque... Si todos hubieran vivido hasta ahora, estarían aquí también.

—¡Aquí estamos! ¡Aquí estamos!

El coro resonaba aún más fuerte; las flores parecían haber volado en vanguardia.

—¡Oh, es increíble! ¡Es demasiado hermoso! —se extasiaba la vieja encina—. ¡Los tengo a todos! ¡A los grandes y a los pequeños! ¡Ni uno solo se ha olvidado! ¿Cómo es posible imaginarse una felicidad parecida?

—¡En el cielo todo es posible! —respondió el coro.

¡Y el árbol, que no cesaba de crecer, sintió que sus raíces se desprendían de la tierra.

—Esto es lo mejor de todo —dijo el árbol—. Ya no me retiene nada. Puedo volar hacia las alturas infinitas, hacia la luz y la gloria. Y tengo conmigo a todos aquellos a quienes amo, grandes y pequeños. ¡Todos!

—¡Todos!

Tal fue el sueño de la encina, y, mientras soñaba, un violento temporal se desencadenó en el mar y en la tierra durante la Nochebuena. El mar lanzaba enormes y terribles olas contra la costa, que invadieron la ribera; el árbol crujió y fue arrancado de raíz en el preciso momento en que soñaba que sus raíces se desprendían de la tierra. Y se derrumbó. Sus trescientos sesenta y cinco años fueron entonces como un día para la efímera.

A la mañana siguiente, cuando apareció el sol, el huracán había cesado. Todas las campanas repicaban alegremente y de las chimeneas, aun de las más humildes, se elevaba el humo azulado lo mismo que el humo del sacrificio y de la acción de gracias se elevaba del altar durante la fiesta de celebración del druida. El mar se tranquilizó y sobre un gran navío, que durante la noche había sufrido la tempestad, se izaron todos los pabellones en honor a la Navidad del Señor.

—¡El árbol ha desaparecido! La vieja encina, nuestra referencia en la costa —exclamaron los marineros—. Ha sido derribado durante el huracán de anoche. ¿Quién podrá reemplazarlo? ¡Nadie!

Tal fue la oración fúnebre del árbol —breve, pero muy sentida—, que ahora estaba tumbado sobre la alfombra de nieve, cerca de la costa. Y hasta él llegó el salmo cantado en el barco, en el que se ponía de manifiesto la alegría de la Navidad, la salvación de los hombres por Cristo y la vida eterna:

¡Eleva tu canto hasta el cielo, rebaño del Señor!
¡Aleluya! ¡Aleluya! En todo existe amor,
Gocemos de esta sin igual alegría.
¡Aleluya! ¡Aleluya! ¡Aleluya!...

Así decía el antiguo salmo, y los hombres del barco, cada cual a su manera, se sintieron extasiados con el salmo y la plegaria, de la misma forma que la vieja encina se sintió extasiada de su último y maravilloso sueño de la Nochebuena.

LA MUCHACHITA DE LOS FÓSFOROS

Hacía un frío espantoso. Nevaba y comenzaba a oscurecer. Era el último día del año, la víspera de Año Nuevo. En medio de este frío y de esta oscuridad, una muchachita marchaba por la calle con la cabeza al descubierto y los pies descalzos. ¡Oh, al salir de casa llevaba zapatillas, pero eran demasiado grandes! Su madre las había usado hasta el último momento, y la niña las había perdido al atravesar corriendo la calle, para no ser atropellada por dos coches que pasaron a toda velocidad. Una de ellas fue imposible encontrarla, y un muchacho corría con la otra en la mano, gritando que le serviría de cuna cuando tuviera hijos.

La muchachita avanzaba, pues, con los pies descalzos, que estaban amoratados por el frío. En un delantal llevaba unos cuantos fósforos y sostenía en su mano un paquete. Nadie le había comprado en todo el día; nadie le había dado ni un céntimo. Tenía hambre, estaba helada, su aspecto era lamentable. ¡Pobre pequeña! Los copos de nieve caían sobre sus largos cabellos dorados que, en forma de bucles, se posaban sobre sus hombros. Pero la niña no tenía tiempo para pensar en eso. Las luces brillaban en todas las ventanas, y un delicioso olor a pato asado se extendía por toda la calle. Porque era el último día del año. Y en eso sí que pensaba la nena.

En el ángulo formado entre dos casas se sentó y acurrucó. Plegó sus piernecitas bajo ella, pero el frío no la dejaba parar. No se atrevía a volver a su casa, porque no había vendido ni una caja de fósforos ni tenía un céntimo en el bolsillo. Su padre le pegaría. Además, en su casa también hacía mucho frío, porque solo tenían sobre ellos el tejado, y el viento soplaba hasta el interior, a pesar de la paja y de los trapos viejos que taponaban las grandes rendijas. ¡Oh, cuánto bien podría hacerle una cerilla! Si se atreviese a encender una sola de una caja, frotándola contra la pared, y calentarse los dedos... Sacó una y ¡riis! Chisporroteó como el fuego. ¡Cómo ardía! Era una llama cálida y clara, como si fuera una lucecita que rodeaba con su mano. ¡Era una luz magnífica! A la niñita le parecía que estaba sentada delante de una gran estufa de hierro, con patas y tubos de cobre. El fuego ardía deliciosamente, calentaba muy bien. Pero ¿qué pasaba?... La niña había alargado las piernas para calentarse los pies... cuando la llama se apagó. La estufa desapareció..., y la niña estaba con un fósforo quemado en la mano.

Encendió un segundo fósforo, que lució brillante, y todos los sitios adonde llegaba su claridad se hacían transparentes como un velo. La pequeña vio el interior de la sala, donde estaba puesta la mesa. El mantel era de una blancura deslumbrante, cubierto de fina porcelana. El pato asado humeaba lleno de ciruelas y manzanas, y —lo que aún fue más agradable— el pato saltó de la fuente, anduvo por el suelo con un cuchillo y un tenedor clavados y se acercó a la pobre niña. En ese momento, la cerilla se apagó y no se vio más que la oscura pared.

Entonces encendió otro fósforo, el tercero. Se encontró sentada bajo un soberbio árbol de Navidad. Era aún más grande y estaba mejor adornado que el que ella había visto, a través de la puerta de cristales de la casa del rico negociante, las Navidades pasadas. Millares de luces ardían sobre sus verdes ramas, y unas láminas de color, igual que las que adornaban los escaparates de las tiendas, la miraban. La pequeña alargó la mano..., y el fósforo se apagó. Las múltiples luces del árbol subieron más y más, y la niña se dio cuenta de que se habían convertido en estrellas titilantes, una de las cuales corrió y trazó un largo rayo luminoso en el cielo.

—Alguien se muere —dijo la pequeña.

Porque su abuela, la única persona que había sido buena con ella, pero que ya había muerto, le decía: «Cuando cae una estrella, un alma sube hasta Dios».

Encendió otra cerilla, frotándola contra la pared, y una claridad se extendió por todo su alrededor, en el centro de la cual estaba su abuelita, clara, brillante, dulce y amable.

—¡Abuelita! —gritó la niña—. ¡Oh, llévame contigo! Yo sé que te marcharás cuando el fósforo se consuma. ¡Desaparecerás como la estufa caliente, como el delicioso pato asado y como el bendito árbol de Navidad!...

Y encendió una tras otra todas las cerillas que estaban en el paquete. Quería retener a su abuelita. Los fósforos brillaban con tal claridad, que todo parecía más claro que en pleno día. Nunca había sido tan bella la abuelita, tan grande. Cogió a la niña por el brazo y volaron, soberbia y alegremente, alto, muy alto... Allí no hacía frío, ni había hambre, ni inquietud... ¡Estaban en la mansión de Dios!

A la mañana siguiente, en el frío rincón que formaban las dos casas, apareció sentada la pequeña con sus mejillas sonrosadas y la sonrisa en la boca... muerta, congelada por el frío de la última noche del año. La mañana de Año Nuevo se elevó sobre el pequeño cadáver sentado al lado de las cerillas gastadas... Dijeron:

—Ha tratado de calentarse...

Pero nadie supo jamás lo que ella había visto de bello, ¡con qué esplendor ella y su abuelita habían entrado en la alegría del Nuevo Año!

LA SIRENITA

En el fondo del mar, el agua es tan azul como los pétalos de la azulina y tan transparente como el más puro cristal. Pero este lugar está tan profundo que ningún ancla lo puede alcanzar. Se tendrían que colocar las torres de muchas iglesias unas encima de otras para poder ir desde el fondo hasta la superficie. Es ahí precisamente donde viven los tritones.

Pero no hay que pensar que en el fondo solo existe arena sin vegetación ninguna. No, allí crecen los más raros árboles y plantas de tallos flexibles y hojas que se agitan con el más leve movimiento del mar como si estuvieran vivas. Todos los peces, grandes y pequeños, se deslizan por entre las ramas igual que los pájaros lo hacen en el cielo. En la parte más profunda se encuentra el palacio del rey de los mares. Los muros son de coral y los apuntalados ventanales están hechos del ámbar más transparente. Pero el techo es una concha que se abre y se cierra con el fluir del agua. El efecto es maravilloso ya que en cada concha hay una hermosa perla, que cualquier reina desearía llevar en su corona.

Durante muchos años el rey de los mares había permanecido viudo, y su anciana madre se había ocupado de él. Esta era una mujer muy sabia y tan orgullosa de sus orígenes reales que llevaba siempre doce ostras prendidas de su cola. El resto de los nobles con similares ancestros tenían que conformarse con poder llevar solo seis. Además, era digna de elogio sobre todo por el amor que sentía por las princesitas, sus nietas. Tenía seis encantadoras niñas, aunque la más joven de todas era la más hermosa. Su piel era tan suave y tersa como los pétalos de rosa. Sus ojos eran tan azules como las profundidades del mar. Pero como todas sus hermanas, no tenía piernas. Su cuerpo terminaba en una cola de pez. Durante todo el día podían jugar en los grandes salones del palacio, donde crecían flores en el exterior de los muros. Los ventanales de ámbar estaban siempre abiertos y los peces entraban, nadando, dentro del palacio, igual que lo hacen las golondrinas cuando abrimos las ventanas de nuestras casas. Pero los peces se acercaban a las princesas, comían de su mano y se dejaban amaestrar como si fueran sus mascotas.

Fuera del palacio había un gran jardín con árboles de un rojo tan intenso como el fuego y tan azules como la noche. Los frutos brillaban como el oro y las flores parecían llamas centelleantes, pues los tallos y hojas estaban siempre en movimiento. El suelo era de la arena más fina, pero también tan azul como el azufre ardiendo. Un extraño brillo azulado envolvía todo lo que había allí abajo. Daba la impresión de estar en lo más alto, rodeado por el cielo azul en lugar de estar en lo más profundo del mar. Con el mar en calma total se podía vislumbrar el sol: parecía una flor púrpura de cuyo cáliz manaba la luz.

Cada una de las princesitas tenía su pequeño terreno en el jardín, donde podía plantar lo que quisiera. Una dispuso las flores en forma de ballena. Otra prefirió que las suyas parecieran una sirenita. Pero la menor de todas solo plantó flores redondas como el sol y que desprendieran un color rojo, a semejanza de aquel.

Era una niña extraña, callada y pensativa, y mientras sus otras hermanas decoraban sus jardines con los objetos más originales que encontraban en barcos hundidos, lo único que ella tenía, además de sus flores rojas como el sol, era una bella estatua de mármol. Era un bello joven, tallado en piedra blanca, que había llegado hasta allí en un naufragio. Al lado del pedestal la sirenita plantó un sauce llorón de color rojo. Crecía con toda su magnificencia y sus ramas rodeaban la estatua y se extendían por el fondo de la arena azulada, dando una sombra de color violeta que se movía como lo hacían las ramas. Parecía como si la copa del árbol y las raíces jugaran a besarse.

Nada le gustaba más a la princesita que oír cosas sobre el mundo de los mortales que vivían en la superficie. Su abuela le tenía que contar todo lo que sabía sobre barcos y ciudades, sobre los mortales y los animales. A ella le parecía extraordinario el que las flores de la tierra desprendieran una fragancia, cosa que no ocurría en el mar, y que los bosques fueran verdes y que los peces que se veían entre las ramas pudieran cantar tan alto y tan melodiosamente que produjeran placer al que allí estaba. Lo que su abuela llamaba peces eran los pajaritos, ya que de otro modo las princesitas no le habrían entendido: nunca habían visto un pájaro en su corta vida.

—Cuando tengáis quince años —dijo la abuela—, podréis subir a la superficie, sentaros en las rocas y mirar cómo los barcos salen a navegar. Veréis también los bosques y las ciudades.

Al año siguiente la primera de las hermanas tendría quince años, pero las otras eran cada una un año menor que la anterior, así que a la más pequeña todavía le quedaban cinco años hasta que pudiera subir a la superficie del mar y descubrir nuestro mundo.

Pero cada una prometía al resto contar lo que vieran en ese primer día y lo que le había parecido la cosa más maravillosa, ya que su abuela no les había dicho todo y les quedaba mucho por descubrir.

Ninguna ansiaba tanto ese momento como la más joven, la que debía esperar más y la más callada y pensativa. Muchas noches se quedaba mirando por la ventana a través del oscuro azul del mar donde los peces agitaban sus colas y aletas. Podía divisar la luna y las estrellas. Con seguridad brillaban ligeramente, pero a través del agua parecían mucho más grandes de lo que son a nuestros ojos. Era como si una sombra negra se deslizara despacio debajo de ellas. Y entonces se percató de que había una ballena que nadaba sobre ella o quizá fuera un barco con muchos mortales a bordo. Nunca podrían estos imaginar que tenían justo debajo una pequeña sirenita, que alargaba sus blancas manos hacia la quilla.

Llegó el día en que la mayor de las princesas cumplió quince años y se le permitió subir a la superficie. Cuando regresó, tenía cientos de cosas que contar. Pero lo más maravilloso de todo, dijo, era tumbarse sobre la arena bajo la luz de la luna con el mar en calma y observar la gran ciudad cercana a la costa, donde las luces relucían como cientos de estrellas, y escuchar la música y el ruido de los carruajes y de los mortales, ver los campanarios y las torres de las iglesias y oir dar la hora al carrillón. Y precisamente porque la más joven de las princesas aún no podía subir a la superficie, era la que más lo deseaba. En aquel momento la sirenita solo escuchaba. Pero más tarde, por la noche, cuando miraba por la ventana y alzaba la vista a través del oscuro azul del mar, soñaba con la gran ciudad y sus sonidos, con sus gentes, y entonces le parecía que podía oír el tañir de las campanas de las iglesias que tocaban para ella.

Al año siguiente, la segunda hermana subió a la superficie y pudo nadar donde ella así deseó. Ascendió justo en el momento en el que el sol se estaba poniendo, y lo encontró hermosísimo. Todo el cielo parecía de oro, dijo, y de las nubes no podía describir toda su belleza. Se movían sobre ella, con sus colores violeta y carmesí, pero más rápido que las nubes, como un velo blanco, o como una bandada de cisnes que nadasen en el agua hacia el sol. La princesita nadó hacia él, pero el sol se hundió y el brillo rojizo se apagó en el mar y en las nubes.

Al año siguiente la tercera hermana subió. Era la más valiente de todas, así que decidió nadar remontando la corriente de un río muy caudaloso que desembocaba en el mar. Pudo ver hermosas colinas verdes cubiertas de viñedos, castillos y granjas que se vislumbraban entre los frondosos bosques. Escuchó el canto de los pájaros, y el sol brillaba con tal intensidad que tuvo que sumergirse en el agua para refrescar su cara ligeramente quemada. En una pequeña bahía se encontró con un grupo de niños. Estaban casi desnudos y corrían y se salpicaban con el agua. La sirena quiso jugar con ellos, pero al verla huyeron aterrorizados. Y en ese momento apareció un animal negro. Se trataba de un perro, pero ella no había visto ninguno antes. Ladró tan ferozmente que huyó atemorizada hacia el ancho mar. Pero nunca podría olvidar los espesos bosques, las verdes colinas y los encantadores niños que eran capaces de nadar en el agua a pesar de no tener colas de pez.

La cuarta hermana no era tan valiente. Se quedó en medio del ondulante mar y para ella eso fue lo mejor de todo. Pudo ver muchas millas a su alrededor y el cielo que parecía una gran cúpula de cristal.

Antes había visto barcos pero muy muy lejos. Eran como gaviotas, con los graciosos delfines saltando en el aire y las enormes ballenas lanzando agua por sus narices, como si tuviera cientos de fuentes a su alrededor.

Llegó el turno de la quinta hermana. Su cumpleaños era en invierno, por lo que pudo ver cosas que el resto de las hermanas no habían visto. El mar estaba de un color verdoso, y los enormes icebergs flotaban alrededor. Cada uno parecía una perla, dijo, aunque eran de un tamaño mucho mayor que los campanarios de las iglesias de los mortales. Adoptaban las formas más extrañas y brillaban como diamantes. Se sentó en uno de los de mayor tamaño, y todos los barcos pasaban aterrorizados al lado de donde ella se encontraba con su larga cola agitándose con la brisa. Pero al atardecer el cielo se cubrió de nubes. Los relámpagos destellaban en el cielo y los truenos retumbaban mientras el negro mar elevaba a los icebergs, que brillaban con los destellos de luz. Se arriaron las velas de todos los barcos y los marineros se mostraban ansiosos y asustados. Pero ella seguía sentada apaciblemente en su iceberg, observando los luminosos rayos azules zigzagueando en el mar.

Cada vez que una de las hermanas subía a la superficie del mar por primera vez, quedaba fascinada por las maravillas que veía. Pero una vez que, ya mayores, se les permitía hacerlo siempre que así quisieran, ya no les interesaba más. Echaban de menos su hogar. Y después de un mes afirmaron que era más hermoso el lugar donde vivían y que su casa era lo mejor de todo.

Muchas tardes, las cinco hermanas subieron juntas hasta la superficie. Tenían unas bellas voces, más dulces que las de los mortales, y siempre que estallaba una tormenta y pensaban que un barco podría naufragar, nadaban hacia la embarcación y cantaban con una voz melodiosa sobre las maravillas de las profundidades del mar y sobre el hecho de que ningún marinero debía temer bajar al fondo. Pero estos no podían entender lo que ellas decían. Creían que era la tormenta. Ni podían ver las maravillas de las profundidades, pues cuando el barco se hundía, los mortales perecían y llegaban ya cadáveres al palacio del rey de los mares.

Cuando al atardecer las hermanas subían a la superficie, la más pequeña se quedaba muy sola, observándolas como si estuviera a punto de llorar. Pero la sirenita no tenía lágrimas, así que ella sufría mucho más.

—Oh, si tuviera quince años —decía—, sé que amaría ese mundo y a los mortales que viven en él.

Y finalmente, llegó el momento en el que cumplió quince años.

—Ves, ¡ahora llegó tu turno! —le dijo su abuela, la anciana reina madre—. Ven, deja que te adorne como al resto de tus hermanas.

Y le colocó una guirnalda de lilas blancas en su pelo. Pero cada pétalo era media perla. La anciana reina tenía además ocho ostras que se adherían fuertemente a la cola de la princesa que ascendiera a la superficie.

—Duele mucho —dijo la sirenita.

—Sí, debes sufrir un poco para estar hermosa —le contestó la anciana reina.

Oh, qué feliz sería si pudiera quitarse toda esa magnificencia, despojarse de la pesada guirnalda. Las flores rojas de su jardín eran más apropiadas para ella, pero no se atrevió a hacer aquello que pensaba.
—Adiós —dijo y subió con la facilidad de una burbuja en el agua.

El sol acababa de ponerse cuando la sirenita sacó la cabeza fuera del agua, pero las nubes todavía brillaban como rosas y oro, y en el centro del cielo rosáceo el lucero de la tarde brillaba con fuerza y hermosura. El aire era fresco y apacible, y el mar estaba tan transparente como el cristal.

A lo lejos había un gran barco de tres mástiles. Solo una de las velas estaba izada, ya que no soplaba viento, y los marineros estaban sentados en las cuerdas y mástiles. Había música y cánticos, y en cuanto la oscuridad creció, cientos de luces de colores se encendieron.

Parecía como si las banderas de todas las naciones ondearan al viento. La sirenita nadó hacia el ojo de pez de la cabina y cada vez que el agua la elevaba, podía ver a través del cristal a numerosos mortales elegantemente vestidos. El más apuesto de todos ellos, sin ninguna duda, era un joven príncipe, que tenía dieciséis años. Era justamente su cumpleaños y este el motivo por el que se celebraba la fiesta. Los marineros bailaban en cubierta y cuando el joven príncipe salió, más de un centenar de cohetes se elevaron por el cielo. Brillaban tan fuertemente como el día, y la sirenita se asustó y se zambulló bajo el agua.

Pero pronto volvió a sacar la cabeza, y entonces tuvo la sensación de que todas las estrellas del cielo caían sobre ella. Nunca antes había visto fuegos artificiales. Enormes soles giraban, magníficos peces llameantes nadaban en el mar azul, y todo se reflejaba en el mar en calma. El barco estaba tan iluminado que se podía distinguir cada una de las cuerdas, cada uno de los mortales. ¡Oh, qué hermoso era el príncipe! Estrechaba la mano de todos los presentes y reía mientras la noche se llenaba de música.

Se hizo tarde, pero la sirenita no podía apartar sus ojos del barco y del apuesto príncipe. Las luces multicolores se apagaron. Los cohetes no se elevaron más por el cielo, no hubo más salvas de los cañones. Pero en lo profundo del mar se produjo un estruendo. Durante todo el tiempo ella había permanecido sentada, subiendo y bajando con el movimiento del agua, y así pudo ver el interior del camarote. Pero ahora el barco navegaba a más velocidad, y las velas, una tras otra, eran izadas y extendidas. Las olas eran más violentas, grandes nubes aparecieron y en la distancia podían verse relámpagos. ¡Oh, iba a desatarse una terrible tormenta! Los marineros recogieron las velas. El barco se sacudía violentamente en el furioso mar. El agua se elevaba como enormes montañas blancas que quisieran arrancar el mástil, y el barco se hundía como un cisne entre las altas olas y se dejaba elevar de nuevo por el tortuoso agua.

A la sirenita le agradó que aumentara la velocidad, pero los marineros no pensaban lo mismo. El barco crujió y se resquebrajó y las débiles tablas se doblaron bajo el fuerte viento. Las olas se lanzaban contra el barco, el mástil se partió por la mitad como un junco, y el barco se volteó sobre sí mismo mientras el agua entraba así en su presa. La sirenita se dio cuenta de que estaban en peligro. Incluso ella tenía que tener cuidado con los trozos de madera del naufragio que flotaban en el agua. Por un momento estaba tan oscuro que no podía ver absolutamente nada a su alrededor, pero cuando brillaba algún relámpago, se hacía una luz tan intensa que de nuevo podía distinguir a todo el mundo en el barco. Estaban confusos y luchaban por salvar sus vidas. Buscó al joven príncipe con la mirada y mientras el barco se hundía, vio como el príncipe se sumergía en las aguas. Al principio se alegró, pues pensó que así podrían ir juntos a las profundidades. Pero entonces recordó que los mortales no podían vivir en el fondo del mar y que solo muerto podría llegar al palacio de su padre. No, ¡no debía morir! Así que nadó entre los trozos de madera y travesaños que flotaban en el mar, olvidando que podían golpearla. Se zambulló en las profundidades y volvió a subir entre las olas, hasta que encontró al fin al joven príncipe, que casi no podía nadar en el tortuoso mar. Sus brazos y piernas estaban débiles y sus bellos ojos permanecían cerrados. Habría muerto de no ser por la sirenita. Sujetó su cabeza por encima del agua y dejó que las olas les arrastraran.

A la mañana siguiente la tormenta había amainado. Del barco no quedaba ni rastro. El sol, surgido del mar, brillaba. Era como si trajera vida a las mejillas del príncipe, pero sus ojos seguían cerrados. La sirenita besó su hermosa frente y echó hacia atrás su mojado cabello. Pensó que se parecía a la estatua de mármol que tenía en su pequeño jardín. Le besó de nuevo y deseó que viviera. Vio la tierra delante de ella, las altas montañas azuladas con las cumbres cubiertas de nieve blanca que brillaban como si allí mismo hubiera cisnes. Al lado de la costa había frondosos bosques, y más allá, una iglesia o un convento, no estaba muy segura, pero sabía que era un edificio. En el jardín crecían naranjos y limoneros, y delante de la puerta se veían altas palmeras. El mar había formado una tranquila bahía, aunque de mucha profundidad en toda su extensión, llegando hasta la roca donde la blanca y fina arena había sido llevada hasta la orilla. La sirenita nadó con el hermoso príncipe y le dejó en la arena. Se aseguró de que su cabeza se alzara con el brillar del sol.

Las campanas repicaban en el edificio blanco, y muchas jóvenes salían por las puertas hacia el jardín. Entonces, la sirenita nadó detrás de unas grandes rocas que sobresalían fuera del agua, con su pelo y pecho cubiertos por la espuma del mar para que nadie pudiera ver su pequeña cara mientras que observaba a aquel que descubriría al desafortunado príncipe. No pasó mucho tiempo hasta que una joven se acercó hasta el lugar donde este estaba. Por un momento pareció muy asustada. Fue en busca de más mortales y la sirenita vio que el príncipe se reanimaba y sonreía a aquellos que le rodeaban. Pero no le sonrió a ella, pues no sabía que era la que le había salvado. La sirenita se sintió desgraciada. Y cuando el príncipe fue conducido al interior del gran edificio, se sumergió llena de tristeza hacia el fondo del mar y se dirigió al palacio de su padre.

Siempre había sido una sirenita silenciosa y pensativa, pero ahora lo era más que nunca. Sus hermanas le preguntaron sobre lo que había visto en su primera ascensión, pero no les contó nada. Muchas mañanas y atardeceres nadaba a la superficie, hacia el lugar donde había dejado al príncipe. Vio que las frutas maduras del jardín ya se habían recolectado. Vio que la nieve de las montañas se había derretido. Pero no vio al príncipe, así que cada vez regresaba más entristecida. Su único consuelo era sentarse en su pequeño jardín y rodear con sus brazos a la estatua de mármol que le recordaba al príncipe. Pero no cuidaba ya de sus flores. Como en una jungla, crecían inundando los senderos, con sus largos tallos y hojas entrelazadas con las ramas de los árboles hasta que lograron oscurecer el lugar.

Al final no pudo soportarlo más y se lo contó a una de sus hermanas. Y entonces el resto lo descubrieron, pero nadie más, aparte de otras cuantas sirenas, que no se lo contaron a nadie excepto a sus más íntimas amigas. Una de ellas conocía al príncipe. También había visto la fiesta en el barco y sabía la procedencia del príncipe y el lugar en el que se encontraba su reino.

—Ven, hermanita —dijeron las otras princesas.

Y abrazadas por los hombros subieron todas a la superficie formando una larga fila frente al lugar donde se encontraba el castillo del príncipe. Este estaba construido con una piedra amarillenta y brillante, con grandes escalinatas, una de las cuales conducía directamente al agua. Magníficas bóvedas doradas se elevaban sobre el techo, y entre los pilares que rodeaban toda la construcción había estatuas de mármol que parecían tener vida propia. A través de las bellas cristaleras de las altas ventanas se podía ver el interior de los bellos salones, donde lujosas cortinas de seda y tapices colgaban de los muros, todos ellos adornados con grandes pinturas que eran un enorme placer para la vista. En el centro de un gran salón había una fuente. Desprendía flujos de agua hacia la bóveda del techo, a través de la cual el sol se reflejaba en el agua, y las más bellas plantas crecían en un gran estanque.

Ahora ya sabía dónde vivía el príncipe, y muchas noches hasta allí se dirigía. Nadaba muy próxima a la orilla, más que ninguna otra se había atrevido nunca a hacerlo. Seguía la dirección del pequeño canal, bajo el magnífico balcón de mármol que proyectaba una gran sombra en el agua. Allí se sentaba y observaba al joven príncipe, que se creía solo bajo la luz de la luna. Muchos atardeceres le había visto navegar al son de una bella melodía en un magnífico barco con las banderas ondeando.

La sirenita miraba entre los verdes juncos y el viento movía su largo y plateado velo. El príncipe, al igual que cualquiera que la viere, creía que era un cisne extendiendo sus alas. Muchas noches, cuando los pescadores lanzaban sus redes a la luz de una antorcha, les oía contar bondades sobre el príncipe que ella había salvado cuando su cuerpo, casi sin vida, era arrastrado por las olas. Y entonces recordaba el momento en el que tan febrilmente le había besado. Él no tenía ni idea de aquello, ni podría haber pensado en ella ni una sola vez.

La sirenita crecía sintiendo cada vez más admiración por los mortales, deseando cada vez más poder estar entre ellos. Pensaba que su mundo era más extenso que el suyo. ¿Por qué? Ellos podían volar sobre el mar en barcos y escalar montañas que estaban más altas que las nubes, y sus tierras con bosques y campos se extendían más allá de donde su vista alcanzaba a ver. ¡Quería descubrir tantas cosas! Como sus hermanas no tenían respuesta para todo, preguntó a su anciana abuela ya que ella conocía bastante bien el mundo de la superficie, que acertadamente denominaba «las tierras sobre el mar».

—Si los mortales no se ahogan —preguntó la sirenita— ¿viven para siempre? ¿Mueren igual que lo hacemos nosotros bajo el mar?

—Sí —dijo la reina—, deben también morir, y su vida es mucho más corta que la nuestra. Nosotros podemos vivir trescientos años, pero cuando dejamos de existir, nos transformamos en espuma bajo el agua. No tenemos alma inmortal, no tenemos otra vida. Somos como los juncos verdes: una vez que se cortan nunca pueden recuperar su color. Los mortales en cambio, tienen un alma que vive eternamente una vez que el cuerpo se ha transformado en polvo. Asciende por el aire hasta las brillantes estrellas. Igual que subimos a la superficie del mar y vemos la tierra de los mortales, ellos también ascienden hasta lugares desconocidos que no veremos nunca.

—¿Por qué nosotros no tenemos un alma inmortal? —preguntó la sirenita tristemente—. Daría de buen grado todos mis cientos de años solo por ser mortal por un día y poder compartir el mundo de los cielos.

—No debes pensar en eso —dijo la anciana reina—. Somos mucho mejores que los mortales de la superficie.

—También moriré y flotaré como espuma sobre el mar, no oiré la música de las olas o veré las bellas flores y el rojo sol. ¿Habría algo que pueda hacer para tener un alma inmortal?

—No —dijo la reina—. Solo si un mortal se enamorase perdidamente de ti y te amara más que a sus padres, solo si estuvieras en todos sus pensamientos y si se sintiera tan unido a ti que dejara que un sacerdote pusiera su mano derecha sobre la tuya con un juramento de amor eterno, solo entonces su alma pasaría a tu cuerpo, y tu podrías compartir la felicidad de los mortales. Te daría un alma y mantendría la suya. Pero esto nunca puede suceder. Lo que aquí debajo es bello, tu cola de sirena, ahí arriba lo encontrarían monstruoso. No conocen nada mejor. En la superficie hay que tener dos toscos palos, que ellos llaman piernas, para ser bello.

La sirenita suspiró y miró con tristeza su cola de pez.

—Conformémonos —dijo la reina—. Disfrutaremos y nos divertiremos en los trescientos años que nos tocan vivir. Es mucho tiempo. Tras esto uno puede descansar apaciblemente en su tumba incluso más tiempo. Esta noche tenemos un baile en palacio.

No, este esplendor no podría verse en la tierra. Los muros y los techos del gran salón eran de un fino y transparente cristal. Varios cientos de conchas gigantes, rosáceas y verdes como la hierba, se agolpaban en hileras a cada lado con una llama azul, que iluminaba todo el salón y el exterior de los muros, por lo que el mar se veía muy brillante. Se podían ver los muchos peces que nadaban hacia el muro de cristal. En algunos de ellos, las escamas brillaban de color púrpura, en otros parecía como si fueran de plata y oro. En el salón de baile fluía una fuerte corriente, y en ella los tritones y las sirenas danzaban al son de la música de sus propias canciones. Ningún mortal tenía una voz tan bella. La sirenita tenía la mejor de todas, y el resto de sirenas la aplaudían. Y por un momento su corazón se llenó de alegría, porque sabía que tenía la más bella voz de la tierra y del mar. Pero enseguida volvía a pensar en el mundo que estaba sobre su cabeza. No podía olvidarse del apuesto príncipe. Y su pena crecía por no tener un alma inmortal como él. Salió del palacio de su padre sin que nadie se diera cuenta, y mientras dentro todo era felicidad y música, ella se sentó tristemente en su pequeño jardín. Entonces oyó a través del agua el sonido de un cuerno y pensó: «Ahora está navegando ahí arriba el que amo más que a un padre o una madre, el que está en todos mis pensamientos y en cuya mano pondría toda mi felicidad. Arriesgaría todo para tenerle a él y un alma inmortal. Visitaré a la bruja del mar. Siempre he tenido miedo de ella, pero quizá me pueda aconsejar y ayudar».

La sirenita salió del jardín hacia los furiosos remolinos donde vivía la bruja. Nunca antes había seguido ese camino. Allí no crecían ni flores ni plantas. Solamente el fondo desolado, arenoso y gris que se extendía delante hacia los remolinos que, al igual que enormes ruedas de molino, arrastraban todo lo que encontraban a su paso y lo llevaban consigo a las profundidades. Tenía que pasar entre estos dos remolinos para poder entrar en el reino de la bruja, y durante un largo trayecto no había otro camino por el que pasar salvo lodo ardiente y burbujeante, un lugar al que la bruja del mar llamaba su turbera. Detrás se encontraba su casa, justo en medio de un bosque misterioso.

Todos los árboles y matorrales eran pólipos, seres polimórficos mitad animales, mitad plantas. Parecían cientos de serpientes con cabeza saliendo de la tierra. Las ramas eran brazos delgadísimos con dedos sinuosos como gusanos, que juntos se movían desde las raíces hasta la parte más alta. Todo aquello que querían apropiarse lo rodeaban con sus brazos y no lo soltaban. Aterrorizada, la sirenita se quedó fuera del bosque. Su corazón retumbaba de miedo. Casi volvió sobre sus pasos, pero entonces pensó en el príncipe y en su alma inmortal, y eso le infundió valor. Se recogió el pelo para que los seres polimórficos no pudieran agarrarla. Cruzó las manos sobre su pecho y comenzó a nadar, al igual que los peces pueden hacerlo, entre los repugnantes pólipos que alargaban sus brazos y dedos hacia ella. Vio el lugar en el que cada uno de ellos tenía lo que había atrapado. Cientos de pequeños brazos los retenían como barrotes de hierro. Hileras de huesos de humanos que se habían ahogado en el mar y habían llegado hasta allí, salían de los brazos de estos seres. Sostenían con firmeza timones y cofres de barcos, esqueletos de animales terrestres, y lo más terrorífico de todo, una pequeña sirena que habían capturado y estrangulado.

Llegó hasta una estrecha y larga abertura en el bosque donde enormes serpientes marinas jugueteaban, mostrando sus horribles estómagos amarillentos. En el centro del claro se había construido una casa de huesos de humanos muertos en un naufragio. Allí estaba la bruja del mar, dejando que un sapo comiera de su boca, al igual que los mortales dan de comer azúcar a los canarios. Llamaba a las enormes y odiosas serpientes de agua sus pollitos y les permitía tumbarse sobre su gran pecho esponjoso.

—Sé lo que quieres —dijo la bruja del mar—. Sería estúpido si lo hicieras. Sin embargo, tendrás lo que deseas, aunque te traerá desgracia, mi encantadora princesa. Quieres deshacerte de tu cola de pez y tener dos piernas para andar, como los mortales, para que el joven príncipe se enamore de ti y puedas conseguir un alma inmortal y a él.

Fue entonces cuando la bruja del mar dejó salir una carcajada tan horrenda que el sapo y las serpientes de agua calleron al suelo y se retorcieron.

—Has venido justo a tiempo —dijo la bruja—. Mañana, después de que salga el sol, no podré ayudarte hasta dentro de un año. Te prepararé una poción, y después de que salga el sol te la llevarás y nadarás a la tierra, te sentarás en la orilla y la beberás. Tu cola se dividirá y se reducirá a lo que los mortales llaman piernas. Pero es doloroso. Es como si te cortaran con una afilada espada. Todo el que te vea dirá que eres la joven más encantadora que hayan visto. Tendrás gracia en tus movimientos. Ningún bailarín danzará como tú, pero cada paso que des será como pisar sobre cuchillos afilados, por lo que tu sangre fluirá. Si estás dispuesta a sufrir todo esto, te ayudaré.

—Sí —dijo la sirenita con temblorosa voz, pensando en el príncipe y en alcanzar su alma inmortal.

—Pero recuerda —dijo la bruja—, una vez que hayas adoptado la forma humana, nunca podrás volver a ser una sirena. No podrás sumergirte en el agua y volver con tus hermanas al palacio de tu padre. Y si no logras que el príncipe te ame hasta tal punto que olvide por ti a su padre y a su madre, y que no pueda apartarte de sus pensamientos y que deje que un sacerdote ponga tu mano sobre la suya para que os convirtáis en marido y mujer, entonces no conseguirás tu alma inmortal. La primera noche después de que se despose con otra, tu corazón se partirá y te convertirás en espuma de mar.

—¡Eso deseo! —dijo la sirenita, palideciendo.

—Pero me tendrás que pagar —dijo la bruja—. Y lo que pido no es algo insignificante. Tienes la voz más bella de las profundidades del mar, y probablemente piensas que podrás encantar al príncipe con ella. Pero me darás tu voz. Quiero lo mejor que tienes a cambio de mi preciado brebaje. ¡Porque debo poner mi propia sangre en él! Así será tan poderoso como una espada de doble filo.

—Pero si me quitas la voz —dijo la sirenita—, ¿qué me quedará?

—Tu hermoso cuerpo —dijo la bruja—, la gracia de tus movimientos y tus brillantes ojos. Con ellos podrás hechizar ¡el corazón de cualquier corazón mortal! Saca tu pequeña lengua para que pueda cortarla como pago, y entonces tendrás el poderoso brebaje.

—Que así sea —dijo la sirenita, y la bruja encendió el caldero para preparar el brebaje mágico.

—La limpieza es algo muy bueno —dijo, y limpió el caldero con sus serpientes de agua, a las que había atado.

Hizo un corte en sus pechos y dejó que su sangre negra cayera dentro del caldero. El flujo formó formas extrañas que eran aterradoras. Cada vez la bruja echaba cosas nuevas al caldero, y cuando todo se hubo mezclado, parecían como lágrimas de cocodrilo. Finalmente la bebida estuvo lista y resultó tan clara como el agua.

—Aquí está —dijo la bruja, y cortó la pequeña lengua de la sirena. Ahora ella era muda y no podía ni cantar ni hablar.

—Si alguno de los seres polimórficos te atrapa cuando atravieses mi bosque —dijo la bruja—, arrójales una gota de esta bebida y sus brazos y dedos estallarán en mil pedazos. Pero la sirenita no tuvo que hacerlo. Los pólipos se apartaban atemorizados al ver el líquido brillante que ardía vivamente en su mano como una estrella reluciente. Y así atravesó el bosque, la ciénaga, y los violentos remolinos.

Vio el palacio de sus padres. Las antorchas del salón de baile se habían apagado. Debería estar todo el mundo dormido, pero no se atrevió a buscarles ahora que estaba muda y que iba a abandonarles para siempre. Era como si su corazón se fuera a romper de dolor. Entró en el jardín, tomó una flor de cada uno de los jardines de sus hermanas, lanzó cientos de besos al palacio y subió por el oscuro mar azul.

El sol no había salido todavía cuando pudo ver el castillo del príncipe y se dirigió hacia las magníficas escaleras de mármol. La luna brillaba con toda su claridad y fuerza. La sirenita bebió el brebaje ardiente y fue como si su delicado cuerpo fuera atravesado por una espada de doble filo. Se desmayó y quedó tendida como si estuviera muerta. Cuando el sol brillaba en lo alto, reflejándose en el mar, se despertó y sintió un dolor punzante, pero justo delante de ella estaba el bello príncipe. Fijó sus bellos ojos negros en ella de tal manera que la sirenita los tuvo que bajar, y se dio cuenta de que su cola de pez había desaparecido y a cambio tenía las piernas más hermosas que una joven podía desear. Estaba medio desnuda, por lo que se cubrió con su fino y largo pelo. El príncipe le preguntó quién era y cómo había llegado hasta allí, y entonces le miró tiernamente pero con tristeza en sus oscuros ojos azules, ya que por supuesto no podía hablar.

Cada paso que daba era, como ya le dijo la bruja, como andar entre cuchillos afilados y punzantes. Pero lo soportó de buen grado. Al lado del príncipe se movía con la facilidad de una burbuja, y todo el mundo se percató de sus ágiles y graciosos movimientos.

Le entregaron lujosos vestidos de seda y muselina. En el castillo era la más bella de todas. Pero era muda, no podía ni hablar ni cantar. Encantadoras doncellas, vestidas con sedas y oro, venían y cantaban al príncipe y sus familiares. Una de ellas cantó de forma más dulce que el resto, y el príncipe aplaudió y se sonrió. La sirenita se entristeció. Sabía que ella habría cantado mucho mejor, y pensó: «Si supiera que he tenido que renunciar a mi voz por toda la eternidad por estar con él». Las doncellas bailaron con movimientos gráciles con el acompañamiento de la música. Entonces la sirenita elevó sus bellos brazos, se alzó sobre la punta de sus pies y se deslizó por la sala. Bailó como nadie lo había hecho antes. Con cada movimiento su belleza resultaba más notoria, y sus ojos hablaban al corazón con más fuerza que las canciones de las doncellas.

Todo el mundo quedó prendado de ella, especialmente el príncipe, quien la llamaba su pequeña huérfana, y bailaba y bailaba a pesar de que cada vez que sus pies tocaban el suelo era como caminar sobre cuchillos afilados. El príncipe decía que estarían juntos para siempre, y le permitía dormir junto a su dormitorio en un colchón de terciopelo.

Consiguió ropas de muchacho para que pudiera acompañarle en sus salidas a caballo. Cabalgaban por los bosques fragantes, donde las ramas verdes rozaban sus hombros y los pajarillos cantaban en las hojas. Con el príncipe subía a lo más alto de las montañas, y a pesar de que sus delicados pies sangraban visiblemente, ella se reía del dolor y le seguía hasta que podían ver las nubes alejarse como una bandada de pájaros en su marcha hacia tierras lejanas. De vuelta al castillo del príncipe, de noche, mientras los demás dormían, la sirenita bajaba por la escalera de mármol y refrescaba sus doloridos pies en el agua fría del mar. Y entonces era cuando se acordaba de los que había dejado en las profundidades.

Una noche, sus hermanas vinieron. Cantaron tristemente mientras nadaban en el mar, y ella las saludó. La reconocieron y le dijeron lo infelices que les había hecho. Desde entonces, las sirenas la visitaban todas las noches y un día vio a lo lejos a su anciana abuela, que no había subido a la superficie hacía muchos años, y al rey de los mares con su corona en la cabeza. Alargaron sus brazos hacia ella, pero no se atrevieron a acercarse tanto a la orilla como las sirenitas.

Cada día el príncipe estaba más unido a la sirena. La quería como se quiere a un niño, pero en ningún momento pensaba en hacerla su reina. Y tendría que convertirse en su esposa si quería vivir, o no tendría un alma inmortal y se convertiría en espuma del mar al día siguiente de la boda del príncipe.

—¿No me amas más que a nada? —parecían decir los ojos de la sirenita cuando el príncipe la tomaba en sus brazos y besaba su bella frente.

—Por supuesto que te quiero mucho —decía el príncipe—, por tener el corazón más bondadoso de todo el mundo. Estás hecha para mí, y te pareces a una joven que una vez vi pero que no volveré a encontrar nunca. Estaba en un barco que naufragó. Las olas me llevaron a la orilla cerca del convento al que varias doncellas habían consagrado su vida. La más joven me encontró y salvó mi vida. Solo la vi dos veces. Ella es la única mujer a la que podría amar en este mundo. Pero tú te pareces a ella y casi has sustituido su imagen en mi alma. Ella pertenece al convento, y la buena fortuna te ha enviado a ti. ¡Nunca nos separaremos!

«¡Ay de mí! ¡No sabe que yo le salvé la vida!», pensó la sirenita. «Le llevé al bosque donde se encuentra el convento. Me escondí bajo la espuma y esperé para ver si algún mortal se acercaba. Vi a la hermosa joven, a la que ama más que a mí». Y la sirenita suspiró profundamente, ya que no podía llorar. «La joven ha consagrado su vida a la iglesia», dijo. «Nunca saldrá al mundo. Nunca se volverán a encontrar, pero yo estoy con él y le veo todos los días. Le cuidaré, le amaré, sacrificaré mi vida por él».

Pero la gente empezó a murmurar que el príncipe iba a contraer matrimonio con la encantadora hija del monarca del reino vecino. Esa era la razón por la que estaba equipando un barco tan suntuosamente. Se decía que el príncipe iba a visitar el país del monarca vecino, pero de hecho iba para ver a su hija. Le acompañaría un gran séquito. Pero la sirenita negó con la cabeza y se rio. Conocía los pensamientos del príncipe mejor que el resto de la gente.

—Tengo que visitar a la princesa. Mis padres insisten en ello. Pero no pueden obligarme a traerla al castillo como mi prometida. No la puedo amar. No se parece a la bella joven del convento, a la que tú me recuerdas. Si tuviera que escoger esposa, tú serías probablemente la afortunada, mi silenciosa huerfanita de ojos brillantes.

Y besó su rosada boca, jugueteó con su largo pelo, y apoyó su cabeza sobre su corazón, que soñaba con la felicidad de los mortales y un alma que viviera por siempre.

—No tienes miedo del mar, ¿verdad, mi silenciosa niña? —dijo mientras estaban en la cubierta del fabuloso barco que les llevaba al reino vecino.

El príncipe le hablaba de tormentas y calmas y de extraños peces de las profundidades y de lo que los submarinistas habían visto ahí abajo. Y ella sonreía al escuchar sus historias, ya que, por supuesto, conocía las profundidades del mar mejor que nadie.

Por la noche, cuando todo el mundo dormía —incluso el marinero al timón— se sentaba en la borda del barco y se quedaba mirando el agua cristalina, y le parecía distinguir el palacio de su padre. En lo más alto estaba su anciana abuela con su corona plateada en la cabeza, alzando la mirada hacia la quilla del barco. Entonces sus hermanas subieron a la superficie del mar. Contemplaron a la sirenita y alargaron sus blancas manos. Ella les saludaba y les sonreía y les iba a decir que todo estaba bien y que era feliz pero en ese momento un muchacho se acercó y sus hermanas se zambulleron en el agua, y este creyó que el color blanco que veía en el mar era la espuma.

A la mañana siguiente, el barco llegó al puerto de la capital del reino. Todas las campanas repicaron, y desde las altas torres las trompetas sonaban, mientras que los soldados sostenían las banderas ondeantes y las bayonetas relucientes. Cada día hubo una celebración. Bailes y fiestas se sucedían, pero la princesa no había llegado aún. Estaba recibiendo educación en un convento lejano, decían, donde estaba aprendiendo todas las virtudes de su real condición. Finalmente llegó. La sirenita esperaba con ansiedad ver lo hermosa que era, y tuvo que confesar que nunca había visto antes una criatura tan bella. Su piel era delicada y suave y bajo sus largas y oscuras pestañas un par de hermosos ojos azules sonreían.

—¡Eres tú! —dijo el príncipe—. ¡Tú, tú me salvaste cuando estaba tendido medio muerto en la orilla!

Y tomó a su ruborosa prometida entre sus brazos.

—¡Oh, soy tan feliz! —dijo a la sirenita—. Lo mejor que podía haber deseado se ha hecho realidad. ¡Debes de estar pletórica por mi buena suerte, porque me quieres mucho!

Y la sirenita besó su mano, aunque sentía que su corazón se estaba rompiendo. La mañana de su boda le traería la muerte y se transformaría en espuma del mar.

Todas las campanas de las iglesias repicaban. Los heraldos cabalgaban por las calles y anunciaban los desposorios. En todos los altares quemaban aceites olorosos en lujosas lámparas de plata. Los sacerdotes balanceaban incensarios, y la novia y el novio se dieron las manos y recibieron la bendición del obispo. La sirenita, vestida de seda y oro, sujetaba la cola del vestido de la novia. Pero sus oídos no escuchaban la música, ni sus ojos observaban la sagrada ceremonia. Pensó en la mañana de su muerte, en todo lo que había perdido en este mundo.

Esa misma noche los novios zarparon en el barco. Los cañones lanzaban salvas, todas las banderas ondeaban al viento y en el centro de la cubierta, se erigía un majestuoso pabellón púrpura y oro, con los más finos cortinajes. Allí era donde la pareja iba a pasar la tranquila y fría noche. La brisa hinchaba las velas, y el barco se deslizaba suavemente sobre el claro mar. Cuando empezó a anochecer, linternas multicolores se encendieron y los marineros bailaban alegremente en la cubierta. Esto le recordó a la sirenita la primera vez que había ascendido a la superficie y observado el mismo esplendor y las mismas celebraciones.

Y comenzó a bailar, flotando como la golondrina que se eleva cuando es perseguida, y todo el mundo aplaudió y gritó de admiración. Nunca había bailado tan bien. Era como si cuchillos afilados estuvieran cortando sus delicados pies, pero ella no sentía nada. El dolor de su corazón era cada vez mayor. Sabía que era la última noche en la que vería a la persona por la cual había abandonado a su familia y su hogar, sacrificado su bella voz y sufrido diariamente una agonía sin fin sin haberse dado cuenta. Sería la última noche en la que respiraría el mismo aire que él, vería el profundo mar y el cielo lleno de estrellas. Una noche interminable sin pensamientos o sueños le estaba esperando, a ella que no tenía alma ni la podría tener nunca. Y en el barco había alegría y regocijo que duró hasta bien entrada la noche. Ella reía y bailaba, con la sombra de la muerte en su corazón. El príncipe besaba a su encantadora esposa y esta jugueteaba con su oscuro pelo, y tomados del brazo fueron al lecho nupcial del magnífico pabellón.

Creció el silencio y la calma en el barco. Solo el timonel permanecía al timón. La sirenita apoyó sus blancos brazos en la barandilla y miró hacia el este buscando el amanecer, los primeros rayos del sol, que sabía que la matarían. Vio a sus hermanas ascender a la superficie del mar. Estaban tan pálidas como ella. Sus largos y hermosos cabellos no se movían con la brisa. Se los habían cortado.

—Se los tuvimos que dar a la bruja para que pudiera ayudarte, para que así no tengas que morir esta noche. Nos ha dado un cuchillo; aquí está. ¿Ves lo afilado que es? Antes de que salga el sol debes clavárselo al príncipe en el corazón. Y cuando su sangre todavía caliente salpique tus pies, se transformarán de nuevo en cola de pez, serás otra vez una sirena y podrás zambullirte en el mar con nosotras y vivir tus trescientos años antes de convertirte en espuma de mar sin vida. ¡Apresúrate! O tú o el príncipe moriréis antes de que salga el sol. Nuestra anciana abuela está muy apenada de que la bruja haya cortado su pelo y el nuestro. ¡Mata al príncipe y vuelve con nosotras! ¡Date prisa! ¿Ves aquella línea roja en el horizonte? En muy poco tiempo el sol saldrá y entonces morirás —emitieron un suspiro profundo y se hundieron en las olas del mar.

La sirenita retiró la cortina violeta del pabellón y observó a la hermosa esposa del príncipe que dormía con la cabeza apoyada sobre el pecho de este. Se arrodilló y besó la bella frente del joven, miró al cielo, que crecía cada vez más rojizo, observó el afilado cuchillo y de nuevo fijó sus ojos en el príncipe que murmuraba en sueños el nombre de su esposa.

Solo ella estaba en sus pensamientos y el cuchillo brilló en la mano de la sirena. Pero entonces lo lanzó lejos, a las olas del mar. Estas brillaron con un color rojo cuando cayó al agua, como si gotas de sangre surgieran del fondo del agua. Una vez más miró al príncipe con los ojos empañados y se lanzó al mar y sintió como su cuerpo se convertía en espuma. El sol surgió de entre las aguas. Los templados y apacibles rayos brillaron sobre la fría e inanimada espuma del mar, y la sirenita sintió que estaba todavía viva. Vio el claro sol y como, en lo más alto, justo encima de ella, flotaban cientos de criaturas transparentes. A través de ellas podía ver las velas blancas del barco y las nubes rosáceas en el cielo. Sus voces eran melodiosas pero tan etéreas que ningún mortal podría percibirlas ni ningún ojo humano podría verlas. Aunque no tenían alas, flotaban en el aire con completa ligereza. La sirenita vio que su cuerpo era como el de estas criaturas. Se elevaba más alto cada vez a través de la espuma.

—¿Con quién debo ir? —dijo. Y su voz, como la de ellas, sonaba tan suave que ni la música de la tierra podría reproducirla.

—Con las hijas del aire —replicaron las otras.

—Una sirenita no tiene alma inmortal y no puede tener una a menos que consiga el amor de un mortal. Su inmortalidad depende de un poder desconocido. Las hijas del aire tampoco tienen almas inmortales, pero pueden conseguir una con sus buenas obras. Volamos a los países cálidos donde la humedad y los aires pestilentes matan a los mortales. Allí, nosotras llevamos por el aire brisas cálidas. Extendemos la fragancia de flores y lo llenamos todo de frescor y lo hacemos saludable.

»Después de luchar durante trescientos años por hacer todo el bien que podemos, recibimos un alma inmortal y compartimos la felicidad eterna de los humanos. Pobre sirenita. Has luchado con todo tu corazón por lograr lo mismo. Has sufrido y padecido y has llegado hasta el mundo de los espíritus del aire. Por tus buenas obras puedes ganar un alma inmortal después de trescientos años».

Y la sirenita elevó sus brazos transparentes hacia el divino sol, y por primera vez sintió lágrimas en sus ojos. En el barco se notaba de nuevo movimiento y vida. Vio al príncipe con su bella esposa que la estaban buscando. Con gran pena, miraron la espuma burbujeante, como si supieran que ella se había arrojado al mar. Sin que nadie la pudiera ver, besó la frente de la novia, sonrió al príncipe, y con las otras hijas del aire ascendió hacia las nubes rosáceas que navegaban por el aire.

—¡En trescientos años flotaremos como estas nubes hacia el reino de Dios!

—Podemos ir antes —dijo una—. Sin que nos vean podemos entrar en las casas de los mortales donde hay niños, y por cada día que encontremos un niño bueno que haga felices a sus padres y sea merecedor de su amor, Dios hará más corto nuestro tiempo de espera. El niño no sabe cuándo volamos por la habitación, y así cuando sonreímos de alegría, se nos perdona un año de los trescientos. Pero si nos encontramos un niño que es desagradable y malo, debemos derramar lágrimas de pena, y cada una de ellas añade un día más a nuestro tiempo de aflicción.

EL TRAJE NUEVO DEL EMPERADOR

Érase una vez hace muchos años un emperador al que le gustaban tanto los trajes nuevos y lujosos que gastaba todo su dinero en ropajes. No prestaba atención a sus soldados, ni le interesaban los entretenimientos ni visitar sus campos a menos que esto le permitiera lucir su nueva vestimenta. Tenía un manto para cada hora del día, y del mismo modo que de un rey se dice que está siempre reunido «en Consejo», del emperador se decía que estaba siempre «en su vestidor».

En la ciudad donde él vivía, todo el mundo era feliz. Muchas personas venían a visitar el lugar cada día. Y fue uno de esos días cuando llegaron dos charlatanes. Se hicieron pasar por unos tejedores tales que eran capaces de tejer la tela más exquisita nunca imaginable. No solamente los colores y los dibujos serían bellísimos sino que además las ropas hechas de este tejido tendrían la peculiaridad de volverse invisibles para cualquier persona que no fuera apropiada para el puesto que desempeñaba o que fuera completamente estúpida.

«Bien, estas serán unas ropas extraordinarias», pensó el emperador. «Con ellas puestas podré saber qué hombres de mi reino no son los adecuados para sus cargos, ¡podré incluso distinguir los inteligentes de los estúpidos! Sí, esa tela debe ser tejida para mí inmediatamente». Y entregó a los dos charlatanes una gran cantidad de dinero para que empezaran a trabajar en el maravilloso tejido.

Estos instalaron dos telares e hicieron como que estaban trabajando, pero no tenían nada en las ruecas. Sin ninguna ceremonia, pidieron la seda más fina y el hilo de oro más precioso, que guardaron en sus bolsillos, trabajando en los vacíos telares hasta bien entrada la noche.

«Ahora, me gustaría ver cómo va el hilado de la tela», pensó el emperador. Pero le hizo sentirse un poco inquieto el pensar que todo aquel que fuera estúpido o inapropiado para su cargo no podría ver el tejido. Por supuesto, el emperador creyó que no tenía nada que temer. Sin embargo, prefirió enviar a alguien para informarle de cómo iba el trabajo. Toda la ciudad era consciente de los poderes que esta tela poseía, y todo el mundo ansiaba saber lo malo o estúpido que era su vecino.

«Enviaré al más anciano y honesto de mis ministros», pensó el emperador. «Él será el que mejor me informe sobre cómo es la tela ya que es una persona inteligente y adecuada para su cargo». El inocente ministro entró en la sala donde estaban los dos charlatanes trabajando en los telares vacíos. «¡Dios nos asista!», pensó el anciano ministro, con los ojos completamente abiertos. «¿Por qué no puedo ver nada?». Pero no dijo una palabra.

Los dos charlatanes le invitaron educadamente a aproximarse y le preguntaron si no pensaba que era un tejido de bellos colores y asombrosos dibujos. Entonces ambos le mostraron los telares vacíos y el pobre ministro trató de abrir más sus ojos. Pero no pudo ver nada, ya que allí nada había.

«¡Dios mío!», pensó. «¿Acaso soy estúpido? Nunca lo habría creído de mí, y ¡nadie debe descubrirlo! ¿No soy la persona adecuada para mi cargo? No, no saldrá de mi boca que no puedo ver la tela».

—Bien, todavía no ha dicho nada sobre el tejido —dijo el charlatán que estaba tejiendo.

—Oh, es realmente bella. ¡Muy fina! —dijo el anciano ministro, mirando con atención a través de sus anteojos—. ¡Qué diseño y colores! Le comunicaré al emperador que me satisface gratamente.

—Estamos encantados de escuchar eso —dijeron los dos tejedores, describiendo a continuación los colores y los dibujos de tan singular tejido. El viejo ministro prestó atención para poder repetir así toda la descripción cuando estuviera delante del emperador. Y así lo hizo.

Los charlatanes pidieron más dinero para la seda y los hilos de oro que iban a emplear en la tela y rápidamente lo guardaron todo en sus bolsillos. Ni rastro de hilo se empleó en las ruecas, pero los charlatanes seguían trabajando en los telares igual que antes.

Poco después, el emperador envió a otro crédulo oficial para ver cómo se desarrollaba el trabajo de hilado y saber si pronto la tela estaría lista. Lo mismo que le ocurrió al ministro se repitió con el oficial. Miró y miró pero no pudo ver nada más que los vacíos telares.

«No soy estúpido», pensó. «Entonces, ¿será que no soy adecuado para mi puesto? Esto es muy extraño, pero debo de tener mucho cuidado de que no se note». Así que elogió la tela que no era capaz de ver y aseguró que estaba encantado con los colores y el bello diseño. —Sí, es realmente bella —dijo al emperador.

Todos los habitantes de la ciudad hablaban sobre el extraordinario tejido. El emperador quiso ver con sus propios ojos cómo era la tela, todavía en los telares. Acompañado por un grupo de hombres escogidos por él mismo, entre los que se encontraban los dos oficiales que habían visitado antes la sala de los telares, fue hasta el lugar donde los dos astutos charlatanes simulaban tejer con todo su empeño, pero sin dar una sola puntada o emplear ningún hilo.

—¿No es magnífica? —dijeron los dos oficiales leales—. ¡Ve vuestra majestad qué colores y qué dibujo! —Y señalaron las ruecas vacías, ya que ellos creían que el resto de los hombres allí presentes eran capaces de ver la tela.

«¿Qué es esto?», pensó el emperador. «¡No puedo ver nada! ¡Esto es horrible! Soy estúpido, ¿no soy apto para ser emperador? Esto es lo peor que me podría pasar».

—Oh, ¡es bastante hermosa! —dijo el emperador—. Cuenta con mi total aprobación, —e inclinó la cabeza afirmativamente hacia los vacíos telares. No quiso decir que no podía ver nada. La muchedumbre que le acompañaba miraba una y otra vez, aunque ninguno de ellos pudo ver más que el resto. Pero, al igual que el emperador, afirmaron:

—Oh, ¡es bastante hermosa!

Y le aconsejaron que se hiciera nuevos ropajes con la magnífica tela para el gran desfile que iba a tener lugar próximamente.

—¡Es magnífico! ¡Excelente! ¡Exquisita! —se podía escuchar de boca en boca. Y todos los presentes estaban encantados y maravillados con la tela. El emperador otorgó a cada uno de los charlatanes una insignia que les designaba como caballeros para que la llevaran prendida del hojal, además de nombrarles «Sastres mayores del reino».

Durante toda la noche anterior a la mañana del desfile, los charlatanes se sentaron rodeados de más de dieciséis velas encendidas. La gente pudo ver lo ocupados que parecían estar, terminando el traje nuevo del emperador. Hacían como que recogían el tejido de los telares, que daban tijeretazos al aire con unas grandes tijeras y que cosían con agujas sin hilo. Al fin dijeron.

—Mirad, ¡hemos terminado el traje del emperador!

Con sus más nobles caballeros allí esperándole, el emperador entró en la sala y los dos charlatanes mantuvieron un brazo en alto como si estuvieran sujetando algo y dijeron:

—¿Ve?, aquí están los calzones. Aquí, la chaqueta y aquí, la capa. Y así siguieron con el resto de los ropajes.

—Es tan ligero como la tela que teje la araña. ¡Creerá que no lleva nada encima! Pero es en esto donde reside la belleza de este tejido.

—Sí —dijeron los caballeros, aunque no pudieron ver nada pues nada había que ver.

—Ahora, si su majestad diera su consentimiento y se despojara de sus ropas —dijeron los charlatanes—, le ayudaríamos a vestirse con las nuevas justo aquí, delante del espejo.

El emperador se quitó su vestimenta y los charlatanes actuaron como si estuvieran sosteniendo cada uno de los ropajes que se suponía habían estado confeccionando. E incluso rodearon la cintura del emperador como si estuvieran ajustando algo —la cola de la capa— y este se giró para mirarse en el espejo.

—¡Cielos! ¡Qué bien le sienta! ¡Está magnífico! —dijeron todos—. ¡Qué tejido y qué colores! ¡Qué maravillosos ropajes!

—Le están esperando fuera con el dosel que va a conducir a su majestad en el desfile —dijo el maestro de ceremonias.

—Estoy preparado —dijo el emperador—. ¿No son unos ropajes realmente bellos? —y volvió a mirarse en el espejo, como si estuviera admirando el vistoso traje.

Los acompañantes que iban a llevar el dosel bajaron las manos para sostener la cola de la invisible capa. Caminaban y llevaban sus armas en alto. No se atrevían a mostrar que no podían ver nada. Y así el emperador desfiló bajo el bello dosel. Y toda la gente en las calles y desde las ventanas gritaban a su paso:

—Cielos, ¡qué magníficas son las ropas nuevas del emperador! ¡Qué capa tan hermosa lleva! ¡Qué bien le sienta!

Nadie quería reconocer que no podían ver nada, ya que esto habría indicado que o bien no se era adecuado para el puesto que se desempeñaba, o que se era estúpido. Ninguno de los trajes del emperador había tenido tanto éxito como este.

—¡Pero si no lleva nada encima! —dijo un niño.

—¡Cielos, escuchad a esa inocente voz! —dijo el padre. Y las palabras del niño se transmitieron entre el gentío.

—¡No lleva nada encima! Es lo que está diciendo un niño. ¡No lleva nada encima!

—¡No lleva nada encima! —finalmente gritó la multitud.

Y el emperador se estremeció en ese momento, ya que se dio cuenta de que decían la verdad. Pero pensó: «Ahora debo llevar a cabo el desfile». Y caminó más orgulloso que nunca, mientras su séquito portaba el inexistente manto.

Índice